Allons-y!

LE FRANÇAIS PAR ÉTAPES

Jeannette D. Bragger
The Pennsylvania State University

Donald B. Rice
Hamline University

Heinle & Heinle Publishers, Inc.
Boston, Massachusetts 02210 U.S.A.

Allons-y!

LE FRANÇAIS PAR ÉTAPES

Credits

Black & white photo credits

All photos except the following were taken by **Alain Mingam**: Pages 121, 126, 127, 161 (right), 494 **Judy Poe**; 161 (left), 286 **Photographie De Sazo-Rapho / Kay Reese & Associates**; 263, 271, 471, 473, 486, 488 **Beryl Goldberg**; 313 **Mark Antman / Stock, Boston**; 341 **Barbara Alper / Stock, Boston**; 254, 342, 408, 481 **Owen Franken / Stock, Boston**; 347 **Fredrik D. Bodin / Stock, Boston**; 348 **Anestis Diakopoulos / Stock, Boston**; 349 **H. W. Silvester / Photo Researchers, Inc.**; 350 **Ulrike Welsch**; 357 **Georg Gerster, Rapho / Photo Researchers, Inc.**; 395 **Stuart Cohen**; 414 **Peter Menzel / Stock, Boston**; 419, 428 **Courtesy of Bowdoin College**; 429 **Johnnie Walker / The Picture Cube**; 437 **Ellis Herwig / Stock, Boston**; 480 **Canadian Government Office of Tourism**; 492 **Mike Mazzaschi / Stock, Boston**; 517 **Stock, Boston.**

Color Photo Credits

All by **Alain Mingam** except the following:
Allons au café: 4 **Peter Menzel**
Visitons Paris: 1 **Peter Menzel**; 2 **Ulrike Welsch** (bottom); 3 **Christian Delbert/ The Picture Cube** (bottom right); 4 Courtesy of **RATP**
Visitons la France: 1 **Peter Menzel**; 2 **Susan Lapides** (top), **Peter Menzel** (bottom left and right); 3 **Peter Menzel** (top), **Ulrike Welsch** (bottom); 4 **Ulrike Welsch** (top), **Anthony Donaldson** (bottom)
Visitons le monde francophone: 1 **Christian Delbert/The Picture Cube**; 2 **Simone Oudot** (top and bottom); 3 **Richard Wood/The Picture Cube** (top), **Robert Frerck/Odyssey Productions** (bottom); 4 **Simone Oudot** (top), **Ulrike Welsch** (bottom left), **Belgian National Tourist Office** (bottom right)

Illustrations by **Joseph Veno**.

Cover design by **Glenn Pacitto**.

Excerpts from *Guide Michelin* (pages 210-211) courtesy of Michelin Corporation. Rail map (page 314) courtesy of Esselte Map Service.

Table des matières

CHAPITRE TROIS: Renseignons-nous!   59

CHAPITRE QUATRE: Allons en ville!   85

PREFACE

ALLONS-Y! Le Français par étapes is a French textbook designed to facilitate the development of communicative competence during the first year of college-level language study. Because the authors are convinced that creative use of the language is possible from the outset, the text has been written to allow maximum interaction among students and between students and instructors, beginning with the preliminary lesson. Such interaction is based on tasks to be accomplished and on effective linguistic functioning in real situations. Class time is seen as an opportunity for students to practice the French they will hear and speak when visiting a French-speaking country. Furthermore, it is seen as a time when trial and error are a necessary part of the language acquisition process and when free expression must be encouraged.

Just as everyday spoken French does not include every grammar structure and every vocabulary item available in the French language, the authors have limited the text to the elements most frequently used by native speakers in daily life. Grammar is not presented for its own sake, but as a means to transmit a spoken or written message as accurately as possible. All vocabulary presented in the first 3 *étapes* of each chapter is considered active. Each chapter contains enough active vocabulary on the central theme to give students the freedom to be as creative as possible in expressing their ideas. Any new vocabulary found in the readings (fourth *étape* of each chapter and entire Chapters 5, 14, and 19) is considered passive.

The contexts presented in *ALLONS-Y!* have been chosen according to the frequency with which they occur in the real-life experience of a traveler interested in discovering a French-speaking country and in maximizing such an experience through the interaction with its people. These contexts are designed to build confidence in student travelers and to allow them not only to survive in the foreign culture but to do so with enjoyment. With this objective, the contexts include such tasks as greetings and introductions, getting to know other people and talking about oneself, ordering a meal, taking the subway or train, getting a room in a hotel, going shopping, buying clothes, going to the post office and bank, describing daily routines, looking for work, etc. These tasks are not to be described, but to be accomplished using the elements of the French language that students have at their disposal. It is therefore through active participation in simulations that students will assure themselves of their ability to interact with others in French.

ALLONS-Y! is realistic and positive in its expectations. The material presented in the text *can be covered and learned* in a one-year course, and enough time has been reserved to allow instructors the flexibility necessary in effective teaching. Neither the students nor the instructors will feel pressed for time or frustrated because too much always remains to be done.

Perhaps the most important feature of *ALLONS-Y!* is the authors' belief that the essential aspect of language acquisition is to inspire in the students the confidence and therefore the willingness to use whatever elements of language they have at their disposal. *ALLONS-Y!* has been written to dispel the notion that students must wait until they enter advanced French courses before real communication can take place.

To the student

As you begin to use the French language, you will quickly discover that your interaction with French speakers or your classmates need not be postponed to some unspecified point in the future. It might help convince you of this to know that of the eighty thousand words found in the French language, the average French person uses only about eight hundred on a daily basis. Therefore, the most important task ahead of you is not to *accumulate* as much knowledge as possible about French grammar and vocabulary, but to *use* what you do know as effectively and as creatively as you can. Communication in a foreign language means understanding what others say and transmitting your own messages in such a way as to avoid misunderstandings. As you learn to do this, you will make the kinds of errors that are necessary to language learning. Consequently, errors should be seen by you as a positive step toward effective communication. They advance rather than hinder you in your efforts.

ALLONS-Y! has been written with your needs in mind. It leads you from structured exercises to open-ended activities, in which you will be asked to handle situations as well as you can. The situations themselves are intended to give you the freedom to be creative and to express yourself without anxiety. We hope that you will find your experience with *ALLONS-Y!* both rewarding and enjoyable.

To the instructor

ALLONS-Y! is a beginning-level college language text that fully integrates the four language skills to allow students to accomplish real tasks. Each of the twenty chapters is thematically unified, and each chapter builds to a climax through the end-of-chapter activities. The text's content has been realistically limited and arranged to make *ALLONS-Y!* a manageable program for a one-year course. Although the four language skills receive equal attention, each skill has been assigned its proper place within the program. As a result, speaking is seen as the major component of the class period, while writing is developed primarily outside of class. The reading and listening skills are incorporated into both class and homework time.

The degree to which this program is successful will, of course, depend largely on your use of the materials. Your success will be greatly enhanced if you accept the premises that trial and error are necessary parts of language acquisition and that the objective of any language class is effective communication through creative use of the language. With oral proficiency testing and the oral-proficiency-based curriculum becoming a reality in many colleges and universities, we have kept in mind the principles set forth in the ACTFL/ETS Oral Proficiency Guidelines so that we may help students to function as accurately as possible in the situations they are most likely to experience. Most importantly, we have incorporated into *ALLONS-Y!* the distinction among linguistic, communicative, and strategic competence in the determination of our priorities for the text.

Organization of ALLONS-Y!

ALLONS-Y! is divided into twenty chapters, preceded by an *Étape Préliminaire* and followed by a *Dernière Étape*. The text therefore contains a total of eighty-two *étapes* (four per chapter), to be covered in one year (two semesters or three quarters) or eighty-two class periods. Each *étape* approximates one class period and can serve as a self-contained lesson plan that includes new material, review of the previous *étape*, and an end-of-*étape* review. These elements are interspersed to allow for maximum variety and effective pacing in the classroom.

As the chapter and *étape* titles indicate, our primary concern is to give students the linguistic tools to interact effectively with others using the French language. Thus, "**Allons au café!**", "**Faisons connaissance!**", "**Renseignons-nous!**", "**Trouvons un hôtel!**", "**Prenons le train!**", "**Soignons-nous!**", "**Allons à la banque!**", etc., are intended to convey the feeling of active involvement and participation, of the ability to accomplish specific communication tasks. The linguistic tools acquired in these contexts may then be transferred by students to other situations that will present themselves in the foreign culture.

The *Étape Préliminaire* serves as the lesson for the first day of class. (Since one cannot assume that students will bring their books to class on the first day, we provide transparency masters for the *Étape Préliminaire* in the *Instructor's Resource Kit*.) The *Étape Préliminaire* contains eight basic principles inherent in the French language, which you can convey to students through a series of activities. An understanding of these principles will have a long-term effect on the students' ability to grasp the concepts presented throughout the rest of the text. In addition, it contains the initial exposure to the café theme (Chapter 1), and students can learn, on the first day of class, how to interact with a waiter/waitress and order something to drink.

Beginning with Chapter 1, each chapter contains a sequence of four *étapes*, with the chapter theme amplified from one *étape* to the next. The major components of the *Première, Deuxième,* and *Troisième Étapes* are:

1. *Point de départ* (introduction to chapter theme and new vocabulary), followed by *À vous! (Exercices de vocabulaire)*
2. *Reprise* (exercises, found in *étapes* 2, 3, and 4, reviewing the previous *étape*)
3. *Structure* (presentation of a grammar point, followed by the *Application*, or exercise section)
4. *Prononciation* (Chapters 1–10), in which we proceed from grapheme to phoneme, followed by *Pratique*

5. *Structure* with *Application*
6. *Mise au point (Petite révision de l'étape)*, which includes one oral and one written exercise

The *Quatrième Étape* differs from the previous three in that the *Point de départ* has been replaced by a cultural reading (*Lecture*) that deals with a particular aspect of the chapter theme. Any new vocabulary presented in the reading is considered passive, and the exercises that follow have been written to check comprehension only. Students are not expected to learn new vocabulary in the reading, nor are they asked to reproduce any of the ideas in French. Each text is preceded by a reading hint to help students to develop their reading skills systematically and increase comprehension. Students may be advised to pay attention to cognates or words of the same family, to guess from context, to retain one or several main ideas or the words essential to the understanding of the topic. The fourth *étape* continues with a *Reprise* of the *Troisième Étape* and ends with the *Point d'arrivée (Activités orales et écrites)*. No new grammar is presented in the *Quatrième Étape*.

The *Point d'arrivée* is the culminating point of the chapter. It contains a series of activities that serve as a review of the chapter and recombine the material in a variety of situations. All of the situations allow students to demonstrate their communicative and strategic competencies. Students are expected to get into, through, and out of some of the common situations they are likely to encounter when visiting a French-speaking country. The objective of the activities is therefore to encourage creativity in the language in order to "get the message across." The last activity of most chapters brings students back to the lead-in photograph of the chapter.

In addition to the cultural readings presented in the *Quatrième Étape* of every chapter, Chapters 5, 14, and 19 are devoted primarily to the development of the reading skill. "**Visitons Paris**," "**Visitons la France**," and "**Visitons le monde francophone**" are the titles of these chapters, which have as their main objective reading comprehension and the imparting of information. The four-*étape* sequence is maintained, a limited number of grammar points are included, and most new vocabulary items are passive.

Just as each chapter ends with practical, functional activities, so does the text with the *Dernière Étape*. The *Dernière Étape* is composed of a series of situations that allow students to demonstrate the skills they have acquired and the progress they have made. The situations are of the type used in the ACTFL/ETS Oral Proficiency Interview and may be used in class as a summary of the themes and structures that have been treated in the text. They may also serve as models for those instructors who wish to administer either a proficiency test or an oral achievement test at the end of the year.

Photos and illustrations

The photos and illustrations are specifically keyed to the text and are an integral part of the learning activities in *ALLONS-Y!* They are intended not only to be appreciated for their aesthetic value or the variety they bring to the text, but also for use in exercises and the presentation of material. They may add to the chapter theme, illustrate vocabulary items or a grammar point, or serve as the basis for an exercise. In addition to the line art, realia, maps, and black-and-white photos, there are four color essays, which illustrate the cultural material presented in Chapters 1, 5, 14, and 19. The majority of the photographs in the book were taken expressly for *ALLONS-Y!* by a French photographer, thus allowing for close integration of photos and text.

WEEKLY SYLLABUS FOR ALLONS-Y!

A. Two semesters or three quarters, classes meeting four times a week: Since each *étape* is intended for one class period, you could plan to teach a chapter a week, one *étape* per day.

Week	*Chapters in* ALLONS-Y
1 (short)	*Étape préliminaire* (one day)
2	Chapitre premier
3	Chapitre deux
4	Chapitre trois
5	Review; extended communicative activities, oral interviews— Evaluation
6	Chapitre quatre
7	Chapitre cinq
8	Chapitre six
9	Chapitre sept
10	Review; extended communicative activities, oral interviews— Evaluation

END OF FIRST QUARTER

11	Chapitre huit
12	Chapitre neuf
13	Chapitre dix
14,15	Review; extended communicative activities, oral interviews— Evaluation

END OF FIRST SEMESTER

16	Chapitre onze
17	Chapitre douze
18	Chapitre treize
19	Chapitre quatorze
20	Review; extended communicative activities; oral interviews— Evaluation

END OF SECOND QUARTER

21	Chapitre quinze
22	Chapitre seize
23	Chapitre dix-sept
24	Review; extended communicative activities; oral interviews— Evaluation
25	Chapitre dix-huit
26	Chapitre dix-neuf
27	Chapitre vingt
28	Dernière Étape
29,30	Review; extended communicative activities; oral interviews— Evaluation

END OF THIRD QUARTER, SECOND SEMESTER

B. Two semesters or three quarters, classes meeting three times a week: A reasonable possibility is to cover two chapters every three weeks—that is, a total of eight *étapes* in nine class sessions, leaving half of a class period in the second and third weeks for review, additional communicative activities, and evaluation.

C. Two semesters or three quarters, classes meeting five times a week: Cover the entire chapter in four days, and spend day five on review, additional communicative activities, and evaluation.

D. Two quarters, classes meeting five hours per week: One could plan to cover the first ten chapters (including the *Étape préliminaire*) during the first quarter and the last the chapters (including the *Dernière Étape*) in the second quarter.

Note: More details on planning schedules are given in the Instructor's Manual.

Ancillary Materials

One of the most important features of the *ALLONS-Y!* program is its complement of comprehensive supporting materials.

The *Cahier de Laboratoire et de Travaux Pratiques* supplements the textbook by giving students the opportunity to practice their newly-acquired skills outside of class. Each *étape* of the text is reviewed systematically through oral and written practice, and the textbook material is continually recombined in new exercises and situations. The concept of creativity is carried through into the taped and written activities. There are approximately thirteen hours of cassettes. Taped exercises are not just rote repetition drills, but rather activities that encourage the communication of a meaningful message. The writing activities in the workbook are designed to increase accuracy in transmitting the written message. Just as with the taped exercises, they allow for meaningful communication, not just mechanical drills. Thus, students begin to appreciate that communication is multi-faceted and that the writing skill is an integral part of the language learning experience.

The instructor's task is made easier by three ancillary components that can save time in preparation and add variety to the classroom.

The Instructor's Edition of the text presents techniques for introducing the various components of each *étape*, supplementary vocabulary, exercise variations and follow-up activities, and explanations to clarify the authors' intentions.

The Instructor's Manual (Constance K. Knop, University of Wisconsin, Madison) adds a new dimension to the authors' point of view and presents alternative methods for the presentation of the material as well as variations in lesson organization. A detailed chapter-by-chapter analysis allows instructors to vary their techniques from class to class or from semester to semester.

The Instructor's Resource Kit (referred to as the KIT) contains additional materials that are essential to effective language teaching, while adding liveliness to classroom presentations. In addition to the complete tapescript, chapter tests, workbook answers, and the Instructor's Manual, the KIT includes sets of color slides for Chapters 5 and 14, transparency masters (maps, charts, illustrations), full-color maps and posters, communication games, sources of realia/important addresses, and selected readings, including Rubin & Thompson's *How to Be a More Successful Language Learner*.

ALLONS-Y! in combination with these ancillary materials presents a complete and self-contained program designed to make the learning and teaching of French a pleasurable experience for everyone.

Acknowledgments

We would like to thank the following people at Heinle & Heinle Publishers who worked closely with us on this project—in particular, Charles H. Heinle, Stanley Galek, Carlyle Carter, and Stephen Spaulding. We would also like to thank Judy Poe, Cynthia Fostle, Henri Didier, and photographers Alain Mingam and Dominique Jassin.

We would also like to acknowledge the contributions of the following colleagues who reviewed and corrected the manuscript:

Constance Knop, University of Wisconsin, Madison

Sylvie Romanowski, Northwestern University

Susan Schunk, University of Akron

Weber Donaldson, Tulane University

Jeanette Szymanski, Marquette University

Patricia Westphal, Drake University

Gloria Russo, University of Virginia

James Flagg, Boston College

Jean-Pierre Cauvin, University of Texas, Austin

Donald C. Spinelli, Wayne State University

Jeanine M. Goldman, S.U.N.Y, Stony Brook

Joel Walz, University of Georgia

Dominick A. DeFilippis, Bethany College

We wish to express our appreciation to Walter Blue, Tamara Root, Wojciech Komornicki, Kathy Kulick, Isabelle George, and Claire Turquin, whose assistance was invaluable in the conception and the development of this textbook.

Finally, our special thanks go to Baiba and Mary, who supported and encouraged us throughout this endeavor. And a special mention to Alexander, whose arrival on the scene preceded that of this text by only a few months. May he use *Allons-y!* when he gets to college!

Étape Préliminaire
Apprenons une langue étrangère!

Apprenons une langue étrangère! Let's learn a foreign language!

Like most skills you wish to acquire, learning French requires *attention, practice,* and *patience*. It also requires abandoning general misconceptions you may have and changing certain habits associated with speaking English. The following introductory exercises will dramatize for you some basic language principles involved in learning French.

A. Draw the picture suggested by each word:

1. a window   2. a loaf of bread   3. a lettuce drier

You probably drew a picture of a window that slides up and down; a French person would probably draw a window that opens out. Your bread probably had the form of a rectangular loaf; the French person's bread would be a long, narrow **baguette** or a round **pain de campagne.** As for the lettuce drier, you may well have drawn nothing at all, for these items are just beginning to appear in American kitchens.

> **Basic principle 1: Languages are culture-specific.** Words exist to express notions relevant to a particular culture.

B. Give an idiomatic version of each awkward phrase.

1. You can me see?
2. I have shame to it admit.
3. I me brush the teeth all the mornings.
4. She is mounted into the train.

Each of the preceding sentences is a word-for-word translation of a French sentence. Although it is usually possible to convey the same idea in French and English, word order and word choice differ.

> **Basic principle 2: It is not possible to translate word for word from French to English or from English to French.** You have to find the *equivalent* structure in each language.

C. Listen to your instructor say each sentence:

1. Je ne sais pas pourquoi.
2. Est-ce que vous avez un stylo?
3. Ce sont de jolis arbres.
4. Ils ont un tas de livres, n'est-ce pas?

You will notice that, although each written sentence has at least five words, the spoken sentence sounds almost like one long word. You will also notice that certain sounds "slide together" with the sounds that follow them and that other sounds are dropped entirely.

Basic principle 3: French is spoken in groups of words. You should learn to listen for the group rather than for isolated words. If you try to listen in English (that is, translate as you go), you will rapidly get lost. Try hard to listen *in French.*

D. Repeat the English vowels *a, e, i, o, u.* Watch other people in the class repeat the same vowels. Now *watch* your instructor pronounce the French vowels *a, e, i, o, u.* Say this English sentence: *What are you going to do next summer?* Now *watch* your instructor say this French sentence: **Qu'est-ce que tu vas faire l'été prochain?** You will probably notice that your instructor's mouth moves more distinctly in pronouncing French than do the mouths of people speaking English.

> **Basic principle 4: You cannot speak French with a "lazy" mouth.** Learn to open and close your mouth and to spread and round your lips as a particular sound requires.

E. Pronounce each English word:

    roof   aunt   tomato   either   route

There is probably a certain amount of variation in the class. Yet whether one says [rŏof] or [rōof], the word remains comprehensible. However, if one were to allow the same vowel variation in *full* and *fool*, there would certainly be confusion.

> **Basic principle 5: Certain sounds, called *phonemes*, contrast with each other to create the distinctions necessary to form meaning.** Learn to articulate the phonemes of French as correctly as possible. .

The first ten chapters of this book will give you practice in recognizing and articulating the phonemes of French. Look at the list found in the Appendix. The symbols used to describe the sounds are called *phonetic symbols.* When you find a phonetic transcription of a word in the text (or in a dictionary), check the symbols against this list to determine the pronunciation of the word.

F. Pronounce each English word:

    night   through   knave   knowledge   doubt

In each case, certain letters are not pronounced. This situation occurs even more frequently in French. Listen to your instructor pronounce each French word:

    mais   champ   lisent   prend   peine

Very often a letter is silent in French when it falls at the end of a word. In addition, the letter **h** is always silent.

    homme   honnête   hôtel

The pronunciation exercises in the first half of the book will help you learn to recognize the relationships between sound and spelling in French.

> **Basic principle 6: There is no one-to-one correspondence between spoken and written French.** As a general rule, the spoken form is shorter and simpler than the written.

G. Try to guess the English meanings of the following French words.

> imaginer   important   vérifier   catholique   délicieux
> musicien   pharmacie   optimiste   naturel   profession
> professeur   moment   désirer

Now do the same with these French words.

> wagon   lecture   car   figure   rester   demander

You were undoubtedly able to guess almost all of the words in the first group; these are called *cognates.* Thanks to the large number of cognates between English and French, you begin your study of French with a considerable vocabulary. However, the words in the second group are *false cognates* (the French call them **faux amis**, or *false friends*). A **wagon** is not a wagon, but a *railroad car*; a **lecture** is a *reading*, not a lecture; a **car** is a *bus*, not an automobile. Your **figure** is your *face*, not your figure. **Rester** does not mean to rest, but rather *to stay*, and **demander** means *to ask for*, not to demand. Therefore, although there are hundreds of cognates, beware of false friends.

> **Basic principle 7: There are many similarities between French and English vocabulary.** However, always check an apparent cognate to see if it makes sense in its context.

H. Point out the spelling differences between these English-French cognates.

> theater   théâtre   facade   façade   premiere   première

Although the letters of the French alphabet are the same as those of English, French uses *accent marks* that have two basic purposes:

1. To distinguish words spelled and pronounced the same (example: **ou** = or, **où** = where).
2. To distinguish between different pronunciations of the same letter. Example: the **c** of **local** is pronounced [k], the **ç** of **français** is pronounced [s].

The most frequently used accents are:

´ **accent aigu** (acute accent)	Used above the letter **e** to signal the closed vowel sound [e]: **été**
` **accent grave** (grave accent)	Used above the letter **e** to signal the open vowel sound [ɛ]: **père**

| ^ accent circonflexe (circumflex accent) | Used above vowels to indicate the disappearance of an **s** from an earlier form of the word: **hôte** |
| , cédille (cedilla) | Used below the letter **c** before **a, o,** or **u** when the consonant is pronounced [s]: **leçon** |

Basic principle 8: A French word is not spelled correctly unless all accent marks are in the proper place.

Now that you have been armed with these basic principles, it's time to learn some French. **Allons-y!**

POINT DE DÉPART: *Allons au café!*

Allons au café! Lets go to the café!

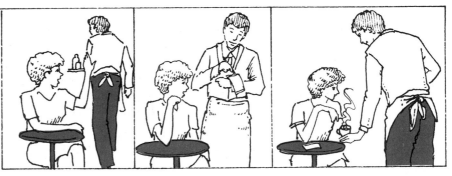

please

for

you're welcome

—**S'il vous plaît**, Monsieur...
—Un moment, Madame... Oui, Madame. Vous désirez?

—Un express, s'il vous plaît.

—Voilà... Un express **pour** Madame.
—Merci, Monsieur.
—**Je vous en prie**, Madame.

Useful expressions (see page 5)

allemande: German
au citron: with lemon
au lait: with milk
blanc: white
un citron pressé: lemonade
un demi: draft beer
un kir: white wine with blackcurrant liqueur
un lait-fraise: milk with strawberry syrup

une limonade: carbonated lemon-flavored soft drink
une menthe à l'eau: water with mint syrup
un Orangina: carbonated orange-flavored soft drink
un Perrier: carbonated mineral water
rouge: red
un verre: glass
un Vittel: non-carbonated mineral water

Les boissons chaudes

un café-crème

un thé-nature

un express

un café au lait[1]

un thé au citron

un thé au lait

La bière et le vin

une bière française

un verre de blanc

un demi

une bière allemande

un verre de rouge

un kir

Les boissons froides non-alcooliques

une menthe à l'eau

une limonade

un Vittel

un Coca

un Orangina

un Perrier

un lait-fraise

un citron
pressé

(Note: *Coca, Orangina, Perrier,* and *Vittel* are registered trademarks.)

---

1. **Un café au lait** is not the same as **un café-crème**. **Un café-crème** is a cup of coffee with cream (as in the United States); a **café au lait**, normally served at breakfast, contains roughly equal parts of coffee and steamed milk.

À vous! (Exercices de vocabulaire)

A. Order the suggested beverages.

MODÈLE: un café-crème   LE GARÇON: *Vous désirez, Mademoiselle?*
                                     L'ÉTUDIANTE: *Un café-crème, s'il vous plaît.*

1. un Coca   2. un thé-citron   3. un kir   4. une limonade   5. une Orangina
6. un thé-nature   7. un express   8. un verre de rouge   9. une bière
allemande   10. un demi   11. un Perrier   12. un lait-fraise   13. un verre de
blanc   14. une menthe à l'eau   15. un citron pressé   16. une bière
française

B. Get the waiter's attention and order a drink of your choice:

MODÈLE: L'ÉTUDIANT: *S'il vous plaît, Monsieur.*
                  LE GARÇON: *Oui, Monsieur. Vous désirez?*
                  L'ÉTUDIANT: *Un demi, s'il vous plaît.*

C. Play the role of waiter or student in the following situation. The student orders
what he or she wishes to drink; the waiter brings the wrong beverage.

MODÈLE: LE GARÇON: *Vous désirez?*
                  L'ÉTUDIANTE: *Un thé au lait, s'il vous plaît.*
                  LE GARÇON: *Voilà, Madame... un thé au citron.*
                  L'ÉTUDIANTE: *Non, Monsieur... un thé au lait.*
                  LE GARÇON: *Ah, pardon, Madame, un thé au lait.*
                  L'ÉTUDIANTE: *Merci, Monsieur.*
                  LE GARÇON: *Je vous en prie, Madame.*

Vocabulaire actif

At the end of each chapter you will find a list of words and expressions introduced in the chapter. Read each word aloud, checking to see if you can associate a meaning with it. Mark each word whose meaning you do not know and
consult the glossary at the end of the book.

NOMS

une bière allemande
une bière française
une boisson
un café
un café au lait
un café-crème
un citron pressé
un Coca
un demi

une étape
un(e) étudiant(e)
un express
un garçon
un kir
un lait-fraise
une limonade
une menthe à l'eau
un Orangina
un Perrier

un thé au lait
un thé au citron
un thé-nature
un verre de blanc
un verre de rouge
un Vittel

AUTRES EXPRESSIONS

Allons au café!
je vous en prie
Madame
Mademoiselle
merci
Monsieur
oui
non
pour
s'il vous plaît

Allons au
Café

Un garçon de café. Judging from his clothes, in what kind of a café would you expect to find this waiter? (see p. 29)

La rive droite. Paris often offers unusual mixtures of people and places. What strange juxtapositions do you notice around this café on the Right Bank?

Devant le centre Beaubourg. Summertime finds the **esplanade** in front of Paris's most controversial building transformed into a café. Does this scene suggest to you some of the contradictions of modern life?

Le déjeuner. What is for lunch today?

Des cafés du quartier. Which one of these neighborhood cafés would you want to visit? Why?

Avignon. Cafés are a major part of provincial life, too. Avignon is in the south of France. What time of day does this photo depict? How can you tell?

Le Quartier Latin. This café is located in the heart of the student section of Paris. Do American students have an equivalent of the café, where they can study, meet friends, discuss and argue politics and philosophy?

CHAPITRE PREMIER

Allons au café!

Première Étape

POINT DE DÉPART: Commandons une boisson!

commandons: let's order

friends

Une conversation: Trois amis au café

something

YVONNE: Tu désires[1] **quelque chose?**

and what about you?

JACQUES: Un Coca. **Et toi?**

YVONNE: Un Orangina. Et toi?

I (emphatic form)

ANNE: **Moi, je** désire un citron pressé.

well

YVONNE: **Bien.** Monsieur, s'il vous plaît... Un Coca pour Monsieur, un citron pressé pour Mademoiselle, et pour moi, un Orangina.

---

1. **Tu désires?** is the informal or familiar equivalent of **Vous désirez?** The word **tu** is used to express the English pronoun *you* when speaking to a friend. See p. 10 for a more complete explanation.

À vous! (Exercice de vocabulaire)

A. Une conversation au café. Imitate the three friends' conversation, rotating roles with your partners. The person who begins the conversation also gives the order. Change the beverages you ask for each time.

STRUCTURE 1: *L'article indéfini* (un, une)

un garçon	**une** femme (*woman*)
un café	**une** menthe à l'eau
un demi	**une** bière

The English equivalents of the above nouns would be preceded by the indefinite article *a* (or *an*). In French, however, one must distinguish between the *masculine* indefinite article **un** and the *feminine* indefinite article **une**.

For an English speaker, there is nothing surprising about the fact that a waiter (**un garçon**) is masculine and a woman (**une femme**) is feminine. But it is much more startling to learn that a cup of coffee (**un café**) is masculine and a mint-flavored drink (**une menthe à l'eau**) is feminine. All nouns in French have gender, even those that do not refer to people. Since there are no infallible rules for determining gender, it is best to associate each noun with the appropriate article from the very beginning. For example, remember **un café**, not just **café**.

Ordinarily, the **n** of **un** is not pronounced. However, when the word that follows **un** begins with a vowel or a silent **h**, the **n** is pronounced: **un étudiant**, **un homme**, but **un café**. The **n** of **une** is always pronounced.

Application

B. Remplacez les mots en italique. (Replace the italicized words.)

1. *Un café*, s'il vous plaît. (un thé au lait / un Orangina / un citron pressé / un demi / une bière / un Coca / un kir)
2. Voilà, Mademoiselle... *un Perrier*. (un express / une menthe à l'eau / un Vittel / un thé au citron / une bière allemande / un verre de blanc / une limonade / un lait-fraise)

C. Commandons une boisson! Ask a waiter to bring you the following items. Be careful to use the appropriate indefinite article (**un** or **une**).

MODÈLE: café   *Un café, s'il vous plaît.*

1. thé au citron   2. Vittel   3. limonade   4. kir   5. Coca   6. Orangina
7. citron pressé   8. lait-fraise   9. express   10. menthe à l'eau   11. verre de rouge   12. demi

STRUCTURE 2: *Le présent des verbes réguliers en -er (1ᵉʳᵉ et 2ᵉ personnes)*

Je désire un express.	*I want* (to have) a cup of espresso.
Tu travailles beaucoup.	*You work* á great deal.
Nous parlons anglais.	*We are* speaking English.
Vous chantez bien.	*You sing* well.

Verbs are used to express actions, movements, conditions, or relationships. A verb is always associated with a subject—the person (or thing) performing the action or movement, or having the condition or the relationship. In French, **je** is the equivalent of the English pronoun *I*; **nous** is the equivalent of *we*; **tu** and **vous**, are the equivalents of *you*. **Tu** is used to address *one* person you know well. When you are talking to *one* person with whom you are not well acquainted, say **vous**. **Vous** is also used to address *two or more* people, whatever their relationship to you.

NOTE CULTURELLE

The basic distinction between **tu** and **vous** is one of informality versus formality. In general, **vous** is used in speaking to older people to whom one owes a certain amount of respect. **Tu** is used to speak to close friends as well as to children and animals.

The use of **tu** and **vous** varies from situation to situation. In some groups (for example, among students or fellow workers), **tu** is used by everyone. In other cases (for example, in certain businesses and among people of older generations), **vous** is the rule. Unless the situation is absolutely clear, it is best to listen to the pronoun a native speaker uses when speaking to you before deciding to address that person with **tu** or **vous**.

Verbs consist of two parts: a *stem,* which carries the meaning, and an *ending,* which indicates the subject. In English, verb endings seldom change. The one exception in the present tense is the third-person singular—*I read*, but *he reads*. In French, verb endings are very important, since each verb ending must agree in person and number with the subject.

Most French verbs are regular and belong to the first conjugation—that is, their infinitive ends in **-er**. The stem is found by dropping **-er** from the infinitive:

désirer (*to desire*) → **désir-**	travailler (*to work*) → **travaill-**
commander (*to order*) → **command-**	habiter (*to live*) → **habit-**
commencer (*to begin*) → **commenc-**	étudier (*to study*) → **étudi-**
parler (*to speak*) → **parl-**	chanter (*to sing*) → **chant-**
	fumer (*to smoke*) → **fum-**
	manger (*to eat*) → **mang-**

To conjugate a regular -er verb in the present tense, add the appropriate endings to the stem:

Subject	Ending	Conjugated verb form		
je	**-e**	je désir**e**	je travaill**e**	j'habit**e**
tu	**-es**	tu désir**es**	tu travaill**es**	tu habit**es**
nous	**-ons**	nous désir**ons**	nous travaill**ons**	nous habit**ons**
vous	**-ez**	vous désir**ez**	vous travaill**ez**	vous habit**ez**

Note that **je** becomes **j'** when the verb stem begins with a vowel (**j'étudie**) or a vowel sound (**j'habite**). This is called *elision*. Note also that when the word after the subject (in this case, the verb form) begins with a vowel or a vowel sound, the **-s** of **nous** and **vous** is pronounced and linked with the following sound—**nous étudions, vous habitez**. This linking is called *liaison*.

Whereas English distinguishes between the simple present (I speak), the emphatic present (I do speak), and the progressive present (I am speaking), French does not. The French equivalent of *I speak, I do speak,* and *I am speaking* is simply **je parle**.

NOTE GRAMMATICALE

Here are some frequently used French adverbs. An adverb is usually placed directly after the conjugated verb.

bien	well	**souvent**	often	**beaucoup**	a lot, a great deal
mal	poorly	**rarement**	rarely	**un peu**	a little

The adverb **très** (*very*) can be used with all of these adverbs except **beaucoup**.

Nous étudions **beaucoup**.   We study *a lot*.
Tu chantes **bien**.   You sing *well*.
Vous chantez **très bien**.   You sing *very well*.

Application

D. Remplacez les sujets en italique et faites les changements nécessaires. (Replace the italicized subjects and make necessary changes.)

1. *Je* parle anglais. (tu / vous / nous / je)
2. *Nous* travaillons bien. (je / vous / tu / nous)
3. *Tu* habites à Paris. (vous / nous / je / tu)
4. *Vous* étudiez beaucoup. (nous / je / tu / vous)
5. *Tu* chantes bien. (vous / nous / je / tu)

E. Répondez en utilisant les expressions entre parenthèses. (*Answer using the expressions in parentheses.*)

MODÈLE: Vous parlez français? (anglais)
            Non, nous parlons anglais. or: *Non, je parle anglais.*

1. Tu habites à Paris? (*your town*)
2. Vous mangez beaucoup? (très peu)
3. Nous étudions bien? (mal)
4. Je parle allemand? (français)
5. Vous habitez à Rome? (à Londres)
6. Tu travailles mal? (bien)
7. Tu commandes un café-crème? (une menthe à l'eau)
8. Vous désirez une bière? (un express)
9. Je chante bien? (mal)
10. Vous fumez souvent? (rarement)
11. Tu étudies très peu? (beaucoup)
12. Nous parlons rarement? (souvent)

PRONONCIATION: *Les consonnes finales non-prononcées*

As a general rule, final consonants in French are silent. Because speakers of English are accustomed to pronouncing most final consonants, you will have to pay close attention to final consonants when speaking French.

English	French
part	part
uncles	oncles
mix	prix
cup	coup

Pratique

F. Read each word aloud, being careful *not* to pronounce the final consonant.

1. désirez   2. travailler   3. français   4. Paris   5. un thé au lait   6. bien
7. anglais   8. garçon   9. beaucoup   10. vous   11. s'il vous plaît   12. tu parles

STRUCTURE 3: *Les formes interrogatives*

Tu étudies beaucoup?
Est-ce que tu étudies beaucoup?   } *Do you study* a lot?
Tu étudies beaucoup, **n'est-ce pas**?   *You study* a lot, *don't you?*

A great many questions can be answered by *yes* or *no*. To ask such questions in French, use one of the following methods.

1. The least complicated way is to use *intonation*, which is the rising or falling of the voice. In French, at the end of a statement, the voice falls; but at the end of a yes/no question, the voice rises. Thus you can make any statement into a yes/no question simply by raising the pitch of your voice at the end.

   Vous habitez à Londres. (*statement*)

   Vous habitez à Londres? (*question*)

2. You can also ask a question by using the phrase **est-ce que** and rising intonation. This phrase has no meaning other than to signal that a question is coming. To ask a yes/no question in this fashion, put **est-ce que** before a statement and raise the pitch of your voice at the end.

   Tu parles allemand. (*statement*)

   Est-ce que tu parles allemand? (*question*)

3. The phrase **n'est-ce pas** implies that a *yes* answer is anticipated. In such a situation, make statement (using falling intonation) and then add **n'est-ce pas** (with rising intonation) at the end. **N'est-ce pas** is the equivalent of *don't you? aren't you? isn't that right? etc.,* at the end of an English sentence.

   Vous mangez beaucoup. (*statement*)

   Vous mangez beaucoup, n'est-ce pas? (*question*)

Application

G. Change each statement to a question as follows: Items 1-5, intonation only; 6-10, **est-ce que** + intonation; 11-15, **n'est-ce pas** + intonation.

1. Vous désirez un café-crème.
2. Tu habites à Bordeaux.
3. Tu parles français.
4. Vous étudiez beaucoup.
5. Tu fumes.
6. Tu manges beaucoup.
7. Vous parlez rarement.
8. Vous désirez quelque chose.
9. Tu habites à Marseille.
10. Tu étudies souvent.
11. Tu habites à Lyon.
12. Vous parlez bien.
13. Tu étudies souvent.
14. Vous chantez beaucoup.
15. Vous travaillez à Paris.

H. Posez des questions. (*Ask some questions*.) Ask other students questions using the suggested elements. If the subject is **tu**, ask one person the question. If the subject is **vous**, address the question to two people. Change the verb to agree with the subject and vary the question form you use. The person(s) questioned should give an appropriate answer.

MODÈLES: vous / parler anglais   —*Vous parlez anglais?*
                     —*Oui, nous parlons anglais.*

                 tu / désirer un café   —*Est-ce que tu désires un café?*
                 —*Non, je désire un thé.*

1. tu / habiter à Paris
2. tu / étudier beaucoup
3. vous / chanter bien
4. tu / parler français
5. vous / habiter à New York
6. vous / parler anglais

7. tu / fumer beaucoup
8. tu / manger bien
9. vous / désirer un verre de rouge
10. vous / étudier souvent

Mise au point (Petite révision de l'étape)

I. **Échange.** Ask the questions of another student, who will answer you.

1. Est-ce que tu habites à Paris?
2. Est-ce que tu parles anglais?
3. Tu étudies souvent?

4. Tu chantes bien?
5. Tu désires un Coca?
6. Tu travailles beaucoup?

J. **Exercice écrit. (*Written exercise*.)** Write an appropriate response to each question. Use the word in parentheses in your answer.

1. Michel, vous habitez à Paris? (Londres)
2. Jacqueline, tu travailles souvent? (rarement)
3. M. et Mme[2] Leconte, vous parlez anglais et allemand, n'est-ce pas? (anglais et français)
4. Madame, vous désirez? (un kir)
5. Éric, est-ce que je chante bien? (mal)

---

2. With proper names, the abbreviation **M.** is used for **Monsieur**, **Mme** for **Madame**, and **Mlle** for **Mademoiselle**.

POINT DE DÉPART: *Parlons!*

greetings

Les Salutations

hi / how're you doing? /
hello / how are you?

I am fine, too

—**Salut**, Jean-Marc. **Comment ça va?**

—Ça va bien. Et toi, Martine, ça va?

—Oh, oui. Ça va.

—**Bonjour**, Madame. **Comment allez-vous?**

—Très bien, Monsieur. Et vous?

—**Je vais bien aussi**, merci.

Les Présentations

delighted (to meet you)

—Isabelle Fortier, Suzanne Lecaze.

—Bonjour, Isabelle.

—Bonjour, Suzanne.

—Francine Charpentier, Jean Guérin.

—**Enchanté**, Madame.

—Enchantée, Monsieur.

Une scène au café

is already there

Claire et François arrivent au café. Hervé **est déjà là**.

CLAIRE:	Ah, voilà Hervé... Salut, Hervé. Ça va?
HERVÉ:	Oui, ça va. Et toi?
CLAIRE:	Oh, ça va bien. Hervé Miaux, François Lemieux.
HERVÉ:	Bonjour, François.
FRANÇOIS:	Bonjour.

here

HERVÉ:	Tu habites **ici** à Paris?
FRANÇOIS:	Non, j'habite à Bruxelles.

I see

HERVÉ:	**Ah, bon**... Tu désires quelque chose?
FRANÇOIS:	Un demi.
HERVÉ:	Et toi, Claire?
CLAIRE:	Pour moi, un express.

NOTE CULTURELLE

In France, custom requires that you shake hands when you greet someone and when you take leave. This social rule is followed by men and women, young and old. If the two people are related or are very good friends, instead of shaking hands they often kiss each other on both cheeks. In formal situations, **Monsieur, Madame,** or **Mademoiselle** always accompany **bonjour** and **au revoir**.

À vous! (Exercices de vocabulaire)

A. Saluons-nous. (Let's greet each other.) Respond to each greeting in an appropriate fashion. Remember to shake hands.

1. Bonjour, Monsieur (Mademoiselle, Madame).
2. Salut, _____. Ça va?
3. Comment allez-vous, Mademoiselle (Monsieur, Madame)?
4. Comment ça va?
5. Bonjour, Madame (Monsieur, Mademoiselle). Comment allez-vous?
6. Salut, _____. Comment ça va?

B. Saluons-nous! Greet the following people appropriately.

1. M. Jean Latour   2. Anne-Marie   3. Mme Annette de Sérizy   4. Jean-Paul

C. Faites des présentations. (*Make introductions.*) You are in a café. Make the following introductions; then continue the conversation by discussing where you each live and what you wish to order.

1. Introduce another student to the instructor.
2. Introduce two other students to one another.

Reprise (Première Étape)

D. Ask each question in two other ways.

MODÈLE: Tu habites à Montréal?
Est-ce que tu habites à Montréal?
Tu habites à Montréal, n'est-ce pas?

1. Tu travailles beaucoup?
2. Est-ce que tu chantes bien?
3. Est-ce que vous étudiez souvent?
4. Vous désirez quelque chose?
5. Tu fumes, n'est-ce pas?
6. Vous habitez à Lille, n'est-ce pas?

E. Answer the questions according to your personal situation.

MODÈLE: Est-ce que vous fumez souvent?
Oui, je fume souvent. ou: *Non, je fume rarement.*

1. Est-ce que vous habitez à Paris?
2. Est-ce que vous parlez anglais?
3. Est-ce que vous étudiez beaucoup?
4. Est-ce que vous mangez souvent?
5. Est-ce que vous travaillez beaucoup?
6. Est-ce que vous chantez bien?
7. Est-ce que vous commandez souvent un café?
8. Est-ce que vous désirez un Coca?

STRUCTURE 4: Le présent des verbes réguliers en -er (3ᵉ personne)

Jacques? **Il désire** un express.
Hélène? **Elle désire** une bière.
Paul et Philippe? **Ils désirent** un verre de rouge.
Marie et Jeanne? **Elles désirent** un thé au citron.
Claire et Vincent? **Ils désirent** un café-crème.

In French, when you, the speaker, refer to a person other than yourself or the person to whom you are speaking, use **il** (*he*) if the person spoken about is male; and **elle** (*she*) if the person spoken about is female. When referring to more than one person, use **ils** (*they*, masculine plural) or **elles** (*they*, feminine plural). When the subject includes both male and female, use **ils.**

To form the present tense of **-er** verbs in the third person, add the appropriate ending to the stem:

Subject	Ending	Conjugated verb form		
il	-e	il désire	il travaille	il habite
elle	-e	elle désire	elle travaille	elle habite
ils	-ent	ils désirent	ils travaillent	ils habitent
elles	-ent	elles désirent	elles travaillent	elles habitent

The third-person endings of first-conjugation verbs are silent. Therefore, **il désire** and **ils désirent** are pronounced exactly the same, as are **elle parle** and **elles parlent.** Note also that the **-s** of **ils** and **elles,** although usually silent, is pronounced in liaison with a word beginning with a vowel or a vowel sound— **ils étudient, elles habitent.**

Résumé: Present tense of regular verbs in -er

parler (stem: parl-)	
je parle	nous parlons
tu parles	vous parlez
il, elle parle	ils, elles parlent

Application

F. Remplacez le sujet en italique et faites les changements nécessaires.

1. *Marie* désire une limonade aussi. (Jean et Yvette / Patrick / François et Jacques / je / nous)

2. *Il* habite à Montréal. (elle / ils / elles / tu / vous / je)
3. *Hervé* travaille rarement. (Annick / Chantal et Geneviève / Pierre et Marc / je / vous)
4. *Elle* fume beaucoup. (ils / il / nous / je / tu)
5. *Georges et Sylvie* commandent un demi. (elle / tu / nous / il / je / Marie-Claire et Françoise)

G. Répondez affirmativement.

MODÈLES: Est-ce que Jean-Pierre parle français?
               Oui, il parle français.

               Est-ce que Chantal et Martine travaillent à Paris?
               Oui, elles travaillent à Paris.

1. Est-ce que Francine étudie souvent?
2. Est-ce que Robert et Dominique désirent une boisson?
3. Est-ce qu'Anne-Marie parle anglais?
4. Est-ce que tu parles allemand?
5. Est-ce que Mathieu fume beaucoup?
6. Est-ce que Georges et Lucien habitent à Bordeaux?
7. Est-ce que Jean-Marie désire quelque chose?
8. Est-ce que vous désirez une boisson?
9. Est-ce que Claire et Isabelle étudient beaucoup?
10. Est-ce que Claire et Isabelle mangent souvent?

PRONONCIATION: *Les consonnes finales prononcées*

The major exceptions to the rule of unpronounced final consonants are **c, r, f,** and **l.** These four consonants are usually pronounced when they are the last letter of a word. It may be helpful to use the English word CaReFuL as a memory aid.

avec	air	actif	bal
chic	car	chef	appel

This rule does not apply to the infinitives of **-er** verbs: **désirer, parler, manger.**

Pratique

H. Read each word aloud, being careful to pronounce the final consonant except in an infinitive.

1. Marc 2. kir 3. bref 4. mal 5. étudier 6. bonjour 7. sec
8. espagnol 9. amour 10. Montréal 11. fumer 12. Jean-Luc 13. il
14. tarif

STRUCTURE 5: La forme négative

Je **ne** parle **pas** espagnol.	I *don't* speak Spanish.
Elle **ne** travaille **pas**.	She *isn't* working.
Ils n'habitent **pas** à Paris.	They *do not* live in Paris.

To make a sentence negative in French, place **ne** before and **pas** immediately after the conjugated verb. If the verb begins with a vowel or a vowel sound, **ne** becomes n'.

Application

I. Make each sentence negative.

MODÈLE: Tu travailles beaucoup.
            Tu ne travailles pas beaucoup.

1. Elle parle espagnol.
2. Je travaille à Londres.
3. Ils habitent à Bruxelles.
4. Nous étudions beaucoup.
5. Elles paient beaucoup.
6. Gérard chante bien.
7. Vous fumez beaucoup.
8. Paul et Alain parlent allemand.
9. J'habite à Rome.
10. Nous mangeons beaucoup.

J. Répondez négativement.

MODÈLE: Est-ce que Suzanne travaille à Marseille?
            Non, elle ne travaille pas à Marseille.

1. Est-ce que Didier habite à Montréal?
2. Est-ce que tu parles espagnol?
3. Est-ce que Chantal et Martine étudient beaucoup?
4. Est-ce que vous chantez bien?
5. Est-ce que Roger habite à Londres?
6. Est-ce que Marcelle fume?
7. Est-ce que tu habites à Rome?
8. Est-ce que M. et Mme Frantel travaillent à New York?
9. Est-ce que vous mangez beaucoup?

K. Questions. Using one of the suggested cues, each student in the group plays the role of questioner by asking four questions—one corresponding to each of the following pronouns: **tu, vous, il/elle, ils/elles.** The other members of the group respond.

MODÈLE: parler espagnol

CHANTAL:	*Jean, tu parles espagnol?*
JEAN:	*Oui, je parle espagnol.*
CHANTAL:	*Marie et Pierre, vous parlez espagnol?*

MARIE/PIERRE:	*Non, nous ne parlons pas espagnol. Nous parlons anglais.*
CHANTAL:	*Pierre, est-ce que Jean parle espagnol?*
PIERRE:	*Oui, il parle espagnol.*
CHANTAL:	*Jean, est-ce que Marie et Pierre parlent espagnol?*
JEAN:	*Non, ils ne parlent pas espagnol. Ils parlent anglais.*

1. chanter bien   2. fumer   3. manger beaucoup   4. habiter à Londres
5. étudier souvent

Mise au point (Petite révision de l'étape)

L. Échange. Posez les questions à un(e) autre étudiant(e), qui va vous répondre:

MODÈLE: Est-ce que tu habites à Rome?
   —*Non, je n'habite pas à Rome, j'habite à Springfield. Et toi?*
   — *Moi, j'habite à Denver.*

 1. Est-ce que tu habites à Madrid?
 2. Est-ce que tu parles espagnol? allemand?
 3. Tu travailles?
 4. Est-ce que tu fumes?
 5. Tu chantes bien, n'est-ce pas?
 6. Tu manges beaucoup?

M. Exercice écrit. Write sentences, using the suggested words and making all necessary changes.

MODÈLE: je / désirer / express   *Je désire un express.*

 1. elle / travailler / beaucoup
 2. nous / fumer / rarement
 3. ils / chanter / ne pas / bien
 4. tu / parler / français / ?
 5. je / habiter / Londres
 6. vous / étudier / souvent / ?

Troisième Étape

POINT DE DÉPART: *Mangeons!*

le petit déjeuner: breakfast

Le petit déjeuner

un café au lait   un thé au lait   un chocolat
un croissant

le déjeuner: lunch

Le déjeuner

open-faced grilled ham
  and cheese

with cheese

with ham / with mixed
  herbs

with pâté (meat spread)

un sandwich   **un croque-monsieur**   une omelette
  au fromage   au fromage
  au jambon   **aux fines herbes**
  au pâté   au jambon

Une scène au café

Hélène et Antoine commandent le déjeuner.

ANTOINE: S'il vous plâit, Monsieur?
LE GARÇON: Oui... Vous désirez?

HÉLÈNE:	**Je voudrais** un sandwich au jambon et un thé au citron.
LE GARÇON:	Et pour Monsieur?
ANTOINE:	Moi, **je vais prendre** une omelette aux fines herbes et un demi.

À vous! (Exercices de vocabulaire)

A. Qu'est-ce que tu désires? *(What do you want?)* You and a friend are in a café. Using the suggested words discuss what to have for lunch.

MODÈLE: un sandwich au fromage / un sandwich au jambon
—*Qu'est-ce que tu désires?*
—*Je voudrais un sandwich au fromage. Et toi?*
—*Moi, je vais prendre un sandwich au jambon.*

1. un sandwich au jambon / un croque-monsieur
2. une omelette au fromage / un sandwich au fromage
3. une omelette aux fines herbes / un sandwich au pâté
4. un croque-monsieur / une omelette au jambon

B. Le petit déjeuner. Order a breakfast of your choice in a café.

MODÈLE: —*Vous désirez?*
—*Un café au lait et un croissant.*

C. Le déjeuner. Order a lunch of your choice in a café.

MODÈLE: —*Oui, Mademoiselle (Monsieur, Madame). Qu'est-ce que vous désirez?*
—*Un sandwich au jambon et un demi.*
—*Et pour Monsieur (Mademoiselle, Madame)?*
—*Moi, je voudrais (je vais prendre) une omelette au fromage et un express.*

Reprise (Deuxième Étape)

D. Une conversation au café. Three people meet in a café. One of them makes introductions, and they order a drink. Imitate their conversation, rotating roles with your partners. Change names and places to fit your situation.

MODÈLE:	ANNICK:	*Salut, Georges. Ça va?*
	GEORGES:	*Ça va très bien. Et toi?*
	ANNICK:	*Ça va. Georges Vincent, Marie-Claire Dubois.*
	MARIE-CLAIRE:	*Bonjour, Georges.*
	GEORGES:	*Bonjour. Tu habites à Paris?*
	MARIE-CLAIRE:	*Oui, j'habite à Paris? Et toi?*
	GEORGES:	*Non, moi, j'habite à Grenoble.*
	ANNICK:	*Vous désirez quelque chose?*

MARIE-CLAIRE:	*Un express.*
GEORGES:	*Un thé-nature pour moi.*
ANNICK:	*Monsieur, s'il vous plaît. Un express, un thé nature et pour moi, un Vittel.*

E. Répondez aux questions.

MODÈLES: Est-ce que Marc désire quelque chose? (un Coca)
Oui, il désire un Coca.

Est-ce que Suzanne habite à Lille? (à Toulouse)
Non, elle habite à Toulouse.

1. Est-ce que François travaille beaucoup?   (très peu)
2. Est-ce que Anne-Marie parle allemand?   (ne... pas)
3. Est-ce que vous habitez à Londres?   (ne... pas)
4. Est-ce que M. et Mme Santerre travaillent à Paris?   (à Lyon)
5. Est-ce que tu parles espagnol?   (anglais)
6. Est-ce que Jean-Pierre étudie souvent?   (ne... pas)
7. Est-ce que nous chantons bien?   (mal)
8. Est-ce que Monique et Jacqueline fument?   (ne... pas)
9. Est-ce que Georges et Véronique habitent à Paris?   (à Nice)
10. Est-ce que Nicolas désire quelque chose?   (une bière)

STRUCTURE 6: *Le présent du verbe irrégulier* **être**

Sylvie **est** de New York.	Sylvia *is* from New York.
Ils **sont** médecins.	They *are* doctors.
Je **suis** russe; elle **est** belge.	I *am* Russian; she *is* Belgian.

Some French verbs do not follow the conjugation pattern you learned for verbs with infinitives ending in **-er**. Verbs with different regular conjugation patterns (**-ir** and **-re** infinitive endings) will be presented later. Still other verbs are considered *irregular* because they do not follow a fixed pattern. One of the most frequently used irregular verbs is **être** (*to be*). The following are the present-tense forms of **être**:

être	
je **suis**	nous **sommes**
tu **es**	vous **êtes**
il, elle **est**	ils, elles **sont**

The interrogative and negative forms follow the same patterns as for **-er** verbs:

Est-ce que tu es professeur?	*Are you* a teacher?
Vous n'**êtes pas** à Versailles.	*You're not* in Versailles.

Application

F. Remplacez le sujet en italique et faites les changements nécessaires.

1. *Monique* est belge. (Jean-Jacques / je / vous / Henri et Charles / nous / tu)
2. Est-ce que *Mathieu* est médecin? (Nathalie / vous / M. et Mme Ledoux / tu / Martin)
3. *Yves et Mathilde* ne sont pas au café. (Jean-Luc / je / Denise / vous / nous / elles / tu)

G. Répondez aux questions selon le modèle.

MODÈLE: Est-ce que Philippe est belge?   *Oui, il est belge.*   Et Anne-Marie?   *Non, elle n'est pas belge.*

1. Est-ce qu'Olga est russe? Et Michel?
2. Est-ce que Georges et Sylviane sont à Paris? Et Pierre et Marie?
3. Est-ce que je suis professeur? Et Michel?
4. Est-ce que Béatrice est belge? Et toi?
5. Est-ce que vous êtes à Paris? Et M. et Mme Valmay?
6. Est-ce que Didier est de Lyon? Et vous?
7. Est-ce que Jacques et Denise sont de Grasse? Et toi?

H. Questions. Using the cues, each student plays the role of questioner by asking four questions (**tu, vous, il** or **elle, ils** or **elles**) of other group members.

1. être professeur   2. être belge   3. être de New York   4. être médecin
5. être au café

PRONONCIATION: *Les consonnes finales* + e

If a word ends in a mute **e** (an **e** without an accent mark), the preceding consonant is pronounced. The **e**, as its name implies, remains silent. If there is a double consonant before the **e**, only one consonant sound is heard.

chanté	femmé	belgé
fumé	saladé	omeletté

Pratique

I. Read each pair of words aloud, being careful not to pronounce the final consonant of the first word and being sure to pronounce the final consonant followed by **e** at the end of the second word.

1. français, française   2. allemand, allemande   3. italien, italienne
4. américain, américaine   5. étudiant, étudiante   6. Denis, Denise
7. François, Françoise

J. Say each word aloud, being careful to pronounce a consonant followed by a final e and not to pronounce a consonant that is a final letter (with the exception of c, r, f, l).

1. Madame 2. russe 3. bien 4. limonade 5. tu es 6. Rome 7. chocolat 8. Vittel 9. canadienne 10. jambon 11. pour 12. chose

STRUCTURE 7: *Les adjectifs de nationalité et les noms de profession*

Les adjectifs de nationalité

Jacques est **français**.
Claire est **française**.

Bernard et Yves sont **canadiens.**
Yvette et Simone sont
canadiennes.

In French, adjectives agree in *gender* (masculine or feminine) and *number* (singular or plural) with the person or thing to which they refer.

When learning adjectives of nationality, it is helpful to divide them into three groups:

1. Adjectives whose masculine and feminine forms are identical:

   Il est **belge**.
   Il est **russe**.
   Il est **suisse**.

   Elle est **belge**.
   Elle est **russe**.
   Elle est **suisse**.

2. Adjectives whose feminine form consists of the masculine form + -e:

   Il est **français**.[3]
   Il est **anglais**.
   Il est **américain**.
   Il est **mexicain**.
   Il est **allemand**.
   Il est **espagnol**.
   Il est **japonais**.
   Il est **chinois**.

   Elle est **française**.
   Elle est **anglaise**.
   Elle est **américaine**.
   Elle est **mexicaine**.
   Elle est **allemande**.
   Elle est **espagnole**.
   Elle est **japonaise**.
   Elle est **chinoise**.

3. Adjectives whose feminine form consists of the masculine form + **-ne**:

   Il est **italien**.
   Il est **canadien**.
   Il est **brésilien**.
   Il est **égyptien**.

   Elle est **italienne**.
   Elle est **canadienne**.
   Elle est **brésilienne**.
   Elle est **égyptienne**.

---

3. In most cases, the word for the language spoken in a country is the same as the masculine form of the adjective: **Elle est française. Elle parle français.**

Agreement in number poses very little problem for adjectives of nationality. To form the plural, add an **-s** to the singular form.

Il est **allemand**.　　　　　　　　　Ils sont **allemands**.
Elle est **italienne**.　　　　　　　　Elles sont **italiennes**.

If the singular form already ends in **-s**, the singular and the plural are the same:

Il est **anglais**.　　　　　　　　　　Ils sont **anglais**.

Les noms de profession

Most nouns that refer to work or occupation can be categorized in the same manner as adjectives of nationality.

1. nouns whose masculine and feminine forms are identical:

   Il est **secrétaire**.　　　　　　　　Elle est **secrétaire.**
   Il est **médecin**.　　　　　　　　　Elle est **médecin.**
   Il est **professeur**.　　　　　　　　Elle est **professeur.**
   Il est **ingénieur** (*engineer*).　　　Elle est **ingénieur** (engineer).

2. Nouns whose feminine form consists of the masculine + **-e**:

   Il est **avocat** (*lawyer*).　　　　　Elle est **avocate.**
   Il est **étudiant**.　　　　　　　　　Elle est **étudiante.**
   Il est **assistant** (*teaching*　　　　Elle est **assistante.**
   　assistant).

3. Nouns whose feminine form consists of the masculine form + **-ne:**

   Il est **mécanicien** (*mechanic*).　　Elle est **mécanicienne.**
   Il est **pharmacien** (*pharmacist*).　Elle est **pharmacienne.**

   ──────────────

Nouns of profession, like adjectives of nationality, form the plural by adding **-s**.

Je suis **avocat**.　　　　　　　　　Nous sommes **avocats**.
Elle est **assistante**.　　　　　　　Elles sont **assistantes**.

Application

K. Répondez aux questions selon le modèle.

MODÈLE:　Jacqueline est française. Et Roger?
　　　　　　Il est français aussi.

1. Janet est américaine. Et Bill?
2. Sophia est italienne. Et Marcello?
3. Olga est russe. Et Boris?
4. Fatima est égyptienne. Et Ahmed?
5. Miko est japonaise. Et Yoshi?
6. Harold est anglais. Et Priscilla?
7. Maurice est canadien. Et Marie?
8. Gunther est allemand. Et Helga?
9. Tchen est chinois. Et Sun?
10. Alfred est suisse. Et Jeannette?

L. Dialogue roulant. Continue the "rolling dialogue" according to the model.

MODÈLE: PROFESSEUR: *Vous êtes française, n'est-ce pas?*

ÉTUDIANTE: *Non, je ne suis pas française. Je suis belge. Tu es belge aussi, n'est-ce pas?*

ÉTUDIANT: *Non, je ne suis pas belge, je suis égyptien. Tu es égyptien(ne), n'est-ce pas?*

M. Un portrait. Using the information provided, give a brief portrait of each person.

MODÈLE: Arturo / professeur / Madrid
Arturo est professeur. Il habite à Madrid. Il est espagnol.

1. Michael / avocat / Londres
2. Francesca / médecin / Rome
3. Natasha / mécanicien / Moscou
4. Jean-Yves / étudiant / Paris
5. Otto / mécanicien / Munich
6. Janine / avocat / Montréal
7. Li (f.) / ingénieur / Shanghai
8. Susan / étudiant / Pittsburgh

Mise au point (Petite révision de l'étape)

N. Échange. Posez les questions suivantes à un(e) autre étudiant(e), qui va vous répondre.

1. Est-ce que tu es italien(ne)?
2. Est-ce que tu es professeur?
3. Tu habites à _____ , n'est-ce pas?
4. Tu chantes bien, n'est-ce pas?
5. Est-ce que tu parles chinois? russe?
6. Est-ce que tu désires quelque chose?

O. Exercice écrit. Write questions about each person's nationality.

MODÈLE: Marisela / espagnol / elle
Est-ce que Marisela est espagnole?

Pierro et Violetta / italien / vous
Pierro et Violetta, est-ce que vous êtes italiens?

1. Guy et Jean / canadien / ils
2. Mitsou (f.) / japonais / tu
3. Judy et Laura / américain / elles
4. Sylvia / allemand / vous
5. Nikolai et Pavel / russe / ils
6. Chantal / français / elle

Quatrième Étape

LECTURE: Les Cafés de Paris

The final **étape** of each chapter will begin with a **lecture** (reading selection). The **lectures** are intended to provide additional information about France and French life while systematically helping you to develop your ability to read.

When you read English, you do not normally read individual words; rather, you look for meanings, which depend on groups of words and their relationships. In many instances you may not be able to define every single word; yet you are perfectly capable of understanding the entire sentence or paragraph. Keeping this fact in mind, read the following passage in French. Try to determine its general meaning without looking at the definitions.

Un café élégant

La terrasse est immense. Les clients sont pour la plupart[1] des touristes. Ils commandent des consommations[2] exotiques: une coupe Trocadéro, une bombe Champs-Élysées.[3] Les prix[4] sont exorbitants: un express, 6F;[5] un Coca, 10F; un whisky, 20F. Les clients sont au café pour[6] regarder[7] et pour être regardés.

Un café du centre

La terrasse est petite.[8] Les clients sont des Parisiens; ils travaillent dans des bureaux[9] et des magasins.[10] Ils commandent des consommations «ordinaires»: un express, un thé au citron, une bière allemande, un Perrier. Les prix sont raisonnables: un express, 3F; un Coca, 5F; un sandwich au fromage, 10F. Ils sont au café pour lire le journal,[11] pour retrouver des amis,[12] pour se détendre.[13]

Un café du quartier[14]

La terrasse n'existe presque[15] pas: les clients sont pour la plupart à l'intérieur— assis[16] à de petites tables ou debout[17] au comptoir.[18] Les clients sont mixtes: adolescents, ouvriers,[19] vieillards.[20] Les consommations varient: pour les adolescents, un Coca ou une menthe à l'eau; pour les ouvriers, un verre de rouge ou de blanc; pour les vieillards, un demi ou un thé. Les activités varient aussi: les jeunes (les adolescents) jouent au flipper;[21] les ouvriers discutent de sport ou de politique; les vieillards jouent aux cartes.[22]

---

1. for the most part   2. food or beverage ordered in a café   3. fancy ice cream concoction
4. price   5. **F = franc** (In September 1983, a French franc was worth approximately 13 American cents.)   6. in order (to)   7. to look at   8. small   9. offices   10. stores   11. to read the newspaper   12. to meet friends   13. to relax   14. neighborhood   15. almost   16. seated
17. standing   18. counter   19. workers   20. elderly people   21. pinball   22. to play cards

Compréhension

A. Indicate the topics that are treated in the reading passage.

1. different types of cafés
2. kinds of drinks served
3. the number of cafés in Paris
4. the prices of drinks
5. the types of clientele
6. the history of cafés
7. why people go to a café

B. Vrai ou faux. Read the passage a second time, checking the definitions for words you do not know or cannot guess. Then indicate whether each statement is true (**vrai**) or false (**faux**). Support your answer with an appropriate sentence from the passage.

1. Les Américains, les Allemands et les Japonais fréquentent les cafés élégants des Champs-Élysées.
2. Les jeunes gens (14, 15 ou 16 ans) et les vieillards (60, 65 ou 70 ans) fréquentent les cafés du centre.
3. À un café du quartier la terrasse est souvent immense.
4. Vous n'êtes pas riche; je recommande un café du centre.
5. Vous appréciez la tranquillité; je recommande un café du quartier.
6. Vous adorez les boissons et les desserts; je recommande un café élégant sur les Champs-Élysées.

Reprise (Troisième Étape)

C. Une conversation au café. Three friends go to a café for lunch. They discuss their meal. Imitate their conversation, substituting your own choices. Rotate until everyone has played each role.

MODÈLE: PIERRE: *Qu'est-ce que vous désirez?*
  HÉLÈNE: *Moi, je vais prendre une omelette au fromage et un demi.*
  CHANTAL: *Moi, je voudrais un croque-monsieur.*
  HÉLÈNE: *Et un demi?*
  CHANTAL: *Non, un express. Et toi, tu désires quelque chose?*
  PIERRE: *Oui, un sandwich au fromage et un express.*

D. Répondez aux questions selon le modèle.

MODÈLE: Joe est de New York. Est-ce qu'il est portugais?
  Mais non, il n'est pas portugais; il est américain.

1. Monique est de Paris. Est-ce qu'elle est suisse?
2. Lin-Tao est de Pékin. Est-ce qu'il est russe?
3. Francesca est de Rome. Est-ce qu'elle est mexicaine?
4. Jean-Pierre est de Montréal. Est-ce qu'il est belge?
5. Verity est de Londres. Est-ce qu'elle est égyptienne?
6. Fumiko et Junko sont de Tokyo. Est-ce qu'elles sont américaines?

7. Juan et Pablo sont de Madrid. Est-ce qu'ils sont italiens?
8. Natasha et Svetlana sont de Moscou. Est-ce qu'elles sont canadiennes?
9. Eberhard et Heidi sont de Berlin. Est-ce qu'ils sont anglais?

E. Demandez à quelqu'un si... *(Ask someone whether...).* Ask the indicated questions to one or two classmates, who will answer them.

MODÈLES: Demandez à [Michèle] si elle est canadienne.
—*Michèle, tu es canadienne?*
—*Non, je suis américaine.*

Demandez à [Didier] et à [Henri] s'ils travaillent beaucoup.
—*Didier et Henri, est-ce que vous travaillez beaucoup?*
—*Non, nous travaillons très peu.* ou: *Oui, nous travaillons beaucoup.*

1. Demandez à _____ s'il/si elle est français(e).
2. Demandez à _____ s'il/si elle habite à Paris.
3. Demandez à _____ s'il/si elle désire quelque chose.
4. Demandez à _____ s'il/si elle mange souvent.
5. Demandez à _____ et à_____s'ils/si elles sont américain(e)s.
6. Demandez à _____ et à_____s'ils/si elles habitent à New York.
7. Demandez à _____ et à_____s'ils/si elles sont étudiant(e)s.
8. Demandez à _____ et à_____s'ils/si elles parlent chinois.

Point d'arrivée
(Activités orales et écrites)

F. Au café: le déjeuner. You and a friend meet at a café for lunch. Greet each other; discuss what you want to eat; order.

G. Une présentation. Question another student in order to introduce him or her to the class. Find out the following information: (1) his or her nationality (**Est-ce que tu es belge?**, etc.); (2) where he or she lives; (3) where he or she is from (**de**); (4) his or her occupation; (5) what language(s) he or she speaks. Don't try to translate the questions literally from English to French; instead, use the French you have learned to find a way to get the needed information. When you have finished, present the student to the class.

MODÈLE: *Je vous présente Annette. Elle est française.*
Elle habite à Paris, mais (but) elle est de Rouen. Elle est étudiante, mais elle travaille aussi. Elle parle français et allemand. Elle ne parle pas anglais.

H. Au café: l'apéritif. You and a friend meet at a café for a drink (**un apéritif**) before dinner. After you greet each other and order, another friend arrives. Introduce her/him to your first friend. The two people who have just met try to get better acquainted by asking each other questions about nationality, residence, occupation, languages, and the like. Don't forget to order a drink for the third person.

I. Une photo. Describe the picture on p. 7.

Vocabulaire actif

NOMS	VERBES	ADVERBES	AUTRES EXPRESSIONS
un(e) assistant(e)	arriver	aussi	à
un(e) avocat(e)	chanter	beaucoup	ah, bon
un chocolat	commander	bien	au revoir
un croque-monsieur	commencer	déjà	bonjour
le déjeuner	désirer	ici	comment allez-vous?
une femme	être	là	comment ça va?
un ingénieur	étudier	mal	de
un(e) mécanicien(ne)	fumer	un peu	je vais bien
un médecin	habiter	rarement	je vais prendre
une omelette aux fines	manger	souvent	je voudrais
herbes	parler	très peu	je vous présente
le petit déjeuner	payer		mais
un professeur	travailler		mais non
une salade			moi
un sandwich au fromage	ADJECTIFS		n'est-ce pas?
un sandwich au jambon			quelque chose
un sandwich au pâté	allemand(e)		salut
	américain(e)		toi
	anglais(e)		
	belge		
	brésilien(ne)		
	canadien(ne)		
	chinois(e)		
	égyptien(ne)		
	enchanté(e)		
	espagnol(e)		
	français(e)		
	italien(ne)		
	japonais(e)		
	mexicain(e)		
	russe		
	suisse		

CHAPITRE DEUX

Faisons connaissance!

Première Étape

POINT DE DÉPART: Mes Possessions

mes: my

J'habite dans:

une maison   un appartement   une chambre

(in order) to go to town, I have

Pour aller en ville, j'ai:

une auto   une motocyclette   un vélomoteur   un vélo

Pour étudier, j'ai:

une machine à écrire   un livre   un ordinateur   un crayon

un cahier   un stylo   une calculatrice

when I go out

Quand je sors, j'ai:

un sac à dos   une clé   un portefeuille   un sac

to have fun

Pour m'amuser, j'ai:

un transistor   une chaîne stéréo   un disque   une télévision
une cassette   un appareil-photo

À vous! (Exercices de vocabulaire)

A. **Qu'est-ce que c'est?** (*What is it?*) Identify each object as numbered in the drawing.

MODÈLE: *C'est une machine à écrire.*

MODÈLE

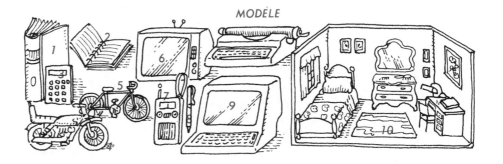

B. Mais non... Answer the questions according to the drawing.

MODÈLE: C'est un transistor?
Mais non, ce n'est pas un transistor, c'est une clé.

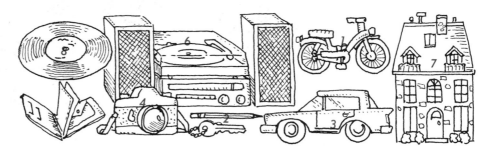

1. C'est un vélo?
2. C'est un stylo?
3. C'est une motocyclette?
4. C'est un ordinateur?

5. C'est un sac?
6. C'est une télévision?
7. C'est un appartement?
8. C'est une cassette?

STRUCTURE 1: *Le présent du verbe irrégulier* avoir *et l'expression* il y a

J'ai une Renault 5.
Est-ce que **vous avez** un livre?
Nous n'avons pas de clé.
D'habitude **elles n'ont pas** d'auto.

I have a Renault 5.
Do you have a book?
We don't have a key.
Usually *they don't have* a car.

The verb **avoir** (*to have*) is irregular.

avoir	
j'**ai**	nous **avons**
tu **as**	vous **avez**
il/elle **a**	ils/elles **ont**

In a negative sentence, the indefinite articles **un** and **une** usually change to **de** (**d'** before a vowel or a vowel sound). This construction often occurs with the verb **avoir: Nous n'avons pas** *de* **clé.**[1]

The verb **avoir** is part of the expression **il y a**, the French equivalent of *there is* or *there are*. **Il y a** is invariable; it does not have separate singular and plural forms.

---

1. After **c'est** (*it is*), un and une do not become de: **C'est un cahier? Non, ce n'est pas** *un* **cahier.**

Il y a un livre sur la table.	There is a book on the table.
Il y a quatre livres sur la table.	There are four books on the table
Il n'y a pas de livres sur la table.	There are no books on the table.

Voilà also means *there is* or *there are*, but **voilà** is used to point out the location of a place, person, or thing with the intention of getting someone to look in that direction. **Il y a** is used to state that a place, person, or thing exists; it may be followed by an indication of location, but it does not require the listener to look.

| Il y a un livre sur la table. | There is a book on the table. (The book exists and is on the table.) |
| Voilà un livre, sur la table.[2] | There is a book, on the table. (A book is on the table; look at it.) |

Application

C. Remplacez le sujet et faites les changements nécessaires.

1. *Luc* a un vélomoteur. (Alex / nous / je / Irène et Claude / tu / ils)
2. Est-ce que *François* a une chaîne stéréo? (tu / Élisabeth / Jean-Luc et André / vous / elles)
3. Ils n'ont pas d'ordinateur. (elle / tu / nous / je / elles / Éric)

D. Répondez affirmativement.

1. Est-ce que tu as une auto?
2. Est-ce que Philippe a une calculatrice?
3. Est-ce que Monique et Chantal ont une maison?
4. Est-ce que Nathalie a un vélo?
5. Est-ce que tu as un crayon?
6. Est-ce que vous avez une télévision?
7. Est-ce que tu as un appareil-photo?
8. Est-ce que vous avez un vélomoteur?

E. Répondez négativement.

MODÈLE: Est-ce qu'elle a un transistor?   *Non, elle n'a pas de transistor.*

1. Est-ce que Jean-Jacques a un ordinateur?
2. Est-ce que tu as une calculatrice?
3. Est-ce que Béatrice et Yves ont une clé?
4. Est-ce que vous avez une auto?
5. Est-ce que Thierry et Didier ont une motocyclette?
6. Est-ce que tu as un stylo?
7. Est-ce que vous avez une machine à écrire?
8. Est-ce que Martine a un portefeuille?

---

2. **Voilà** has a companion expression, **voici** (*here is, here are*). **Voici une calculatrice** (near the speaker). **Voilà une maison** (away from the speaker).

F. Qu'est-ce qu'il y a dans une chambre d'étudiant? (*What's in a student's room?*) Indicate whether each item is usually found in a student's room.

MODÈLES: un stylo   *D'habitude il y a un stylo dans une chambre d'étudiant.*

une motocyclette   *D'habitude il n'y a pas de motocyclette dans une chambre d'étudiant.*

1. un transistor   2. un crayon   3. un vélo   4. une calculatrice   5. un cahier   6. une auto   7. une chaîne stéréo   8. un verre de rouge   9. une machine à écrire   10. une télévision   11. un vélomoteur   12. un disque

G. Questions. Each member of the group plays the role of questioner by asking four questions (*tu, vous, il* or *elle, ils* or *elles*).

1. avoir un stylo   2. avoir une auto   3. avoir un sac à dos   4. avoir une chaîne stéréo   5. avoir un appareil-photo

STRUCTURE 2: *Les nombres de 0 à 10*

The French word for the number 1 is the same as the indefinite article—**un** or **une**, depending on whether the noun it introduces is masculine or feminine. Zero and the numbers from 2 to 10 are invariable.

0	zéro	3	trois	6	six	9	neuf
1	un, une	4	quatre	7	sept	10	dix
2	deux	5	cinq	8	huit		

When a number precedes a noun beginning with a vowel or a vowel sound, liaison occurs and the final consonant is pronounced. In liaison, **x** and **s** are pronounced like a **z**: **deux appartements, trois autos, cinq étudiants, six étudiantes, huit appareils, dix autos.**

Application

H. Faites les exercices suivants.

1. Comptez de 0 jusqu'à 10.
2. Comptez de 10 jusqu'à 0.
3. Répétez les nombres pairs (*even numbers*): 0, 2, 4, 6, 8, 10.
4. Répétez les nombres impairs (*odd numbers*): 1, 3, 5, 7, 9.
5. Lisez *(Read):* un livre, une menthe à l'eau, deux cafés au lait, trois clés, quatre livres, cinq vélos, six sandwichs, sept bières, huit stylos, neuf lettres, dix sacs; un avocat, une omelette, deux autos, trois appartements, quatre appareils, cinq Oranginas, six omelettes, sept express, huit autos, neuf appartements, dix étudiantes.

PRONONCIATION: *La combinaison* qu

In English, the combination *qu*, except at the end of a word *(unique)*, is pronounced [kw]: *quote, quick, request.* In French, the combination **qu** is almost always pronounced [k]; the **u** is silent. Notice the difference between:

English	French
*Qu*ebec	**Qu**ébec
se*qu*ence	sé**qu**ence

Pratique

I. Read each word aloud, being careful to pronounce the *qu* combination as [k].

est-ce que / croque-monsieur / qu'est-ce que / quelque chose / Jacqueline / Véronique / disque / critique

STRUCTURE 3: *L'article indéfini* des

Commandons **des** sandwichs.	Let's order *some* sandwiches.
Nous avons **des** amis.	We have friends.
Il n'y a pas **de** livres ici.	There aren't *any* books here.

The plural form of the indefinite articles **un** and **une** is **des. Des** is the equivalent of the English *some* or *any*. French requires the use of **des** in cases where English does not use an article because *some* or *any* is understood. For example, **Nouns avons des amis** = *We have (some) friends*. The **-s** of **des** is silent, except before a vowel or a vowel sound.

After a negative expression, **des** becomes **de** or **d'**, except after the expression **ce ne sont pas**: **Il n'y a pas** *de* **livres ici,** but **Ce ne sont pas** *des* **livres.**

Application

J. Make each expression plural.

MODÈLE: une maison   *des maisons*

1. un cahier   2. une clé   3. un appartement   4. un disque   5. une auto
6. un vélo   7. un croissant   8. une omelette   9. un crayon   10. un ami

K. Répondez aux questions en utilisant les expressions entre parenthèses.

1. Est-ce que tu as des livres?   (oui)
2. Et Paul, est-ce qu'il a des livres?   (oui, il... aussi)
3. Est-ce qu'il y a des croissants?   (oui)
4. Est-ce que tu désires des croissants?   (non)

5. Est-ce qu'Isabelle a un sac?   (non)
6. Est-ce que vous avez des amis?   (oui)
7. Est-ce que tu as des clés?   (oui)
8. Et Bernard, est-ce qu'il a des clés?   (non)
9. Est-ce que Michelle a des disques?   (oui)
10. Est-ce que Sylvie a des amis?   (non)

L. Qu'est-ce qu'il y a dans la chambre de... ? Using the drawings as a guide, indicate what objects are found in Véronique's room. Then answer the question about your own room (**votre chambre**).

1. Qu'est-ce qu'il y a dans la chambre de Véronique? (Dans la chambre de Véronique il y a...)
2. Qu'est-ce qu'il y a dans votre chambre? (Dans ma chambre il y a...)

Mise au point (Petite révision de l'étape)

M. Échange. Posez les questions à un(e) autre étudiant(e), qui va vous répondre.

1. Est-ce que tu habites dans un appartement?
2. Qu'est-ce que tu as pour aller en ville—une auto? une motocyclette? un vélo?
3. Est-ce que tu études beaucoup? Est-ce que tu as un stylo? des livres? une machine à écrire? une calculatrice? un ordinateur?
4. Est-ce que tu as une chaîne stéréo? des disques? des cassettes?
5. Est-ce que tu as des clés? deux clés? trois?

N. Exercice écrit. Write an answer to each question. Use the word in parentheses as a guide.

1. Est-ce que Jean-Pierre habite dans une maison?   (appartement)
2. Est-ce que vous avez des clés?   (oui)
3. Est-ce que M. et Mme Ménétrier ont un vélomoteur?   (non)
4. Est-ce que tu as un ordinateur?   (calculatrice)
5. Est-ce qu'il y a une chaîne stéréo dans la chambre de Monique?   (non)

POINT DE DÉPART: *Mes goûts*

un goût: taste, preference   Christine et Robert ont des goûts différents.

Christine	Robert

like, love   J'**aime** le café.   Moi, je déteste le café.

wine   J'aime le **vin**.   Moi, je n'aime pas le vin.

cats (*m.*) / prefer /   J'aime les **chats.**   Moi, j'**aime mieux** les **chiens.**
  dogs (*m.*)   J'aime beaucoup le camping.   Moi, je déteste la nature.

     Je n'aime pas les sports.   Moi, j'adore le tennis.

     Je déteste la télévision.   Moi, j'aime bien la télévision.

     J'aime la musique classique.   Moi, j'aime la musique populaire.

     J'aime le cinéma.   Moi, j'aime mieux le théâtre.

painting   J'adore la **peinture.**   Moi, j'aime beaucoup la sculpture.

languages   J'étudie les **langues** et les   Moi, j'étudie les sciences et la
         mathématiques.   littérature.

work   Je n'aime pas le **travail.**   Ah, moi, je n'aime pas le travail
either, neither   **non plus.**

À vous! (Exercices de vocabulaire)

A. Est-ce que vous aimez...? Give your reactions to each item.

MODÈLE: Est-ce que vous aimez le tennis?
Oui, j'aime le tennis. ou: *J'aime bien le tennis.* ou: *J'adore le tennis.* ou: *Je n'aime pas le tennis.*
Et vous?
Moi aussi, j'aime le tennis. ou: *Je déteste le tennis.* ou: *Moi, je n'aime pas le tennis non plus.*

1. le cinéma   2. la bière   3. la télévision   4. les mathématiques   5. le camping   6. la musique classique

B. Est-ce que vous aimez mieux...? Indicate your preferences.

MODÈLE: le thé ou le café?
—J'aime mieux le café. Et vous?
—Moi, j'aime mieux le thé. ou: *Moi aussi, j'aime mieux le café.*

1. Les sandwichs ou les omelettes   2. la musique classique ou la musique populaire   3. le théâtre ou le cinéma   4. le camping ou le tennis   5. les mathématiques ou la littérature   6. les chiens ou les chats   7. la peinture classique ou la peinture moderne   8. le vin, la bière ou le lait

Reprise (Première Étape)

C. Lisez en français: 3, 7, 2, 5, 0, 9, 1, 10, 6, 4, 8.

D. Qui a...? *(Who has...?)* Based on the drawings, answer the questions about each person's possessions.

Alain   Georgette   M. et Mme Goudon

1. Est-ce qu'Alain a une auto? Et M. et Mme Goudon? Et Georgette?
2. Est-ce que Georgette a des livres? Et M. et Mme Goudon? Et Alain?
3. Qui a un transistor? Est-ce qu'Alain a un transistor? Et M. et Mme Goudon?
4. Qui a une télévision? Est-ce que Georgette a une télévision? Et Alain?
5. Qui a une chaîne stéréo? Est-ce que M. et Mme Goudon ont une chaîne stéréo? Et Georgette?

E. Répondez aux questions selon votre situation personnelle.

1. Est-ce que tu habites dans une maison?
2. Est-ce que tu as une télévision?
3. Est-ce que tu as une auto?
4. Est-ce que tu as un vélomoteur?
5. Est-ce que tu as des cahiers?
6. Est-ce que tu as un sac à dos?
7. Est-ce que tu as un portefeuille?
8. Est-ce que tu as un chien ou un chat?

STRUCTURE 4: *L'article défini* (le, la, les)

J'aime **le** tennis.	I like tennis.
Hervé déteste **la** politique.	Hervé hates politics.
Est-ce que les Goudon[3] ont l'auto de Jean-Pierre?	Do the Goudons have Jean-Pierre's car (*the* car belonging to Jean-Pierre)?

The French definite article has three singular forms: **le** (masculine), **la** (feminine), **l'** (masculine or feminine before a vowel or vowel sound). It has one plural form: **les**. The **s** of **les** is silent, except in liaison before a vowel or a vowel sound.

The definite article has two main uses. First, it is used to designate a noun in a general or collective sense. For example, **Anne aime le tennis** means that Anne likes tennis in general, as a sport; **Hervé déteste la bière** means that Hervé dislikes all beer. In English, an article is not required to express these ideas. When used in this sense, the article and noun often accompany verbs such as **aimer, détester,** and **adorer.**

The definite article is also used to designate a noun in a specific sense. For example, **voilà les livres** refers to specific books that have already been mentioned; **l'auto de Jean-Pierre** refers to the particular car that belongs to Jean-Pierre.

Notice that the definite article is used in conjunction with the preposition **de** to indicate possession:

l'ami de Vincent	Vincent's friend
les clés **d'**Isabelle	Isabelle's keys

---

3. Family names in French are not pluralized: **les Simon** = *the Simons.*

Application

F. Remplacez l'article indéfini par l'article défini.

MODÈLE: un livre   *le livre*

1. un café   2. des sandwichs   3. une maison   4. une omelette   5. un sac
6. des croissants   7. une chambre   8. une télévision   9. des disques
10. des appareils-photo   11. un ami   12. une amie   13. des amis
14. une machine à écrire

G. Les goûts. Répondez en utilisant les expressions entre parenthèses.

MODÈLES: Qu'est-ce que vous aimez? (musique)   *J'aime la musique.*

Qu'est-ce que vous détestez? (vin)   *Je déteste le vin.*

1. Qu'est-ce que vous aimez? (chats)   2. Et Marie? (sports)   3. Et Georges?
(peinture)   4. Et les Didier? (théâtre)   5. Et vous et Georges? (langues)
6. Et les étudiants? (nature)   7. Qu'est-ce que vous détestez? (cinéma)
8. Et Alfred? (bière)   9. Et Mme Thibault? (politique)   10. Et Jeanne et Luc?
(mathématiques)   11. Et vous et Suzanne? (télévision)   12. Et les
professeurs? (musique populaire)

H. Répondez en utilisant les expressions entre parenthèses.

MODÈLE: C'est le livre de Béatrice? (Dominique)
Non, c'est le livre de Dominique.

1. C'est l'appartement de Jean-Pierre? (Georges)
2. C'est la chambre de Bénédicte? (Annick)
3. Ce sont les amis de Jeanne? (Pierrette)
4. C'est l'auto de Xavier? (Jacques)
5. Ce sont les cahiers de Patrice? (Jean-Paul)
6. C'est le vélo de Marianne? (Henri)
7. Ce sont les clés de Thierry? (Bernard)

PRONONCIATION: *La combinaison ch*

In English, the combination *ch* is usually pronounced with the hard sounds [tch]
or [k]: *ch*icken, rea*ch*; *ch*aracter, ar*ch*itect. In French, the combination **ch** usually has a softer sound, much like the *sh* in the English word *sheep*. Notice the
difference in the following pairs:

English	French
*ch*ief	*ch*ef
tou*ch*	tou*ch*e
ar*ch*itect	ar*ch*itecte

Pratique

I. Read each word aloud, being careful to pronounce **ch** as [sh]:

chante / chose / Chantal / chinois / chien / chambre / machine / chat / chaîne / chercher / chef

STRUCTURE 5: *L'adjectif possessif (1ère et 2e personnes)*

Tu aimes **ton** travail? Oui, j'aime **mon** travail.

Do you like *your* work? Yes, I like *my* work.

Où est **ta** chambre? Voilà **ma** chambre.

Where is *your* room? There is *my* room.

Tu aimes **mes** amis? Oui, j'aime beaucoup **tes** amis.

Do you like *my* friends? Yes, I like *your* friends a lot.

C'est **votre** maison? Non, ce n'est pas **notre** maison.

Is that *your* house? No, it is not *our* house.

Où sont **vos** clés? Voici **mes** clés.

Where are *your* keys? Here are *my* keys.

Like definite and indefinite articles, the possessive adjectives agree with the noun they modify. Consequently, French has three forms (**mon, ma, mes**) that are equivalent to the English possessive adjective *my*. The same is true for the familiar *your* (**ton, ta, tes**). *Our* and *your* (plural or formal) have only two equivalents: **notre** and **votre** (singular), **nos** and **vos** (plural).

With a feminine noun beginning with a vowel or a vowel sound, the masculine form **mon** or **ton** is used in order to provide liaison: **mon omelette, ton amie**.

Subject	Possessive adjective	Example	English equivalent
je	**mon** **ma** **mes**	**mon** livre, **mon** amie **ma** chambre **mes** clés	*my*
tu	**ton** **ta** **tes**	**ton** livre, **ton** amie **ta** chambre **tes** clés	*your*
nous	**notre** **nos**	**notre** livre **notre** chambre **nos** clés	*our*
vous	**votre** **vos**	**votre** livre **votre** chambre **vos** clés	*your*

The **s** of **mes, tes, vos, nos** is silent, except before a noun beginning with a vowel or a vowel sound. Then liaison takes place: **vos clés**, but **vos amis**.

Application

J. Remplacez le substantif et faites les changements nécessaires.

1. Voilà mon *vélo.* (crayon / appartement / maison / chaîne stéréo / clés / amis)
2. Où est ta *serviette?* (maison / cahier / chambre / appareil / portefeuille / calculatrice)
3. Nous aimons notre *auto.* (machine à écrire / livres / amis / télévision / disques)
4. Est-ce que vous avez votre *stylo?* (transistor / livres / clés / crayon / cassettes)

K. Répondez aux questions selon les modèles.

MODÈLE: C'est mon crayon?
       Non, ce n'est pas votre crayon, c'est mon crayon.

1. C'est mon cahier? C'est ma chaîne stéréo? Ce sont mes livres? Ce sont mes clés?

MODÈLE: C'est notre maison?
       Non, ce n'est pas votre maison, c'est notre maison.

2. C'est notre auto? Ce sont nos sandwichs? Ce sont nos cassettes? C'est notre transistor?

MODÈLE: C'est ta bière?
       Non, ce n'est pas ma bière, c'est ta bière.

3. C'est ta clé? C'est ton crayon? C'est ton auto? Ce sont tes cahiers? Ce sont tes amis?

L. Ce n'est pas mon livre! The person asking the questions attributes ownership of each article to one or two other members of the group. They in turn attribute ownership to the questioner. Rotate the position of questioner.

MODÈLES: un livre
       HERVÉ: *C'est ton livre?*
       JEAN: *Mais non, ce n'est pas mon livre, c'est ton livre.*
       HERVÉ: *C'est votre livre?*
       JEAN ET LISE: *Mais non, ce n'est pas notre livre, c'est votre livre.*

1. un stylo   2. une clé   3. des livres   4. un cahier   5. une calculatrice
6. un crayon   7. des disques   8. des autos

Mise au point (Petite révision de l'étape)

M. Échange. Posez les questions à un(e) autre étudiant(e), qui va vous répondre.

1. Est-ce que tu aimes la nature? la politique? les sports?
2. Est-ce qu'il y a une télévision dans ta chambre? une chaîne stéréo? des disques? un ordinateur?
3. Est-ce que tu aimes mieux le thé, le café ou le lait?
4. Est-ce que tu as un vélo? Est-ce que ton ami(e) a un vélo? Est-ce que tu aimes mieux ton vélo ou le vélo de ton ami(e)?
5. (Employez **voici** ou **voilà**.) Où est ton livre de français? Où sont tes clés? Où est ta maison? Où est mon livre de français? Où sont mes clés?

N. Exercice écrit. Based on the cues, write sentences that indicate the owner of each object.

MODÈLES: livre (nous/Jean)
Ce n'est pas notre livre, c'est le livre de Jean.

clés (je/Francine)
Ce ne sont pas mes clés, ce sont les clés de Francine.

1. vélo (vous/Marie-Louise)
2. clé (je/Sylviane)
3. amis (nous/Philippe)
4. calculatrice (tu/Paul)
5. cahiers (je/Pascale)
6. amie (tu/Gérard)

Troisième Étape

POINT DE DÉPART: *Ma famille*

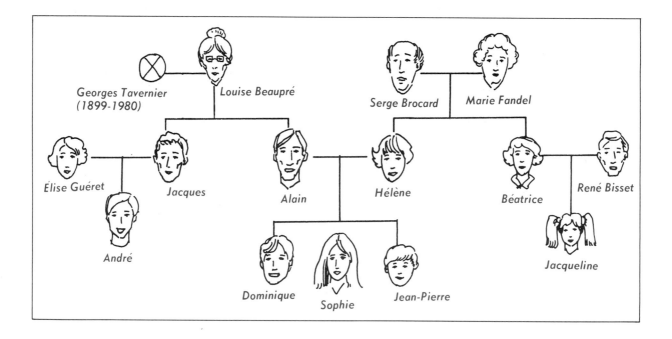

my name is	Bonjour. **Je m'appelle** Dominique Tavernier. Dominique, c'est mon prénom; Tavernier, mon nom de famille. Nous sommes cinq dans ma famille. J'ai un
my brother's name is	père, une mère, un frère et une sœur. **Mon frère s'appelle** Jean-Pierre et ma sœur s'appelle Sophie. Nous habitons dans une maison à Lille. J'ai aussi de la
who	famille **qui** n'habite pas à Lille.
	Voici mon grand-père et mes deux grands-mères.
	Voici mon oncle Jacques. C'est le frère de mon père.
wife	Voici ma tante Élise. C'est la **femme** de mon oncle.
son	Voici mon cousin André. C'est le **fils** de mon oncle Jacques et de ma tante Élise.
	Voici ma tante Béatrice. C'est la sœur de ma mère.
husband	Voici mon oncle René. C'est le **mari** de ma tante.
daughter	Et voici ma cousine Jacqueline. C'est la **fille** de mon oncle René et de ma tante Béatrice.

À vous! (Exercices de vocabulaire)

A. Combien de...? *(How many...?)* Answer the questions about the number of people there are in *your* family.

MODÈLE: Combien de sœurs est-ce que vous avez?
   J'ai une sœur. ou: *Je n'ai pas de sœurs.*

1. Combien de frères est-ce que vous avez?
2. Combien de grands-pères est-ce que vous avez?
3. Combien de grands-mères est-ce que vous avez?
4. Combien de tantes est-ce que vous avez?
5. Combien d'oncles est-ce que vous avez?
6. Combien de cousins et de cousines est-ce que vous avez?
7. Vous êtes combien dans votre famille? (Nous sommes...)

B. Comment s'appelle[4]...? *(What's the name of...?)* Answer the questions about the names of members of *your* family.

MODÈLE: Comment s'appelle votre frère?
   Il s'appelle Frank. ou: *J'ai deux frères; ils s'appellent Mark et John.*
   ou: *Je n'ai pas de frères.*

1. Comment s'appelle votre sœur?
2. Comment s'appelle votre mère?
3. Comment s'appelle votre père?
4. Comment s'appelle votre grand-père?
5. Comment s'appelle votre grand-mère?
6. Comment s'appelle votre tante?
7. Comment s'appelle votre oncle?
8. Comment vous appelez-vous?

Reprise (Deuxième Étape)

C. Répondez aux questions.

MODÈLE: LE PROFESSEUR: Qu'est-ce que c'est?
   L'ÉTUDIANT(E):   *C'est un livre.*
   LE PROFESSEUR: C'est votre livre?
   L'ÉTUDIANT(E):   *Oui, c'est mon livre.* ou: *Non, c'est le livre de Nancy.*

Your instructor will supply the items for this exercise.

---

4. The verb **s'appeler** is conjugated as follows: **je m'appelle, tu t'appelles, il/elle s'appelle, ils/elles s'appellent, nous nous appelons, vous vous appelez.** Learn also the fixed question forms: **Comment vous appelez-vous?** and **Comment t'appelles-tu?** In informal situations, one usually says **je suis** instead of **je m'appelle.**

D. Échange. Posez les questions à un(e) autre étudiant(e), qui va vous répondre.

1. Où est-ce que tu habites? Est-ce que tu as un appartement?
2. Est-ce que tu travailles? Où est-ce que tu travailles? Est-ce que tu aimes ton travail?
3. Est-ce que tu aimes les sports? la musique? la nature? la politique?
4. Est-ce que tu étudies les mathématiques? la littérature? les sciences? les langues?
5. Où est-ce que ton ami(e) habite? Est-ce qu'il (elle) aime la politique? les sports?
6. Qu'est-ce que tu aimes mieux, le thé ou le café? la bière ou le vin? le camping ou le théâtre? le cinéma ou la télévision?

STRUCTURE 6: *Les questions d'information* où, combien de, que, pourquoi

You have already learned how to ask questions that take *yes* or *no* as an answer. Many times, however, you ask a question because you seek specific information. In such cases, you can use a question word plus **est-ce que.**

To find out *where* something or someone is located, use **où** + **est-ce que:**[5]

—**Où est-ce que** ton frère habite?　　—*Where* does your brother live?
—Il habite à Marseille.　　　　　　　—He lives in Marseille.

To ask about a *quantity,* use **combien de** + **est-ce que:**

—**Combien de sœurs est-ce que**　　—*How many* sisters does Jean-
　Jean-Paul a?　　　　　　　　　　　Paul have?
—Il a deux sœurs.　　　　　　　　　—He has two sisters.

To find out *what* someone wants or is seeking, use **que** + **est-ce que.** Notice the elision: **qu'est-ce que.**

—**Qu'est-ce que** vous cherchez?　　—*What* are you looking for?
—Nous cherchons **une maison.**　　—We are looking for a *house*.

To ask *why,* use **pourquoi** + **est-ce que.** The answer to this question usually begins with **parce que.**

---

5. When a question contains the verb **être, est-ce que** is not usually used: **Où est ton frère? Où est la cathédrale?**

—**Pourquoi** est-ce que Claudine n'est pas ici?

—**Parce qu'**elle déteste le tennis.

—*Why* isn't Claudine here?

—*Because* she hates tennis.

Application

E. Remplacez le sujet et faites les changements nécessaires.

1. Où est-ce que *vous* travaillez? (tu / ta mère / Alain / ton père)
2. Combien de cousins est-ce que *vous* avez? (Louis / tu / Jeanne / nous)
3. Qu'est-ce qu'*ils* cherchent? (tu / vous / votre oncle / vos amis)
4. Pourquoi est-ce qu'*elle* n'a pas de disques? (tu / ton frère / Jacques et Henri / vous)

F. Form questions using the suggested words.

MODÈLE: où / tu / habiter   *Où est-ce que tu habites?*

1. où / ton cousin / habiter
2. où / ta sœur / travailler
3. où / être / le musée
4. combien de / clés / tu / avoir
5. combien de / sandwichs / Mme Lafond / désirer
6. qu'est-ce que / votre père / chercher
7. qu'est-ce que / tu / aimer mieux / musique / sports
8. pourquoi / vous / ne pas aimer / politique
9. pourquoi / votre frère / ne pas avoir / vélo

G. Précisons! (*Let's give more details!*) Use the words in parentheses to ask a follow-up question about each statement.

MODÈLE: Mon frère n'habite pas à la maison. (où)
            Où est-ce qu'il habite?

1. J'ai des sœurs, mais je n'ai pas de frères. (combien de)
2. Mon père travaille beaucoup. (où)
3. Nous n'avons pas de télévision à la maison. (pourquoi)
4. Ma mère étudie les langues et les mathématiques. (qu'est-ce que/aimer mieux)
5. Moi, je n'aime pas la littérature. (pourquoi)
6. J'étudie souvent. (où/d'habitude)
7. Les étudiants cherchent quelque chose. (qu'est-ce que)
8. Nous désirons des croissants. (combien de)
9. Ma grand-mère fume beaucoup. (pourquoi)
10. Je voudrais prendre le déjeuner. (qu'est-ce que/désirer)

PRONONCIATION: *Les consonnes* c *et* g

Depending on the sound that follows it, the French consonant **c** may represent the hard sound [k], as in the English word *car*, or the soft sound [s], as in the English word *nice*. Similarly, the consonant **g** may represent either the hard sound [g], as in *gun*, or the soft sound [3], as in *sabotage*.

C represents the hard sound [k] and **g** represents the hard sound [g] before another consonant and before the vowels **a, o,** and **u**:

[k]: **c**lasse, **c**ar, **c**orps, é**c**u
[g]: **g**rand, **g**are, mé**g**ot, **g**uide

C represents the soft sound [s] and **g** represents the soft sound [3] before the vowels **e, i,** and **y**. **C** is also soft when it has a cedilla (**ç**):

[s]: fa**c**e, ra**c**ine, Saint-**C**yr, fran**ç**ais
[3]: â**g**e, ri**g**ide, **g**ymnase

Pratique

H. Read each word aloud, being careful to give the appropriate hard or soft sound to the consonants **c** and **g**:

café / citron / commande / croissant / ça / cahier / pièces / combien / Françoise / Orangina / goûts / rouge / fromage / portugais / belge / égyptienne / langue / Roger

STRUCTURE 7: *L'expression* ne... que

Je n'ai **que** deux sœurs.	I have *only* two sisters.
Mon appartement **n'a qu'**une chambre.	My apartment has *only* one bedroom.

To refer to a limited or reduced quantity, use the expression **ne... que**. Place **ne** before the verb and **que** before the number. Notice that **que** becomes **qu'** before **un** or **une**.

Application

I. Remplacez le mot en italique et faites les changements nécessaires.

1. Elle n'a que *cinq* francs. (trois / dix / sept / neuf / deux)
2. *Je* n'ai qu'un frère. (il / nous / elle / tu / ils)
3. Je n'ai qu'*un frère*. (une sœur / trois frères / un grand-père / cinq cousins)

J. Answer the questions, reducing each number by one.

MODÈLE: Tu as quatre frères?   *Non, je n'ai que trois frères.*

1. Tu as trois sœurs?
2. Monique a deux frères?
3. Albert a deux vélos?
4. Jeannette a deux autos?
5. Tu as cinq dollars?
6. Ta tante a huit fils?
7. Ton appartement a trois chambres?

Mise au point (Petite révision de l'étape)

K. **Échange**. Posez les questions à un(e) autre étudiant(e), qui va vous répondre.

1. Combien de sœurs est-ce que tu as? Est-ce que tu as des frères aussi?
2. Comment s'appelle ta mère? Et ton père?
3. Où est-ce que tes grands-parents habitent? Est-ce qu'ils habitent dans une maison ou dans un appartement?
4. Qu'est-ce que tu aimes mieux, les langues ou les sciences? Est-ce que tu étudies trois langues?
5. Est-ce que tu as une télévision? Pourquoi est-ce que tu as une télévision? (Pourquoi est-ce que tu n'as pas de télévision?)

L. **Exercice écrit**. Write sentences using the suggested elements:

1. pourquoi / ta sœur / détester / sports / ?
2. où / vos cousins / habiter / ?
3. mon oncle et ma tante / avoir / ne...que / deux enfants
4. combien de / frère / tu / avoir / ?
5. qu'est-ce que / votre grand-père et votre grand-mère / aimer mieux / musique / théâtre / ?

Quatrième Étape

LECTURE: Mon identité

The ability to read in French develops more rapidly than the skills of speaking, listening, and writing. One reason is the large number of cognates (similar words) shared by French and English. Use the many cognates in the paragraphs below to help you get the general ideas of this *lecture* without consulting the definitions that follow the reading.

Je suis président d'une grande[1] entreprise. J'ai une grande maison, quatre télévisions en couleur et trois voitures[2] dans le garage. Pendant[3] les vacances,[4] ma femme et moi, nous voyageons[5] beaucoup. Nous avons un chalet en Suisse et un appartement à Paris. Mes enfants sont dans une école[6] privée et chacun[7] a une chaîne stéréo, une grande quantité de disques et une voiture. Ma vie[8] est très intéressante; je n'ai pas de problèmes.

Je suis étudiante en droit.[9] Je travaille comme serveuse[10] et j'habite dans une petite chambre en ville. J'aime les sports, surtout[11] le tennis. J'adore la musique classique. Je n'ai pas beaucoup de disques, mais j'écoute[12] souvent la radio. J'étudie les langues, la littérature, les sciences et la politique parce que ce sont des sujets fascinants. J'aime ma vie; je n'ai pas de problèmes.

Je suis père de famille. J'ai quatre enfants: un fils et trois filles. Nous n'avons qu'une petite maison, mais elle est très confortable. Ma femme et moi, nous passons[13] beaucoup de temps[14] avec[15] nos enfants. Nous aimons le camping et les sports. Ma femme adore le ski; moi, j'aime mieux le football. Nous célébrons les jours de fête[16] avec nos familles—oncles, tantes, cousins, cousines et grands-parents, nous dînons ensemble.[17] Ma vie est très agréable; je n'ai pas de problèmes.

Je suis professeur de psychiatrie. Je travaille dans une clinique à Bordeaux. J'ai un mari très sympathique.[18] Nous aimons aller au théâtre et au cinéma. Nous avons beaucoup d'amis et nous aimons discuter ensemble. Nous parlons des problèmes de l'identité, du matérialisme, des goûts, de la famille, des influences sociales sur la personnalité. Au travail je passe mon temps à analyser les personnes « qui n'ont pas de problèmes».

---

1. large 2. cars 3. during 4. vacation 5. travel 6. school 7. each one 8. life 9. in law 10. as a waitress 11. especially 12. listen (to) 13. spend 14. time 15. with 16. holidays 17. together 18. nice

Compréhension

A. **Les mots apparentés** *(Cognates).* What do you think each of the following cognates means?

> le président, en couleur, le garage, voyager, privé(e), la quantité, intéressant(e), le problème, fascinant, confortable, le football, dîner, agréable, la psychiatrie, la clinique, l'identité, le matérialisme, l'influence, social(e), la personnalité, analyser

B. Vrai ou faux? Reread the *lecture,* using the definitions at the end. Then decide whether the statements made by each person are true or false. Support your answers.

1. Le président d'entreprise:
   a. Je suis matérialiste.
   b. J'ai une grande maison à Paris.
   c. Je n'ai qu'une auto.
   d. Je suis riche.
   e. Je passe les vacances avec mes enfants.

2. L'étudiante en droit:
   a. Je travaille dans un restaurant.
   b. J'adore le tennis.
   c. J'habite dans un appartement.
   d. J'étudie les sciences.
   e. J'ai une grande quantité de disques.

3. Le père de famille:
   a. J'ai cinq enfants.
   b. J'ai trois filles.
   c. Je déteste le camping.
   d. J'aime les sports, surtout le ski.
   e. Je passe les jours de fête en famille.

4. Le professeur de psychiatrie:
   a. J'aime bien mon mari.
   b. J'aime les films.
   c. J'aime mieux les idées que les actions.
   d. J'adore les discussions.
   e. J'analyse les problèmes des présidents d'entreprise, des étudiants et des pères de famille.

Reprise (Troisième Étape)

C. Ask the indicated questions. Do not translate word for word; find a French equivalent. Ask someone:

MODÈLE: where he/she lives   *Où est-ce que tu habites?*

1. where his/her father and mother work
2. how many brothers and sisters he/she has
3. how many dogs or cats he/she has
4. what he/she prefers (give two choices)
5. what he/she is studying
6. why he/she eats a great deal
7. why he/she does not have a motorcycle

D. Échange. Posez les questions à un(e) autre étudiant(e), qui va vous répondre.

1. Comment est-ce que tu t'appelles?
2. Où est-ce que tu habites? Est-ce que tu habites dans un appartement?
3. Combien de frères et de sœurs est-ce que tu as?

4. Comment s'appelle ton frère (ta sœur)? Ou, comment s'appellent tes frères (sœurs)?
5. Ton frère, est-ce qu'il habite à _____ aussi? Est-ce qu'il est étudiant aussi? Qu'est-ce qu'il étudie?
6. Ta sœur, est-ce qu'elle habite à _____ aussi? Est-ce qu'elle parle français? Est-ce qu'elle fume?
7. Qu'est-ce que tu aimes mieux, la télévision ou la musique? Est-ce que tu as un transistor? une chaîne stéréo? Est-ce que tu aimes mieux les disques ou les cassettes?
8. Est-ce que tes parents ont deux autos? Et toi, tu as une auto, un vélomoteur et deux vélos, n'est-ce pas?

Point d'arrivée
(Activités orales et écrites)

E. Faisons connaissance! Get to know another student by trying to discover the indicated information. He or she will ask the same things about you. Find out his/her name; where he/she lives; the size and makeup of his/her family; his/her interests (sports, politics, etc.); his/her possessions; his/her likes and dislikes (beverages, activities, etc.).

F. Je suis... Present yourself to the class. Give as much information as you can (within the limits of what you know how to say) about your family, your interests, and your possessions.

G. Le déjeuner au café. You go to a café for lunch with a student whom you've just met. When you arrive, you see a friend of yours. Along with two other members of the class, play the roles of the students in this situation. During the conversation, make introductions, order lunch, and find out as much as possible about each other.

H. L'arbre généalogique. *(Family tree.)* Construct your family tree and explain to the class (or to a small group of students) the relationships between you and the other family members. For each person mentioned, give a piece of information (likes, dislikes, possessions).

I. Un dialogue des contraires. *(A dialogue of opposites.)* Imagine that you and another student are the two people in the picture on page 33. The two of you are very different: you come from different families (one large, one small), you have different possessions and different interests. Invent the personal details of your lives and present them to the class in the form of a dialogue of opposites.

Vocabulaire actif

NOMS

un(e) ami(e)
un appareil-photo
un appartement
une auto
un cahier
une calculatrice
le camping
une cassette
une chaîne stéréo
une chambre
un chat
un chien
le cinéma
une clé
un(e) cousin(e)
un crayon
un disque
une famille
une fille
un fils
un frère
un goût
une grand-mère
un grand-père
une langue
la littérature
un livre

une machine à écrire
une maison
un mari
les mathématiques (f.)
une mère
une motocyclette
la musique
la nature
un nom de famille
un oncle
un ordinateur
un parent
la peinture
un père
la politique
un portefeuille
un prénom
un sac
un sac à dos
la science
la sculpture
une sœur
un sport
un stylo
une tante
une télévision
le tennis
le théâtre
un transistor
le travail
un vélo
un vélomoteur
le vin

VERBES

adorer
aimer
aimer mieux
s'appeler
avoir
chercher
détester

ADJECTIFS

classique
différent
populaire

AUTRES EXPRESSIONS

combien de
comment
dans
il y a
non plus
où
parce que
pour aller en ville
pourquoi
que
qui
sur
voici
voilà

CHAPITRE TROIS

Renseignons-nous!

Première Étape
Faisons connaissance de la ville!

Deuxième Étape
Où se trouve...?

Troisième Étape
Allez tout droit!

Quatrième Étape
Lecture: La Ville francaise

Première Étape

POINT DE DÉPART: *Faisons connaissance de la ville!*

faire connaissance de: to
    get to know

Dans notre ville il y a:

secondary school

school

store that sells tobacco
    products, stamps,
    newspapers

church / museum

railroad station

un **lycée**	une librairie[1]	un hôtel
une **école**	un bureau de poste	un café
une université	un **bureau de tabac**	un restaurant
un hôpital	une pharmacie	un cinéma
une cathédrale	une banque	un théâtre
une **église**	un aéroport	un **musée**
une bibliothèque[1]	une **gare**	un parc

À vous! (Exercices de vocabulaire)

A. Qu'est-ce que c'est? Identify each building or place.

MODÈLE:

C'est un hôtel.

---

1. **Une librairie** is a bookstore; a library is **une bibliothèque**.

B. Où est...? Ask where each building or place is located, using the appropriate form of the definite article (**le, la, l'**).

MODÈLE: café   *Où est le café?*

1. gare   2. hôtel   3. bureau de poste   4. aéroport   5. cathédrale
6. banque   7. université   8. théâtre   9. hôpital   10. parc   11. musée

C. Là-bas. *(Over there.)* Indicate where each building or place is located by using **il est** or **elle est** and the expression **là-bas.**

MODÈLES: la gare   *—Où est la gare?*
                              —La gare? Elle est là-bas.

1. le musée   2. la cathédrale   3. le cinéma   4. l'hôtel   5. la banque   6. le bureau de poste   7. l'université   8. la pharmacie   9. l'hôpital   10. le lycée   11. l'église

STRUCTURE 1: *Le présent du verbe irrégulier* aller

Où **allez-vous**?	Where *are you going?*
Marie **va** en France.	Marie *is going* to France.
Ils ne vont pas à Paris.	*They are not going* to Paris.

The verb **aller** (*to go*)[2] is irregular. Its present-tense forms are:

aller	
je **vais**	nous **allons**
tu **vas**	vous **allez**
il/elle **va**	ils/elles **vont**

These adverbs are frequently used with **aller:**

toujours (*always*)	de temps en temps (*from time to*
souvent	*time*)
rarement	quelquefois (*sometimes*)

---

2. **Aller** is also the French equivalent of *to be* in a common expression of health: **Comment allez-vous?** *How are you?* **Je vais bien.** *I am fine.*

De temps en temps and **quelquefois** usually begin or end the sentence. The shorter adverbs usually directly follow the verb.

De temps en temps nous allons en ville.	*From time to time* we go into town.
Il va **souvent** au café.	He *often* goes to the café.

Application

D. Remplacez le sujet et faites les changements nécessaires.

1. *Henri* va à Londres. (Anne-Marie / je / vous / M. et Mme Duplessis / nous / tu)
2. Est-ce que *Jeanne* va en ville de temps en temps? (tu / Éric / Jeannette et Sylvie / vous / Marcelle)
3. *Ils* ne vont pas souvent à la bibliothèque. (Sacha / nous / Hélène / je / elles / vous)

E. Répondez en utilisant les expressions entre parenthèses.

MODÈLE: Alex va à Lyon? (à Lille)
            Mais non, Alex ne va pas à Lyon, il va à Lille.

1. Thérèse va à Nice? (à Nîmes)
2. Tu vas à Rennes? (à Rouen)
3. Les Martin vont à Grenoble? (à Genève)
4. Vous allez à Chambord? (à Chamfort)
5. Est-ce que je vais à Nantes? (à Nancy)
6. Nous allons à Paris? (à Poitiers)

F. Questions. Each student asks four questions (**tu, vous, il/elle, ils/elles**) of other members of the group, who will respond.

1. aller à New York
2. aller souvent à la bibliothèque
3. aller en ville de temps en temps
4. aller toujours à la classe de français

STRUCTURE 2: *La préposition à et l'article défini*

Nous sommes déjà **à la** cathédrale.	We're already *at the* cathedral.
Mon frère travaille **à l'**hôtel.	My brother works *in the* hotel.
Nous allons **au** cinéma ensemble.	We're going *to the* movies together.
Elle parle **aux** médecins.	She is talking *to the* doctors.

When followed by **la** or **l'**, the preposition **à** does not change. However, **à** followed by **le** and **les** contracts to form **au** and **aux** respectively.

à + le → **au**	**au** café
à + la → **à la**	**à la** pharmacie
à + l' → **à l'**	**à l'**église
à + les → **aux**	**aux** étudiants

The preposition **à** has several English equivalents: *at, in, to*. The **x** of **aux** is silent, except when it precedes a vowel or a vowel sound; in liaison, it is pronounced as a **z**.

Application

G. Remplacez le mot en italique et faites tous les autres changements nécessaires.

1. Il va à la *banque*. (cathédrale / pharmacie / bibliothèque / gare / librairie)
2. Elles sont à l'*hôpital*. (hôtel / université / église / aéroport / école)
3. Est-ce que tu vas au *café*? (restaurant / musée / bureau de tabac / lycée / cinéma / bureau de poste / théâtre / parc)
4. Je parle aux *médecins*. (professeurs / avocats / ingénieurs / assistants / garçons)

H. Remplacez le mot en italique et faites les changements nécessaires.

1. Ma sœur travaille au *musée*. (banque / bureau de poste / aéroport / bibliothèque / théâtre)
2. Nous allons souvent au *café*. (église / parc / bibliothèque / cinéma / musée / pharmacie)
3. Est-ce que nous sommes déjà au *restaurant*? (gare / université / théâtre / bureau de tabac / hôtel)
4. Il parle au *garçon*. (professeur / avocat / assistante / étudiants / médecins)

I. Working with another student, use the cues to tell one another where you are going.

MODÈLE: restaurant / hôtel
—*Où est-ce que tu vas?*
—*Moi? Je vais au restaurant. Et toi?*
—*Moi, je vais à l'hôtel.*

1. pharmacie / bureau de tabac
2. église / cathédrale
3. lycée / université
4. gare / aéroport
5. théâtre / cinéma
6. bureau de poste / banque
7. hôpital / parc
8. bibliothèque / librairie

J. Working with another student, use the cues to tell with whom you are speaking.

MODÈLE: professeur / étudiant
—À qui est-ce que tu parles?
—Moi? Je parle au professeur. Et toi?
—Moi, je parle à l'étudiant.

1. médecin / avocat
2. étudiant / étudiante
3. assistants / professeurs
4. fils de Lise / femme de Jacques
5. fille de Paul / mari d'Annick
6. avocats / médecins

K. Use the first two cues to ask a question. Another student will answer using the third cue.

MODÈLE: Anne-Marie / théâtre / bibliothèque
—Anne-Marie va au théâtre?
—Non, elle ne va pas au théâtre, elle va à la bibliothèque.

1. Charles / hôtel / pharmacie
2. Élisabeth / cinéma / église
3. M. et Mme Auclair / restaurant / théâtre
4. René / bureau de tabac / librairie
5. Monique / bibliothèque / bureau de poste
6. Jean-Jacques et Françoise / gare / aéroport
7. Simone / musée / parc
8. les professeurs / café / université

PRONONCIATION: *La combinaison* gn

In French, the combination **gn** is pronounced [ɲ]—much like the **ny** in the English word *canyon:* **gagner, ligne.**

Pratique

L. Read each word aloud, being careful to pronounce the **gn** combination as [ɲ]:

espagnol / renseignons-nous / magnifique / magnétique / signe / Agnès / montagne / champignon

STRUCTURE 3: *Les nombres de 11 à 20*

11 onze	15 quinze	18 dix-huit
12 douze	16 seize	19 dix-neuf
13 treize	17 dix-sept	20 vingt
14 quatorze		

The **t** of **vingt** is not pronounced, except in liaison: **vingt** livres, but **vingt autos**.

M. Faites les exercices suivants.

1. Comptez de 11 jusqu'à 20; de 20 jusqu'à 11.
2. Comptez de 0 jusqu'à 20; de 20 jusqu'à 0.
3. Donnez les nombres pairs de 0 jusqu'à 20.
4. Donnez les nombres impairs de 1 jusqu'à 19.

N. Faisons des sommes! *(Let's do some addition!)*

MODÈLE: 2 + 2 —*Combien font deux et deux?*
—*Deux et deux font quatre.*

1. 3 + 6	4. 2 + 5	7. 3 + 10	10. 6 + 5
2. 7 + 9	5. 14 + 3	8. 9 + 9	11. 19 + 1
3. 11 + 4	6. 8 + 12	9. 12 + 7	12. 4 + 9

Mise au point (Petite révision de l'étape)

O. Échange. Posez les questions à un(e) autre étudiant(e), qui va vous répondre.

1. Est-ce qu'il y a un aéroport dans notre ville? un hôpital? un hôtel? une banque? un bureau de poste? un bureau de tabac? un café?
2. Est-ce que tu vas souvent au cinéma? au théâtre? au musée?
3. Ta famille et toi, est-ce que vous allez au parc? à l'église? au restaurant?
4. Est-ce que tu étudies à la bibliothèque? à la maison? dans ta chambre?
5. Est-ce que tu parles souvent aux professeurs? à tes parents?

P. Exercice écrit. Rewrite each sentence, replacing the words in italics and making all necessary changes.

MODÈLE: Est-ce que *Georges* va à la *gare*? (tu / bureau de tabac)
Est-ce que tu vas au bureau de tabac?

1. *Nous* allons rarement au *musée*. (je / banque)
2. Ma *sœur* travaille à l'*aéroport*. (frère / bureau de poste)
3. Est-ce que *tu* es à la *bibliothèque*? (vous / hôpital)
4. *De temps en temps* je parle à mon *professeur*. (souvent / amis)
5. *Ils* vont à l'*église*. (ma camarade de chambre et moi, nous / parc)

Deuxième Étape

POINT DE DÉPART: Où se trouve...?

se trouver: to be found,
   located

far from	Où se trouve l'aéroport?	Il est **loin de** la ville.
near (to)	Où se trouve la gare?	Elle est **près de** l'église.
across from	Où est le bureau de poste?	Il est **en face de** la gare.
next to	Où est la pharmacie?	Elle se trouve **à côté de** l'hôtel.
in front of	Où est l'auto de Marianne?	Elle est **devant** l'hôtel.
behind	Où est la maison de Jean-Paul?	Elle est **derrière** l'église.
between	Où se trouve le restaurant?	Il est **entre** le théâtre et la banque.

À vous! (Exercices de vocabulaire)

A. La ville. Répondez affirmativement aux questions.

MODÈLE: Est-ce que la gare est près de la cathédrale?
Oui, elle est près de la cathédrale.

1. Est-ce que la pharmacie est près de l'hôtel?
2. Est-ce que le bureau de tabac est en face de l'église?
3. Est-ce que le cinéma est loin de l'université?
4. Est-ce que la banque est à côté de la pharmacie?
5. Est-ce que l'hôtel est près de l'aéroport?
6. Est-ce que l'université est en face de l'hôpital?
7. Est-ce que l'église est à côté de la bibliothèque?
8. Est-ce que le lycée est derrière la cathédrale?
9. Est-ce que l'aéroport est loin de la ville?

B. La ville. Répondez négativement en utilisant les expressions données.

MODÈLE: L'aéroport est loin de la ville, n'est-ce pas? (près de)
Non, il est près de la ville.

1. La bibliothèque est à côté de l'église, n'est-ce pas? (en face de)
2. La maison de Jeanne est devant la cathédrale, n'est-ce pas? (derrière)
3. La gare est près de l'université, n'est-ce pas? (loin de)
4. Le bureau de poste est en face de l'hôtel, n'est-ce pas? (à côté de)
5. L'auto de Georges est derrière le cinéma, n'est-ce pas? (devant)
6. L'hôtel est loin de l'aéroport, n'est-ce pas? (près de)
7. Le restaurant est à côte de la banque et en face de la pharmacie, n'est-ce pas? (entre)

Reprise (Première Étape)

C. Faites les exercices suivants.

1. Comptez de 0 jusqu'à 20; de 20 jusqu'à 0.
2. Lisez les nombres suivants: 1, 11 / 2, 12 / 3, 13 / 4, 14 / 5, 15 / 6, 16 / 7, 17 / 8, 18 / 9, 19 / 10, 20

D. Répondez en utilisant les expressions entre parenthèses.

MODÈLE: Où est-ce que Claire va? (théâtre)   *Elle va au théâtre.*

1. Où est-ce que Maurice va? (cinéma)   2. Et Véronique? (banque)   3. Et Jeanne et Chantal? (bureau de poste)   4. Et les Verdun? (pharmacie)
5. Où est-ce que votre mère travaille? (musée)   6. Et vos cousins? (aéroport)
7. Et votre sœur? (bureau de tabac)   8. Et vos amies? (hôpital)
9. À qui est-ce que Marie-Élisabeth parle? (père de Francine)   10. Et vos amis? (médecin)   11. Et Vincent? (frères d'Éric)   12. Et vos cousines? (sœurs de Martine)

1. Est-ce que tu vas souvent à l'église?
2. Est-ce que tu vas souvent au restaurant?
3. Est-ce que tu aimes aller[3] à la bibiothèque?
4. Est-ce que tu aimes mieux aller au cinéma ou au théâtre?
5. Toi et tes amis, est-ce que vous allez au lycée?
6. Toi et tes amis, est-ce que vous aimez aller au musée?

STRUCTURE 4: *La préposition de et l'article défini*

Elle arrive **de la** gare.	She arrives *from the* station.
Quelle[4] est l'adresse **de l'**hôtel?	What's the address *of the* hotel?
Voilà l'auto **du** professeur.	There's the professor's car.
Nous parlons **des** étudiants.	We are talking *about the* students.

When followed by **la** or **l'**, the preposition **de** does not change. However, **de** followed by **le** and **les** contracts to form **du** and **des**, respectively.

de + le → **du**	**du** café
de + la → **de la**	**de la** pharmacie
de + l' → **de l'**	**de l'**église
de + les → **des**	**des** étudiants

The preposition **de** has several English equivalents: *of, about, from,* and *'s* indicating possession. The **s** of **des** is silent, except when it precedes a vowel or a vowel sound; in liaison it is pronounced as a **z**.

Application

F. Remplacez le mot en italique et faites les changements nécessaires.

1. Voilà l'entrée de la *pharmacie*. (gare / banque / bibliothèque / cathédrale)
2. Quel est le nom de l'*hôtel?* (école / université / hôpital / aéroport)
3. Je cherche l'adresse du *restaurant*. (musée / bureau de poste / théâtre / lycée)
4. Nous parlons des *professeurs*. (médecins / avocats / ingénieurs / étudiants)

---

3. When two verbs are governed by the same subject, the first verb is conjugated and the second remains in the infinitive form: *Il aime travailler. Je voudrais aller au cinéma. Nous ne désirons pas étudier.*
4. The interrogative adjective **quel** (*what, which*) agrees in gender and number with the noun it modifies: **quel** (*m. sing.*), **quelle** (*f. sing.*), **quels** (*m. pl.*), **quelles** (*f. pl.*). It is used either with **être** (*Quel est ton nom de famille?*) or with a noun (*Quels livres est-ce que vous avez?*)

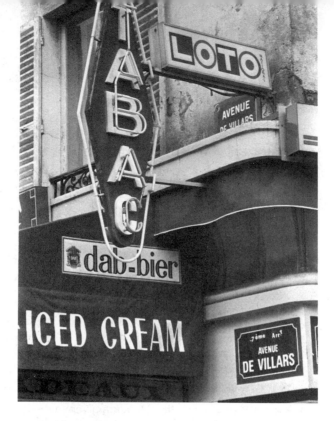

G. Remplacez le mot en italique et faites les changements nécessaires.

1. Quel est le nom du *restaurant?* (banque / hôtel / université / librairie / musée)
2. Où est l'entrée du *lycée?* (parc / bibliothèque / bureau de poste / église / gare)
3. Est-ce que tu as l'adresse du *restaurant?* (hôtel / bureau de tabac / librairie / lycée / pharmacie)
4. Non, elle ne parle pas du *professeur.* (médecins / avocats / étudiants / ingénieur / professeurs)

PRONONCIATION: *La consonne s*

Depending on the sounds that surround it, the letter **s** can represent the sound [s], as in the English *rinse*, or the sound [z], as in the English *rise*.

The consonant **s** represents the sound [s] when it is the first letter in a word or when it is followed by a second **s** or by another consonant: **sœur, masse, disque.**

The consonant **s** represents the sound [z] when it is between two pronounced vowels or when it is followed by a mute **e: visage, rose.**

Pratique

H. Read each pair of words aloud, being careful to distinguish between the [s] of the first word and the [z] of the second.

> dessert, désert / poisson, poison / coussin, cousin / russe, ruse

I. Read each word aloud, being careful to distinguish between [s] and [z].

> désire / souvent / croissant / Mademoiselle / brésilien / suisse /
> classique / église / maison / professeur / musée / passer

STRUCTURE 5: *Les prépositions et les adverbes de lieu*

—L'auto est **en face de** la maison?
—Non, elle est **à côté**.
—Tu habites **près d'**une banque?
—Oui, **tout près**.
—Le bureau de poste est **loin du**
Café Royal? —Oui, il est **loin**.

—Is the car *across from* the
house? —No, it's *next to* it.
—Do you live *near* a bank? —Yes,
very near.
—The post office is *far from the*
Café Royal? —Yes, it's *far away*.

The expressions of place (**lieu**) that are given in the **Point de départ** of this **étape** can function both as prepositions (when followed by a noun) and as adverbs (when used alone).[5] The expressions **près, loin, à côté,** and **en face** are followed by **de** when used as prepositions. In such cases, **de** follows the rules for contraction.

—L'hôtel est **près de la** gare?
—Oui, **tout près**.
—Tu habites **à côté du** musée?
—Oui, **juste à côté**.

—Is the hotel *near the* station?
—Yes, *very near*.
—You live *next to the* museum?
—Yes, *right next door*.

The expressions **devant** and **derrière** never require **de**.

—La statue est **devant** le musée?
—Non, elle est **derrière**.

—Is the statue *at the front of* the
museum? —No, it's *at the
back*.

In many cases, the adverbial forms are modified by a word such as **tout, juste,** or **très**.

---

5. The exception is **entre**, which can be used only as a preposition: **L'hôtel est** *entre* **la banque et le café.**

Application

J. Remplacez le mot en italique et faites les changements nécessaires.

1. La banque est *près de* la gare. (à côté / en face / loin / devant / derrière)
2. Nous habitons *en face de* l'église. (près / derrière / à côté / loin)
3. Est-ce que la pharmacie est *loin* du restaurant? (à côté / devant / en face / près / derrière)
4. L'hôtel est près de *la cathédrale*. (l'université / le musée / le restaurant / la gare / le parc)
5. Le café est en face de *l'université*. (le théâtre / la banque / le bureau de poste / le lycée / la pharmacie)

K. Répondez en utilisant les expressions entre parenthèses.

MODÈLE: Est-ce que le parc est près de la gare? (Non, très loin)
    Non, il est très loin.

1. Est-ce que l'aéroport est loin de la ville? (Non, tout près)
2. Est-ce que le cinéma est à côté du musée? (Non, juste en face)
3. Est-ce que votre auto est derrière le théâtre? (Non, devant)
4. Est-ce que la bibliothèque est près de l'université? (Oui, juste à côté)
5. Est-ce que l'hôtel est loin de la gare? (Oui, très loin)
6. Est-ce que l'entrée du musée est devant? (Non, derrière)

L. Answer the questions according to the map on p. 66.

MODÈLE: Où se trouve l'école?
            Elle est devant 'église et en face du cinéma.

1. Où se trouve le restaurant?
2. Où se trouve l'église?
3. Où se trouve la pharmacie?
4. Où se trouve l'hôtel?
5. Où est le bureau de poste?
6. Où est la banque?
7. Est-ce que la gare est loin de la banque?
8. Est-ce que la maison est près de l'aéroport?

Mise au point (Petite révision de l'étape)

M. Échange. Answer the questions based on the city or town where your school is located.

1. Est-ce que tu vas à l'aéroport de temps en temps? Est-ce qu'il est près de la ville? près de l'université?
2. Est-ce que tu vas souvent au cinéma? Est-ce qu'il y a un cinéma près de l'université?
3. Est-ce qu'il y a un restaurant près de l'université? Quel est le nom du restaurant? Est-ce qu'il y a une banque à côté du restaurant? en face? tout près?
4. Est-ce qu'il y a un hôtel près de l'université? Quel est le nom de l'hôtel?
5. Est-ce qu'il y a un hôpital à l'université? tout près?

N. Exercice écrit. Write sentences using the elements given.

1. église / être / en face / théâtre
2. maison de Valérie / être / entre / bureau de poste / banque
3. il y a / bureau de tabac / près / gare
4. nous / parler de / souvent / professeurs
5. je / habiter / à côté / musée

Troisième Étape

POINT DE DÉPART: Vous allez tout droit!

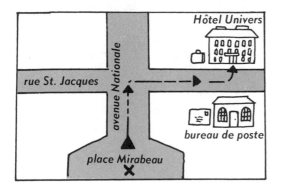

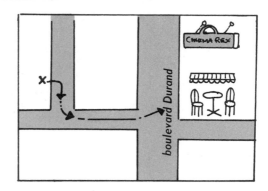

tout droit: straight ahead

—Pardon, Monsieur. Est-ce qu'il y a un bureau de poste près d'ici?

—Oui, Madame. Dans[6] la rue Saint-Jacques.

—S'il vous plaît, Monsieur. Où est la rue Saint-Jacques?

cross / square
as far as / turn to the right

—Bon, vous **traversez** la **place** et vous allez tout droit dans l'avenue Nationale. Vous continuez **jusqu'à** la rue Saint-Jacques et vous **tournez à droite**. Le bureau de poste est en face de l'Hôtel Univers.

—Merci bien, Monsieur.

—Je vous en prie, Madame.

—Au revoir, Annick.

—Où est-ce que tu vas?

I don't know

—Je vais au Cinéma Rex. Mais **je ne sais pas** exactement où il se trouve.

—Le Cinéma Rex? Il est sur le boulevard Durand.

—Oui, mais c'est loin d'ici?

corner / to the left

—Mais non, c'est tout près. Tu vas jusqu'au **coin** et tu tournes **à gauche**. Tu continues jusqu'au boulevard Durand et le Cinéma Rex est là, juste à côté du Café Royal.

—Merci, Annick.

you're welcome

—**De rien**, François. Au revoir.

---

6. French uses the preposition **sur** when talking about a square (*sur* la place) or a boulevard (*sur* le boulevard). In other cases, the preposition **dans** is used (*dans* la rue, *dans* l'avenue).

Many American cities are laid out in fairly regular patterns: streets meet at right angles, and many have numbers (Second Avenue, Seventeenth Street) rather than names. In French cities, streets rarely form regular patterns, and they are usually given the name of a landmark (**le boulevard de la Gare**), a famous person (**la rue Balzac**), or a historical event (**l'avenue de la Libération**).

As a result, the ways of giving directions in the two languages differ. Americans often express distance in terms of city blocks: "Go three blocks and turn left." In French, the notion of city blocks is not used. Instead, the French indicate the cross street on which to turn: «**Vous allez jusqu'à la rue Pascal et vous tournez à gauche.**»

À vous! (Exercices de vocabulaire)

A. Ask a question using the first cue and answer using the second.

MODÈLE: un café / dans la rue Balzac
—Est-ce qu'il y a un café près d'ici?
—Oui, il y a un café dans la rue Balzac.

1. un bureau de tabac / dans l'avenue Voltaire
2. un hôtel / dans la rue Saint-Pierre
3. une pharmacie / sur le boulevard des Anglais
4. une banque / dans la rue Cartier
5. une église / dans l'avenue Champlain
6. un café / sur la place de la Gare

B. Remplacez les mots en italique:

1. Vous tournez à droite *dans l'avenue Mitterrand*. (dans la rue Sainte-Catherine / sur le boulevard des Italiens / sur la place Notre-Dame)
2. Vous traversez *la rue*. (la place / l'avenue / le boulevard)
3. Tu continues tout droit *jusqu'à la rue Jean-Baptiste*. (jusqu'à la place de la Révolution / jusqu'à l'avenue Clemenceau / jusqu'au boulevard Garibaldi / jusqu'au coin)
4. Tu tournes à gauche *dans la rue Sainte-Anne*. (dans l'avenue de la Marine / sur le boulevard Victor-Hugo / sur la place Stanislas)

C. Pardon, Monsieur/Madame. Play the role of the police officer on duty at the place de la Libération (see the map on p. 77). Explain how to get to the following places.

MODÈLE: le lycée Camus
　　　　　—Pardon, Monsieur/Madame. Où est le lycée Camus?
　　　　　—Vous traversez la place de la Libération, vous continuez sur le boulevard Victor-Hugo jusqu'à la rue Notre-Dame. Vous tournez à gauche et le lycée est en face de la Bibliothèque Municipale.

1. la gare
2. la pharmacie Girard (3, rue de Verdun)
3. la Bibliothèque Municipale
4. l'Hôtel Nelson

D. Dis-moi,... *(Tell me,...)* You and a friend are at the Café du Parc (see the map on p. 77). Explain to your friend how to get to the following places.

1. l'église Saint-Vincent de Paul
2. le Musée des Beaux-Arts
3. le Cinéma Manet
4. l'Hôtel Zola

Reprise (Deuxième Étape)

E. Répondez aux questions en regardant le plan à la page 77.

1. Est-ce qu'il y a une école en face de la cathédrale?
2. Est-ce qu'il y a une banque à côté de l'hôpital?
3. Est-ce qu'il y a une pharmacie en face du bureau de tabac?
4. Est-ce qu'il y a une librairie près du parc?
5. Est-ce que l'université est près de la gare?
6. Est-ce que l'aéroport est près de la ville?
7. Est-ce que l'hôtel est près du musée?
8. Est-ce que le lycée est devant la bibliothèque?

F. Répondez aux questions en regardant le plan à la page 77.

MODÈLE: Où est le Théâtre Municipal?
Il est en face du parc. Il est à côté du Café du Parc.

1. Où est la Banque Nationale de Paris (BNP)?
2. Où est le bureau de poste?
3. Où est le restaurant Chez Jacques?
4. Où est le Musée Archéologique?
5. Où est le Cinéma Royal?
6. Où est l'Hôtel National?
7. Où est la Librairie Catholique?
8. Où est le Musée des Beaux-Arts?

PRONONCIATION: *La consonne t*

The **t** in French is usually pronounced like the *t* in the English word *stay:* **hôtel, Vittel, hôpital.** The **th** combination in French is also pronounced [t]. Compare:

English:	**French:**
*th*eater	*th*éâtre
Ca*th*olic	Ca*th*olique

When the combination **ti** occurs in the middle of a word, **t** may be pronounced [t] or [s]. There is no infallible rule for predicting the pronunciation. In general, if an English cognate of the word has a [t] sound, its French counterpart has a [t] sound also. If an English cognate has a [sh] or [s] sound, its French counterpart is usually pronounced [s].

English:	**French:**
pi*t*y	pitié [t]
na*t*ion	nation [s]
democracy	démocratie [s]

Pratique

G. Read each word aloud, being sure to pronounce **th** as **t** and to distinguish between [t] and [s] when necessary.

thé / tes / tabac / national / menthe / étudiant / cathédrale / partie / habiter / question / bibliothèque / omelette / à côté / Athènes / aristocratie / mythe

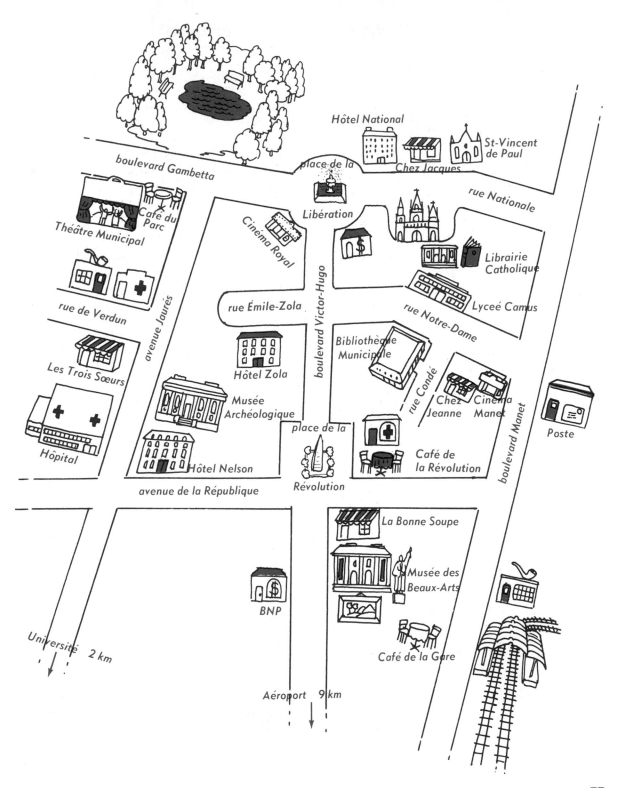

STRUCTURE 6: *Les adjectifs possessifs (3ᵉ personne)*

—C'est le vélo de Bénédicte?
—Oui, c'est **son** vélo.
—Où est la chambre de Mathieu?
—**Sa** chambre est derrière ma chambre.
—Tu aimes les amis de ta sœur?
—Oui, en général j'aime bien **ses** amis.
—Où sont les disques de Jeanne et de Monique? —Voici **leurs** disques.

—It's Bénédicte's bike? —Yes, it's *her* bike.
—Where is Mathew's room? —*His* room is behind my room.

—Do you like your sister's friends?
—Yes, generally I like *her* friends.
—Where are Jean and Monique's records? —Here are *their* records.

The third-person singular forms of the possessive adjectives are **son, sa,** and **ses**. Like the first- and second-person possessive adjectives (**mon, ta, nos, votre,** etc.), these adjectives agree with the noun they modify. As a result, the gender of the possessor has to be determined from the context, not from the possessive adjective.

son père	*his father* or *her father*
son vélo	*her bike* or *his bike* (**vélo** is masculine)
sa mère	*his mother* or *her mother*
sa chambre	*his room* or *her room* (**chambre** is feminine)
ses amis	*her friends* or *his friends* (**amis** is plural)

Their has only two equivalent forms in French: **leur** (with singular nouns) and **leurs** (with plural nouns).

Subject	Possessive adjective	Example	English equivalent
il or **elle**	son sa ses	**son** livre **sa** chambre **ses** clés	*his* or *her*
ils or **elles**	leur leurs	**leur** livre **leur** chambre **leurs** clés	*their*

When a feminine noun begins with a vowel or a vowel sound, the masculine form (**son**) is used: son auto, son amie, son université. The **s** of **ses** and **leurs** is silent, except before a noun beginning with a vowel or a vowel sound. Then liaison takes place: leurs vélos, but leurs amis.

Summary of possessive adjective forms

Subject	Masculine singular	Feminine singular	Masc. and fem. plural	English equivalent
je	mon	ma*	mes	*my*
tu	ton	ta*	tes	*your*
il/elle	son	sa*	ses	*his, her*
nous	notre	notre	nos	*our*
vous	votre	votre	vos	*your*
ils/elles	leur	leur	leurs	*their*

*Use **mon, ton,** or **son** before a feminine noun beginning with a vowel or a vowel sound.

Application

H. Remplacez le mot en italique et faites les changements nécessaires.

1. Voilà son *stylo*. (cahier / livre / auto / appartement / amie / vélo)
2. Où est sa *chambre*? (maison / chaîne stéréo / calculatrice / clé / télévision)
3. Ce sont ses *clés?* (livres / disques / cahiers / amis / stylos)
4. Où est leur *appareil-photo?* (transistor / auto / maison / hôtel / appartement)
5. Voici leurs *livres*. (clés / disques / vélos / amies / crayons)

I. Remplacez le mot en italique et faites les changements nécessaires.

1. Voici son *crayon*. (maison / appartement / chaîne stéréo / ami / amie / radio / disques / amis / clés)
2. Voilà leur *maison*. (chambre / machine à écrire / auto / télévision / clés / amis / livres)

J. Répondez affirmativement aux questions.

MODÈLE: C'est le cahier de Jean-Pierre?   *Oui, c'est son cahier.*

1. C'est le cahier d'Anne-Marie?
2. C'est la chambre de Robert?
3. C'est la chambre d'Annick?
4. Ce sont les clés d'Éric?
5. Ce sont les clés de Véronique?
6. Ce sont les clés de Pascale et de Roger?
7. C'est la chambre de Guy et de Chantal?
8. C'est l'amie de Claire?
9. C'est l'amie de Jean-Luc?
10. Ce sont les amis d'Yvonne?

Dominique   Le Professeur   M. et Mme Pagnol

K. À qui est...? *(Whose...?)* Working with another student, ask and answer questions based on the information in the drawing.

MODÈLES: la chaîne stéréo   —*À qui est la chaîne stéréo?*
                                        —*C'est la chaîne stéréo de Dominique.*
                                        —*Oui, c'est vrai, c'est sa chaîne stéréo.*

            la chaîne stéréo   MICHEL: —*À qui est la chaîne stéréo?*
                                DOMINIQUE: —*C'est ma chaîne stéréo.*
                                MICHEL: —*Oui, c'est vrai, c'est ta chaîne stéréo.*

1. le cahier   2. l'auto   3. les chiens   4. les disques   5. les livres
6. le vélo   7. l'appareil-photo   8. la maison   9. la télévision
10. les clés   11. la chambre

Mise au point (Petite révision de l'étape)

L. Échange. Posez les questions à un(e) autre étudiant(e), qui va vous répondre.

1. Où est-ce que ta famille habite? Et la famille de ton ami(e)?
2. Où est-ce que ton père travaille? Et le père de ton ami(e)?
3. Quel est ton prénom? Comment s'appellent tes frères et tes sœurs? Et les frères et les sœurs de ton ami(e)?
4. Quel est ton nom de famille? Et le nom de famille de ton ami(e)?
5. Comment est-ce que je vais de _____ à _____ ? *(Choose places on campus or in town; get directions.)*

M. Exercice écrit. Write the directions for getting to your friend's grandparents' house, using the following cues.

1. où / être / maison / grands-parents / ?
2. tourner / gauche / rue Pelissier
3. traverser / place de l'Église
4. continuer / avenue Danton / jusqu'à / Théâtre Jouvet
5. maison / être / à côté / théâtre

Quatrième Étape

LECTURE: La Ville française

Learning to read French will be much easier if you try to grasp general ideas and do not worry about the exact meaning of every word. To help you concentrate on the overall meaning of the following passage, your instructor will ask you to do an initial *timed* reading. At the end of the time limit, you will be asked to answer one question about the central idea of the passage.

—Vous êtes français et vous habitez Paris. Où allez-vous pour retrouver vos amis?

—Eh bien, c'est simple! Au café, bien entendu.[1]

—Mais il y a beaucoup de cafés à Paris. Lequel[2] choisir?[3]

—Celui[4] du quartier, bien sûr.[5]

—Et où allez-vous à l'église?

—En général, nous allons à l'église qui est juste en face de notre appartement. Mais il y a des gens[6] qui préfèrent aller à la cathédrale dans le quartier voisin.[7]

—Et vos enfants? Leur école est-elle loin d'ici?

—Mais non. Nous avons de la chance.[8] Il y a un lycée à deux pas,[9] près du jardin public.[10] C'est très commode.[11]

Paris n'est pas comme Los Angeles ou les autres grandes villes américaines. Nous habitons dans une ville très organisée, divisée en quartiers distincts. Dans chaque quartier nous avons une place centrale, et la vie du quartier tourne autour de[12] la place. Au milieu,[13] il y a souvent un monument aux morts[14] ou une fontaine avec des fleurs.[15] Nous avons une banque, un bureau de poste, un commissariat de police,[16] un bureau de tabac, une église, une pharmacie et quelquefois un hôpital.

—Alors, le quartier, c'est presque comme un village indépendant, et Paris est donc une ville composée de petits villages?

—Euh... Oui et non. Nous ne sommes pas isolés comme dans un village parce que nous quittons[17] souvent le quartier pour aller travailler, pour faire des courses,[18] pour aller au théâtre ou au musée. Pourtant,[19] nous avons aussi tendance à nous identifier à notre quartier et il y a même[20] certaines personnes qui le[21] quittent rarement.

—Est-ce que toutes les villes françaises sont organisées comme Paris?

—Il y a certainement des différences, surtout des différences régionales, mais vous trouvez partout[22] la place centrale avec sa cathédrale, ses cafés et ses magasins. Ce centre plein[23] de vie est notre façon[24] de nous protéger[25] contre la déshumanisation de la grande ville.

---

1. of course 2. which one 3. to choose 4. the one 5. of course 6. people 7. neighboring 8. are lucky 9. nearby 10. park 11. convenient 12. around 13. in the middle 14. dead 15. flowers 16. police station 17. leave 18. to shop 19. however 20. even 21. it (*le quartier*) 22. everywhere 23. full 24. way 25. to protect ourselves

Compréhension

A. Which sentence best expresses the main idea of the passage?

1. French cities are very similar to American cities.
2. French cities are not cities at all, just a loose collection of small villages.
3. French cities are unorganized and inhuman.
4. French cities combine the atmosphere of a small village with the flexibility of a large city.

B. Choose the phrase that best completes each statement about the passage.

1. Le Parisien préfère retrouver ses amis: a. à l'église; b. au café du coin; c. dans un restaurant; d. au bureau de poste.
2. Le lycée est: a. au milieu du parc; b. derrière l'appartement; c. loin de l'appartement; d. près du parc.
3. La ville française est organisée en: a. jardins; b. places; c. villages; d. quartiers.
4. Le centre du quartier est: a. un parc; b. un garage; c. une place; d. une école.
5. Au centre de la place il y a souvent: a. des cafés; b. un monument aux morts; c. un commissariat de police; d. des magasins.
6. Les gens ne quittent pas le quartier pour: a. aller à l'école; b. aller au grand magasin; c. travailler; d. visiter un musée.
7. Les villes françaises: a. ne sont pas bien organisées; b. ont d'habitude une place centrale; c. sont comme les grandes villes américaines; d. sont exactement comme Paris.
8. La personne qui répond aux questions dans ce passage est: a. française; b. parisienne; c. américaine; d. il est impossible d'identifier sa nationalité.

Reprise (Troisième Étape)

C. Répondez aux questions selon le modèle. Utilisez le plan à la page 77.

MODÈLE: Est-ce qu'il y a une pharmacie près du parc?
Oui, dans la rue de Verdun, à côté du bureau de tabac.

1. Est-ce qu'il y a un hôtel près de la place de la Libération?
2. Est-ce qu'il y a un cinéma près de la gare?
3. Est-ce qu'il y a un restaurant près de l'hôpital?
4. Est-ce qu'il y a une pharmacie près du Musée des Beaux-Arts?
5. Est-ce qu'il y a un hôtel près du parc?
6. Est-ce qu'il y a une banque près de la gare?
7. Est-ce qu'il y a un restaurant près du lycée Camus?
8. Est-ce qu'il y a un café près du Musée Archéologique?

D. Non, ce n'est pas... The questioner tries to identify the owner of each of the following objects. The other group members deny ownership and attribute it to one or two other students.

MODÈLE: livre
STUDENT A: *C'est ton livre?*
STUDENT B: *Non, ce n'est pas mon livre, c'est son livre.*
STUDENT A: *Ah, c'est ton livre.*
STUDENT C: *Non, ce n'est pas mon livre non plus, c'est leur livre.*
STUDENT D: *Non, ce n'est pas notre livre, c'est son livre.*

1. vélo   2. cahier   3. maison   4. disques   5. auto   6. clés
7. calculatrice   8. frère   9. amis   10. ordinateur

E. Renseignons-nous! (*Let's get some information!*) You have been living in the town on page 77 for several months. A stranger (who does not speak English) stops you in the street and asks directions. Help the stranger find the desired destination.

You are at the:	The stranger is looking for:
railroad station	the Hôtel Zola
library	the theater
cathedral	a restaurant (near the hospital)
fine arts museum	a bank

F. Mon ami(e). Make a presentation to the class about a friend of yours. Suggested information: name, interests, family, possessions, likes, and dislikes.

G. Au Café de la Révolution. You and a Swedish friend (who speaks no English) are newly arrived in the town on page 77. You go to the Café de la Révolution for lunch. You talk about your families, your interests, and the like. Then you look at the map and help each other decide the best way to get to the next place. Your destination is the park; your friend is looking for a bookstore.

H. S'il vous plaît, Monsieur. Invent a conversation between the policeman (**l'agent de police**) and the tourist (**le touriste**) in the picture on page 59.

_____ Vocabulaire actif _____

NOMS

une adresse	une gare	
un aéroport	un hôpital	
une avenue	un hôtel	
une banque	une librairie	
une bibliothèque	un lycée	
un boulevard	un musée	
un bureau de poste	un parc	
un bureau de tabac	une pharmacie	
une cathédrale	une place	
une classe	un plan	
un coin	un restaurant	
une école	une rue	
une église	une université	
une entrée	une ville	

VERBES

aller
continuer
tourner
traverser

AUTRES EXPRESSIONS

à côté de
à droite
à gauche
de rien
derrière
de temps en temps

devant
en face de
entre
je ne sais pas
juste
là-bas
loin de
où se trouve...?
près de
quel
quelquefois
toujours
tout droit
tout près

Première Étape
Prenons le métro!

Deuxième Étape
Quelle direction?

Troisième Étape
Au guichet

Quatrième Étape
Lecture: L'Autobus

Première Étape

POINT DE DÉPART: Prenons le métro!

Pour aller en ville

M. Valentin prend le métro.
Mme Valentin prend son auto.

Mme Dufour prend l'autobus.
M. Dufour prend un taxi.

Jacqueline prend son vélo.
Claude y va à pied.

Une scène

today	SYLVIE:	Est-ce que tu désires aller en ville **aujourd'hui?**
we, one, you	SOLANGE:	Oui, j'adore aller en ville. **On** y va[1] à pied?
	SYLVIE:	Non, c'est trop loin. Prenons le métro.
OK / than	SOLANGE:	**D'accord**. J'aime mieux prendre le métro **que** l'autobus.

À vous! (Exercices de vocabulaire)

A. Comment est-ce qu'ils vont en ville? Based on the drawing on page 87, tell how each person goes to town.

---

1. With the verb **aller**, it is usually necessary to specify where one is going. When the place is not indicated in the sentence, the pronoun **y** (*there*) is placed before the verb.

1. Francine prend...
2. Mme de Noël prend...
3. Béatrice y va...
4. Georges prend...

5. M. Janvier prend...
6. Jacques et sa sœur y...
7. M. Lanvin prend...

B. Nous allons en ville? Suggest to a friend how the two of you will go into town. Use either **allons** or **prenons** as the verb form.

MODÈLE: autobus   *Prenons l'autobus.*

1. métro   2. à pied   3. taxi   4. auto   5. autobus   6. vélos

STRUCTURE 1: *Le présent du verbe irrégulier* prendre

Je prends le petit déjeuner.   *I eat* breakfast
Elle prend le train.   *She takes* the train.
Tu prends ton temps.   *You're taking* your time.
Nous prenons un apéritif.   *We are having* a cocktail.
Ils prennent un billet.   *They are buying* a ticket.

The verb **prendre** is irregular. Its English equivalents are: *to take*; *to have* or *to eat* when referring to meals, food, and beverages; and *to buy* when referring to tickets. The present-tense forms are:

prendre	
je **prends**	nous **prenons**
tu **prends**	vous **prenez**
il/elle **prend**	ils/elles **prennent**

Two other verbs conjugated like **prendre** are **apprendre** (*to learn*) and **comprendre** (*to understand*).

Elle apprend le français.	*She is learning* French.
Nous ne comprenons pas.	*We don't understand.*
Ils comprennent le problème.	*They understand* the problem.

Application

C. Remplacez le sujet et faites les changements nécessaires.

1. *Marie-Hélène* prend le déjeuner. (Jacques / tu / nous / vous / Hervé et son cousin / Georgette et son mari / je)
2. *Gérard* ne prend pas le métro. (je / nous / Chantal / Michelle et son père / vous / tu / Isabelle et sa mère)
3. Est-ce que *vous* apprenez le français? (nous / tu / Jean-Pierre / M. et Mme Beauchamp / Mathilde / Jacqueline et sa sœur)
4. *Émilie* ne comprend pas la question. (Vincent / tu / nous / les étudiants / je / vous / Sara et Cécile)

D. Répondez aux questions suivantes en utilisant les expressions entre parenthèses.

MODÈLE: Est-ce que Victor prend l'autobus? (le métro)
Non, il ne prend pas l'autobus, il prend le métro.

1. Est-ce que Brigitte prend le petit déjeuner? (le déjeuner)
2. Est-ce que tu prends le métro? (mon vélo)
3. Est-ce que vous prenez le dîner? (l'apéritif)
4. Est-ce que M. et Mme Delmont prennent l'autobus? (un taxi)
5. Est-ce que nous apprenons le russe? (le français)
6. Est-ce que tu apprends le chinois? (le français)
7. Est-ce que Didier comprend bien? (mal)
8. Est-ce que vous comprenez beaucoup? (très peu)

E. Questions. Posez quatre questions **(tu, vous, il/elle, ils/elles)** aux autres membres de votre groupe.

1. prendre le petit déjeuner d'habitude
2. prendre son temps d'habitude
3. apprendre l'espagnol
4. bien comprendre le professeur
5. prendre quelque chose au café (Qu'est-ce que...?)
6. prendre souvent un taxi

STRUCTURE 2: *Le futur immédiat*

Nous allons prendre un citron pressé.	*We're going to have* a lemonade.
Je vais aller à Paris ce soir.	*I'm going to go* to Paris tonight.
Elle ne va pas quitter la ville.	*She's not going to leave* town.
—Qu'est-ce que **tu vas faire** demain matin? —**Je vais regarder** la télévision.	—What *are you going to do* tomorrow morning? —*I'm going to watch* television.

So far, everything you have learned to say in French refers either to the present moment or to a general situation. It is now time to learn how to refer to the future. French has a future tense (the equivalent of the English *will work, will go, will speak,* etc.) that you will learn in *Chapitre 15.* However, it is also possible to express a future idea, especially one referring to the not-too-distant future, by using the verb **aller** and an infinitive. The structure is the equivalent of the English *going to* + verb and is formed by using the present-tense form of **aller** that agrees with the subject and leaving the second verb in the infinitive. In the negative, **ne...pas** is placed around the conjugated form of **aller**.

Application

F. Remplacez le sujet et faites les changements nécessaires.

1. *Suzanne* va visiter Paris. (Jean-Paul / nous / je / les Mauclair / tu / Hélène et Martine / vous)
2. *Marc* ne va pas étudier ce soir. (Annick / je / les étudiants / vous / tu / Henri et Claire / nous)
3. Est-ce que *M. Chantel* va aller au théâtre demain? (Mme Lemaire / tu / Georges et sa sœur / Paulette / vous / les autres)

G. Répondez en utilisant les expressions entre parenthèses.

MODÈLE: Qu'est-ce que Charles va faire ce soir? (aller au cinéma)
Il va aller au cinéma.

1. Qu'est-ce que Marcelle va faire ce soir? (travailler)
2. Qu'est-ce que Jean-Pierre et Isabelle vont faire ce soir? (aller au théâtre)
3. Qu'est-ce que tu vas faire ce soir? (étudier)
4. Qu'est-ce que vous allez faire ce soir? (regarder la télévision)
5. Qu'est-ce que Sylvie va faire demain? (aller en ville)
6. Qu'est-ce que M. et Mme Sardoux vont faire demain? (travailler)
7. Qu'est-ce que vous allez faire demain? (visiter la cathédrale)
8. Et toi, qu'est-ce que tu vas faire demain? (aller au musée)

H. Comment aller à l'école. Mme Vallon is explaining to her ten-year-old son how to get to his new school.

> Bon, tu *quittes* la maison, tu *prends* la rue Santerre, tu *vas* tout droit jusqu'à l'avenue Saint-Cloud, tu *tournes* à gauche, tu *traverses* le boulevard de la Reine, et voilà, tu *entres* dans l'école.

Play the role of Mme Vallon in the following situations.

1. Mme Vallon explique à Gérard ce qu'il va faire demain matin: Bon, demain matin tu *vas quitter* la maison...
2. Mme Vallon explique à M. Vallon ce que Gérard va faire demain matin: Bon, demain matin Gérard *va quitter* la maison...
3. Mme Vallon explique à Gérard et à sa sœur Sophie ce qu'ils vont faire demain matin: Bon, demain matin vous *allez quitter* la maison...
4. Mme Vallon explique à M. Vallon ce que Gérard et Sophie vont faire demain matin: Bon, demain matin Gérard et Sophie *vont quitter* la maison...

PRONONCIATION: *Les consonnes finales* m *et* n

Like most final consonants in French, **m** and **n** are not pronounced at the end of a word. However, the presence of **m** or **n** frequently signals that the vowel preceding **m** or **n** is *nasalized* (that is, air passes through the nose as well as through the mouth). Depending on which vowel precedes the final **m** or **n**, three different nasal sounds are possible:

-am (champ)[2]		**-im** (faim)
-an (tant)	[ã]	**-in** (saint)
-em (temps)		**-um** (parfum)
-en (gens)		**-un** (un)	[ɛ̃]
-om (nom)	[ɔ̃]	**-ien** (bien)
-on (sont)		**-éen** (européen)

Pratique

I. Read each word aloud, being careful to nasalize the vowel without pronouncing the final consonant(s).

citron / allemand / Jean / appartement / boisson / vin / Verdun / demain / blanc / canadien / souvent / jambon / combien / nous avons / prend / vingt

---

2. The rules given here include cases in which the **m** or **n** is followed by other consonants that are *silent*.

Je voudrais écouter la radio ce soir.	*I'd like to listen to* the radio tonight.
Alain n'aime pas danser.	*Alain doesn't like to dance.*
Nous apprenons à parler français.	*We are learning to speak* French.

Many other verbs besides **aller** can be used before an infinitive. As with **aller**, only the first verb is conjugated; the second verb remains in the infinitive. In some instances, a preposition is used between the conjugated verb and the infinitive: **Elle apprend à danser**. There is no general rule for when a preposition is necessary; it is best to learn each verb with the appropriate preposition (when required).

Application

J. Remplacez les mots en italique et faites les changements nécessaires.

1. (*Indicate what you'd like to do:*) Je voudrais *aller au théâtre*. (aller au cinéma / prendre un taxi / visiter le musée / prendre le déjeuner / aller à pied au théâtre)
2. (*Indicate what you don't like to do:*) Moi, je n'aime pas *étudier*. (travailler / aller à l'hôpital / prendre l'autobus / manger)
3. (*Indicate what you prefer:*) Moi, j'aime mieux *aller au café*. (prendre le métro / habiter à Paris / aller au théâtre / parler français)
4. (*Indicate what you're learning to do:*) J'apprends à *parler français*. (danser / étudier / chanter / parler espagnol)

K. Répondez aux questions selon les modèles.

MODÈLE: Moi, j'aime aller au cinéma. Et Georges?
            Il n'aime pas aller au cinéma.

1. Moi, j'aime travailler. Et Thérèse?
2. Moi, j'aime danser. Et vos parents?
3. Moi, j'aime aller au théâtre. Et Jean-Jacques?

MODÈLE: Sylviane adore chanter. Et vous?
            Je déteste chanter.

4. Jacqueline adore étudier. Et vous?
5. Les autres étudiants adorent aller au café. Et Jean-Alex?
6. Votre sœur adore prendre le métro. Et vos parents?

MODÈLE: Moi, j'aime mieux prendre l'autobus. Et Yves? (son auto)
            Il aime mieux prendre son auto.

7. Moi, j'aime mieux aller au théâtre. Et Véronique? (au musée)
8. Moi, j'aime mieux parler français. Et Alain? (espagnol)
9. Moi, j'aime mieux prendre le métro. Et les autres? (y aller à pied)

MODÈLE: Philippe apprend à chanter. Et Michel? (danser)
            Il apprend à danser.

10. Nathalie apprend à parler russe. Et Mélanie? (chinois)
11. M. et Mme Auriol apprennent à danser. Et vos parents? (faire du ski)
12. Votre frère apprend à parler allemand. Et nous? (français)

Mise au point (Petite révision de l'étape)

L. Échange. Posez les questions à un(e) autre étudiant(e), qui va vous répondre.

1. Est-ce que tu prends l'autobus pour aller à l'université?
2. Est-ce que tu apprends le russe?
3. Est-ce que tu comprends les questions du professeur?
4. Est-ce que tu vas être à la bibliothèque ce soir?
5. Est-ce que tu vas prendre le petit déjeuner demain matin?
6. Est-ce que tu aimes mieux prendre l'autobus ou aller à pied?
7. Est-ce que tu désires apprendre à parler japonais?

M. Exercice écrit. Use the words in parentheses to write answers to the questions.

1. Est-ce que tu vas au cinéma? (oui / demain soir)
2. Tu regardes souvent la télévision? (non / ne pas aimer)
3. Tu parles chinois? (non / mais je voudrais apprendre)
4. Tu comprends la politique américaine? (non / mes amis / non plus)
5. Tu prends le métro pour aller en ville? (non / autobus)

Deuxième Étape

POINT DE DÉPART: Quelle direction?

Gabrielle, qui habite à Nantes, est à Paris avec sa cousine Andrée. Elles sont dans l'appartement d'Andrée, près de la place d'Italie.

ANDRÉE: Qu'est-ce que tu vas faire aujourd'hui?
GABRIELLE: Je voudrais aller au Musée Rodin.
ANDRÉE: Moi aussi.
GABRIELLE: Nous y allons à pied?
ANDRÉE: Non, c'est trop loin. Nous allons prendre le métro à la place d'Italie, direction Charles de Gaulle–Étoile.
GABRIELLE: Est-ce qu'**il faut prendre une correspondance?**
ANDRÉE: Oui. Nous allons changer à la Motte-Picquet, direction Créteil.
GABRIELLE: Où est-ce que nous **descendons?**[3]
ANDRÉE: À Invalides.
GABRIELLE: Bon. Allons-y!

---

3. **Descendre** is an **-re** verb, a category that will be presented in Ch. 12. For the moment, learn these forms: **je descends, tu descends, nous descendons, vous descendez.**

Le métro (the Paris subway) is one of the best-developed subway systems in the world. There are sixteen lines, organized so that it is possible to go almost anywhere in Paris with a minimum number of **correspondances** (changes of line). Each line has a number; however, most often the lines are designated by **directions** (stations at the end of the line). Thus, Line 1 is called **Château de Vincennes–Pont de Neuilly** (sometimes abbreviated to **Vincennes–Neuilly**); Line 4 is **Porte d'Orléans–Porte de Clignancourt** (**Orléans-Clignancourt**).

To take the subway, you look at a map (**un plan de métro**) like the one before page 119. These maps are found on the street near **les bouches de métro** (station entrances), inside the stations, and on the platforms. There are also pocket-sized maps you can carry with you. On the map, you find the station where you want to get off and the station at the far end of the line (for example, **la direction Orléans**). Follow the signs for that **direcion**. If you need to change trains, find the new **direction** on the map and look for signs indicating **correspondance** and that **direction**. Do not confuse the subway lines with the **R.E.R.** lines (trains that run between Paris and the suburbs).

À vous! (Exercices de vocabulaire)

A. Les correspondances. Based on the cues, tell where each person should change subway lines.

MODÈLE: Est-ce que je change à Invalides? (Concorde)
Non, tu changes à Concorde.

1. Est-ce que je change à Odéon? (Châtelet)
2. Est-ce que nous changeons à Pasteur? (Montparnasse-Bienvenüe)
3. Est-ce que nous changeons à Duroc? (Sèvres-Babylone)
4. Est-ce que je change à Concorde? (Saint-Lazare)
5. Est-ce que nous changeons à Strasbourg-Saint-Denis? (République)

B. Les stations de métro. Based on the cues, tell where each person should get off the subway.

MODÈLE: Est-ce que je descends à Concorde? (Palais-Royal)
Non, tu descends à Palais-Royal.

1. Est-ce que je descends à Rennes? (Notre-Dame-des-Champs)
2. Est-ce que nous descendons à Charles de Gaulle-Étoile? (Trocadéro)
3. Est-ce que je descends à Madeleine? (Opéra)
4. Est-ce que nous descendons à Pigalle? (Place de Clichy)
5. Est-ce que nous descendons à Père Lachaise? (Gambetta)

C. Prenons le métro! Following the models and using the metro map before page 119, explain how to use the subway. The number-letter combinations (shown in parentheses after the name of each station) correspond to the grid coordinates on the map, to help you locate the stations.

MODÈLES: Alain / Saint-Lazare (F3) → Bastille (I5)
Tu prends la direction Mairie d'Issy, tu changes à Concorde, direction Château de Vincennes et tu descends à Bastille.

M. Genois / Montparnasse-Bienvenüe (E6) → Opéra (F3)
Vous prenez la direction Porte de Clignancourt, vous changez à Châtelet, direction Fort d'Aubervilliers et vous descendez à Opéra.

1. Jacqueline / Charles de Gaulle-Étoile (D3) → Raspail (F7)
2. Albert / Gare du Nord (H2) → Gare de Lyon (I6)
3. Mme Fantout / Louvre (G4) → Trocadéro (C4)
4. Isabelle et Jean-Luc / Odéon (G5) → Place de Clichy (F2)

Reprise (Première Étape)

D. Répondez aux questions.

1. Est-ce que vous étudiez beaucoup? Est-ce que vous aimez étudier? Est-ce que vous allez étudier ce soir?

2. Et votre ami(e), est-ce qu'il (elle) étudie beaucoup? Est-ce qu'il (elle) va étudier ce soir?
3. D'habitude, est-ce que vous dînez à l'université, à la maison ou dans un restaurant? Où est-ce que vous allez dîner ce soir? Où est-ce que vous aime_ mieux dîner?
4. Est-ce que vous allez souvent à la bibliothèque? Est-ce que vous aimez aller à la bibliothèque?
5. Est-ce que vous aimez aller au cinéma? Est-ce que vous allez aller au cinéma ce week-end? Comment? À pied? Vous allez prendre l'autobus?
6. Est-ce que vous parlez chinois? Est-ce que vous désirez apprendre à parler chinois? Est-ce que vous allez étudier le chinois à l'université?

STRUCTURE 4: *Les jours de la semaine*

—Quel jour est-ce aujourd'hui? —C'est **mercredi.**	*—What day is today?* —It's *Wednesday.*
Jeudi je vais aller en ville.	*On Thursday* I'm going to go to town.
Nous allons à l'église **le dimanche.**	We go to church *on Sundays.*

The days of the week are:

lundi (*Monday*)
mardi (*Tuesday*)
mercredi (*Wednesday*)
jeudi (*Thursday*)

vendredi (*Friday*)
samedi (*Saturday*)
dimanche (*Sunday*)

The French consider the week to begin on Monday and end on Sunday. The names of the days, which are masculine, are not capitalized. Normally, they are not accompanied by either an article or a preposition. Thus, **jeudi** has the English equivalents *Thursday* or *on Thursday*. When a definite article precedes a day of the week, it indicates a repeated occurrence: **le dimanche** means *on Sundays* or *every Sunday.*

Application

E. Answer using the day *following* the day mentioned in the question.

MODÈLE: C'est aujourd'hui lundi?
Non, ce n'est pas lundi, c'est aujourd'hui mardi.

1. C'est aujourd'hui jeudi?
2. C'est aujourd'hui samedi?
3. C'est aujourd'hui mercredi?
4. C'est aujourd'hui dimanche?
5. C'est aujourd'hui vendredi?
6. C'est aujourd'hui mardi?

F. Répondez en utilisant les expressions entre parenthèses.

MODÈLE: Quand est-ce que tu vas aller au musée? (samedi)
    Je vais aller au musée samedi.

1. Quand est-ce que tu vas aller au cinéma? (mercredi)
2. Quand est-ce que vous allez dîner au restaurant? (vendredi)
3. Quand est-ce que Michel va aller au théâtre? (lundi)
4. Quel jour est-ce que tu vas à l'église? (le dimanche)
5. Quels jours est-ce que nous n'avons pas de classe? (le samedi et le dimanche)
6. Quels jours est-ce qu'Hélène travaille au musée? (le jeudi et le samedi)
7. Quels jours est-ce que les Merleau sont à l'hôtel? (le lundi et le mardi)

PRONONCIATION: *Les consonnes* m *et* n *au milieu d'un mot*

When **m** or **n** is followed by a consonant other than **m** or **n**, the preceding vowel is nasalized: **chanter, impossible, monde.** When m or n is followed by another **m** or **n** or falls between two vowels, the **m** or **n** is pronounced and the preceding vowel is *not* nasalized: **dommage, ami, imiter.**

Pratique

G. Read each word aloud, being careful to distinguish between **m** or **n** followed by a consonant, **m** or **n** between vowels, and **m** or **n** in combination with another **m** or **n**.

Londres / camping / commande / banque / sandwich / japonais / oncle / cinéma / immédiatement / limonade / tante / Orangina / caméra / nombres / omelette / sciences / inutile / changer

STRUCTURE 5: *Les adverbes désignant le présent et le futur*

Je ne travaille pas **aujourd'hui**. **Demain** je vais travailler.	I don't work *today. Tomorrow* I'm going to work.
Où est-ce qu'elle est **maintenant**?	Where is she *now*?
Lundi matin je vais aller à la pharmacie.	*Monday morning* I am going to the pharmacy.
Ils vont arriver **la semaine prochaine**.	They are going to arrive *next week*.

The interrogative expression **quand est-ce que** is used to ask *when* an action or a condition will occur.

> **Quand est-ce que** Jean va arriver? *When* is John going to arrive?

The following time expressions are often used to answer such a question:

maintenant now		**demain** tomorrow	
aujourd'hui today		**lundi (mardi,** *etc.* **) prochain** next Monday (Tuesday, *etc.*)	
ce matin this morning		**demain matin** tomorrow morning	
cet après-midi this afternoon		**demain après-midi** tomorrow afternoon	
ce soir this evening, tonight		**demain soir** tomorrow night	
cette semaine this week		**la semaine prochaine** next week	
cette année this year		**le mois prochain** next month	
		l'année prochaine next year	

The expressions **matin, après-midi,** and **soir** can be combined with the days of the week: **lundi matin, samedi après-midi, dimanche soir.** Time expressions are usually placed at the beginning or the end of the sentence.

Application

H. Remplacez les mots en italique et faites les changements nécessaires.

1. Où est-ce que vous travaillez *aujourd'hui?* (maintenant / ce matin / cet après-midi)
2. Qu'est-ce que tu vas faire *cet après-midi?* (ce soir / aujourd'hui / demain / samedi matin)
3. Elles vont aller à Paris *mercredi prochain.* (demain / la semaine prochaine / l'année prochaine / le mois prochain)
4. Ils désirent aller en ville *la semaine prochaine.* (demain soir / mardi prochain / cet après-midi / samedi prochain)

I. Répondez en utilisant les expressions entre parenthèses.

MODÈLE: Est-ce que Jean-Pierre va aller au cinéma ce soir? (demain soir)
Non, il va aller au cinéma demain soir.

1. Est-ce que Jean va aller au théâtre mardi soir? (mercredi après-midi)
2. Est-ce que Monique va travailler demain? (aujourd'hui)
3. Est-ce que Marcel va aller en France demain? (la semaine prochaine)
4. Est-ce que les Vernier vont dîner en ville ce soir? (mercredi soir)
5. Est-ce que Jacques va être à l'église ce soir? (maintenant)
6. Est-ce que les Champfort vont visiter la cathédrale demain? (cet après-midi)
7. Est-ce que les Tonnerre vont aller à l'église aujourd'hui? (dimanche prochain)

LUNDI	1		8		15	Mme en ville théâtre	22	cathédrale
MARDI	2		9		16	M. télévision	23	les Michaud
MERCREDI	3		10		17	M. travail (soir)	24	les Michaud
JEUDI	4		11		18	Mme. musée	25	Les Michaud
VENDREDI	5	Restaurant	12	Restaurant	19	restaurant	26	restaurant Les Michaud
SAMEDI	6		13		20	Mme. travail (matin)	27	
DIMANCHE	7	église	14	église	21	église	28	église

J. L'emploi du temps des Verdun. *(The Verduns' schedule.)* Answer questions about the Verdun family's activities during February. Choose the appropriate time expressions, assuming that today is the morning of February 15.

MODÈLE: Quand est-ce que Mme Verdun va aller au musée?
Elle va aller au musée mercredi prochain.

1. Où est-ce que M. et Mme Verdun vont le dimanche?
2. Quel soir est-ce que M. Verdun va travailler?
3. Quand est-ce que les Verdun vont visiter la cathédrale?
4. Qu'est-ce que Mme Verdun va faire cet après-midi?
5. Quand est-ce que les Verdun dînent au restaurant?
6. Quand est-ce qu'ils vont avoir la visite des Michaud?
7. Qu'est-ce que les Verdun vont faire ce soir?
8. Quand est-ce que M. Verdun va regarder la télévision?
9. Quel matin est-ce que Mme Verdun va travailler?

Mise au point (Petite révision de l'étape)

K. Échange. Posez les questions suivantes à un(e) autre étudiant(e), qui va vous répondre.

1. Quel jour est-ce aujourd'hui?
2. Quels jours est-ce que nous avons notre cours de français?
3. Quels jours est-ce que nous n'avons pas notre cours de français?
4. Où est-ce que tu vas dîner ce soir? Et dimanche soir aussi?
5. Qu'est-ce que tu vas faire samedi prochain?
6. Est-ce que tu vas être à l'université l'année prochaine?

L. Exercice écrit. Complete the following sentences. Be sure that the verb tense matches the time expression.

1. Demain soir Monique...
2. Le samedi soir nous...
3. Ce soir je...
4. La semaine prochaine Henri...
5. Le lundi, le mercredi et le vendredi ils...

Troisième Étape

POINT DE DÉPART: Au guichet

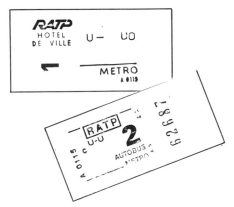

un guichet: ticket window	Éric et son ami anglais Daniel sont dans une station de métro.
second (class)	DANIEL: Je prends un billet de **seconde**?
book (of tickets) / less expensive	ÉRIC: Mais non, tu prends un **carnet** de dix billets. C'est **moins cher**.
	DANIEL: D'accord. Et toi, tu ne prends pas de billet?
	ÉRIC: Non, j'ai une carte orange. Je peux⁴ prendre le métro ou l'autobus
a whole	pour **tout un** mois.
that (*informal*)	DANIEL: Ah, c'est bien, **ça**. (*Au guichet:*) S'il vous plaît, Madame, un
	carnet de seconde.
	L'EMPLOYÉE: Douze francs, Monsieur.

---

4. **Je peux** (*I can*) is a form of the irregular verb **pouvoir** (*to be able*). You will learn other forms of this verb in Ch. 11.

À vous! (Exercices de vocabulaire)

A. Au guichet. Buy the indicated **métro** tickets:

MODÈLE: a book of first-class tickets
Un carnet de première, s'il vous plaît.

1. one first-class ticket
2. one second-class ticket
3. a book of ten second-class tickets
4. a ticket that allows you to travel for a month

B. Prenons le métro! Explain to each person how to take the subway. Specify the kind of ticket to buy. Map coordinates for each station are given in parentheses.

MODÈLE: *Tu vas (vous allez) à la station Monceau, tu prends (vous prenez) un carnet de seconde, tu prends (vous prenez) la direction..., etc.*

1. Olga, your German friend, is in Paris for three days. Her hotel is near the Odéon station (G5). She wants to go see the Madeleine Church (**l'église de la Madeleine**) near the Madeleine station (F3).
2. Mr. and Mrs. Van D'Elden, Dutch friends of your family, are spending three weeks in Paris. Their hotel is near the Palais Royal station (G4). Today they want to go to a store in the Montparnasse Tower (**la tour Montparnasse**) near the Montparnasse-Bienvenüe station (E6).
3. A stranger passing through Paris is trying to get from the airline terminal at Porte Maillot (C3) to the Gare du Nord (H2).

NOTE CULTURELLE	The Paris subways are divided into first- (**première**) and second- (**seconde**) class cars (**voitures**). The first-class cars, found in the middle of the train, are usually less crowded and more comfortable, but first-class tickets cost more.
	Métro tickets can be bought singly or in groups of ten (**un carnet**). You can also buy a four-day or seven-day tourist ticket (**un billet de tourisme**) or a full-month commuter ticket (**une carte orange**). All of the tickets can be used on buses as well as on the subway.

Reprise (Deuxième Étape)

C. Répondez en utilisant les expressions entre parenthèses.

MODÈLE: Est-ce que Raymond étudie cet après-midi? (ce soir)
Non, mais il va étudier ce soir.

1. Est-ce que Liliane travaille aujourd'hui? (demain)

2. Est-ce que Georgette et Jean vont au théâtre demain soir? (dimanche après-midi)
3. Est-ce que tu dînes en ville aujourd'hui? (la semaine prochaine)
4. Est-ce que vous visitez la cathédrale aujourd'hui? (lundi prochain)
5. Est-ce que tu vas à la bibliothèque ce soir? (demain matin)
6. Est-ce que tes parents regardent souvent la télévision? (le samedi soir)
7. Est-ce que vous allez en France cette année? (l'année prochaine)

D. Answer, using the day that *precedes* the day mentioned in the question.

MODÈLE: Est-ce que tu vas prendre l'auto de ton père mercredi?
            Non, je vais prendre son auto mardi.

1. Est-ce que Michel va prendre le vélo de sa sœur samedi?
2. Est-ce que Louise va dîner en ville mardi?
3. Est-ce que Jacques va visiter la maison de ses grands-parents vendredi?
4. Est-ce que vous allez prendre l'autobus dimanche?
5. Est-ce que les Martin vont dîner au restaurant jeudi?
6. Est-ce que Martine va prendre son auto lundi?

STRUCTURE 6: *Les nombres de 21 à 69*

21	vingt et un	30	trente	50	cinquante
22	vingt-deux	31	trente et un	51	cinquante et un
23	vingt-trois	32	trente-deux	52	cinquante-deux
24	vingt-quatre	33	trente-trois, *etc.*	53	cinquante-trois, *etc.*
25	vingt-cinq				
26	vingt-six	40	quarante	60	soixante
27	vingt-sept	41	quarante et un	61	soixante et un
28	vingt-huit	42	quarante-deux	62	soixante-deux
29	vingt-neuf	43	quarante-trois, *etc.*	63	soixante-trois, *etc.*

The **t** of **vingt**, which is silent when **vingt** is used alone, is pronounced in all the combination numbers (**vingt et un, vingt-deux,** etc).

Application

E. Faites les exercices suivants:

1. Comptez de 21 jusqu'à 69.
2. Donnez les nombres impairs (odd) de 1 jusqu'à 69.
3. Donnez les nombres pairs (even) de 0 jusqu'à 68.
4. Comptez par 10 jusqu'à 60.
5. Comptez de 69 à 3 par 3.
6. Lisez: 31, 47, 54, 62, 41, 33, 68, 55, 61, 29, 66, 57, 44, 51, 39.

7. **Trois fois vingt font**...? Do the following multiplication problems in French.

MODÈLE: 3 × 20 = ?   *Trois fois vingt font soixante.*

1. 2 × 15 = ?	4. 7 × 8 = ?	7. 3 × 7 = ?
2. 4 × 9 = ?	5. 4 × 10 = ?	8. 2 × 24 = ?
3. 3 × 19 = ?	6. 6 × 11 = ?	9. 5 × 5 = ?

PRONONCIATION: *Les consonnes* **m** *et* **n** *suivies de la voyelle* **e**

The presence of a mute **e** at the end of a word causes the preceding consonant, which would otherwise be silent, to be pronounced. In the case of **m** and **n**, pronouncing the consonant denasalizes the preceding vowel.

Simon	américain	un	an
Sim**one**	améric**aine**	**une**	**âne**

Pratique

F. Read each pair of words aloud, being careful to pronounce the **m** or **n** in the first word and to keep the **m** or **n** silent in the second.

américaine, américain / mexicaine, mexicain / cousine, cousin / prochaine, prochain / Christiane, Christian / une, un / Jeanne, Jean

G. Read each word aloud, distinguishing between words in which the final consonant is silent (nasal vowel) and those in which it is pronounced.

madame / marine / Pékin / direction / fume / chaîne / garçon / machine / Rome / Lyon / crème / italien

STRUCTURE 7: *Le pronom indéfini* **on**

En France **on parle** français.

French *is spoken* in France. (*In France, people speak* French.)

On dit que le métro est bien.

They say that the subway is good.

Quand **on a le temps, on va** au parc pour prendre l'air.

When *you have* the time, *you go* to the park to get some air.

Qu'est-ce qu'**on** fait ce soir?

What are *we* doing tonight?

The indefinite pronoun **on** is used to refer to a person or group of persons that is not specifically identified. **On** resembles the impersonal pronoun *one* in English. However, while *one* sounds somewhat formal and stilted and is therefore not often used in American conversation, **on** is very frequently used in French. Other English equivalents of **on** are *people*, *they*, and *you* when no particular person is specified. **On** can also be used familiarly as a substitute for *we*.

On is used with the third-person-singular (**il** or **elle**) form of the verb and with the corresponding possessive adjectives (**son, sa, ses**).

On parle souvent à **ses** amis.

Application

H. Répondez selon les modèles.

MODÈLES: Quelle langue est-ce qu'on parle à Paris?
À Paris on parle français.

Où est-ce qu'on va pour acheter un livre?
Pour acheter un livre on va à la librairie.

1. Quelle langue est-ce qu'on parle à Madrid? à Berlin? à Moscou? à Pékin? à Montréal?
2. Où est-ce qu'on va pour prendre une boisson? pour regarder un film? pour dîner? pour prendre le train? pour étudier?

I. Ask a friend if the two of you are going to do each thing.

MODÈLE: aller au cinéma   *On va au cinéma ce soir?*

1. aller au musée
2. prendre le métro
3. dîner en ville
4. étudier
5. prendre l'auto de Germaine
6. regarder la télévision

Mise au point (Petite révision de l'étape)

J. Échange. Posez les questions à un(e) autre étudiant(e).

1. Combien d'étudiants est-ce qu'il y a dans la classe de français?
2. Quelle langue est-ce qu'on parle à Chicago? à Genève? à Acapulco?
3. Quel jour est-ce qu'on va à l'église?
4. Qu'est-ce qu'on prend pour aller de l'aéroport à la ville—l'autobus? le métro? un taxi?
5. Où est-ce qu'on va pour regarder des peintures? pour regarder un film? pour parler avec ses amis?
6. Lisez les adresses suivantes. (*Read the following addresses.*)
   39, avenue LeClerc / 61, rue Notre-Dame / 53, boulevard de la Libération / 47, avenue Voltaire

K. Exercice écrit. Use the cues to write statements or questions with **on**.

1. parler / français / anglais / à Montréal
2. où / aller / pour acheter / cigarettes / ?
3. aller / théâtre / vendredi soir / ?
4. prendre / l'autobus / pour aller / l'aéroport
5. parler / souvent / professeur de français / ?

Quatrième Étape

LECTURE: L'Autobus

In addition to being able to recognize the large number of cognates in French and English, it is sometimes also necessary to make an intelligent guess about the meaning of words you don't know. Often the context—that is, the words and expressions that surround the word you are trying to understand—will be of help. Read the following passage without looking at the definitions at the end. Once you have a sense of the general meaning, do the first comprehension exercise, which deals with guessing from context.

Des milliers[1] de Parisiens prennent le métro pour aller au travail le matin et pour rentrer à la maison le soir. Les touristes aussi aiment le métro parce que c'est un moyen[2] de transport efficace,[3] bon marché[4] et surtout facile à utiliser. Mais il y a un autre moyen de transport à Paris: l'autobus. Les étrangers[5] ne prennent pas souvent l'autobus parce qu'ils pensent que c'est trop compliqué. Pourtant, ce n'est pas vrai.

Si on va utiliser l'autobus, on prend d'abord[6] des tickets. On les[7] achète dans certaines stations de métro, dans les bureaux de tabac ou dans l'autobus.

Un seul ticket, si on n'utilise le bus qu'une fois;[8] un carnet de dix tickets, si on prend le bus habituellement. La R.A.T.P. (compagnie des autobus parisiens) offre aussi des billets de tourisme qui permettent de voyager sur toutes[9] les lignes pendant quatre à sept jours.

Quand on monte dans[10] l'autobus, le ticket est composté par le chauffeur ou par un appareil automatique placé à côté du chauffeur. On est obligé de monter par la porte avant.[11] Mais certains autobus sont des voitures à deux agents, où il est permis de monter par la porte arrière.[12] Comme dans le métro, les itinéraires sont affichés[13] dans les voitures et à tous les points d'arrêt.[14]

Métro ou autobus? Le métro parisien offre une expérience intéressante aux touristes, surtout s'ils sont pressés. Cependant, pour bien apprécier la ville, il est préférable de prendre son temps et de visiter les différents quartiers par les fenêtres[15] de l'autobus.

---

1. thousands 2. mode 3. efficient 4. inexpensive 5. strangers, foreigners 6. first
7. them (**les tickets**) 8. once 9. all 10. board 11. front door 12. rear door
13. displayed 14. stops 15. windows

Compréhension

A. Devinez! (Guess!) Using the clues given by the context and the hints in parentheses, guess the meanings of the words in boldface type.

1. Les Parisiens prennent le métro pour aller au travail le matin et pour **rentrer chez eux** le soir. (*What is the opposite of **aller au travail le matin**?*)
2. Les touristes ne prennent pas souvent l'autobus parce qu'ils **pensent** que c'est trop compliqué. (*Does **c'est trop compliqué** suggest that the action of the verb is physical or mental?*)
3. Si on va utiliser l'autobus, on **achète** les tickets dans certaines stations de métro, dans les bureaux de tabac ou dans l'autobus. (*What does one do with regard to **tickets** in order to **utiliser l'autobus**?*)
4. Les billets de tourisme permettent de voyager sur toutes les lignes **pendant** quatre à sept jours. (*What preposition is used with days?*)
5. Quand on monte dans l'autobus, le ticket est **composté** par le chauffeur ou par un appareil automatique placé à côté du chauffeur. (*What can be done to a ticket either by a person —**le chauffeur** —or by a thing —**un appareil automatique**?*)
6. On prend le métro si on est **pressé**; on prend l'autobus si on prend son temps. (*What is the opposite of **prendre son temps**?*)

B. Au choix. Decide which word in parentheses best completes each sentence. Try to answer the questions without rereading the passage.

1. Des milliers de Parisiens prennent le métro pour aller _____ . (au travail / à la banque / au jardin)

2. Si on n'a pas beaucoup d'argent, le métro est très bien parce que c'est un moyen de transport _____ . (intéressant / bon marché / rapide)
3. Les _____ n'aiment pas prendre l'autobus. (Français / Parisiens / touristes)
4. Si on prend l'autobus habituellement, il est préférable d'acheter _____ . (un ticket / un carnet / un billet de tourisme)
5. Quand on _____ l'autobus, on donne le ticket au chauffeur. (monte dans / descend de)
6. Les _____ sont affichés dans les autobus. (tickets / agents / intinéraires)
7. Si vous êtes pressé, prenez _____ ; si vous désirez regarder la ville, prenez _____ . (l'autobus / le métro / un taxi)

Reprise (Troisième Étape)

C. C'est combien? Read each price aloud.

MODÈLE: 12F50   *douze francs cinquante*

1. 3F25
2. 16F40
3. 51F65
4. 39F15
5. 47F30
6. 13F60
7. 26F50
8. 65F45

D. Comment est-ce qu'on va en ville? Based on the cues, tell how one goes to town in each situation.

MODÈLE: Quand on a beaucoup de temps? (à pied)
Quand on a beaucoup de temps, on y va à pied.

1. Quand on a très peu de temps? (métro)
2. Quand on a une auto? (son auto)
3. Quand on a beaucoup d'argent? (taxi)
4. Quand on n'a pas d'auto? (autobus ou métro)
5. Quand on a très peu d'argent? (à pied)
6. Quand on a beaucoup d'énergie? (son vélo)
7. Quand on a très peu d'énergie? (autobus, métro ou son auto)

Point d'arrivée
(Activités orales et écrites)

E. Un test. Can you travel on the **métro** in such a way that you ride on all thirteen lines without ever leaving the subway system? Is it possible to do so without ever riding on the same line twice? Use the **métro** map before page 119 to prove your answers.

F. Une visite-éclair de Paris. (*A lightning-fast visit of Paris.*) You and a friend have only a few hours between planes in Paris. Discuss how you will manage to see the following sights. The **métro** stops, with map coordinates, are indicated in parentheses. Use such expressions as: **Nous allons à la station... Nous prenons la direction... Nous changeons à... Nous descendons à... Ensuite nous allons...** Begin your tour at the Gare du Nord.

1. la cathédrale de Notre-Dame (Cité—G5) 2. l'arc de Triomphe (Charles de Gaulle-Étoile—D3) 3. la Tour Eiffel (Trocadéro—C4) 4. Montmartre (Place de Clichy—F2)

G. Au café. Your Brazilian friend has joined you in Paris. You are in a café on the rue Dauphine. Greet your friend and order a drink. Discuss your families, your activities, etc. Your friend wants to go to a restaurant near the Place d'Italie to meet a relative. Using the map of this section of Paris (see below) and the **métro** map (before page 119), explain how to get from the café to the Saint-Germain-des-Prés subway station, how to buy a ticket, and how to take the subway to the Place d'Italie.

H. Une rue parisienne. Describe the activities in the photograph on page 85.

Vocabulaire actif

NOMS

une année
un apéritif
un après-midi
un autobus
un billet
une bouche de métro
un carnet
une carte orange
une correspondance
la direction
un guichet
un jour
un matin
le métro
un mois

une semaine
un soir
une station de métro
un taxi
le temps
un train

VERBES

apprendre
changer
comprendre
descendre
écouter
entrer
prendre
quitter
regarder

ADJECTIFS

cher(ère)
premier(ère)
prochain(e)
second(e)

AUTRES EXPRESSIONS

à pied
aujourd'hui
ce matin
ce soir
cet après-midi
d'accord
demain
il faut
maintenant
moins
on
quand
que
trop

CHAPITRE CINQ

Visitons Paris!

Première Étape
Paris et la rive gauche

Deuxième Étape
L'Île de la Cité

Troisième Étape
La Rive droite

Quatrième Étape
Paris et la Seine

Première Étape

LECTURE: Paris et la rive gauche

Le jardin du Luxembourg et la Tour Montparnasse

Although Paris is not representative of all of France, it has always been and remains today the center of attention for French people and foreigners alike. In this chapter you will be introduced to Paris through the format of a tourist guidebook. The best-known **guide de Paris** is the *Guide Michelin*. Michelin, the international manufacturer of tires, produces French and English editions of a green-covered guide to monuments and sites and a red-covered guide to hotels and restaurants. We present here a simplified version of the green guide that will give you the flavor of the *Guide Michelin* at the same time that it introduces you to Paris. Use the reading techniques you have already learned (in particular, cognates and guessing from context) to help you understand the information presented.

PARIS

river
in the middle of
little islands

La géographie. Paris est traversé par un *fleuve* qui s'appelle **la Seine.** Elle divise la ville en deux parties—**la rive gauche** et **la rive droite.** *Au milieu de* la Seine se trouvent deux *petites îles*—**l'île de la Cité** et **l'île Saint-Louis.**

L'organisation de la ville. Du point de vue administratif, Paris est organisé en vingt **arrondissements;** du point de vue culturel, la ville est divisée en **quartiers.**

LA RIVE GAUCHE

Le Quartier latin

attract

Nous commençons notre visite de la **rive gauche** au quartier des étudiants. Au **Quartier latin** les cafés, les restaurants, les cinémas et les librairies *attirent* des étudiants de nationalités variées. La rue principale du quartier est **le boulevard Saint-Michel;** les étudiants appellent la rue «le Boul' Mich'».

Au Quartier latin on visite deux monuments historiques:

La Sorbonne. Fondée en 1253 comme école de théologie, elle est aujourd'hui une partie importante de l'université de Paris.

contains / tombs

Le Panthéon. Situé dans la rue Soufflot, non loin du boulevard Saint-Michel, il *contient* les *tombeaux* de Français célèbres comme Voltaire, Rousseau et Victor Hugo.

L'Église Saint Germain-des-Prés   *Le Panthéon*

Saint-Germain-des-Prés

old
west / antique stores

Nous continuons notre visite de la rive gauche dans un *vieux* quartier situé à l'*ouest* du Quartier latin. Les cafés, les restaurants et les *magasins d'antiquités* du quartier **Saint-Germain-des-Prés** sont fréquentés par les Parisiens chics et par les touristes.

À Saint-Germain-des-Prés on visite une église et un parc:

the oldest / beautiful / Romanesque
century

L'église Saint-Germain-des-Prés. Située sur le boulevard Saint-Germain, c'est *la plus vieille* église de Paris. Un *bel* exemple du style *roman,* elle date du 11ᵉ *siècle.*

large
flower beds / manner
strollers
trees / shallow pool

Le jardin du Luxembourg. Le *grand* parc exemplifie le style français de jardin: des allées et des *parterres* disposés de *façon* géométrique. Les *promeneurs,* les étudiants et les mères de famille apprécient ses *arbres,* son *bassin* et son théâtre des marionnettes.

Montparnasse

Situé tout près de Saint-Germain-des-Prés et du Quartier latin, **Montparnasse** est un quartier paradoxal: deux *mondes y* coexistent, l'un à côté de l'autre. Le jour on est conscient surtout des *hauts bâtiments,* du centre d'*affaires,* des parkings—signes de l'urbanisme moderne. Mais le soir on a la possibilité de visiter les restaurants, les théâtres et les music-halls où on continue la tradition artistique et bohémienne de Stravinsky, de Lénine, de Chagall et de Hemingway.

worlds / there
tall buildings / business

Aujourd'hui le quartier est dominé par un haut bâtiment:

this
meters (1 meter = 39 inches) / height / apartment building

La tour Maine-Montparnasse. *Cette* construction moderne (elle date de 1973) a plus de 200 *mètres* de *hauteur.* C'est le plus haut *immeuble* d'Europe.

Autres curiosités

Nous terminons notre visite de la rive gauche avec deux monuments célèbres— l'Hôtel des Invalides et la Tour Eiffel.

was
soldiers

L'Hôtel des Invalides. Situé près de la Seine et à l'ouest de Saint-Germain-des-Prés, il *était* au 17ᵉ et au 18ᵉ siècles une habitation pour vieux *soldats.* Aujourd'hui on y trouve le musée de l'armée et le tombeau de Napoléon.

building

La Tour Eiffel. Construit en 1889, c'est le plus haut *édifice* de Paris. Elle a plus de 300 mètres de haut. Les touristes courageux montent à pied; les *autres* prennent l'*ascenseur.*

others / elevator

Exercices de familiarisation

A. Visitons la Rive Gauche! Follow the itinerary indicated by the numbers 1-11 on the map of Paris (p. 113).

1. Nous commençons à la _____ .
2. Ensuite nous prenons la rue de Vaugirard jusqu'au _____ .
3.-4. Après, nous visitons le _____ et la _____ .
5.-6. Nous continuons sur le boulevard _____ jusqu'au boulevard _____ .
7. Nous tournons à gauche et nous allons jusqu'à l'église _____ .
8. Nous prenons l'autobus pour aller à l'_____ .
9. Après la visite du tombeau de Napoléon, nous allons à pied jusqu'à la _____ .

10.-11. Pour terminer notre visite, nous décidons de prendre une consommation à un café. Mais où aller? À _____ , pour trouver les cafés préférés de Hemingway, ou au _____ , pour observer la vie des étudiants?

B. Une mauvaise mémoire. *(A bad memory.)* Your traveling companion has a difficult time remembering what you have seen on the Left Bank. Remind him/her:

1. Le tombeau de Napoléon est à _____ .
2. Le tombeau de Victor Hugo est au _____ .
3. Le grand parc sur la rive gauche s'appelle _____ .
4. La Sorbonne est une _____ .
5. Le plus haut bâtiment de Paris est _____ .
6. La plus vieille église de Paris est _____ .

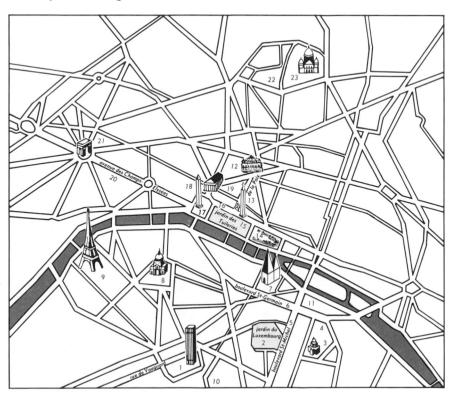

STRUCTURE 1: *Le passé composé avec* avoir

J'ai habité en France.	*I lived* in France.
Ils n'ont pas trouvé leurs livres.	*They didn't find* their books.
Quand est-ce qu'**elle a acheté** son auto?	When *did she buy* her car?
Nous avons déjà **visité** l'Hôtel des Invalides.	*We have* already *visited* the Hôtel des Invalides.

In French you can talk about specific limited actions and conditions in the past by using the *passé composé (compound past)*. This tense is considered "compound" because it is composed of two parts: an auxiliary verb (usually **avoir**) and a past participle.

The key to using the **passé composé** is learning the past participles. The past participle of an **-er** verb sounds exactly like the infinitive; however, the written form ends in **-é** rather than in **-er.**

Infinitive	Past participle
parler	parl**é**
quitter	quitt**é**
travailler	travaill**é**
habiter	habit**é**

The past participles of irregular verbs do not follow the same pattern as those of **-er** verbs. Among the verbs you have already used, the following have irregular past participles:[1]

Infinitive	Past participle
avoir	eu
être	été
prendre, apprendre, comprendre	pris, appris, compris

To form the **passé composé,** conjugate **avoir** in the appropriate form of the present tense, then add the past participle.

manger	*prendre*	*avoir*
j'ai mangé	j'ai pris	j'ai eu
tu as mangé	tu as pris	tu as eu
elle a mangé	elle a pris	elle a eu
nous avons mangé	nous avons pris	nous avons eu
vous avez mangé	vous avez pris	vous avez eu
ils ont mangé	ils ont pris	ils ont eu

---

1. The past participle of **faire** is **fait**.

To make a verb in the passé composé negative, put **ne ... pas** around the auxiliary verb.

Elle **n'a pas** travaillé.	She didn't work.
Je **n'ai pas** été à Paris récemment.	I haven't been to Paris recently.

To ask a question in the past tense, use any of the interrogative forms already studied.

Tu as regardé la télévision?	*Did you watch* television?
Est-ce que vous avez visité le Panthéon?	*Have you visited* the Pantheon?
Quand est-ce qu'elle a quitté la maison?	*When did she leave* the house?

In English, distinctions are made among the simple past (*I worked*), the emphatic past (*I did work*), and the present perfect (*I have worked*). No such distinctions are made in French. **J'ai travaillé** is the equivalent of *I worked, I did work,* or *I have worked.*

Application

C. Remplacez le sujet en faisant les changements nécessaires.

1. *Paul* a traversé la rue. (Anne / nous / Éric et son frère / je / vous / tu)
2. *Chantal* n'a pas fait son devoir. (Jean-Luc / tu / vous / Marielle et sa sœur / nous / je)
3. Est-ce que *Victor* a déjà pris quelque chose? (tu / Sophie / les autres / vous / nous)

D. Répondez **oui** à la première question et **non** à la seconde.

MODÈLE: Est-ce que tu as parlé à Simone? Et à Francine?
          Oui, j'ai parlé à Simone. Non, je n'ai pas parlé à Francine.

1. Est-ce que tu as aimé le film? Et le concert?
2. Est-ce que Marc a visité la Tour Eiffel? Et le jardin du Luxembourg?
3. Est-ce que tu as dîné au restaurant? Et à la maison?
4. Est-ce que Georges a pris son vélo? Et son auto?
5. Est-ce que Madeleine a été à Paris? Et à Londres?
6. Est-ce qu'Éric et sa femme ont acheté une auto? Et une maison?[2]
7. Est-ce que les Marin ont trouvé des livres? Et des disques?
8. Est-ce que vous avez eu une surprise? Et un accident?

---

2. Remember that after a negative verb, the indefinite and partitive articles become **de: Tu as acheté une auto? Non, je n'ai pas acheté d'auto.**

E. Répondez négativement selon le modèle.

MODÈLE: Est-ce que Paul va parler à son père?
Non, il a déjà parlé à son père.

1. Est-ce que Martine va visiter le Panthéon?
2. Est-ce que Roberte va commander une boisson?
3. Est-ce que tu vas acheter une calculatrice?
4. Est-ce que M. et Mme Michaud vont avoir un bébé?
5. Est-ce que les étudiants vont regarder le film?
6. Est-ce que tu vas manger?
7. Est-ce que vous allez téléphoner à vos parents?[3]
8. Est-ce que vous allez étudier?

PRONONCIATION: *Les voyelles* a *et* i

In French, the letters **a** and **i**, when not combined with another vowel or with the consonants **m** or **n**, are pronounced as follows: The French **a** sound is between the **a** sounds in the English words *fat* and *father*; the French **i** sound is similar to the **i** sound in the English word *machine*. The **a** is pronounced with the mouth rounded; the **i**, with the lips spread wide, as in a smile.

Pratique

F. Read each word aloud, being careful to open your mouth to pronounce **a** and to spread your lips when saying **i**.

la /Ça va? / gare / papa / ici / livre / dîne / ville / Paris / mari / Italie / pharmacie

STRUCTURE 2: *Les adverbes et les prépositions désignant le passé*

Je n'ai pas dîné à la maison **hier**.	I didn't eat at home *yesterday*.
Est-ce que la classe a commencé **la semaine dernière**?	Did class begin *last week*?
Elle a été à Paris **pendant** trois ans.	She was in Paris *for* three years.
Ils ont téléphoné **il y a** une heure.	They called an hour *ago*.

---

3. With the verb **téléphoner**, the preposition **à** is placed before the name of the person being phoned.

The following time expressions are used to situate an action or a condition in the past:

hier yesterday
hier matin yesterday morning
hier après-midi yesterday
    afternoon
hier soir last night
lundi dernier last Monday
mardi dernier last Tuesday
le week-end dernier } last
le week-end passé }   weekend
la semaine dernière } last week
la semaine passée }

le mois dernier } last month
le mois passé }
l'année dernière } last year
l'année passée }
pendant une heure for an hour
pendant deux jours for two days
pendant six ans[4] for six years

il y a une heure an hour ago
il y a deux mois two months ago
il y a cinq ans five years ago

Time expressions are usually placed at the beginning or at the end of the sentence.

Application

G. Remplacez les mots en italique.

1. *Hier* nous avons eu un accident. (la semaine passée / jeudi dernier / hier soir / l'année dernière)
2. Qu'est-ce que tu as fait *samedi dernier*? (hier après-midi / le mois dernier / la semaine passée / il y a huit jours)
3. Ils ont été à Paris *la semaine dernière*. (il y a trois ans / le mois dernier / pendant deux semaines / il y a huit jours)

H. Répondez en utilisant les expressions entre parenthèses.

MODÈLE: Quand est-ce que Paul a regardé le film? (hier soir)
        Il a regardé le film hier soir.

1. Quand est-ce qu'Anne-Marie a appris le russe? (l'année dernière)
2. Quand est-ce que vous avez habité à Paris? (il y a trois ans)
3. Quand est-ce que la classe a commencé? (il y a cinq minutes)
4. Quand est-ce que les Leroux ont acheté leur auto? (la semaine passée)
5. Quand est-ce que vous avez parlé à vos parents? (dimanche dernier)
6. Quand est-ce que ton frère a trouvé ses clés? (hier matin)
7. Quand est-ce que ta sœur a téléphoné? (il y a une heure)
8. Combien de temps est-ce que Georges a été à Paris? (pendant deux mois)

---

4. There are two French equivalents for *year*. The word **année** is used with an adjective (**l'année prochaine**); the word **an** is used with a number (**un an, trois ans**).

I. Répondez en utilisant les expressions entre parentèses.

MODÈLES: Gérard a habité à Paris pendant trois ans? (trois semaines)
Non, il a habité à Paris pendant trois semaines.

Claire va visiter la cathédrale demain? (hier)
Non, elle a visité la cathédrale hier.

1. Hervé a été à Paris il y a quatre jours? (trois semaines)
2. Françoise va parler à ses parents cette semaine? (la semaine dernière)
3. Vous avez travaillé pendant cinq heures? (une heure)
4. M. et Mme Beaulieu vont acheter une maison? (l'année dernière)
5. Ils vont visiter l'église Saint-Germain-des-Prés? (mardi dernier)
6. Vous allez étudier ce soir? (hier soir)
7. Elles ont téléphoné hier? (il y a dix jours)

Mise au point (Petite révision de l'étape)

J. Échange. Posez les questions à un(e) autre étudiant(e), qui va vous répondre.

1. Est-ce que tu as travaillé hier soir?
2. Qu'est-ce que tu as acheté le week-end dernier?
3. Est-ce que tu as parlé à tes parents récemment? Quand?
4. Est-ce que tu as été à l'université l'année dernière?
5. Est-ce que tu as visité Paris? Quand?
6. Quand est-ce que tu as commencé à étudier le français?

K. Exercice écrit. Rewrite each sentence, adding the expression in parentheses and changing the verb to the past.

MODÈLE: Ils visitent le musée. (hier)
Ils ont visité le musée hier.

1. Elle habite près de la cathédrale. (pendant six ans)
2. Je trouve mes clés. (vendredi dernier)
3. Nous achetons des cigarettes au bureau de tabac dans la rue Bonaparte. (hier après-midi)
4. Ils téléphonent à leurs parents. (il y a trois jours)
5. Tu es à la bibliothèque. (la semaine dernière)

L'Arc du Carrousel. Cet arc de triomphe, érigé en l'honneur des victoires de Napoléon, se trouve dans le Jardin des Tuileries. Quel autre arc célèbre se trouve à Paris? Où est-il situé? Est-il visible dans cette photo?

Le Forum des Halles. Ce centre commercial très moderne est situé sur la rive droite, tout près d'un bâtiment très discuté qui lui ressemble. Comment s'appelle cet autre bâtiment?

Une rue de Paris. Sur quelle rive se trouve cette scène? Justifiez votre réponse.

Le square du Vert-Galant. Ce square se trouve dans une île au milieu de la Seine. Est-ce l'île de la Cité ou l'île Saint-Louis? Il est près de quel pont?

L'hôtel des Invalides. *(à gauche)* Les touristes visitent ce monument pour voir le tombeau de quel Français célèbre?

La basilique du Sacré-Cœur. *(à droite)* Cette église relativement moderne domine la ville de Paris. Dans quel quartier se trouve-t-il?

Plan du MÉTRO de PARIS
RATP

Éditions
PONCHET-PLAN NET S.A.
7 rue Théodore de Banville
PARIS 75017 · 763-52-38

Deuxième Étape

LECTURE: L'Île de la Cité

La Conciergerie

Nous continuons notre visite de Paris. Nous traversons la Seine et nous sommes dans l'île de la Cité.

L'ÎLE DE LA CITÉ

cradle / was born
before the birth
word

following places

On appelle l'île de la Cité «le *berceau* de Paris», parce que c'est là que Paris *est né*. *Avant la naissance* de Jésus-Christ, l'île était déjà habitée par des Gaulois. Son nom était **Lutèce**—*mot* celtique qui signifie «habitation au milieu des eaux».

Dans l'île de la Cité on visite les *endroits suivants:*

Le Palais de Justice

former palace / seat
offices
courts

Ancien palais royal et ensuite *siège* du Parlement, **le Palais de Justice** est aujourd'hui le centre du système judiciaire français. Il a des *bureaux* de police et des *tribunaux.* À l'intérieur du Palais de Justice se trouvent une prison et une église:

La Conciergerie. Sous la Révolution des prisonniers célèbres—Marie-Antoinette, Danton, Robespierre—*sont passés par cette* prison en route pour la guillotine.

passed through this

La Sainte-Chapelle. *Construite* au 13ᵉ siècle par le *roi* Louis IX (Saint Louis), cette petite église gothique est célèbre par ses *beaux vitraux, les plus anciens* de Paris, qui forment une véritable Bible en verre.

constructed / king
beautiful stained-glass windows
the oldest

Notre-Dame de Paris

À l'*autre* extrémité de l'île se trouve **Notre-Dame de Paris**. C'est une immense cathédrale gothique datant du *moyen âge*. Ses roses, ses *arcs-boutants* et ses *gargouilles font* de la cathédrale un magnifique exemple de l'architecture du 13ᵉ siècle.

other
Middle Ages / flying buttresses
gargoyles make

Les Ponts et les quais

L'île de la Cité est *reliée* à la rive gauche et à la rive droite par neuf *ponts*. Le plus célèbre et le plus ancien, c'est **le Pont Neuf.**

joined / bridges

L'île Saint-Louis. Il y a aussi un dixième pont, qui relie l'île de la Cité à l'île Saint-Louis. Les *hôtels particuliers* de l'île illustrent parfaitement le style classique du 17ᵉ siècle.

private homes

Les bouquinistes. Quand on traverse les ponts de la Seine pour aller à la rive gauche ou à la rive droite, on se trouve sur **les quais** (ce sont les rues *le long de* la Seine). C'est là qu'on a la possibilité d'acheter des *livres d'occasion chez les bouquinistes*.

along
used books at the booksellers'

Bouquinistes près de Notre-Dame

Exercices de familiarisation

A. Où se trouve...? Indicate whether each place is located on the Left Bank (**sur la rive gauche**) or on the Île de la Cité (**dans l'île de la Cité**).

MODÈLES: l'Hôtel des Invalides
L'Hôtel des Invalides? Il est sur la rive gauche.

1. la Sorbonne   2. la cathédrale de Notre-Dame   3. le Palais de Justice
4. la Tour Eiffel   5. le Jardin du Luxembourg   6. la Conciergerie   7. le Panthéon   8. l'église Saint-Germain-des-Prés

B. Il faut visiter... Advise your traveling companions about where they should go to find the attractions that interest them.

MODÈLE: Nous aimons les grandes cathédrales.
Il faut visiter (aller à) la cathédrale de Notre-Dame.

1. Nous désirons visiter le tombeau de Napoléon.
2. Nous aimons les vitraux.
3. Nous aimons les hauts bâtiments.
4. Nous désirons visiter une prison.
5. Nous aimons les vieux livres.
6. Nous aimons les peintures de Chagall et les livres de Hemingway.
7. Nous aimons l'architecture romane.

Reprise (Première Étape)

C. Based on the drawing, describe the activities you see; give a description of all activities for each subject.

MODÈLE: je   *J'ai quitté la maison, j'ai tourné à gauche dans la rue Maubert, etc.*

1. Louise   2. mon ami(e) et moi, nous   3. M. et Mme Giroud

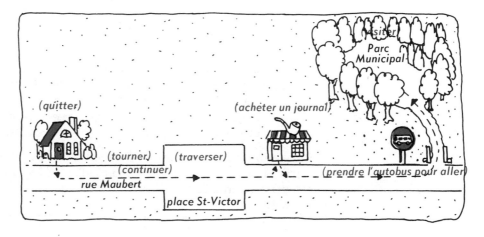

D. Répondez aux questions.

1. Est-ce que vous étudiez souvent? Est-ce que vous avez étudié hier soir? Est-ce que vous allez étudier ce soir?
2. D'habitude, est-ce que vous dînez à l'université, au restaurant ou à la maison? Où est-ce que vous avez dîné hier soir? Où est-ce que vous allez dîner ce soir?
3. Est-ce que vous aimez voyager? Est-ce que vous avez fait un voyage l'année dernière? Est-ce que vous allez faire un voyage l'année prochaine?
4. Est-ce que vous prenez le petit déjeuner d'habitude? Est-ce que vous avez pris le petit déjeuner ce matin? Est-ce que vous allez prendre le petit déjeuner dimanche matin?
5. Est-ce que vous téléphonez souvent à vos amis? à vos parents? À qui est-ce que vous avez téléphoné récemment? Est-ce que vous allez téléphoner à vos parents la semaine prochaine?

PRONONCIATION: *La voyelle* **u**

In French, the letter **u**, when not followed by another vowel or the consonants **m** or **n**, is always pronounced in the same fashion. To learn to make the sound represented by the letter **u**, first pronounce the letter **i** (remember to spread your lips in a smile). Then, keeping the interior of your mouth in the same tense position, move your lips forward as if to whistle. English has no equivalent sound.

Pratique

E. Read each word aloud, being careful to pronounce the **u** sound with your lips as far forward as possible.

une / tu / fume / autobus / bureau / portugais / salut / vue / russe / musique / musée / sur / architecture / d'habitude

STRUCTURE 3: *Le passé composé avec* **être**

Je suis allé au musée récemment.	*I recently went* to the museum.
Ils ne sont pas encore **arrivés.**	*They haven't arrived* yet.
Est-ce qu'**elle est** déjà **rentrée**?	*Has she* already *come home*?
Nous sommes arrivés avant Jacques mais après Claire.	*We arrived* before Jacques but after Claire.

Some verbs use **être** as their auxiliary verb in the **passé composé**. The past participles of many of these verbs are formed in the regular manner.[5] In later chapters you will learn additional verbs conjugated with **être**.

---

5. An exception is the verb **descendre**, whose past participle is **descendu**.

Infinitive	Past participle
aller	allé
arriver	arrivé
entrer	entré
monter	monté
rester (*to stay*)	resté
rentrer (*to go/come home*)	rentré
retourner	retourné
tomber (*to fall*)	tombé

The past participle of a verb conjugated with **être** acts like an adjective. It agrees in number (singular or plural) and gender (masculine or feminine) with the subject of the verb. Certain forms (those agreeing with **je, tu, nous, vous**) have two or more possible spellings. As in the case of a verb conjugated with **avoir**, the **passé composé** of a verb conjugated with **être** is equivalent to three English forms: **elle est allée** may mean *she went, she did go* or *she has gone*.

aller	
je suis allé (allée)	nous sommes allés (allées)
tu es allé (allée)	vous êtes allé (allée) (allés) (allées)
il est allé	ils sont allés
elle est allée	elles sont allées

Application

F. Remplacez le sujet et faites les changements nécessaires.

1. *Hervé* est allé au cinéma. (Jeanne / je / nous / les autres / vous / tu)
2. *Yvonne* n'est pas encore arrivée. (François / Georges et Alain / nous / je / tu / vous)
3. Est-ce qu'*Éric* est descendu à Châtelet? (Sylvie / vos amis / Thérèse et Francine / tu / vous)

G. Répondez affirmativement ou négativement selon les indications.

1. Est-ce que Gérard est allé au musée? (oui)
2. Est-ce que Madeleine est allée à l'hôpital? (non)
3. Est-ce que Didier est resté à la maison? (oui)
4. Est-ce que Bénédicte est arrivée hier soir? (non)
5. Est-ce que Philippe et sa sœur sont déjà rentrés? (non, pas encore)
6. Est-ce que Mme Léon et ses fils sont arrivés? (oui)
7. Est-ce que tu es descendu à Notre-Dame-des-Champs? (non)
8. Est-ce que tu es allée au théâtre? (oui)
9. Est-ce que vous êtes allées au Panthéon? (non)
10. Est-ce que vous êtes restés à la maison? (oui)

H. Use the expressions provided to tell what Claire did yesterday. Be careful to distinguish the verbs conjugated with **être** from those conjugated with **avoir**.

MODÈLE: quitter la maison   *Elle a quitté la maison.*

1. traverser la rue
2. entrer dans[6] le bureau de tabac
3. acheter des cigarettes
4. aller à la station de métro
5. prendre le métro
6. descendre à l'île de la Cité
7. visiter le Palais de Justice
8. rester au musée jusqu'à 2 h
9. rentrer à la maison
10. téléphoner à son amie

I. Use the following expressions to ask your friend Claire what she did yesterday. Another student will respond on the basis of Claire's activities in Exercise H.

MODÈLE: rester à la maison
             —*Est-ce que tu es restée à la maison?*
             —*Non, j'ai quitté la maison.*

1. tourner à droite
2. entrer dans la pharmacie
3. acheter une pipe
4. aller à la gare
5. prendre le train
6. descendre à Châtelet
7. visiter Notre-Dame
8. quitter le musée à 1 h
9. aller à un restaurant
10. téléphoner à ses parents

Mise au point (Petite révision de l'étape)

J. Échange. Posez les questions à un(e) autre étudiant(e).

1. Est-ce que tu es allé(e) au cinéma le week-end dernier?
2. Est-ce que tu es allé(e) à Paris? Quand?
3. Est-ce que tu es allé(e) à la bibliothèque hier soir?
4. Est-ce que tu es arrivé(e) en classe avant ou après le professeur?
5. Est-ce que tu es rentré(e) hier soir avant ou après ton (ta) camarade de chambre (tes parents)?

K. Exercice écrit. Rewrite each sentence, adding the expression in parentheses and changing the verb to the past. Be sure that the past participle agrees with the subject of the verb. The speaker's name is given in parentheses.

MODÈLE: *(Monique et Claire:)* Nous allons à Paris. (l'année dernière)
             Nous sommes allées à Paris l'année dernière.

1. *(Hélène:)* Je vais au cinéma. (vendredi dernier)
2. *(Georges:)* Je vais en ville. (hier matin)
3. *(Pierre:)* Elles descendent à Notre-Dame-des-Champs. (il y a cinq minutes)
4. *(Éliane:)* Il reste à la bibliothèque. (pendant des heures)
5. *(Raymond et Chantal:)* Nous arrivons à Paris. (la semaine dernière)

---

6. Following the verb **entrer**, the preposition **dans** indicates the place entered.

Troisième Étape

LECTURE: La Rive droite

Une salle du Louvre

leads

Continuons notre visite de Paris! Notre guide nous *amène* sur la rive droite.

LA RIVE DROITE

Nous commençons au Louvre.

Le Louvre

Ancienne résidence des rois de France (jusqu'au 17ᵉ siècle), **le Louvre** est *depuis* 1793 un musée. Ses galeries *réunissent* des collections variées: *antiquités* égyptiennes, grecques et romaines; sculptures et peintures du moyen âge jusqu'au 19ᵉ siècle.

Entre le palais du Louvre et l'Arc de Triomphe de l'Étoile *s'étend* une très belle perspective qu'on appelle la *Voie* Triomphale. Elle *comprend* le jardin des Tuileries, la place de la Concorde, les Champs-Élysées et la place Charles de Gaulle.

since / bring together / relics

stretches out
way, route / includes

La Voie Triomphale

banks / this
work / gardener
flowers

Le jardin des Tuileries. Situé sur les *bords* de la Seine, *ce* grand parc est l'*œuvre* du célèbre *jardinier* Le Nôtre. C'est un autre bel exemple d'un jardin à la française—bassins, allées, statues, plantes et *fleurs* disposés de façon géométrique. Dans le jardin des Tuileries se trouve **le musée du Jeu de Paume.** Depuis 1947 il expose une extraordinaire collection de *tableaux* impressionnistes (Monet, Manet, Renoir, Degas) et post-impressionnistes (Cézanne, Gauguin, Van Gogh).

paintings

La place de la Concorde. C'est sur cette immense place qu'on a guillotiné le roi Louis XVI en 1793. Au centre de la place se trouve **l'obélisque de Louksor,** *cadeau* du gouvernement égyptien. L'obélisque, vieux de trente-trois siècles, est couvert d'hiéroglyphes.

gift

wide
take place
events / parade
race

L'avenue des Champs-Élysées. *Large* de 71 mètres, l'avenue est un centre de commerce et de tourisme. C'est là qu'*ont lieu* de grands *événements* de caractère national—le *défilé* du 14 juillet (la fête nationale française) et l'arrivée du Tour de France (une *course* à vélo).

in the past, formerly

La place Charles de Gaulle. Au centre de cette place, nommée *autrefois* la place de l'Étoile, se trouve **l'Arc de Triomphe,** construit par Napoléon en l'honneur de ses armées. L'arc *abrite* le tombeau du Soldat *Inconnu.*

houses / unknown

Non loin de la Voie Triomphale se trouve le quartier de l'Opéra. Le jour, on fréquente ses magasins *de luxe;* le soir, ce sont ses cinémas et théâtres qui attirent les gens. On visite surtout dans ce quartier l'Opéra, l'église de la Madeleine et la place Vendôme.

luxury

Le jardin des Tuileries; au fond, l'obélisque de Luksor et l'Arc de Triomphe

L'Opéra

Le Quartier de l'Opéra

stage / room
more than

L'Opéra. C'est le plus vaste théâtre du monde: la *scène* a *de la place* pour *plus de* 400 personnes.

glory
became / battle

L'église de la Madeleine. Située près de la place de la Concorde, l'église ressemble à un temple grec. Construite par Napoléon à la *gloire* de ses armées, elle *est devenue* une église après la *bataille* de Waterloo.

topped by

La place Vendôme. Formant un triangle avec l'Opéra et la Madeleine, la place offre un ensemble architectural qui date du 17ᵉ siècle. Au centre il y a une colonne *surmontée d*'une statue de Napoléon.

north

Au *nord* du quartier de l'Opéra on trouve le quartier le plus pittoresque de Paris—Montmartre.

Montmartre

hill / was

Situé sur une *butte* qui domine la ville, **Montmartre** *était* au 19ᵉ siècle un centre artistique et bohémien. C'est là, par exemple, que Picasso a «créé» le cubisme. Le boulevard de Clichy, entre la place Blanche et la place Pigalle, est le centre de la vie de *nuit*. On visite le Moulin Rouge, café-cabaret *rendu* célèbre par le peintre Toulouse-Lautrec.

night / made

end

La basilique du Sacré-Cœur. Perchée sur la Butte Montmartre, l'église date de la *fin* du 19ᵉ siècle. Son style romano-byzantin distingue l'église des autres monuments religieux de la ville.

without / the most discussed (controversial)	Il est impossible de terminer notre visite *sans* aller au monument *le plus discuté* de Paris—le Centre Beaubourg.

Beaubourg

factory	Le Centre National d'Art et de Culture Georges Pompidou s'appelle d'habitude le Centre Pompidou ou, tout simplement, **Beaubourg** (il se trouve sur la place Beaubourg). L'architecture du centre provoque des réactions violentes: les uns aiment son style ultramoderne; les autres trouvent qu'il ressemble à une *usine*. Les programmes et les expositions du centre culturel ont pour sujet l'art, la musique et la littérature modernes.

Exercices de familiarisation

A. Visitons la rive droite! Follow the itinerary indicated by the numbers 12 through 23 on the map on page 113.

12. Nous commençons notre visite à l'_____ .
13. Ensuite nous prenons la rue de la Paix pour aller jusqu'à la _____ .
14. De là nous allons au _____ .
15.-16. Ensuite nous traversons le _____ et nous visitons le _____ , où nous admirons les tableaux de Monet et de Renoir.
17.-18. Au milieu de la place _____ se dresse _____ , cadeau du gouvernement d'Égypte.
19. Nous faisons un petit détour pour visiter l'église _____ .
20.-21. Nous montons l'avenue des _____ jusqu'à la place _____ .
22. De là nous prenons le métro pour aller à _____ .
23. Enfin, nous montons au dôme de la basilique du _____ pour avoir une vue panoramique sur la ville entière.

B. Ah, vous êtes allés à... Indicate your familiarity with the Right Bank by responding to each of your companions' statements.

MODÈLE: Nous avons visité une place où il y a une statue de Napoléon sur une colonne.
    Ah, vous êtes allés à la place Vendôme.

1. Nous avons visité l'obélisque de Louksor.
2. Nous avons visité le tombeau du Soldat Inconnu.
3. Nous avons visité une église qui ressemble à un temple grec.
4. Nous avons regardé des peintures de Manet et de Cézanne.
5. Nous avons visité une église qui ressemble à un temple oriental.
6. Nous avons regardé des peintures de Rembrandt et de Delacroix.
7. Nous avons visité un jardin aux formes géométriques.
8. Nous avons visité un bâtiment qui ressemble à une usine.

Reprise (Deuxième Étape)

C. Décrivez les activités des personnes indiquées en utilisant les verbes donnés.

1. je   2. Jean-Jacques   3. ma sœur et moi, nous   4. mes amis

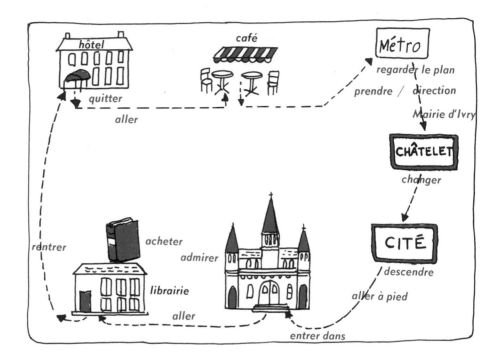

D. Répondez négativement selon les modèles.

MODÈLES: Éric va à la bibliothèque cet après-midi? (ce soir)
Non, mais il va aller à la bibliothèque ce soir.

Hélène fait ses devoirs? (déjà)
Non, elle a déjà fait ses devoirs.

1. Jean-Alex étudie le chinois? (l'année prochaine)
2. Nous tournons à droite? (déjà)
3. Ils visitent la cathédrale de Notre-Dame? (la semaine dernière)
4. Jeanne va à l'opéra cet après-midi? (hier soir)
5. Elles préparent leurs devoirs? (déjà)
6. Tu parles à ton cousin? (dimanche dernier)
7. M. et Mme Foucault, ils ont un bébé? (le mois prochain)
8. Tu rentres aujourd'hui? (vendredi prochain)
9. Mathieu arrive ce soir? (demain)
10. Vous allez à Paris? (il y a cinq ans)

PRONONCIATION: *Les combinaisons* ai *et* au

The combinations **ai** and **au** are pronounced as single vowel sounds in French. The letters **ai** sound like the *ai* in the English word *wait* if they are the final sound of the word. However, if they are followed by a consonant sound (other than final **m** or **n**), they are pronounced like the *e* in the English word *melt*. The combination **au** is always pronounced like the *o* in the English word *hope*.

Pratique

E. Read each pair aloud, being careful to differentiate between the two sounds of *ai*.

j'ai, j'aime / français, française / anglais, anglaise / plaît, maître

F. Read each word aloud, being careful to pronounce the **au** combination as a single sound.

au / aussi / auto / autobus / Paume / de Gaulle

Mise au point (Petite révision de l'étape)

G. Échange. Using the indicated verbs, ask questions to obtain the required information.

1. **étudier:** Find out where your friend usually studies; whether he/she studied there last night; whether he/she is planning to study there tonight.
2. **aller au cinéma:** Find out if your friend likes going to the movies; if he/she went to the movies last week; whether he/she is going to the movies next week.
3. **dîner:** Find out where your friend usually has dinner; where he/she had dinner last Saturday evening; where he/she is going to have dinner next Saturday evening.
4. **aller / prendre:** Find out how your friend usually gets to class; if he/she got to class the same way this morning; whether he/she will get to class the same way next year.

H. Exercice écrit. Rewrite the paragraph, substituting **hier** for **aujourd'hui** and changing all the verbs from the present to the past.

Aujourd'hui Stéphanie quitte la maison et va au café où elle prend le petit déjeuner. Ensuite elle traverse la rue, entre dans la librairie et achète un livre. Après cela, elle visite le parc, regarde les fleurs et les arbres et rentre à la maison.

Quatrième Étape

LECTURE: Paris et la Seine

Le Pont de l'Alma

Once you have discovered new words in French (by guessing from context, by recognizing cognates, or simply by memorizing terms), you can extend your vocabulary by learning to identify words that have similar roots (**mots de la même famille**). For example, if you know the verb **fumer** (*to smoke*), you can understand the nouns **le fumeur** (*smoker*) and **la fumée** (*smoke*). Read the following passage without consulting the vocabulary at the end. Then immediately do Exercise A on word families.

Situé à 220 km[1] de la Manche[2] et à plus de 400 km de l'océan Atlantique, Paris est néanmoins[3] le troisième port de France (après Marseille et Le Havre). C'est grâce à[4] la Seine, qui relie Paris aux grands ports européens et qui approvisionne[5] la ville de matériaux de construction, de produits pétroliers et de vin. Malgré[6] son importance commerciale, la Seine a pour les Parisiens un autre intérêt. Elle est une partie essentielle de la mythologie de Paris. Une chanson populaire explique:

> Elle roucoule,[7] coule,[8] coule
> Dès qu'[9] elle entre dans Paris.
> Elle s'en roule,[10] roule,[11] roule
> Autour de[12] ses quais fleuris.
> Elle chante, chante, chante, chante,
> Chante le jour et la nuit,
> Car[13] la Seine est une amante,
> Et son amant, c'est Paris.

La Seine, qui a 776 km de long, commence en Bourgogne,[14] traverse Paris et se jette[15] dans la Manche au Havre. Elle est, d'un point de vue, la rue principale de Paris, coupant[16] la ville en deux parties et faisant[17] de l'île de la Cité son centre géographique et historique.

Les Parisiens aiment se promener le long des quais de la Seine. Ils aiment regarder les pêcheurs qui attendent[18] avec impatience leur premier poisson;[19] les amoureux qui s'embrassent sans faire attention aux autres promeneurs; les clochards[20] qui dorment[21] près de l'eau.

La Seine est traversée de 32 ponts. L'un des plus intéressants est le Pont de l'Alma, qui traverse la Seine non loin de la Tour Eiffel et de l'Hôtel des Invalides. Le pont le plus large[22] de Paris (42 mètres), il est décoré de statues militaires. Une des statues, qui représente un zouave (un soldat algérien), attire l'attention des Parisiens quand il pleut[23] beaucoup: Quand les eaux de la Seine montent jusqu'au menton[24] du zouave, la ville est en danger!

---

1. kilometers (**un kilomètre**) 2. English Channel 3. nevertheless 4. thanks to 5. supplies
6. in spite of 7. coos 8. flows 9. as soon as 10. winds around 11. rolls 12. around
13. because 14. province southeast of Paris 15. flows into 16. cutting 17. making
18. wait (for) 19. fish 20. bums 21. to sleep 22. wide 23. it rains 24. chin

Compréhension

A. **Les mots de la même famille.** Develop your vocabulary by working with word families from the reading passage.

1. You know the verb **chanter** (*to sing*). In the passage, find a word that means *song*.
2. You have seen the word **fleur** (*flower*). Find an adjective that means *covered with flowers*.
3. You know the verb **aimer** (*to love*). Find three nouns—one feminine, one masculine, one plural—that refer to *people who love or are in love*.

4. You know the cognate **une promenade** (*a walk*). Find a verb that means *to walk* and a noun that refers to *people who walk*.
5. You know the cognate **intéressant** (*interesting*). Find a noun that means *interest*.

B. Expliquez. Answer in English.

1. Why is it surprising that Paris is France's third largest port?
2. According to the song "La Seine," what is the relationship between the river and the city?
3. Why is it possible to call the Seine the "main street" of Paris?
4. What activities is the curious onlooker likely to see while walking near the Seine?
5. How can Parisians tell that the city is about to be flooded?

Point d'arrivée
(Activités orales et écrites)

C. Une visite guidée de Paris. You are a tourist guide whose group arrives in Paris. You tour the city, pointing out famous sites.

MODÈLE: *Nous sommes sur la rive gauche, au Quartier latin: c'est le quartier des étudiants. Nous sommes sur le Boul' Mich'. Voilà, à droite, la Sorbonne. C'est une université...*

D. Vous connaissez bien Paris? (***Do you know Paris well?***) Find photos of some places in Paris. Show them to another student and ask questions about these places.

MODÈLE: (photo de la Tour Eiffel:)
      Qu'est-ce que c'est? Où est-ce qu'elle se trouve? C'est une église? Elle est près du Louvre?

E. Prenons le métro! Prepare an itinerary for each of the following groups, indicating how to use the subway in order to get to the places you have chosen: people interested in churches and cathedrals; people interested in Napoleon; people interested in art.

F. Nous avons pris le métro. Choose one of the itineraries in Activity C, and use the passé composé to tell how the people followed it.

G. Une journée (*day*) **à Paris.** Tell what you did during a day's tour of Paris. Look at the color photos of Paris (following p. 118) and put all verbs in the passé composé. Use some of the following expressions: **quitter l'hôtel, aller, visiter, traverser, prendre le métro pour aller, regarder, faire une promenade, rentrer.**

Vocabulaire actif

NOMS	VERBES	ADJECTIFS	AUTRES EXPRESSIONS
un accident	acheter	dernier(ère)	après
un an	commencer (à)	passé(e)	avant
une cigarette	dîner		encore
un film	entrer		hier
une heure	monter		il y a
une surprise	rentrer		pendant
	rester		récemment
	téléphoner à		
	trouver		

CHAPITRE SIX

Faisons les courses!

Première Étape
À la boulangerie et à la pâtisserie

Deuxième Étape
À la charcuterie et à la boucherie

Troisième Étape
À l'épicerie

Quatrième Étape
Lecture: Où faire les courses?

Première Étape

POINT DE DÉPART: À la boulangerie et à la pâtisserie

la boulangerie: bakery
la pâtisserie: pastry shop
to go shopping / first
bread
next

Ce matin Mme Thibaudet est allée en ville **faire ses courses. D'abord** elle est allée à la boulangerie. Elle a acheté du **pain**—une baguette et un pain de campagne. Elle a acheté aussi trois croissants et trois pains au chocolat.

    Ensuite elle a traversé la rue pour aller à la pâtisserie. Là elle a regardé les tartes—une tarte aux pommes, une tarte aux fraises et des tartelettes au citron. Elle a regardé aussi les pâtisseries[1] — les religieuses, les éclairs et les mille-feuilles. Mais elle a eu la force de résister à la tentation. Elle a commandé un gâteau au chocolat pour son fils.

---

1. The word **pâtisserie** may refer either to a pastry shop or to the pastries made and sold there.

une baguette

une tartelette au citron

un mille-feuille

un croissant

une tarte aux fraises

un pain au chocolat

un pain de campagne

une tarte aux pommes

une religieuse

un éclair

un gâteau au chocolat

NOTE CULTURELLE

In France, bakery shops often specialize either in bread (**une boulangerie**) or in pastry (**une pâtisserie**). Many stores combine both (**une boulangerie-pâtisserie**). Bakery shops are usually open from 7 or 8 A.M. until 1 P.M. and then again in the afternoon from 4 until 7 P.M. Most bread is bought in the morning.

À vous! (Exercices de vocabulaire)

A. Une baguette, s'il vous plaît. Imagine that you are at a *boulangerie-pâtisserie* and order each item in the picture.

MODÈLE: *Une baguette, s'il vous plaît.*

B. C'est combien? Indicate how much you pay for each item in exercise A.

MODÈLE: *Une baguette: deux francs.*[2]

---

2. A **franc** is divided into **centimes; 100 centimes = 1 franc.** Prices are stated as follows: **3F50** = **trois francs cinquante.**

STRUCTURE 1: Le partitif

Est-ce que tu prends **du** vin?	Are you having wine?
Je vais acheter **de la** bière.	I'm going to buy *some* beer.
Elle a **de l'**imagination.	She has imagination.
Nous avons téléphoné à **des** amis.	We called *some* friends.
Il n'y a pas **de** pain.	There isn't *any* bread.

The partitive article has three singular forms: **du** (masculine), **de la** (feminine), and **de l'** (masculine or feminine before a vowel or a vowel sound). It has one plural form, **des** (which is the same as the plural indefinite article). The **s** of **des** is silent except in liaison.

The partitive article is used to express the idea of a certain amount or quantity, not the whole, of something. It is the equivalent of *some* or *any* and can be used with both concrete and abstract nouns. In English, the partitive is often omitted; in French, it must be expressed.

After a negative expression, the partitive article **de (d')** is used, regardless of the gender or number of the noun. The English equivalent of **de** is *no* or *not any*.

Il n'y a **pas de** pain aujourd'hui.	There is *no* bread today. *Or:* There is*n't any* bread today.
Elle n'a **pas** acheté **de** croissants.	She did*n't* buy *any* croissants.

Application

C. Remplacez l'article défini par l'article partitif.

MODÈLE: le pain   *du pain*

1. le vin   2. la bière   3. les croissants   4. la patience   5. le tact   6. la pâtisserie   7. l'imagination   8. le thé   9. les tartelettes   10. le courage   11. la crème   12. le lait   13. le café   14. l'eau minérale

D. Remplacez le mot en italique par les mots indiqués et faites les changements nécessaires.

1. Marie-Jeanne a de l'*imagination*. (tact / ambition / patience / courage)
2. Je vais prendre du *thé*. (vin / bière / eau minérale / café / limonade)
3. Elle a acheté des *tartelettes*. (croissants / pain / glaces / religieuses / éclairs)
4. Il n'y a pas de *mille-feuilles* aujourd'hui. (pain / croissants / éclairs / tartelettes)
5. Alain n'a pas de *courage*. (tact / imagination / patience / ambition)

E. Répondez en utilisant les expressions entre parenthèses.

MODÈLES: Est-ce qu'il y a du pain aujourd'hui? (Oui / croissants)
Oui, il y a du pain et il y a aussi des croissants.

Est-ce qu'elle a du talent? (Non / ambition)
Non, elle n'a pas de talent et elle n'a pas d'ambition non plus.

1. Est-ce qu'il y a des éclairs aujourd'hui? (Oui / religieuses)
2. Est-ce que tu vas prendre du café? (Non / thé)
3. Est-ce que Bernard a de l'imagination? (Oui / tact)
4. Est-ce que vous avez des croissants? (Oui / pains au chocolat)
5. Est-ce que Chantal a acheté de la pâtisserie? (Non / pain)
6. Est-ce que vous désirez du vin? (Non / bière)
7. Est-ce que vous avez du tact? (Oui / patience)
8. Est-ce que vous avez de l'argent? (Non / travail)

STRUCTURE 2: *Le partitif, l'article défini et l'article indéfini*

J'aime beaucoup **le** pain.	I like bread very much.
Elle adore **les** croissants, mais moi, j'aime mieux **les** éclairs.	She loves croissants, but I prefer éclairs.
Il déteste **la** bière allemande.	He hates German beer.

When a noun is used in a general sense—that is, when it refers to a category or to all members of a category—it is preceded by a definite article (**le, la, l', les**). Consequently, the definite article is often used after verbs such as **aimer, adorer,** and **détester**. In English, the article is usually omitted in these cases.

Où est **la** maison de Jean-Francis?	Where is Jean-Francis's house?
Combien coûtent les croissants à **la** boulangerie qui est en face de **la** gare?	How much do croissants cost at *the* bakery across from *the* railroad station?

When a noun is used in a specific sense—that is, when it refers to a definite item or example—it is also preceded by a definite article (**le, la, l', les**). Usually the noun is followed by a phrase (**de Jean-Francis**) or a clause (**qui est en face de la gare**).

—Vous désirez **du** pain? —Oui, **une** baguette, s'il vous plaît.	—Do you want *some* bread? —Yes, *a* baguette, please.
—Tu as **de** l'argent? —Oui, j'ai **un** billet de 50F.	—Do you have *any* money? —Yes, I have *a* 50-franc note.

The partitive article (**du, de la, de l'**) is used to refer to a certain part or amount of something. Thus, **du pain** refers to *some of the bread that is in the store*. The indefinite article (**un, une**) refers to the object as a whole; therefore, **une baguette** refers to *a whole loaf of bread*. Similarly, **de l'argent** refers to *a certain part (probably small) of all the money in the world*; **un billet de 50F** refers to *a single 50-franc note*. Since the plural form of both the partitive and the indefinite article is **des**, you need not worry about distinguishing between the two when the object is plural.

—Tu as de l'argent? —Non, je **n'**ai **pas d**'argent.

—Vous avez acheté une baguette? —Non, je **n'**ai **pas** acheté **de** baguette.

—Elle aime les croissants? —Non, elle n'aime **pas les** croissants.

—Do you have any money? —No, I do*n't* have *any* money.

—Did you buy a baguette? —No, I did*n't* buy *a* baguette.

—Does she like croissants? —No, she does*n't* like croissants.

Notice that both the partitive (**du, de la, de l', des**) and the indefinite article (**un, une, des**) become **de** after a negative expression, but the definite article (**le, la, l', les**) remains the same.

Application

F. Make short conversations based on the model. Distinguish between the use of the partitive and the definite articles.

MODÈLE: prendre / vin   non / ne pas aimer
    —*Vous prenez du vin?*
    —*Non, je ne prends pas de vin.*
    —*Pourquoi pas?*
    —*Parce que je n'aime pas le vin.*

1. prendre / bière   non / ne pas aimer
2. désirer / café   non / aimer mieux / thé
3. aller acheter / vin   non / détester
4. aller manger / croissants   oui / adorer
5. prendre / eau minérale   non / aimer mieux / eau nature

G. Make short conversations based on the model. Distinguish between the use of the partitive and the indefinite articles.

MODÈLE: café / express
    —*Vous désirez du café?*
    —*Oui, je voudrais un express.*

1. thé / thé au citron
2. bière / demi
3. pâtisserie / religieuse, mille-feuille
4. pain / baguette, pain de campagne

H. Make short conversations based on the model. Distinguish between the use of the partitive, the definite and the indefinite articles.

MODÈLE: pain / baguette, pain de campagne
—*Vous aimez le pain?*
—*Oui, j'aime beaucoup le pain.*
—*Est-ce que vous avez acheté du pain hier?*
—*Oui, j'ai acheté une baguette et un pain de campagne.*

1. vin / bouteille de vin rouge, bouteille de vin blanc
2. pâtisserie / tarte aux pommes, gâteau au chocolat
3. pâtisserie / religieuse, tartelette aux fraises
4. eau minérale / bouteille de Vittel, bouteille de Perrier

PRONONCIATION: *La voyelle é*

The letter **é** (**été**) is pronounced like the vowel sound in the English word *fail*; however, the French vowel is not a diphthong. That is, it is a single, steady sound, whereas the English sound tends to slide from one vowel to another.

Pratique

I. Read each word aloud, being careful to pronounce the **é** with enough tension to avoid a diphthong.

thé / café / église / métro / éclair / cathédrale / été / écoute

STRUCTURE 3: *Le verbe irrégulier* **faire**

Qu'est-ce que **vous faites?**	What *are you doing?*
Nous faisons une promenade.	*We are taking* a walk.
Est-ce que **tu as fait** du ski?	*Did you go* skiing?

Here is the present tense of the irregular verb **faire** (*to do, to make*).

faire	
je **fais**	nous **faisons**
tu **fais**	vous **faites**
il/elle **fait**	ils/elles **font**
past participle: **fait** (conjugated with **avoir**)	

The verb **faire** is used in numerous idiomatic expressions:

faire un voyage	to take (go on) a trip
faire une promenade	to take (go on) a walk
faire du sport	to participate in sports
faire du ski	to go skiing, to ski
faire du tennis	to play tennis
faire du français	to study French

Application

J. Remplacez le sujet et faites les changements nécessaires.

1. *Jean-Luc* fait du ski dans les Alpes. (Béatrice / nous / les parents de Sylvie / je / vous / tu)
2. *Marie-Claire* ne fait pas ses devoirs. (Léonard / je / vous / mon frère et moi, nous / mes camarades de chambre / tu)
3. *Michel* a fait un voyage à Paris. (ma sœur / tu / M. et Mme Tréfond / vous / je)

K. Posez une question en utilisant les mots indiqués. Suivez les modèles.

MODÈLES: tu / vendredi prochain
        Qu'est-ce que tu vas faire vendredi prochain?

        Georges / hier
        Qu'est-ce que Georges a fait hier?

        Nelly / d'habitude le samedi
        Qu'est-ce que Nelly fait d'habitude le samedi?

1. tu / le vendredi soir
2. Marc / vendredi dernier
3. vous / samedi prochain
4. tu / la semaine dernière
5. vous / d'habitude pendant les vacances
6. vous / hier soir
7. Guy et sa sœur / lundi prochain
8. tu / demain soir
9. Sylvie / pendant le week-end (trois possibilités)

L. Questions. Posez quatre questions (**tu, vous, il/elle, ils/elles**) aux autres membres de votre groupe.

1. faire souvent des promenades   2. faire du ski   3. faire ses devoirs pour aujourd'hui   4. faire un voyage récemment   5. aller faire ce soir (qu'est-ce que)

Mise au point (Petite révision de l'étape)

M. Échange. Posez les questions à un(e) autre étudiant(e), qui va vous répondre.

1. Est-ce que tu vas souvent à la boulangerie? Est-ce que tu aimes les croissants? Est-ce que tu as mangé des croissants récemment? Et du pain français?
2. Est-ce que tu aimes la pâtisserie? Est-ce que tu aimes mieux les éclairs, les tartes ou les gâteaux? Qu'est-ce que tu prends avec ton dessert? du thé? du lait? du café?
3. Est-ce que tu fais du sport? du tennis? du golf? du ski? du footing?
4. Est-ce que tu aimes faire des promenades? Est-ce que tu as fait une promenade pendant le week-end?
5. Est-ce que tu aimes voyager? Est-ce que tu as fait un voyage l'année dernière? Où est-ce que tu es allé(e)?

N. Exercice écrit. Complete the paragraph with the appropriate articles—definite, indefinite, partitive.

Ma famille est très petite. J'ai _____ sœur, mais je n'ai pas _____ frères. Ma sœur, qui s'appelle Denise, travaille dans _____ banque. Elle aime bien son travail, mais elle adore _____ sports. Elle joue au tennis et elle fait _____ ski. Denise aime aussi _____ pâtisseries. Hier soir elle est allée à _____ pâtisserie à côté de _____ banque. Elle a acheté _____ tartelettes aux fraises, _____ religieuses et _____ éclairs. Mais elle a eu la force de résister à la tentation: elle n'a pas acheté _____ mille-feuilles!

Deuxième Étape

POINT DE DÉPART: À la charcuterie et à la boucherie

la charcuterie: butcher shop

Ensuite Mme Thibaudet est allée à la charcuterie.

la boucherie: butcher shop

—Bonjour, Madame.
—Bonjour, Monsieur.
—Qu'est-ce que vous désirez aujourd'hui?

enough

—D'abord, je voudrais du pâté—**assez** pour trois personnes.
—Très bien. Voilà. Et avec ça? Des saucisses, peut-être?

give / slices

—Non, pas de saucisses. Mais **donnez**-moi six **tranches** de jambon.
—Voilà, Madame. Et avec ça?
—Vous avez du saucisson?
—Bien sûr, Madame. Combien de tranches?

thin

—Une douzaine, très **fines**.
—Bon. Le pâté, 6F; le jambon, 15F; et le saucisson, 7F. Ça fait 28F. Au revoir, Madame.
—Au revoir, Monsieur.

À côté de la charcuterie il y a une boucherie où on trouve de la viande—du bœuf, du poulet, du veau et du porc. Là, Mme Thibaudet a acheté un bifteck et un rôti de porc. À la boucherie elle a rencontré son amie Mme Dupassage, qui a acheté des côtelettes de veau.

NOTE CULTURELLE

In France, butcher shops, like bakeries, tend to specialize. **La charcuterie** sells ham and other cooked pork products, such as sausages, salami, and pâté. **La boucherie** sells pork roasts and chops as well as beef, lamb, veal, and chicken. A third kind of shop, **la boucherie chevaline**, sells only horse meat.

France uses the metric system of measurement. The basic unit of weight is the kilogram (**un kilo**), which consists of one thousand grams (**une gramme**). Half a kilogram (**un demi-kilo**) is called **une livre** (a *pound*). However, since a kilogram is approximately 2.2 American pounds, a French **livre** is a little more than an American pound.

du pâté

un bifteck

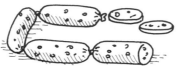
des saucisses

un poulet

du jambon

une côtelette de veau

du saucisson

un rôti de porc

À vous! (Exercices de vocabulaire)

A. Où est-ce qu'on va pour acheter...? Say where you go to buy each item.

MODÈLE: du pâté   *Pour acheter du pâté, on va à la charcuterie.*

1. du poulet 2. des saucisses 3. du jambon 4. du veau 5. du bœuf
6. du saucisson

B. Et avec ça? Place the following orders for meat.

MODÈLE: 2 / bifteck   *Deux biftecks, s'il vous plaît.*

1. 1 / poulet
2. 4 tranches / jambon
3. un rôti / porc
4. 3 côtelettes / veau
5. 10 tranches / saucisson
6. un rôti / bœuf
7. 6 / saucisses

Reprise (Première Étape)

C. Répondez en utilisant les expressions entre parenthèses.

1. Où est-ce que Jean-Jacques va d'habitude pour prendre le petit déjeuner? (café)
2. Qu'est-ce qu'il commande d'habitude? (café au lait / croissants)
3. Est-ce qu'il aime les croissants? (adorer)
4. Est-ce qu'il commande du thé? (non)
5. Pourquoi pas? (ne pas aimer)
6. Où est-ce que Mme Bridoux est allée ce matin? (boulangerie)
7. Qu'est-ce qu'elle a acheté? (pain)
8. Quelles sortes de pain? (baguette / pain de campagne)
9. Est-ce qu'elle a acheté des pains au chocolat? (non)
10. Pourquoi pas? (aimer mieux / croissants)

D. Posez la question indiquée; puis donnez une réponse à la question. Faites attention au temps des verbes.

MODÈLE: vous / faire / hier   aller au cinéma
        —Qu'est-ce que vous avez fait hier?
        —Nous sommes allés au cinéma.

1. tu / faire / hier   rester à la maison
2. Daniel / faire / ce soir   travailler
3. Marielle / faire / samedi dernier   visiter le Louvre
4. vous / faire / demain après-midi   faire une promenade
5. M. et Mme Santerre / faire / l'année dernière   aller à Moscou
6. tu / faire / demain matin   aller à la boulangerie
7. les autres / faire / jeudi prochain   dîner en ville
8. vous / faire / hier après-midi   faire du tennis

STRUCTURE 4: Les expressions de quantité

Combien de frères avez-vous?	*How many* brothers do you have?
Nous avons **beaucoup d'**amis.	We have *lots of* friends.
Elle n'a pas **assez d'**argent pour acheter une auto.	She doesn't have *enough* money to buy a car.
Tu as **plus de** livres que moi.	You have *more* books than I (do).
Je voudrais **un kilo de** fraises.	I would like *a kilo of* strawberries.
Il achète **trois bouteilles de** vin.	He's buying *three bottles of* wine.

A great many French expressions that indicate quantity are followed by the preposition **de** (**d'**). For example, the basic question for establishing quantity is **combien de: combien de frères?** (*how many brothers?*), **combien d'argent?** (*how much money?*).

	Expressions of quantity
General quantity	**beaucoup de** a lot, a great deal, many, much **pas beaucoup de** not many, not much **un peu de**[3] a little, a little bit **très peu de** very little
Comparison	**plus de** (+ *noun*) **que** more...than **autant de** (+ *noun*) **que** as much/as many...as **moins de** (+ *noun*) **que** less/fewer...than
Sufficiency [4]	**beaucoup trop de** much too much, many too many **trop de** too much, too many **assez de** enough **pas assez de** not enough
Specific quantity	**un kilo de** a kilogram of **une livre de** a pound of **cent grammes de** one hundred grams of **un litre de** a liter of **une bouteille de** a bottle of **une douzaine de** a dozen **un morceau de** a piece of **une tranche de** a slice of

---

3. The expression **un peu** can only be used with non-count nouns (nouns that are always singular). To indicate the idea of *a few* with a plural noun, French uses **quelques: un peu de thé**, but **quelques pommes**.
4. The preposition **pour** followed by an infinitive is used to indicate what one has (or does not have) enough for: **Elle a assez d'argent pour aller en France.**

Application

E. Substituez les expressions données et faites les changements nécessaires.

MODÈLE: Georges a du travail (beaucoup)
Georges a beaucoup de travail.

1. Georges a du travail. (très peu / trop / pas beaucoup / plus... que moi / beaucoup trop / assez)
2. Nous avons des amis. (pas beaucoup / trop / quelques / moins... que vous / beaucoup)
3. Elle a acheté du fromage. (deux bouteilles, vin rouge / une douzaine, saucisses / un kilo, pommes / cent grammes, pâté / six tranches, jambon)

F. Describe each person's financial situation, using the expressions **beaucoup, pas beaucoup, un peu,** and **très peu.**

Monique: 60F   Sylvie: 7.000F   Edgar: 2F   Jean-Paul: 25F

MODÈLE: Est-ce que Monique a de l'argent?
Oui, mais elle n'a pas beaucoup d'argent.

1. Est-ce qu'Edgar a beaucoup d'argent? 2. Et Sylvie? 3. Et Jean-Paul?

G. Make comparisons, using the expressions **plus, moins de,** and **autant de.**

Nelly: 3 cousins	Bénédicte: 6 cousins	Georgette: 5 cousins
Étienne: 12 cousins	Liliane: 6 cousins	Hervé: 9 cousins

MODÈLE: Comparez Étienne et Liliane.
Étienne a plus de cousins que Liliane.

1. Comparez Nelly et Bénédicte.
2. Comparez Georgette et Nelly.
3. Comparez Liliane et Bénédicte.
4. Comparez Bénédicte et Étienne.
5. Comparez Hervé et Georgette

H. Evaluate the amounts, using the expressions **beaucoup trop de, trop de, assez de,** and **pas assez de.**

MODÈLES: Une calculatrice coûte 60 francs. Yves a 65 francs.
Yves a assez d'argent pour acheter une calculatrice.

Mme Leroux a fait trois gâteaux. Elle a invité deux personnes pour dîner.
Mme Leroux a fait trop de gâteaux.

1. Un transistor coûte soixante dollars. Jean-Jacques a cinquante dollars.
2. Mme Barron a acheté douze côtelettes de porc. Il y a deux personnes pour dîner.
3. Il y a dix personnes. Il y a huit croissants.
4. Anne a acheté trois tartelettes. Il y a trois personnes pour le déjeuner.

PRONONCIATION: *Les voyelles è et ê*

The letters **è** (**mère**) and **ê** (**fête**) are pronounced like the *e* in the English words *bed* and *belt.*

Pratique

I. Read each word aloud, being careful to pronounce **è** and **ê** in the same manner.

mère / frère / père / crème / achète / scène / bibliothèque / tête / êtes / fête

STRUCTURE 5: *Les nombres de 70 à 1.000.000*

70	soixante-dix	80	quatre-vingts	90	quatre-vingt-dix
71	soixante et onze	81	quatre-vingt-un	91	quatre-vingt-onze
72	soixante-douze	82	quatre-vingt-deux	92	quatre-vingt-douze
73	soixante-treize	83	quatre-vingt-trois	93	quatre-vingt-treize
74	soixante-quatorze	84	quatre-vingt-quatre	94	quatre-vingt-quatorze
75	soixante-quinze	85	quatre-vingt-cinq	95	quatre-vingt-quinze
76	soixante-seize	86	quatre-vingt-six	96	quatre-vingt-seize
77	soixante-dix-sept	87	quatre-vingt-sept	97	quatre-vingt-dix-sept
78	soixante-dix-huit	88	quatre-vingt-huit	98	quatre-vingt-dix-huit
79	soixante-dix-neuf	89	quatre-vingt-neuf	99	quatre-vingt-dix-neuf

100	cent	200	deux cents
101	cent un	201	deux cent un
102	cent deux	202	deux cent deux

1.000	mille	2.000	deux mille
1.001	mille un	2.500	deux mille cinq cents
1.002	mille deux	2.550	deux mille cinq cent cinquante

1.000.000	un million[5]	2.000.000	deux millions

The **t** of **vingt** in **quatre-vingts, quatre-vingt-un,** etc. and the **t** of cent are not pronounced. **Quatre-vingts** and **deux cents, trois cents,** etc. are written with an **s** only when they are *not* followed by another number. **Mille** is invariable; it never takes an **s.** The commas used in English to write numbers in the thousands and millions are either omitted or replaced by a period: 3,560 = 3.560 or 3 560.

---

5. When followed by a noun, **un million** is treated as an expression of quantity and therefore requires **de**: **un million *de* téléspectateurs, six millions *de* francs.**

Application

J. Faites les exercices suivants.

1. Comptez de 60 jusqu'à 110.
2. Donnez les nombres impairs de 1 jusqu'à 101.
3. Donnez les nombres pairs de 2 jusqu'à 100.
4. Comptez par 10 jusqu'à 120.
5. Comptez de 99 à 3 par 3.
6. Lisez: 21, 31, 41, 51, 61, 71, 81, 91, 101; 4, 14, 44, 84, 94; 6, 16, 66, 76; 777, 888, 999; 1 382; 9 695; 53.473; 663.736; 1 000 000.

Mise au point (Petite révision de l'étape)

K. Échange. Posez les questions à un(e) autre étudiant(e), qui va vous répondre.

1. Quelle viande est-ce que tu aimes mieux? En France, où est-ce qu'on va pour acheter _____ ?
2. Est-ce que tu as mangé de la viande hier soir?
3. Est-ce que tu as beaucoup d'argent? Est-ce que tu as assez d'argent pour acheter un transistor? un vélo? une auto?
4. Est-ce qu'il y a assez de devoirs pour le cours de français?
5. Est-ce que tu as plus de livres que ton (ta) camarade de chambre ou est-ce qu'il (elle) a plus de livres que toi?
6. Combien d'étudiants est-ce qu'il y a à l'université? Combien de personnes habitent dans ta ville?

L. Exercice écrit. Write sentences describing the financial situation of each person. Use the verb **avoir** and do not repeat any expression of quantity.

À la banque		Les prix	
Monique	3.000F	un vélo	1.200F
Raymond	25F	un transistor	150F
Albert	200F	une calculatrice	225F
Pascale	1.000F	une chaîne-stéréo	2.500F
Yves	500F		

1. Monique
2. Raymond
3. Albert / pour acheter
4. Pascale / pour acheter
5. Yves (comparé à Pascale)
6. Monique (comparée à Yves)

Troisième Étape

POINT DE DÉPART: À l'épicerie

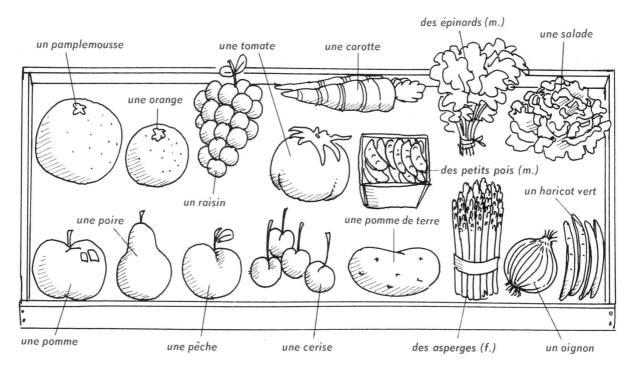

un pamplemousse
une tomate
une carotte
des épinards (m.)
une salade
une orange
un raisin
des petits pois (m.)
un haricot vert
une poire
une pomme de terre
une pomme
une pêche
une cerise
des asperges (f.)
un oignon

une épicerie: grocery store

finally

preserved or canned food

can / jam

Enfin, Mme Thibaudet est allée à l'épicerie. À l'extérieur, on achète des fruits et des légumes. Mme Thibaudet a pris un kilo de poires, trois bananes, un demi-kilo d'asperges, deux kilos de pommes de terre et une salade. À l'intérieur, on achète des boissons, du fromage et des **conserves.**

—Vous désirez du fromage, Madame?
—Oui, un morceau de gruyère.
—Comme ça?
—Oui, ça va. Et aussi une tranche de roquefort. Cent grammes.
—Très bien. C'est tout?
—Deux bouteilles de Vittel, deux bouteilles de vin rouge, une **boîte** de **confiture** et du chocolat.
—Alors, ça fait 64F50.

change
shopping bag

—Vous avez la **monnaie** de 100F?
—Bien sûr. Quatre-vingts, quatre-vingt-dix et cent. Vous avez un **filet,** Madame? Très bien. Au revoir, Madame.
—Au revoir, Monsieur.

(Cinq secondes après.)

—Pardon, Monsieur.
—Ah, Madame. Vous avez oublié quelque chose?
—Non, Monsieur. C'est vous qui avez oublié quelque chose. C'est combien, la monnaie?

more, in addition

—Euh, voyons. Cent moins 64F50... Oh, je m'excuse, Madame. Voilà **encore** dix francs. Au revoir, Madame.
—Au revoir, Monsieur.

NOTE CULTURELLE

France produces more than 400 different kinds of cheeses. A French lunch or dinner usually includes cheese, just before or in place of dessert.

Most cheeses are named for the areas in which they are produced. For example, **camembert** is made in a village in Normandy, **roquefort** in a town in southern France, **brie** in a region to the east of Paris, and **gruyère** in Switzerland. Others, however, take their names from the milk used in their production. For example, **chèvre** is made from goat's milk.

À vous! (Exercices de vocabulaire)

A. Qu'est-ce que c'est? Identify the following fruits and vegetables.

MODÈLES: *C'est une banane. Ce sont des fraises.*

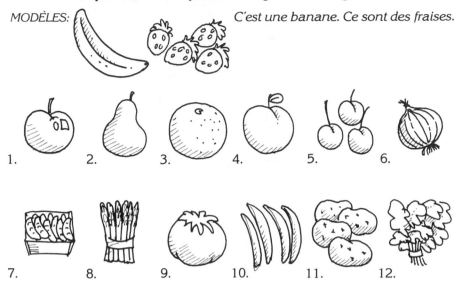

1. 2. 3. 4. 5. 6.

7. 8. 9. 10. 11. 12.

B. Dans le filet de Mme Thibaudet. Calculate the cost of the items in Mme Thibaudet's shopping bag.

MODÈLE: 2 kilos de tomates / 14F le kilo
Deux kilos de tomates à quatorze francs le kilo, ça fait vingt-huit francs.

1. 2 kilos de pommes / 5F le kilo
2. 3 kilos d'épinards / 8F le kilo
3. un demi-kilo de petits pois / 4F le kilo
4. 100 grammes de roquefort / 25F le kilo
5. un kilo et demi de poires / 8F le kilo
6. 200 grammes de gruyère / 27F le kilo
7. 4 bouteilles de rouge / 4F la bouteille
8. 2 boîtes de confiture / 3F50 la boîte
9. 5 kilos de pommes de terre / 2F50

C. Faites de petites conversations en imitant le modèle.

MODÈLE: des fruits / des cerises, 6F le kilo / des pêches, 8F le kilo
—*Vous désirez des fruits?*
—*Oui, donnez-moi un demi-kilo de cerises.*
—*Et avec ça?*
—*Je voudrais aussi un kilo de pêches.*
—*Bon. Un demi-kilo de cerises à 6F le kilo, ça fait 3F. Et un kilo de pêches à 8F le kilo, ça fait 8F. C'est tout?*

—Oui, c'est tout.
—Bon, ça fait 11F.
—Est-ce que vous avez la monnaie de 20 francs?
—Bien sûr. Voilà—douze, treize, quatorze, quinze et vingt.

1. des fruits / des poires, 8F le kilo / des raisins, 5F le kilo
2. des légumes / des haricots verts, 10F le kilo / des pommes de terre, 2F50 le kilo
3. du fromage / du roquefort, 25F le kilo / du brie, 85F le kilo
4. des boissons / du vin blanc, 4F la bouteille / de l'eau minérale, 2F la bouteille

Reprise (Deuxième Étape)

D. Répondez aux questions.

1. Qu'est-ce qu'on trouve à la charcuterie?
2. Est-ce que vous aimez les saucisses? Est-ce vous avez mangé des saucisses hier?
3. Qu'est-ce qu'on trouve à la boucherie?
4. Quelle viande est-ce que vous aimez? Quand est-ce que vous avez mangé _____ ?
5. Est-ce que vous voyagez beaucoup? Où est-ce que vous désirez aller? Est-ce que vous avez assez d'argent pour faire un voyage à _____ ?
6. Faites les comparaisons suivantes entre vous et votre camarade de chambre (votre frère, votre sœur, vos amis): argent, cours, devoirs.
7. Est-ce que vous avez beaucoup de cousins et de cousines?
8. Est-ce qu'il y a beaucoup de différence entre une livre française et une livre américaine?

E. Quelle est la population des villes suivantes?

1. Nancy: 111.493	3. Nice: 346.620	5. Lille: 177.218
2. Bordeaux: 226.281	4. Marseille: 914.356	6. Paris: 2.299.830

PRONONCIATION: *La voyelle e*

The letter **e** without a written accent can represent three different sounds in French:

[e]—the sound also represented by **é** (acute accent)
[ɛ]—the sound also represented by **è** (grave accent)
[ə]—the sound in the word **le**

At the end of a word, the letter **e** is pronounced [e] when it is followed by a silent consonant (**chanter, les**). The letter **e** is pronounced [ɛ] when it is followed by a consonant in the same syllable (**elle, personne**).[6] The letter **e** is pronounced [ə] at the end of a syllable in the middle of a word (**petit, cerise**). It is also pronounced [ə] in certain two-letter words (**le, ne, me**). Remember that **e** without an accent is usually silent at the end of a word.

Pratique

F. Read each word aloud, being careful to distinguish among the three sounds of **e**.

[e]: des, mes, aller, il est, poulet, assez
[ɛ]: baguette, verre, appelle, hôtel, asperges, express
[ə]: de, le, petit, demain, pamplemousse, retour

G. Read the following words aloud. Each contains at least two different pronunciations of the letter **e**.

regarder / mercredi / chercher / elle est / se dresser / traversez / Perrier / église

STRUCTURE 6: *Les adjectifs démonstratifs*

Il n'y a pas de légumes dans **ce** jardin.	There aren't any vegetables in *this (that)* garden.
Quel est le nom de **cet** hôtel?	What is the name of *this (that)* hotel?
Cette église a plus de 300 ans.	*This (that)* church is more than 300 years old.
Où est-ce que tu as acheté **ces** tomates?	Where did you buy *these (those)* tomatoes?

The demonstrative adjective has three singular forms: **ce** (masculine before a pronounced consonant), **cet** (masculine before a vowel or a vowel sound), and **cette** (feminine). **Cet** and **cette** are pronounced alike. All three forms are equivalent to the English *this* or *that*.

The demonstrative adjective has only one plural form: **ces**. The **s** of **ces** is silent, except before a vowel or a vowel sound. **Ces** is equivalent to the English *these* or *those*.[7]

6. As a rule, French syllables end in a vowel (**vé lo, bou che rie**). However, two consonants next to each other in the middle of a word *usually* split into different syllables (**tar te le tte, per sonne**).

7. When it is important to distinguish between *this* and *that* or between *these* and *those*, add to the noun **-ci** for *this* or *these* and **-là** for *that* or *those*. In written French, **ci** and **là** are linked to the noun by a hyphen: **Je ne vais pas manger ces fraises-là; j'aime mieux ces fraises-ci.** *(I'm not going to eat those strawberries; I prefer these strawberries.)* Unless a distinction is necessary for comprehension, **-ci** and **-là** are usually not used.

Application

H. Remplacez l'article défini par l'adjectif démonstratif.

MODÈLE: la pharmacie   *cette pharmacie*

1. le pain   2. les tomates   3. l'hôtel   4. la bouteille   5. les légumes   6. la banque   7. l'étudiante   8. le pamplemousse   9. l'étudiant   10. les asperges   11. le vélo   12. l'appareil-photo   13. l'église   14. les éclairs

I. Posez des questions selon les modèles.

MODÈLE: Regardez les étudiants!
             Ah, oui. Comment s'appellent ces étudiants?

1. Regardez les étudiantes!   4. Regardez le restaurant!
2. Regardez l'hôtel!   5. Regardez le pont!
3. Regardez l'église!   6. Regardez les professeurs!

MODÈLE: Regardez les pommes!
             Ah, oui. Combien coûtent ces pommes?

7. Regardez les tomates!   10. Regardez le rôti!
8. Regardez le livre!   11. Regardez les poires!
9. Regardez la tarte!   12. Regardez les épinards!

Mise au point (Petite révision de l'étape)

J. Échange. Posez les questions à un(e) autre étudiant(e).

1. Quels fruits est-ce que tu aimes? Est-ce que tu as acheté des fruits récemment?
2. Quels légumes est-ce que tu aimes? Quels légumes est-ce que tu n'aimes pas? Est-ce que tu as mangé des légumes pour le dîner hier soir?
3. Est-ce qu'il y a une épicerie près de l'université? Est-ce qu'on va à cette épicerie pour acheter du vin?
4. Est-ce que les Américains mangent autant de fromage que les Français? Quels fromages est-ce que tu préfères?
5. Est-ce que tu as beaucoup de travail pour ce cours? Est-ce que tu as plus de travail pour ce cours que pour tes autres cours?
6. Est-ce que tu as plus de travail cette année que l'année passée?

K. Exercice écrit. Write sentences using the suggested expressions. Add the appropriate form of the demonstrative adjective (**ce, cet, cette, ces**) and make all necessary changes.

1. classe / avoir / moins / étudiants / classe de psychologie
2. livre / avoir / plus de photos / livre d'anglais
3. je / aimer mieux / légumes
4. jardin / avoir / plus de / légumes / jardin
5. étudiant / téléphoner / hier soir

Quatrième Étape

LECTURE: Où faire les courses?

Paragraphs usually consist of one or two main ideas supported by examples or explanations. Read the following passage without consulting the vocabulary at the end. After finishing *each paragraph*, go back and underline the sentences or parts of sentences that present a general idea. Even though you may not understand every single word, you will probably be able to distinguish the general idea from the illustrative examples. When you have completed the passage, do Exercise A.

Des viandes et des légumes congelés[1] Des produits emballés[2] en plastique? Des hommes ou des femmes poussant des chariots?[3] Aux États-Unis, oui. Mais en France—le centre gastronomique du monde? Bien sûr. Depuis les années 60 les supermarchés sont de plus en plus fréquents, surtout dans la banlieue[4] et dans le centre de la ville. Le côté pratique du supermarché est indiscutable, même en France: variété et quantité des aliments, prix souvent avantageux, efficacité[5] (on fait les courses en une seule fois[6]). Néanmoins, pour les Français accoutumés au rapport personnel entre commerçant et acheteur, le supermarché déshumanise un aspect très important de la vie. On prend les produits, on fait la queue,[7] on quitte le magasin le plus rapidement possible.

C'est pourquoi on trouve toujours beaucoup de boutiques d'alimentation.[8] Par exemple: la boulangerie, avec le pain croustillant,[9] les pâtisseries et les tartes aux fruits; la charcuterie, avec les pâtés, les saucissons, le jambon et une grande variété de salades préparees; la laiterie, où les fromages attirent la clientèle; pour ne pas mentionner l'alimentation générale, une sorte de supermarché en miniature, où on achète fruits et légumes, vin et fromage, pain et boîtes de conserves. Il n'est pas toujours rapide de faire ses courses dans ces boutiques (les commerçants adorent bavarder[10] avec leurs clients), mais il est agréable d'avoir ce contact personnel.

La boutique d'alimentation n'est pas la seule tradition qui résiste à la modernisation. Malgré[11] les supermarchés et hypermarchés, la France conserve la coutume pittoresque du marché en plein air.[12] Une ou deux fois par semaine, dans toutes les villes et tous les villages, on observe la même[13] animation. Hommes et femmes, munis de[14] paniers[15] et de filets, circulent entre les étalages.[16] Ils écoutent les vendeurs:[17] «Mesdames, Messieurs... Légumes frais, tomates, haricots... Fruits merveilleux, oranges d'Espagne, pommes, bananes...» Ils tâtent[18] les fruits, goûtent[19] les fromages, examinent d'un œil[20] critique les rôtis et les côtelettes. La variété et la qualité des aliments, l'énergie et l'animation des vendeurs et des clients—tout contribue à maintenir l'importance de cette institution sociale.

---

1. frozen   2. wrapped   3. shopping carts   4. suburbs   5. efficiency   6. a single time
7. stands in line   8. small specialty food store   9. crisp (crusty)   10. to chat   11. in spite of
12. open-air market   13. same   14. carrying   15. baskets   16. displays   17. sellers, vendors
18. feel   19. taste   20. eye

Compréhension

A. Les idées et les exemples. Reread the passage, consulting the glossed vocabulary if necessary. Try to find at least two examples to support each of the following general ideas.

1. Il y a des supermarchés en France qui ressemblent aux supermarchés américains.
2. Le supermarché a des avantages et des désavantages.
3. Il y a des boutiques qui n'ont que des produits spécialisés.
4. Le marché en plein air offre une scène variée et animée.

B. Allez au...! On the basis of the information given in the passage, advise each person where to go shopping. There may be more than one possibility for some people.

1. *M. Lecomte:* J'ai 70 ans. Je ne travaille pas. J'habite avec mon chien. Je n'ai pas beaucoup d'argent. J'aime parler avec les gens.
2. *Valérie Dumas:* Ma famille et moi, nous adorons le fromage. J'aime trouver un fromage différent tous les mois.

3. *Carla Smith:* Je suis américaine. Je suis en France pour la première fois. Je voudrais étudier la vraie culture française.
4. *Jean Goidin:* C'est moi qui prépare les repas pour ma famille. Pour bien manger, il faut acheter des fruits et des légumes de qualité.
5. *Éric Lenôtre:* Je n'ai pas le temps de préparer un dîner ce soir. Je voudrais acheter quelque chose de rapide—du pain, du saucisson et une salade, par exemple.
6. *Évelyne Maupin:* Je travaille dans une grande entreprise. Je n'ai pas le temps de faire les courses tous les jours, mais j'ai trois enfants qui mangent beaucoup.

Reprise (Troisième Étape)

C. Répondez aux questions.

1. Pourquoi est-ce qu'on va à l'épicerie?
2. Est-ce que vous aimez mieux les fruits ou les légumes?
3. Est-ce qu'il y a des légumes que vous n'aimez pas? Et des fruits aussi?
4. Quels fruits est-ce qu'on mange au petit déjeuner?
5. Est-ce que votre famille a un jardin? Quels légumes est-ce vous avez dans votre jardin?
6. Quels fruits et quels légumes est-ce vous avez mangés récemment?

D. Indiquez le prix des aliments.

MODÈLE: rôti / 27F   *Ce rôti ne coûte que 27 francs.*

1. gâteau / 25F
2. tarte / 16F
3. pommes / 8F le kilo
4. bouteille de vin / 9F
5. asperges / 23F le kilo
6. éclair / 3F50

Point d'arrivée
(Activités orales et écrites)

E. Faisons un pique-nique. You and your friend are going on a picnic. Your friend is going to do the shopping. Explain to him or her where to go and what to buy.

MODÈLE: *D'abord tu vas aller à la boulangerie. Tu vas acheter une baguette ou un pain de campagne. Ensuite tu vas aller...*

F. Faisons les courses. You are shopping for an elderly woman. Using the list below, go to the appropriate stores and make your purchases. She has given you 150F. Is it enough?

rôti de bœuf (pour 4 personnes)
pommes de terre (1 kilo)
salade (1)
tomatoes (½ kilo)
baguettes (2)
tarte (ou gâteau)

vin rouge (2 bouteilles)
eau minérale (2 bouteilles)
cerises (½ kilo)
brie
saucisson (16 tranches)

G. Est-ce que tu as oublié...? You come back from your shopping trip (Exercise F). The woman questions you about what you bought and what you forgot.

H. Une rue commerciale. Describe the photograph on page 135. What can one buy on this street?

Vocabulaire actif

NOMS

l'ambition (f.)
l'argent (m.)
une asperge
une baguette
une banane
un bifteck
le bœuf
une boîte
une boucherie
une boulangerie
une bouteille
une carotte
un centime
une cerise
une charcuterie
la confiture
les conserves (f. pl.)
une côtelette
le courage
une douzaine
un éclair
une épicerie

des épinards (m. pl.)
un filet
un fruit
un gâteau au chocolat
une gramme
le gruyère
les haricots verts (m.)
l'imagination (f.)
un jardin
un légume
un litre
une livre
un mille-feuille
la monnaie
un morceau
un oignon
une orange
le pain
un pain au chocolat
un pain de campagne
un pamplemousse

la patience
une pâtisserie
une pêche
les petits pois (m. pl.)
une poire
une pomme
une pomme de terre
le poulet
le porc
des raisins (m. pl.)
une religieuse
un rôti
une saucisse
un saucisson
le tact
le talent
une tarte
une tomate
une tranche
le veau
la viande

VERBES

donner
faire
faire les courses
faire du français
faire une promenade
faire du ski
faire du sport
faire un voyage
oublier
rencontrer

ADJECTIF

fin(e)

AUTRES EXPRESSIONS

assez de
autant de
beaucoup de
d'abord
enfin
ensuite
moins de
plus de
quelques
tout
trop de

CHAPITRE SEPT

Précisons!

Première Étape
Quel temps fait-il?

Deuxième Étape
Faisons des descriptions!

Troisième Étape
Nos Voisins et nos amis

Quatrième Étape
Lecture: Le Climat et les tempéraments

Première Étape

POINT DE DÉPART: *Quel temps fait-il?*

quel temps fait-il? what's the weather like?

Quel temps fait-il aujourd'hui? Quel temps a-t-il fait hier? Quel temps va-t-il faire demain?

Aujourd'hui il fait beau.
Hier il a fait très beau.
Demain il ne va pas faire beau.

Il fait mauvais aujourd'hui.
Il a fait **assez** mauvais hier.
Il va faire mauvais demain.

rather

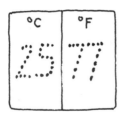

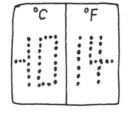

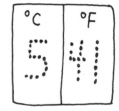

Il fait chaud aujourd'hui.
  La température est
  de 25° C.
Hier il a fait assez chaud.
Il va faire très chaud
  demain.

Aujourd'hui il fait froid.
  La température est
  de moins 10° C.
Il a fait trop froid hier.
Demain il ne va pas faire
  froid.

Aujourd'hui il fait frais.
  La température est
  de 5° C.
Il a fait assez frais hier.
Demain il va faire frais
  aussi.

NOTE CULTURELLE

Temperatures in France are given on the Celsius (centigrade) scale. Here is a comparison of Celsius temperatures and their Fahrenheit equivalents:

C:	30°	25°	20°	15°	10°	5°	0°	−5°
F:	86°	77°	68°	59°	50°	41°	32°	23°

To convert from Celsius to Fahrenheit, multiply by 9/5 and add 32. To convert from Fahrenheit to Celsius, subtract 32 and multiply by 5/9.

Il pleut.
Il n'a pas plu hier.
Il va pleuvoir demain.

Le ciel est couvert (nuageux).
Hier le ciel n'a pas été couvert
(nuageux).
Demain il va y avoir des nuages
aussi.

Aujourd'hui il fait du soleil.
Hier il a fait du soleil aussi.
Demain il ne va pas faire du soleil.

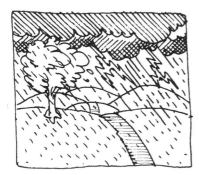

Il y a un orage.
Hier il n'y a pas eu d'orage.
Il va y avoir des orages demain.

Il fait du vent aujourd'hui.
Hier il n'a pas fait de vent.
Il va faire du vent demain.

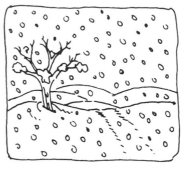

Il neige.
Hier il a neigé aussi.
Demain il ne va pas neiger.

A vous! (Exercices de vocabulaire)

A. Quel temps fait-il? Answer each question negatively. Then give the indicated weather condition.

MODÈLE: Est-ce qu'il fait beau aujourd'hui? (mauvais)
          Non, il ne fait pas beau aujourd'hui, il fait mauvais.

1. Est-ce qu'il fait chaud aujourd'hui? (froid)
2. Est-ce qu'il pleut aujourd'hui? (il neige)
3. Est-ce que le ciel est couvert? (du soleil)
4. Est-ce qu'il y a un orage? (beau)
5. Est-ce qu'il fait frais? (très froid)
6. Est-ce qu'il fait chaud? (du vent)
7. Est-ce qu'il fait du soleil? (nuageux)
8. Est-ce qu'il fait froid? (assez chaud)

B. Hier et demain. Use the cues to ask and answer questions about yesterday's and tomorrow's weather.

MODÈLES: beau / aussi
         —*Quel temps a-t-il fait hier?* —*Il a fait beau.*
         —*Quel temps va-t-il faire demain?* —*Il va faire beau aussi.*

         neiger / du soleil
         —*Quel temps a-t-il fait hier?* —*Il a neigé.*
         —*Quel temps va-t-il faire demain?* —*Il va faire du soleil.*

1. mauvais / aussi
2. chaud / assez froid
3. pleuvoir / aussi
4. du vent / très chaud

5. couvert / du soleil
6. très beau / neiger
7. des orages / beau
8. frais / assez chaud

C. Précisons le temps qu'il fait. Describe the weather on the following days. You may also indicate nonexistent conditions.

1. Quel temps fait-il aujourd'hui?
2. Quel temps a-t-il fait hier?
3. Quel temps va-t-il faire demain?

STRUCTURE 1: *Les mois et les saisons*

Les mois de l'année

janvier	avril	juillet	octobre
février	mai	août	novembre
mars	juin	septembre	décembre

All the months of the year are masculine and are used without an article. They are not capitalized. To express the idea of *in* a month, use **en** or **au mois de.**

En janvier il neige beaucoup.   *In January* it snows a lot.
Il fait très chaud **au mois d'août.**   It is very hot *in August.*

Les saisons de l'année

le printemps	l'été	l'automne	l'hiver

All the seasons are masculine. They are generally used with a definite article, except when expressing the idea of *in* a particular season. In the latter case, **en** is used with the seasons that begin with a vowel; **au** is used with **printemps.**

En automne on joue au football.   Football is played *in the fall.*
En hiver il fait froid.   *In the winter* it is cold.
Il pleut beaucoup **au printemps.**   It rains a lot *in the spring.*
On nage **en été.**   People swim *in the summer.*

Application

D. Répondez aux questions.

MODÈLE: Quel temps fait-il dans votre région en hiver?
En hiver il neige et il fait froid.

1. Quel temps fait-il dans votre région en été?   2. au mois d'avril?   3. au mois d'octobre?   4. en juin?   5. en février?   6. au mois d'août?   7. au printemps?   8. en automne?   9. au mois de décembre?

E. Répondez aux questions.

1. Combien de mois est-ce qu'il y a dans une année?
2. Combien de saisons est-ce qu'il y a dans une année?
3. Quels sont les mois de l'été?
4. En quelle saison est-ce qu'on fait du ski?
5. En quelle saison est-ce qu'on nage?
6. En quelle saison est-ce qu'on joue au football? au basket?
7. En quelles saisons est-ce qu'on joue au base-ball? au tennis?
8. En quel mois est-ce qu'on célèbre Noël? Thanksgiving?

STRUCTURE 2: *La date*

Quel jour est-ce aujourd'hui?	*What day is today?*
Aujourd'hui c'est le 30 novembre. **C'est aujourd'hui le 30 novembre.** }	*Today is November 30.*
—**Quelle date sommes-nous?** —**Nous sommes le 3 mai.**	—*What is the date?* —*It's May 3.*
Le premier janvier est le Jour de l'An.	*January 1* is New Year's day.
—**Quelle est la date** de ton anniversaire? —**C'est le 10 juin.**	—*What is the date* of your birthday? —*It's June 10.*
Ah, tu es née **le 10 juin dix-neuf cent quarante-sept.**	*Ah, you were born on June 10, 1947.*

To express the date in French, use the definite article **le**, a cardinal number (**trente, dix, trois**), and the month. The one exception is the first of the month, expressed by **le premier**.

There are two ways to express years after the year 1000: 1853 is **dix-huit cent cinquante-trois** or **mil huit cent cinquante-trois**. Note that **mille** may be replaced by **mil** in dates.

To ask for today's date, you can use **Quelle est la date aujourd'hui?** or **Quelle date sommes-nous?** or **Quel jour est-ce aujourd'hui?** or **Quel jour sommes-nous?**

Application

F. Exprimez ces dates en français.

MODÈLE: le 23 mars 1937   *le vingt-trois mars dix-neuf cent trente-sept (mil neuf cent trente-sept)*

1. le 8 janvier 1905
2. le 15 août 1985
3. le 1ᵉʳ octobre 1863
4. le 4 juillet 1776
5. le 28 février 1531
6. le 31 mai 1690
7. le 13 avril 1944

G. Répondez aux questions.

1. Quelle date sommes-nous?
2. Quelle est la date de Noël? de la fête nationale américaine? de la fête nationale française? du Jour de l'An?
3. Quelle est la date de votre anniversaire? En quelle année est-ce que vous êtes né(e)?
4. Et votre père, quand est-ce qu'il est né?
5. Quand est-ce que ce semestre a commencé?

PRONONCIATION: *La voyelle o*

The letter **o** represents two different sounds in French: [ɔ], which is similar to the vowel sound in the English *lost,* and [o], which is similar to the vowel sound in the English *go* (without a diphthong). The sound [o] is used when **o** is the last sound of a word (**métro**), before **s** plus a vowel (**rose**), and when the letter **o** has a circumflex (**hôtel**). In other cases, the letter **o** is pronounced [ɔ].

Pratique

H. Read each pair aloud, being careful to pronounce clearly the [ɔ] of the first word and to avoid making a diphthong with [o] in the second.

notre, nos / votre, vos / téléphone, métro / sport, hôtel / orage, chose / octobre, prose / soleil, exposé

I. Read each word aloud, being careful to distinguish between [ɔ] and [o].

pomme / rôti / promenade / chocolat / kilo / trop / roquefort / gigot / Sorbonne / Opéra / haricots / photo

STRUCTURE 3: L'interrogation: L'inversion

Quelle date **sommes-nous?**	Où **vas-tu?**
Quel temps **fait-il?**	**Jacques parle-t-il** anglais?
Marie et Lise sont-elles rentrées?	

In addition to using the question forms introduced in Chapter 1 (intonation, **est-ce que, n'est-ce pas**), it is possible to ask a question by inverting the subject and the verb. In writing, the subject pronoun is linked to the conjugated verb with a hyphen. To facilitate pronunciation, a **-t-** is placed between the conjugated verb and the subject pronoun **il, elle,** or **on** when the verb ends in a vowel.

Regarde-t-elle la neige?	*But:* Regardent-ils la neige?
Où va-t-il?	*But:* Où vont-elles?

When the subject is a noun, it precedes the verb and is repeated in pronoun form after the verb. A noun subject may be inverted following an interrogative expression; in this case, no hyphen is used.

Anne habite-t-elle à Paris?
Pourquoi **Georges et sa femme sont-ils** à New York?
Et **Michel,** où **travaille-t-il?** *Or:* Où **travaille Michel?**

In the passé composé, inversion takes place with the auxiliary verb. When there is a conjugated verb followed by an infinitive, the inversion involves only the conjugated verb.

Es-tu allé au cinéma?
Michelle et sa sœur ont-elles téléphoné hier soir?
Quel jour **allez-vous** commencer?

Application

J. Change the question to the inverted form.

MODÈLE: Est-ce que vous avez un transistor?   *Avez-vous un transistor?*

1. Est-ce que tu as une chaîne stéréo?
2. Est-ce que vous prenez souvent le métro?
3. Est-ce que vous avez acheté un gâteau?
4. Est-ce que tu as pris l'autobus?
5. Georges travaille à la librairie?
6. Monique est française, n'est-ce pas?
7. Où est-ce que tu habites?
8. Quand est-ce que Patrick est né?
9. Combien de bouteilles est-ce que vos amis vont acheter?
10. Où est-ce que Simone va habiter?

K. Utilisez l'inversion pour demander à un(e) autre étudiant(e)...

MODÈLE: s'il (si elle) est américain(e)   *Es-tu américain(e)?*

1. s'il (si elle) parle espagnol
2. s'il (si elle) a une télévision dans sa chambre
3. s'il (si elle) aime faire du ski
4. si sa tante habite à Paris
5. si son oncle a fait un voyage l'année dernière
6. où son oncle a voyagé
7. si ses parents sont canadiens
8. si ses parents ont des vélos
9. si ses parents aiment jouer au tennis
10. quand ses parents vont visiter Paris

Mise au point (Petite révision de l'étape)

L. Échange. Posez les questions à un(e) autre étudiant(e), qui va vous répondre.

1. Quel temps fait-il aujourd'hui?
2. Quelle saison aimes-tu le mieux? Pourquoi?
3. Aimes-tu le froid? En quels mois fait-il froid?
4. Aimes-tu l'été? En quels mois fait-il chaud?
5. Est-ce que tu aimes mieux la neige ou la pluie? Qu'est-ce que tu fais quand il neige? quand il pleut?
6. Quelle est la date de ton anniversaire? En quelle année es-tu né(e)?
7. En quel mois ta mère est-elle née?

M. Exercice écrit. Write questions with inversion, putting the verb in the indicated tense. Use the suggested expressions and make all necessary changes.

MODÈLE: (*présent:*) tu / faire / tennis / hiver
Fais-tu du tennis en hiver?

1. (*présent:*) tu / aller / souvent / plage / été
2. (*présent:*) vous / aimer mieux / automne / printemps
3. (*futur:*) vous / faire un voyage / janvier
4. (*passé:*) Martine / faire du ski / en hiver
5. (*futur:*) M. et Mme Quéffelec / aller / New York / mars

Deuxième Étape

POINT DE DÉPART: Faisons des descriptions!

Comment sont ces livres?

boring

Ce livre-ci est moderne.
Ce livre-ci est **ennuyeux.**
Ce livre-ci est long.
Ce livre-ci est difficile.

Ce livre-là est vieux.
Ce livre-là est intéressant.
Ce livre-là est court.
Ce livre-là est facile.

Comment sont ces autos?

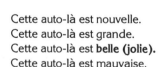

ugly / beautiful / pretty

Cette auto-ci est vieille.
Cette auto-ci est petite.
Cette auto-ci est **laide.**
Cette auto-ci est bonne.

Cette auto-là est nouvelle.
Cette auto-là est grande.
Cette auto-là est **belle (jolie).**
Cette auto-là est mauvaise.

de quelle couleur est...?
what color is...?

De quelle couleur est...?

Voici les couleurs:

blanc *(white)*	marron *(chestnut)*	orange *(orange)*
noir *(black)*	bleu *(blue)*	rouge *(red)*
gris *(grey)*	vert *(green)*	rose *(pink)*
brun *(brown)*	jaune *(yellow)*	violet *(purple)*

À vous! (Exercices de vocabulaire)

A. _____ ou _____ ? Indicate which adjective best describes each drawing.

1. Cet examen est-il facile ou difficile?
2. Cette auto est-elle grande ou petite?
3. Cette église est-elle vieille ou moderne?
4. Ce livre est-il intéressant ou ennuyeux?
5. Ce tableau est-il beau ou laid?
6. Cette maison est-elle vieille ou nouvelle?
7. Ce film est-il bon ou mauvais?
8. Cette ville est-elle jolie ou laide?
9. Ce livre est-il long ou court?
10. Cet exercice-ci est-il facile ou difficile?

B. De quelle couleur est...? Choose the color that best fits the object in question:

1. Le ciel est-il bleu ou vert?
2. Les pommes sont-elles rouges ou violettes?
3. Le soleil est-il brun ou jaune?
4. La neige est-elle blanche ou brune?
5. Les bananes sont-elles grises ou jaunes?
6. Les petits pois sont-ils verts ou noirs?
7. Les pommes de terre sont-elles brunes ou orange?
8. Les nuages sont-ils marron ou gris?

C. Demandez à un(e) autre étudiant(e):

MODÈLE: le temps qu'il fait aujourd'hui (quel)
   —*Quel temps fait-il aujourd'hui? —Il fait froid.* ou: —*Il pleut.* ou:
   —*Il fait du soleil.*

1. le temps qu'il a fait hier (quel)
2. le temps qu'il va faire demain (quel)
3. la saison qu'il (elle) aime le mieux (quelle)
4. pourquoi il (elle) aime cette saison (pourquoi)
5. ce qu'il (elle) fait en cette saison (qu'est-ce que)
6. la date de son anniversaire (quelle)
7. l'année où il (elle) est né(e) (en quelle année)
8. si son père est né en octobre (question par inversion)
9. si sa mère est née au printemps (question par inversion)
10. s'il (elle) aime mieux l'été ou l'hiver (question par inversion)

STRUCTURE 4: *L'accord des adjectifs*

Notre maison est **vieille,** mais nos
meubles sont **nouveaux.**
Jean-Alex est **content,** mais ses
sœurs ne sont pas **heureuses.**

Our house is *old,* but our furniture
is *new.*
Jean-Alex is *happy,* but his sisters
are not *happy.*

You learned in Chapter 1 that an adjective agrees in number and gender with the
noun or pronoun it modifies. It is important to be able to produce the appropriate
forms of any adjective. The following is a summary of the principal ways to derive
feminine and plural adjective forms.

Feminine forms of adjectives

The feminine of most adjectives is formed by adding **-e** to the masculine.

Le théâtre est **grand.**
Le parc est **joli.**

La bibliothèque est **grande.**
La maison est **jolie.**

If the masculine form of an adjective ends in **-e,** the feminine form is the same.

Le livre est **difficile.**
Le stylo est **rouge.**

La question est **difficile.**
La bicyclette est **rouge.**

If the masculine form ends in **-er,** the feminine form ends in **-ère.**

le **premier** livre
le mois **dernier**

la **première** leçon
la semaine **dernière**

If the masculine form ends in **-n,** the feminine form doubles the consonant before adding **-e.**

Il est **italien.**	Elle est **italienne.**
Ce film est **canadien.**	Cette chanson est **canadienne.**

If the masculine form ends in **-eux,** the feminine form ends in **-euse.**

Ce livre est **ennuyeux.**	Cette leçon est **ennuyeuse.**
Ce pain est **délicieux.**	Cette tarte est **délicieuse.**

Certain adjectives are irregular and must be learned as exceptions.

Le film est **beau.**	La cathédrale est **belle.**
Le théâtre est **nouveau.**	La station de métro est **nouvelle.**
Le quartier est **vieux.**	La maison est **vieille.**
Le nuage est **blanc.**	La neige est **blanche.**
Le livre est **long.**	La rue est **longue.**
Le pain est **frais.**	La tarte est **fraîche.**

Adjectives of color that are derived from names of objects are often invariable.

un sac **marron**	une table **marron**
un billet **rose**	une maison **rose**
un livre **orange**	une auto **orange**

Plural forms of adjectives

The plural of most adjectives is formed by adding **-s** to the singular form.

Le stylo est **bleu.**	Les stylos sont **bleus.**
La tarte est **délicieuse.**	Les tartes sont **délicieuses.**

If the singular form of an adjective ends in **-s** or **-x,** the plural form is the same.

Ce film est **mauvais.**	Ces films sont **mauvais.**
Ce livre est **vieux.**	Ces livres sont **vieux.**

If the singular form of an adjective ends in **-eau,** the plural form adds **-x.**

Ce livre est **beau.**	Ces livres sont **beaux.**
Ce film est **nouveau.**	Ces films sont **nouveaux.**

Application

D. Donnez la forme féminine de l'adjectif.

MODÈLE: gris   *grise*

1. facile   2. suisse   3. français   4. petit   5. vert   6. premier   7. dernier
8. bon   9. canadien   10. délicieux   11. ennuyeux   12. blanc
13. nouveau   14. vieux   15. beau   16. frais

E. Donnez la forme masculine de l'adjectif.

MODÈLE: difficile   *difficile*

1. russe   2. verte   3. intéressante   4. anglaise   5. jolie   6. mauvaise
7. première   8. italienne   9. délicieuse   10. longue   11. nouvelle
12. vieille   13. belle   14. blanche

F. Donnez la forme plurielle de l'adjectif.

MODÈLE: jaune   *jaunes*

1. petit   2. laide   3. ennuyeuse   4. dernier   5. noir   6. gris   7. vieille
8. brun   9. intéressant   10. beau   11. bonne   12. nouveau   13. blanche
14. rouge   15. orange

G. Répondez aux questions selon le modèle.

MODÈLE: Ce vélo est rouge et blanc. Et cette auto?
             Elle est rouge et blanche aussi.

1. Le musée est vieux. Et les églises?
2. Les statues de Rodin sont intéressantes. Et les livres de Balzac?
3. Mon appartement est petit. Et la maison de Gérard?
4. Ces croissants sont bons. Et ces pâtisseries?
5. La cathédrale est belle. Et le palais?
6. Ce vin est mauvais. Et cette bière?
7. L'avenue des Champs-Élysées est longue. Et le boulevard Raspail?
8. Les examens de mathématiques sont difficiles. Et les examens de français?
9. La salade est délicieuse. Et le fromage?
10. Notre maison est nouvelle. Et leur appartement?

H. Ma maison est... Choose an adjective from the list to describe each item. Then ask another student a question. Follow the model.

beau	blanc	bleu	bon	brun	court	difficile
ennuyeux	facile	grand	gris	intéressant	jaune	joli
long	mauvais	moderne	noir	nouveau	rose	rouge
petit	vert	vieux	violet			

MODÈLE: ma maison
             —*Ma maison est grande. Et ta maison?*
             —*Ma maison est grande aussi.* ou: —*Ma maison n'est pas grande, elle est petite.*

1. ma maison   2. ma chambre   3. mon stylo   4. mon vélo   5. mon auto
6. ma classe d'anglais (de mathématiques, de littérature, d'espagnol, etc.)
7. mon sac (mon portefeuille)   8. mes livres   9. ma ville

PRONONCIATION: *La combinaison* ou

The combination **ou** in French is usually pronounced [u], as in the English *boot* (without a diphthong): **nous, tourner**. However, when the **ou** combination is followed by a vowel sound, it is pronounced [w], as in the English *will*: **oui**.

Pratique

I. Read each word aloud, being careful to distinguish between [u] and [w].

rouge / beaucoup / oui / poulet / couvert / ouest / jouer / tour / cousin / silhouette / Louvre / août

STRUCTURE 5: *La place de l'adjectif*

Je vais prendre du vin **rouge**.	I'm going to have some *red* wine.
Aimes-tu la bière **allemande**?	Do you like *German* beer?
Nous avons acheté des journaux **intéressants**.	We bought some *interesting* newspapers.
Le professeur a préparé un examen **facile**.	The teacher prepared an *easy* exam.
Elle a une **nouvelle** auto.	She has a *new* car.
Voilà de **jeunes** arbres.	There are some *young* trees.

In French, unlike in English, an adjective is usually placed *after* the noun it qualifies. However, the following adjectives are normally placed *before* the noun they qualify:

grand	vieux	bon	long	beau	autre
petit	nouveau	mauvais	court	joli	jeune

When one of these adjectives is used before a *plural* noun, the indefinite article **des** becomes **de: Voilà de jeunes arbres.** If the noun is singular, the indefinite article **un** or **une** remains: **Elle a une nouvelle auto.**

When two adjectives modify the same noun, each adjective occupies its normal position: **une jolie petite maison, une vieille cathédrale gothique.**

Application

J. Répondez aux questions. Faites attention à la place de l'adjectif.

MODÈLES: Est-ce que les autos sont bleues?
Oui, ce sont des autos bleues.

Est-ce que la maison est jolie?
Oui, c'est une jolie maison.

1. Est-ce que les livres sont intéressants?
2. Est-ce que la maison est grande?
3. Est-ce que le restaurant est bon?
4. Est-ce que les exercices sont difficiles?
5. Est-ce que l'église est moderne?
6. Est-ce que la maison est belle?
7. Est-ce que les livres sont vieux?
8. Est-ce que l'hôtel est confortable?
9. Est-ce que la librairie est petite?
10. Est-ce que l'idée est mauvaise?

K. Answer using an adjective with the *opposite* meaning:

MODÈLE: C'est un petit hôtel?
   Non, c'est un grand hôtel.

1. C'est une nouvelle auto?
2. C'est un grand musée?
3. C'est un exercice difficile?
4. C'est une belle maison?
5. Ce sont des livres intéressants?
6. Ce sont de vieilles églises?
7. Ce sont de mauvaises idées?
8. C'est un long voyage ennuyeux?
9. C'est un nouveau restaurant italien?
10. Ce sont de grands hôtels français?

L. Quelle sorte de _____ avez-vous? (*What kind of _____ do you have?*)
Choose one or two adjectives in the list to answer each of the questions:

allemand   américain   anglais   beau   blanc   chinois
court   difficile   facile   français   gothique   grand   gris
italien   japonais   jaune   joli   laid   long   moderne
nouveau   petit   rouge   vert   vieux

MODÈLE: Quelle sorte de maison avez-vous?
   Nous avons une petite maison bleue.

1. Quelle sorte de maison avez-vous?
2. Quelle sorte d'auto avez-vous (désirez-vous avoir)?
3. Quelle sorte de restaurant préférez-vous?
4. Quelle sorte d'église est-ce que vous désirez visiter?
5. Quelle sorte de devoirs faites-vous pour la classe de français?
6. Quelle sorte d'hôtel préférez-vous?
7. Quelle sorte de voyage avez-vous fait?
8. Quelle sorte de vin préférez-vous?
9. Quelle sorte de vélo avez-vous?
10. Quelles sortes d'examens avez-vous dans la classe de français?

Mise au point (Petite révision de l'étape)

M. Échange. Posez les questions à un(e) autre étudiant(e), qui va vous répondre.

1. Est-ce que ta famille habite dans une maison? De quelle couleur est la maison? C'est une grande maison?
   (Est-ce que ta famille habite dans un appartement? L'appartement est-il grand? C'est un joli appartement?)
2. Est-ce que tu as une auto? De quelle couleur est ton auto? C'est une nouvelle auto? (Est-ce que tu as un vélo? De quelle couleur est ton vélo? C'est un nouveau vélo?)
3. De quelle couleur est le ciel? ton cahier? ton sac à dos? De quelle couleur sont les pommes? les poires? les nuages?
4. Est-ce qu'il y a des restaurants près de l'université? des hôtels? Comment sont-ils? (grands? bons? nouveaux?)
5. Est-ce que tes amis ont des idées? Comment sont leurs idées? (bonnes? mauvaises? intéressantes? bizarres?)

N. Exercice écrit. Add the adjectives in parentheses to the sentence and make any necessary changes.

1. Je voudrais acheter une auto. (bleu / nouveau)
2. Nous avons fait un voyage. (intéressant / long)
3. Notre maison a trois chambres. (joli / moderne)
4. Nous avons visité une cathédrale. (allemand / vieux)
5. Elles ont regardé des films. (bon / français)

Troisième Étape

POINT DE DÉPART: *Nos voisins et nos amis*

un(e) voisin(e): neighbor

granddaughter

fat / thin
eyes (sing.: *un œil*)
hair
beard

Voici notre voisin, M. Machéry.
Il est vieux; il a 82 ans.
Il est petit et **gros**.
Il a **les yeux** bleus.
Il a **les cheveux** gris.
Il a une petite moustache et **une barbe**.

Voici sa **petite-fille**, Suzanne.
Elle est jeune; elle a 18 ans.
Elle est grande et **mince**.
Elle a les yeux bruns.
Elle a les cheveux blonds.
Elle est très jolie.

lazy

Voici mon ami, Jean-Jacques.
Il est pessimiste.
Il est timide.
Il est idéaliste.
Il est honnête.
Il est patient.
Il est intellectuel.
Il est naïf.
Il est **paresseux**.
Il est généreux.
Il est indépendant.
Il est discret.
Il est souvent triste.

Voici mon amie, Cécile.
Elle est optimiste.
Elle est courageuse.
Elle est réaliste.
Elle n'est pas malhonnête.
Elle est impatiente.
Elle est sportive.
Elle n'est pas naïve.
Elle est active et ambitieuse.
Elle est généreuse aussi.
Elle est indépendante aussi.
Elle est quelquefois indiscrète.
Elle est toujours heureuse.

NOTE GRAMMATICALE

The verb **avoir** is used to indicate age: **avoir 18 ans**. The word **ans** (*years*) must be included.

—Quel âge avez-vous? —**J'ai vingt-deux ans.**

—How old are you? —*I am twenty-two.*

The verb **avoir** is also used to talk about hair and eye color. Because the subject of **avoir** clearly indicates the person being described, the definite article **les** is used instead of a possessive adjective. (Note: Red hair is described by the adjective **roux**.)

J'ai les cheveux roux.
Elle a les yeux verts.

My hair is red.
Her eyes are green.

A vous! (Exercices de vocabulaire)

A. Jean-Pierre et Mme Verdun: portrait physique. Répondez aux questions d'après les images.

1. Voici Jean-Pierre. Il a vingt-deux ans. Est-il vieux? Est-il grand? Est-il gros? Est-ce qu'il a les cheveux noirs? une moustache?

2. Voici Mme Verdun. Elle a soixante-huit ans. Elle est vieille, n'est-ce pas? Est-elle grande? Est-elle grosse? Est-ce qu'elle a les cheveux roux? Est-ce qu'elle a une barbe?

B. Jean-Pierre et Mme Verdun: portrait psychologique. Répondez aux questions.

1. Jean-Pierre aime les autos rapides et les activités dangereuses. Est-ce qu'il est courageux ou timide?
2. Mme Verdun donne de l'argent à ses amis qui ne sont pas riches. Est-ce qu'elle est généreuse?
3. Jean-Jacques n'aime pas travailler. Il préfère regarder la télévision. Est-ce qu'il est ambitieux ou paresseux?

4. Mme Verdun a trouvé 2.000F. Elle a téléphoné à la police. Est-ce qu'elle est honnête ou malhonnête?
5. Jean-Jacques n'aime pas les livres, mais il adore le football et le ski. Est-ce qu'il est sportif ou intellectuel?
6. Mme Verdun écoute souvent la radio. Elle aime la musique classique et les discussions de politique. Est-elle sérieuse ou frivole?
7. Jean-Jacques aime la vie, il a beaucoup d'amis. Est-il triste ou heureux?
8. Mme Verdun travaille beaucoup. Elle va au théâtre, au musée et au cinéma. Est-elle active ou paresseuse?

Reprise (Deuxième Étape)

C. Répondez aux questions suivantes en utilisant les expressions entre parenthèses.

MODÈLES: Cette maison est vieille, n'est-ce pas? (oui)
Oui, c'est une vieille maison.

Ces livres sont intéressants, n'est-ce pas? (non)
Non, ce sont des livres ennuyeux.

1. Cette tarte est délicieuse, n'est-ce pas? (oui)
2. Ces poires sont jolies, n'est-ce pas? (oui)
3. Cet hôtel est petit, n'est-ce pas? (non)
4. Ce film est ennuyeux, n'est-ce pas? (non)
5. Cette rue est longue, n'est-ce pas? (oui)
6. Cet exercice est difficile, n'est-ce pas? (non)
7. Ce parc est joli, n'est-ce pas? (oui)
8. Ces livres sont vieux, n'est-ce pas? (oui)
9. Ce dîner est mauvais, n'est-ce pas? (non)
10. Cette maison est verte, n'est-ce pas? (oui)

D. Qu'est-ce que c'est? Employez les adjectifs donnés:

MODÈLE: un dîner (français, grand)   *C'est un grand dîner français.*

1. une auto (américain, beau)
2. un hôtel (français, petit)
3. des transistors (japonais, nouveau)
4. des cathédrales (gothique, vieux)
5. une maison (blanc, joli)
6. un examen (long, difficile)
7. une boîte (chinois, grand)
8. un film (intéressant, nouveau)

STRUCTURE 6: *Les adjectifs (suite)*

Here are some additional rules for the formation of adjectives.

If the masculine form of an adjective ends in **-et**, the feminine form ends in either **-ette** or **-ète**.

Un sac **violet**.	Une fleur **violette**.
Un appartement **secret**.	Une chambre **secrète**.

If the masculine form ends in **-el**, the feminine form doubles the consonant before adding **-e**.

Un homme **cruel**.	Une femme **cruelle**.
Un dîner **sensationnel**.	Une exposition **sensationnelle**.

If the masculine form ends in **-f**, the feminine form ends in **-ve**.

Un homme **actif**.	Une femme **active**.
Un groupe **sportif**.	Une famille **sportive**.

When the adjectives **beau, nouveau**, and **vieux** are used before a masculine singular noun beginning with a vowel or a vowel sound, each has a special form that allows for liaison:

un **bel** hôtel   un **nouvel** ami   un **vieil** homme

E. Donnez la forme féminine de l'adjectif.

1. naturel   2. indiscret   3. sportif   4. secret   5. naïf   6. ambitieux
7. actif   8. cruel

F. Use the suggested adjectives to modify the nouns.

MODÈLES: C'est une maison. (beau)   *C'est une belle maison.*

Ce sont des arbres. (beau)   *Ce sont de beaux arbres.*

1. C'est un livre (beau).
2. Ce sont des maisons. (beau)
3. C'est un arbre. (beau)
4. C'est une église. (beau)
5. C'est un ami. (nouveau)
6. C'est une amie. (nouveau)
7. Ce sont des livres. (nouveau)
8. C'est un musée. (vieux)
9. C'est un hôtel. (vieux)
10. C'est une maison. (vieux)
11. Ce sont des églises. (vieux)

G. Choose adjectives from the list to describe each person.

ambitieux   actif   courageux   cruel   discret   dynamique
égoïste   énergique   frivole   généreux   grand   gros
heureux   honnête   idéaliste   impatient   intelligent
indépendant   indiscret   jeune   joli   malhonnête   mince
naïf   optimiste   petit   paresseux   patient   pessimiste
réaliste   sérieux   sincère   sportif   triste   vieux

1. votre ami ou votre frère   2. votre amie ou votre sœur   3. votre professeur

PRONONCIATION: *La combinaison* oi

The combination **oi** in French is pronounced [wa], as in the English *watt:* **moi, boîte**. The one exception is the word **oignon**, in which **oi** is pronounced [ɔ], like **o** in the French word **octobre**.

Pratique

H. Read each word aloud, pronouncing the combination **oi** carefully.

toi / avoir / mois / trois / oignon / froid / Étoile / noir / poires / loin

STRUCTURE 7: *Les verbes comme* espérer et acheter

Il espère visiter la France un jour.
He hopes to visit France one day.

D'habitude **j'achète** une douzaine d'œufs toutes les semaines.
Usually I buy a dozen eggs every week.

Vous préférez le thé?
Do you prefer tea?

Nous emmenons souvent nos enfants au cinéma.
We often *take* our children to the movies.

Certain French verbs undergo spelling changes in some of their forms. Some verbs change from **é** to **è** (for example, **espérer**) and others from **e** to **è** (for example, **acheter**). In both groups, the changes occur when the verb ending is not pronounced (forms ending in **-e, -es, -ent**). When the verb ending is pronounced (forms ending in **-ons, -ez, -é, -er**), no change occurs.

espérer (to hope)		*acheter* (to buy)	
j'espère	nous espérons	j'achète	nous achetons
tu espères	vous espérez	tu achètes	vous achetez
il/elle/on espère	ils/elles espèrent	il/elle/on achète	ils/elles achètent

Additional verbs conjugated like **espérer** are: **célébrer**[1] (*to celebrate*), **préférer**[1] (*to prefer*); **répéter** (*to repeat*).

Additional verbs conjugated like **acheter** are: **amener** (*to bring somebody along*), **emmener** (*to take somebody along*).

No spelling change occurs in the past participles of these verbs.

Il a répété. **J'ai acheté** une voiture.

Application

I. Répondez aux questions.

1. Où est-ce que vous espérez aller l'été prochain? Et vos parents?
2. Qu'est-ce qu'on achète d'habitude à la boulangerie? Et à la boucherie?
3. Quelle viande préférez-vous? Et votre sœur?
4. Qui est-ce que vous amenez d'habitude au cinéma? Et vos parents?
5. Qu'est-ce que vous avez acheté à la charcuterie?
6. Quand est-ce que vous célébrez votre anniversaire? Et votre père?

Mise au point (Petite révision de l'étape)

J. Échange. Posez les questions à un(e) autre étudiant(e), qui va vous répondre.

1. Quel âge as-tu?
2. De quelle couleur sont tes yeux? tes cheveux?
3. Est-ce que tu es grand(e)?
4. Est-ce que tu as une moustache?
5. Est-ce que tu es honnête? sportif(ve)? indépendant(e)?, etc.
6. Qu'est-ce que tu espères faire l'année prochaine?
7. Quelle saison préfères-tu? Quel temps fait-il d'habitude en _____ ?

K. Exercice écrit. Write sentences using the following expressions. Make all necessary changes.

1. je / espérer / avoir / auto / français
2. nous / emmener / parents / cinéma / dimanche prochain
3. elle / acheter / trois tartes / délicieux / hier
4. tu / célébrer / anniversaire / aujourd'hui / ?
5. ils / acheter / souvent / livres / vieux

---

1. In a verb whose infinitive has two accented é's, the spelling change affects only the second é; the first é is invariable: **il préfère**.

Quatrième Étape

LECTURE: *Le climat et les tempéraments*

When reading a passage that contains a number of unfamiliar words, you can sometimes identify words relating to the same theme even if you do not know the exact meaning of those words. Usually, the general topic of the selection will help you identify the theme. As you read the following passage for the first time (without looking at the definitions at the end), underline the words that seem to deal with *climate* and *weather*. When you finish, do Exercise A.

La France jouit[1] d'une situation géographique particulièrement intéressante. Installée entre l'océan Atlantique, la mer Méditerranée et les montagnes d'Europe, elle offre des exemples de tous les climats européens. En général, sous l'influence continentale, le climat est tempéré. Par exemple, à Paris il fait assez froid en hiver (0°–5°), assez chaud en été (20°–25°). Il pleut (il y a des averses[2]); les vents changent souvent et le temps est par conséquent très variable. Dans les montagnes, les hivers sont longs et neigeux, les étés sont courts et pluvieux.[3] Il y a des gelées[4] (il fait moins de 0°). Sur la côte[5] atlantique les hivers sont doux[6] (5°–10°), les étés pas toujours chauds (15°–20°). Il y a souvent une pluie[7] fine qui tombe en toute saison. Et dans le Midi (le sud de la France) le climat est chaud et sec (il ne pleut pas beaucoup). En été les chaleurs sont extrêmes (25°–30°). Le Mistral (un vent venant[8] du nord au sud) souffle[9] très fort et il y a quelquefois des orages violents.

La variété et la variabilité climatiques expliquent peut-être la grande variété tempéramentale des Français. Du moins, c'est possible, si[10] on accepte la théorie de Montesquieu. Au 18e siècle cet écrivain[11] a proposé l'idée que le climat influence le tempérament des gens. Examinons cette idée par rapport à[12] la France d'aujourd'hui. On dit[13] que le Parisien est nerveux, frivole, moqueur,[14] inconséquent.[15] Est-ce parce que le temps change si rapidement à Paris? Parce que les vents venant tantôt[16] du nord, tantôt du sud, tantôt de l'est, tantôt de l'ouest produisent un climat extrêmement variable? On dit que le Breton (habitant de la Bretagne, au nord-ouest de la France) est indépendant et contemplatif. C'est peut-être que les matins brumeux,[17] les petites pluies constantes séparent les gens et encouragent la méditation. Par contre, le soleil et le ciel bleu du Midi contribuent-ils au tempérament méridional?[18] Les gens du sud sont ouverts[19] et animés; ils aiment parler et rire.[20]

Bref, cette théorie du climat et des tempéraments, est-ce un fait scientifique ou une invention de l'imagination? C'est à vous de décider.

---

1. enjoys 2. downpours 3. rainy 4. frosts 5. coast 6. mild 7. rain 8. coming
9. blows 10. if 11. writer 12. in relation to 13. it is said 14. mocking 15. inconsistent
16. sometimes 17. misty 18. southern (from the Midi) 19. open 20. to laugh

Compréhension

A. The following words from the passage, listed here alphabetically, are associated with climate and weather: **averses, brumeux, chaleurs, chaud, ciel, doux, froid, gelées, neige, neigeux, orages, pleut, pluie, pluvieux, sec, soleil, souffle, tempéré, variable, vents, violent.**

  1. Find in the list seven adjectives that can be used to describe the climate: for example, **un climat** *chaud.*
  2. Find at least five words (nouns, adjective, verb) associated with rain.
  3. Find at least three words (noun, adjective, verb) associated with cold and snow.
  4. Find a verb and an adjective associated with the wind.

B. Une sur quatre. *(One out of four.)* In each group, three of the answers are correct and one is incorrect. Reread the passage (consulting the definitions at the end, when necessary); then indicate the *incorrect* answer in each group.

  1. En général, le climat en France: a. est tempéré; b. ne varie pas beaucoup de région en région; c. est influencé par les vents venant de l'océan et de la montagne; d. n'est pas extrêmement froid.

2. Les Parisiens: a. habitent une région où les vents changent souvent de direction; b. habitent une région où il fait froid en hiver et chaud en été; c. changent souvent d'opinion; d. ressemblent aux autres Français.
3. Les Bretons: a. habitent une région où il neige beaucoup; b. habitent une région où il pleut beaucoup; c. apprécient leur indépendance ; d. sont moins animés et moins ouverts que les gens du sud.
4. Les habitants du Midi: a. habitent le sud de la France; b. habitent une région où il fait souvent très beau; c. habitent une région où le temps est toujours calme; d. sont très expressifs.
5. Ce passage: a. présente une théorie scientifique; b. parle d'un écrivain français du dix-huitième siècle; c. ne parle pas de toutes les régions de la France; d. indique le rapport entre le climat et la géographie.

Reprise (Troisième Étape)

C. Caractérisez les individus suivants en utilisant un adjectif.

1. Gérard joue au football en automne, au basket en hiver et au base-ball en été. Il est très...
2. Marie-Louise a fait des études de science politique. Elle travaille maintenant pour une entreprise commerciale importante. Elle espère être présidente un jour. Elle est...
3. Marc-Antoine ne travaille pas. Il ne quitte pas la maison le matin, il écoute ses disques l'après-midi et il regarde la télévision. Il est...
4. Albert n'a pas beaucoup d'argent. Mais il donne de l'argent à tous ses amis et il aide souvent les autres. Il est...
5. Les parents de Sylvie sont très riches. Mais elle habite dans un petite appartement. Elle travaille dans une librairie. Elle n'accepte pas l'argent de ses parents. Elle est...
6. Jean-Jacques parle beaucoup. Quand on révèle un secret à Jean-Jacques, il raconte toujours ce secret à une autre personne. Il est...
7. Véronique étudie les mathématiques et les sciences. Elle fait très bien à l'école. Elle est...
8. Yves n'est pas heureux. Il n'aime pas la vie. À son opinion les hommes sont cruels et les femmes sont malhonnêtes. Il est...
9. Jeanne-Marie n'aime pas parler devant les autres. Elle aime rester à la maison. Elle n'a pas beaucoup de confiance. Elle est...

D. Posez les questions indiquées.

1. Demandez à un étudiant: son âge; la couleur de ses yeux; la couleur de ses cheveux; s'il est patient; s'il est ambitieux; (continuez en utilisant les adjectifs de votre choix).
2. Demandez à une étudiante: son âge; la couleur de ses yeux; la couleur de ses cheveux; si elle est courageuse; si elle est indépendante; etc.

E. Le bulletin météorologique. *(The weather report.)* Prepare a weather report for your region. Indicate the weather and temperature for yesterday, today, and tomorrow. Be prepared to answer questions about the weather in other cities: **Quel temps a-t-il fait hier à San Francisco? dans les montagnes du Colorado?**

F. Mon frère (ma sœur) et moi. Make a comparison between yourself and your brother (your sister, a friend).

G. Précisons! Recount what you did yesterday. The other students will interrupt you to ask questions about the details. Your itinerary yesterday included: going to town; stops at the café, the grocery store, the bakery; returning home.

H. Les saisons de l'année. Describe the photographs on page 161. Give as many details as possible.

Vocabulaire actif

NOMS

un anniversaire
août (*m.*)
un arbre
l'automne (*m.*)
avril (*m.*)
une barbe
les cheveux (*m. pl.*)
le ciel
une date
l'été (*m.*)
décembre (*m.*)
février (*m.*)
l'hiver (*m.*)
une idée
janvier (*m.*)
juillet (*m.*)
juin (*m.*)
mai (*m.*)
mars (*m.*)
une moustache
novembre (*m.*)
un nuage
octobre (*m.*)
un orage

le printemps
septembre (*m.*)
le soleil
le vent
un(e) voisin(e)
les yeux (*m. pl.*)

VERBES

amener (à)
célébrer
emmener (à)
espérer
jouer (à)
nager
neiger
pleuvoir
préférer

ADJECTIFS

actif(ve)
ambitieux(se)
beau, belle
blanc(he)
bleu(e)
blond(e)

bon(ne)
brun(e)
chaud(e)
content(e)
courageux(se)
court(e)
couvert(e)
délicieux(se)
difficile
ennuyeux(se)
facile
frais, fraîche
frivole
froid(e)
généreux(se)
gris(e)
idéaliste
(im)patient(e)
indépendant(e)
(in)discret(ète)
intellectuel(le)
intéressant(e)
jaune
jeune

joli(e)
laid(e)
long(ue)
(mal)honnête
marron
mauvais(e)
mince
moderne
naïf, naïve
noir(e)
nouveau, nouvelle
optimiste
orange
paresseux(se)
pessimiste
réaliste
rouge
roux, rousse
sérieux(se)
sportif(ve)
timide
triste
vert(e)
vieux, vieille
violet(te)

CHAPITRE HUIT

Trouvons un hôtel!

Première Étape
Cherchons un hôtel!

Deuxième Étape
Vous avez réservé?

Troisième Étape
Réglons la note!

Quatrième Étape
Lecture: Un hôtel deux étoiles

Première Étape

POINT DE DÉPART: *Cherchons un hôtel!*

accueil

Kathy et son amie Beth, deux étudiantes américaines, arrivent à Paris. Parce qu'elles n'ont pas d'hôtel, elles vont au **service d'accueil**.

welcome service

L'EMPLOYÉE:	Oui, Mesdames. Vous désirez une chambre?
KATHY:	Oui, un petit hôtel, pas cher, sur la rive gauche, si c'est possible. Une chambre...entre 200 et 230 francs **par nuit**.
L'EMPLOYÉE:	Bon. Je vais téléphoner à l'hôtel Rennes-Montparnasse. C'est pour combien de nuits?
KATHY:	Cinq nuits.

per night

L'EMPLOYÉE:	Allô... Ici, Accueil de France. Est-ce que vous avez une chambre pour deux personnes? Oui, 210F... **sans salle de bains.**Ça va? Oui? Bien. Quel est votre nom?
KATHY:	Kathy Callahan.
L'EMPLOYÉE:	C'est pour Mademoiselle Callahan et son amie. Elles vont être là avant trois heures. Merci, Madame...Bien. Prenez un taxi et allez directement à l'hôtel. L'adresse est 151, rue de Rennes.
BETH ET KATHY:	Merci, Madame.
L'EMPLOYÉE:	Je vous en prie, Mesdames.

À vous! (Exercices de vocabulaire)

A. Où est-ce que vous descendez? Indicate where you are staying in Paris by using the information given.

MODÈLE: l'hôtel du Suez / sur la rive gauche
   Nous descendons à l'hôtel du Suez, sur la rive gauche.

1. l'hôtel Brittany / sur la rive droite
2. l'hôtel des Ducs de Bourgogne / sur la rive droite
3. l'hôtel Muguet / sur la rive gauche
4. l'hôtel Lutèce / dans l'île Saint-Louis

B. Vous désirez une chambre? Make up conversations, using the information given to indicate the kind of hotel room you want.

MODÈLE: nous / deux personnes / 80F - 100F (90F, sans salle de bains)
   —*Une chambre pour deux personnes, entre 80 et 100 francs.*
   —*J'ai une chambre sans salle de bains pour 90F.*
   —*Ça va. ou: Nous préférons une chambre avec salle de bains.*

1. nous / deux personnes / 100F-150F (140F, sans salle de bains)
2. nous / trois personnes / 190F-220F (220F, avec salle de bains)
3. je / une personne / 100F-120F (110F, avec salle de bains)
4. je / une personne / 60F-80F (65F, sans salle de bains)

NOTE CULTURELLE

If you arrive in Paris without a reservation, you can make use of the welcome service (**Accueil de France**). The main office is located at 127, avenue des Champs-Elysées, with branches in the aérogare Maillot and in several railroad stations.

Many French hotel rooms, especially in less-expensive hotels, do not have a private bathroom—only a sink (**un lavabo**) and a bidet. The toilet (**le W.-C.—water closet**) and the shower (**la douche**) are found in separate areas down the hall. Often, a hotel will have several categories of rooms: the more expensive with a bath (or shower) and toilet in the room; the less expensive, without.

STRUCTURE 1: *Les expressions c'est et il est*

Qu'est-ce que **c'est?** **C'est** un livre.	What's *that? It's* a book.
Voilà mon professeur. **Il est** excellent.	There's my professor. *He is* excellent.
Il est trois heures et demie.	*It is* 3:30.
Ce n'est pas ma chambre; **c'est** sa chambre.	*That's not* my room; *it's* her (his) room.
La librairie? **Elle est** en face du cinéma.	The bookstore? *It's* across from the movie theater.
Voilà ma tante. **Elle est** avocate.	There's my aunt. *She's* a lawyer.

When the subject of the verb **être** is a third-person pronoun, **ce (c')** is used before a noun and **il (elle, ils, elles)** before an adjective or a preposition.

C'est Pierre.	**Il est** intelligent.
C'est une calculatrice.	**Elle est** japonaise.
Ce sont mes livres.	**Ils sont** sur la table.
C'est une pharmacie.	**Elle est** près de l'église.

There are some exceptions to this rule:

1. **Il (elle, ils, elles)** is used before an unmodified noun indicating a job or a profession. Notice that in French, unlike in English, you do not need an indefinite article (**un, une**).

Il est médecin.	*He's* a doctor.
Elle est dentiste.	*She's* a dentist.
Ils sont avocats.	*They are* lawyers.

2. **Ce (c')** is used before an adjective referring to a general idea (rather than to a specific object or person).

C'est vrai.	*It's* true.
C'est incroyable.	*That's* unbelievable.

Application

C. Répondez en utilisant les expressions entre parenthèses.

MODÈLE: Qu'est-ce que c'est? (un livre) *C'est un livre.* Où est le livre? (sur la table) *Il est sur la table.* Est-ce que le livre est intéressant? (ennuyeux) *Non, il est ennuyeux.*

1. Qu'est-ce que c'est? (une maison) Où est la maison? (derrière la bibliothèque) Est-ce que la maison est grande? (petite)
2. Qu'est-ce que c'est? (un transistor) Où est le transistor? (sur la chaise) Est-ce que le transistor est japonais? (américain)

3. Qu'est-ce que c'est? (des pêches) Où sont les pêches? (dans le filet de Mme Thibaudet) Est-ce que les pêches sont bonnes? (mauvaises)
4. Qu'est-ce que c'est? (des haricots verts) Où sont les haricots verts? (dans le panier de M. Valentin) Est-ce que les haricots verts sont mauvais? (délicieux)

D. Répondez en utilisant les expressions entre parenthèses.

MODÈLE: Qui est-ce? (le père de Monique) *C'est le père de Monique.*
Que fait son père? (professeur) *Il est professeur.*

1. Qui est-ce? (la mère de Gérard) Que fait sa mère? (pharmacienne)
2. Qui est-ce? (les frères de Jean) Que font ses frères? (avocats)
3. Qui est-ce? (les cousines d'Amélie) Que font ses cousines? (étudiantes)
4. Qui est-ce? (M. Thomas) Que fait M. Thomas? (boulanger)
5. Qui est-ce? (Mme Berger) Que fait Mme Berger? (ingénieur)

E. Read each sentence and give your reaction, using one or more of the suggested expressions.

C'est vrai.   C'est possible.   C'est bien.
C'est faux.   C'est impossible.   C'est incroyable.

1. L'état du Texas est plus grand que la France.
2. Le professeur a vingt-cinq ans.
3. En l'an 2000 une femme va être présidente des Etats-Unis.
4. Sur les Champs-Elysées un Coca coûte 10F.
5. La France est près du Japon.
6. En général, les hommes sont sportifs; les femmes sont intellectuelles.
7. Il y a des étudiants à cette université qui sont de France.

Il est une heure.

Il est deux heures et quart.

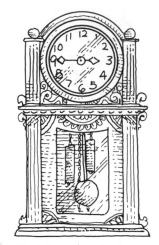

Il est trois heures moins le quart.

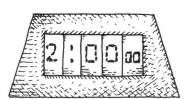

Il est deux heures.

Il est deux heures et demie.[1]

Il est midi.

Il est deux heures dix.

Il est trois heures moins vingt.

Il est minuit et demi.

---

1. The word **heure** is feminine; consequently, the word **demie** ends in **-e.** However, since **midi** and **minuit** are masculine, no **-e** is added when **demi** follows these two expressions.

To distinguish between A.M. and P.M., use the expressions **du matin** (*in the morning*), **de l'après-midi** (*in the afternoon*), **du soir** (*in the evening*).

> **neuf heures douze du matin:** *9:12 A.M.*
> **deux heures et demie de l'après-midi:** *2:30 P.M.*
> **neuf heures moins vingt du soir:** *8:40 P.M.*

To ask someone what time it is, use either **Quelle heure est-il?** or **Vous avez l'heure?** To ask someone at what time something happens, use **À quelle heure...?** The response to the latter question uses the preposition **à:**

Quelle heure est-il?	*What time is it?*
—**À quelle heure** sont-ils arrivés?	—*What time did they arrive?*
—Ils sont arrivés **à cinq heures.**	—*They arrived at 5 o'clock.*

To indicate that something happens between two times, use either the preposition **entre** or the expression **de... jusqu'à...**

Elle a fait son français **entre 8h et 10h.**	She did her French *between 8 and 10 o'clock.*
Nous avons travaillé **de midi jusqu'à minuit.**	We worked *from noon until midnight.*

Application

F. Donnez l'heure toutes les trois minutes entre 9h et 10h.

G. Quelle heure est-il? Tell what time it is according to the cues.

1. 2:20 P.M.	6. 11:45 A.M.
2. 12:00 A.M.	7. 4:15 P.M.
3. 3:10 P.M.	8. 6:35 A.M.
4. 1:30 A.M.	9. 7:45 P.M.
5. 10:55 P.M.	10. 10:25 A.M.

H. Répondez en utilisant les indications entre parenthèses.

1. À quelle heure est-ce que la classe va commencer? (à 9h)
2. À quelle heure est-ce que Jean-Pierre est arrivé? (à 7h15)
3. À quelle heure est-ce que Victor prend le déjeuner? (à 12h)
4. À quelle heure est-ce que Chantal va arriver? (entre 2h et 4h)
5. À quelle heure est-ce qu'on prend le petit déjeuner à l'hôtel? (entre 6h30 et 9h)
6. Quand ont-elles travaillé hier? (de 7h jusqu'à 3h)
7. Quand vont-ils regarder la télévision? (de 5h jusqu'à 10h)
8. Quelle heure est-il maintenant?

PRONONCIATION: *La consonne l*

The letter l in French represents either the consonant sound [l], as in the English word *lake*, or the semi-consonant sound [j], as in the English word *you*. In general, a single l is pronounced [l]—**la, Italie, hôtel.** At the end of a word, the combination **il** is pronounced [il] when preceded by a consonant—**avril**—and [j] when preceded by a vowel—**travail.**[2]

Pratique

I. Read each word aloud, being careful to pronounce the l in the first list [l] and the **il** in the second list [j].

[l] : les, librairie, quel, ciel, joli, parle
[j] : travail, ail, détail, vieil, appareil, réveil

STRUCTURE 3: *Les nombres ordinaux*

le premier, la première	le (la) onzième
le (la) deuxième	le (la) douzième
le (la) troisième	le (la) treizième
le (la) quatrième	le (la) quatorzième
le (la) cinquième	le (la) quinzième
le (la) sixième	le (la) seizième
le (la) septième	le (la) dix-septième
le (la) huitième	le (la) dix-huitième
le (la) neuvième	le (la) dix-neuvième
le (la) dixième	le (la) vingtième

Ordinal numbers (first, second, third, etc.) are used to order and to rank items in a series.[3] Notice the following special cases:

1. For *the first* use **le premier** or **la première**, and for *the last* use **le dernier** or **la dernière.** All other ordinals are formed by adding **-ième** to the cardinal number;
2. When the cardinal number ends in **-e**, drop the **e** before adding **-ième: quatre → quatrième;**

---

2. In a few words, the l in the **il** combination is silent: **gentil, fils.**
3. In spoken English, ordinal numbers are also used in dates (December 6th) and for kings (Henry the Eighth). In French, with the exception of the first (**le premier janvier, François Premier**), cardinal numbers are used both for dates (**le six décembre**) and for royalty (**Henri Huit**).

3. Add **u** to **cinq** before adding the ordinal ending: **cinquième;**
4. Change the **f** of **neuf** to **v** before adding the ordinal ending: **neuvième.**

The abbreviated forms of the ordinals are: 1er—**premier**; 1ère—**première**; 2e— **deuxième**; 3e—**troisième**; etc.

Application

J. Lisez:

1. le 1er avril   2. le 20e siècle   3. le 17e siècle   4. le 19e siècle   5. la 1ère fois
6. la 42e rue   7. la 5e avenue   8. la 2e année

K. Répondez aux questions.

1. Quel est le premier mois de l'année? le troisième? le huitième? le dernier?
2. Quel est le premier jour de la semaine? le quatrième? le dernier?
3. À quelle heure est votre première classe le lundi? votre deuxième classe? votre dernière classe?

Mise au point (Petite révision de l'étape)

L. Échange. Posez les questions à un(e) autre étudiant(e), qui va vous répondre.

1. Tu es étudiant(e), n'est-ce pas? Et ton père est-il étudiant? Que fait-il?
2. Ta mère travaille-t-elle? Que fait-elle?
3. Quelle heure est-il maintenant?
4. À quelle heure est-ce que tu prends le petit déjeuner d'habitude? le déjeuner? le dîner?
5. Quand est-ce que tu as fait ton français hier soir?
6. À quelle heure est ta dernière classe aujourd'hui?
7. Ce semestre (trimestre), c'est ton premier semestre (trimestre) à l'université?

M. Exercice écrit. Complete each sentence with the appropriate phrase— **c'est, ce sont, il est, elle est, ils sont,** or **elles sont.**

Oh, _____ trois heures et quart! Nous sommes en retard! Voilà le Centre Culturel. _____ grand, n'est-ce pas? _____ un bon exemple de l'architecture moderne. Pardon, Monsieur. Où est le musée? Ah, _____ à côté du théâtre? Merci. Est-ce que les autres sont déjà arrivés? Oui, voilà Anne-Marie et Claudine. Là, _____ devant l'entrée du musée. Mais où est François? _____ toujours le dernier. Tiens! Ce monsieur avec Claudine, _____ son mari? Que fait-il? _____ étudiant! _____ incroyable! Il a cinquante ans. Ah, bon, il espère changer de profession? _____ bien.

Deuxième Étape

POINT DE DÉPART: *Vous avez réservé?*

Kathy et Beth arrivent à l'hôtel Rennes-Montparnasse. Elles vont à **la réception.**

front desk

KATHY:	Bonjour, Monsieur. Vous avez une chambre pour deux personnes?
L'EMPLOYÉ:	Vous avez réservé?
BETH:	Oui, Monsieur. Le service d'accueil a téléphoné.
L'EMPLOYÉ:	Ah, oui. Vous êtes Mlle Callahan et son amie. J'ai une chambre pour deux personnes sans salle de bains.
KATHY:	C'est 210F par nuit, n'est-ce pas?
L'EMPLOYÉ:	C'est exact.
BETH:	Est-ce que le petit déjeuner est **compris**?
L'EMPLOYÉ:	Non, Mademoiselle. Il y a un supplément de 8F par personne.
KATHY:	À quelle heure est-ce que le petit déjeuner est **servi**?
L'EMPLOYÉ:	Il est servi entre 6h30 et 9h30 dans votre chambre ou dans **la salle à manger.** Voici la clé. Votre chambre est le numéro 35. Elle est au troisième **étage.** Prenez **l'ascenseur.** Il est derrière vous, à gauche.
KATHY ET BETH:	Merci, Monsieur.

included

served

dining room

floor / elevator

L'EMPLOYÉ: À votre service.

Kathy et Beth montent jusqu'au troisième étage. Elles entrent dans leur chambre.

KATHY: Elle est très bien, la chambre.

bed

BETH: **Le lit** est grand. J'espère qu'il est confortable.

KATHY: Ah, nous avons une salle de bains?

BETH: Mais non, Kathy. Il y a un lavabo, et ça, c'est un bidet. Les toilettes sont

at the end of the hall

au bout du couloir; tu cherches la porte marquée « W.-C.» Et la douche est à côté. Mais il faut demander la clé de la douche à la réception.

KATHY: Euh... Ce n'est pas comme les hôtels américains.

of course

BETH: **Évidemment.** Nous ne sommes pas aux États-Unis!

NOTE CULTURELLE

In French, the word **étage** is used for floors above ground level. The term for *ground floor* is **le rez-de-chaussée** (literally, *the level of the pavement*). Consequently, each **étage** is one floor higher than its designation would suggest in English.

American hotel	*French hotel*
4th floor	3e étage
3rd floor	2e étage
2nd floor	1er étage
1st floor	rez-de-chaussée

To indicate that a room is *on* a certain floor, use **au: au deuxième étage.**

In the past, the price of a hotel room almost always included a continental breakfast—coffee, tea, or hot chocolate and bread and croissants with jam and butter. Nowadays, however, breakfast frequently involves an additional charge. It is best to ask when registering whether or not breakfast is included (**compris**).

À vous! (Exercices de vocabulaire)

A. Pardon, Monsieur. Use the suggested interrogative expressions to ask the desk clerk questions that will elicit the required information. Ask the employee:

MODÈLE: the location of the elevator (*où*)
Où est l'ascenseur?

1. the location of the toilet (*où*)
2. the location of the shower (*où*)
3. the location of the dining room (*où*)
4. where breakfast is served (*où est-ce que*)
5. when breakfast is served (*à quelle heure est-ce que*)
6. whether breakfast is included in the price of the room (*est-ce que*)
7. if he has the key for the shower (*est-ce que*)

B. La chambre d'hôtel. Answer the questions about the hotel room in the drawing. Use the expressions in parentheses, when they are provided.

1. Combien de lits y a-t-il?
2. Où est le lit? (près de)
3. Où est le bidet? (à côté de)
4. Où est l'ascenseur? (au bout de)
5. Où est le W.-C.? (en face de)
6. Où est la douche? (à côté de)

Reprise (Première Étape)

C. Répondez en utilisant les renseignements donnés.

MODÈLE: auto / allemand
—Qu'est-ce que c'est? —*C'est une auto.*
—L'auto est-elle allemande? —*Non, elle est française (américaine, japonaise).*

1. restaurant / français
2. église / vieux
3. hôtel / grand
4. pommes / vert
5. chaîne stéréo / nouveau
6. livres / ennuyeux
7. chien / laid
8. maison / beau

D. Quelle heure est-il? Répondez selon les indications.

MODÈLE: 2h30   *Il est deux heures et demie.*

1. 7h25 2. 11h52 3. 10h15 4. 3h30 5. 8h10 6. 1h45 7. 4h40
8. 12h05 (deux possibilités) 9. 8h33 10. 9h16 11. 1h19

E. Indicate from what *century* each Paris monument dates.

MODÈLE: la Tour Eiffel / 1889
La Tour Eiffel date du dix-neuvième siècle.

1. la Sainte-Chapelle / 1248
2. Notre-Dame de Paris / 1245
3. le Centre Beaubourg / 1976
4. le Palais-Royal / 1633
5. le Panthéon / 1764
6. la basilique du Sacré-Cœur / 1876
7. l'arc de triomphe de l'Étoile / 1836
8. l'église Saint-Germain-des-Prés / 1163

STRUCTURE 4: *Les verbes irréguliers* servir et dormir

À quelle heure est-ce qu'**on sert** le petit déjeuner?	What time *is* breakfast *served*?
Ils ont servi le dîner à neuf heures.	*They served* dinner at 9 o'clock.
Est-ce que **tu dors** pendant l'après-midi?	*Do you sleep* in the afternoon?
J'ai bien **dormi** hier soir.	*I slept* well last night.

The verbs **servir** (*to serve*) and **dormir** (*to sleep*) are irregular.

servir	*dormir*
je **sers**	je **dors**
tu **sers**	tu **dors**
il/elle/on **sert**	il/elle/on **dort**
nous **servons**	nous **dormons**
vous **servez**	vous **dormez**
ils/elles **servent**	ils/elles **dorment**
Past participle: **servi** (avoir)	Past participle: **dormi** (avoir)

Application

F. Remplacez les sujets et faites les changements nécessaires.

1. *Mme Langlois* sert le dîner à huit heures. (Albert / je / nous / les Martini / vous / Mme Tournon / tu)
2. *M. Legentil* a servi un rôti de porc. (Chantal / nous / Philippe et sa femme / tu / je / le chef)

3. D'habitude *Jean-Marc* dort jusqu'à neuf heures et deme. (sa sœur / tu / Hélène et Claire / nous / je / Stéphane)
4. *Liliane* a bien dormi hier soir. (Éric / vous / je / les autres / Mireille / nous

G. Répondez aux questions.

1. À quelle heure est-ce qu'on sert le dîner à l'université?
2. À quelle heure est-ce qu'on a servi le déjeuner hier?
3. À quelle heure est-ce que vos parents servent le dîner d'habitude?
4. Est-ce qu'ils ont servi du vin avec le dîner la dernière fois que vous avez dîné à la maison?
5. Jusqu'à quelle heure dormez-vous d'habitude?
6. Est-ce que vous avez dormi jusq'à 10 heures samedi dernier?
7. Comment est-ce que vous avez dormi hier soir? (bien? mal?)

H. Questions. Posez quatre questions (tu, vous, il/elle, ils/elles) aux autres membres de votre groupe.

1. dormir beaucoup d'habitude
2. bien dormir hier soir
3. parents, servir du vin avec le dîner
4. mère, servir pour le dîner d'habitude (qu'est-ce que)

PRONONCIATION: *La combinaison ll*

When preceded by a vowel other than i, the combination **ll** is pronounced [l]—**elle, football, folle**. When the combination **ill** is at the beginning of a word, the **ll** is also pronounced [l]—**illusion**. However, when the combination **ill** follows a consonant, it can represent either [l] or [j]. In the words **mille, ville, tranquille**[4] and their derivatives, the **ll** is pronounced [l]. In all other words, the **ll** of **ill** following a consonant is pronounced [j]—**fille, famille**.

Pratique

I. Read each word aloud, being careful to distinguish between the [l] sound and the [j] sound.

elle / mille / fille / ville / famille / tranquille / Bastille / intellectuel / village / Deauville / illustration / grille / Chantilly / vallée / million / illégitime / tranquillité / guillotine / millionnaire / folle / tranquillement / cédille

---

4. The combination **qu** is pronounced as the single consonant sound [k].

STRUCTURE 5: *Quelques expressions temporelles*

Je n'aime pas être **en retard**, mais je n'aime pas être **en avance** non plus; je préfère arriver **à l'heure**.

I don't like to be *late*, but I don't like to be *early* either; I prefer to arrive *on time*.

La classe va finir **dans** cinq minutes.

Class will end *in* five minutes.

Ma mère a quitté la maison **il y a** un quart d'heure.

My mother left the house a quarter of an hour *ago*.

Ils ont parlé **pendant** une demi-heure.

They spoke *for* half an hour.

Here are some expressions associated with time:

1. **En avance, à l'heure, en retard:** To express the ideas of *early* and *late* relative to a specific moment in time (for example, an appointment or the departure of a train), use **en avance** and **en retard**. The expression **à l'heure** means *on time*.

   Le concert commence à 8h. Jacques arrive à 7h; il est **en avance**. Henri arrive à 9h30; il est **en retard**. Béatrice arrive à 8h; elle est **à l'heure**.

2. **Dans:** To indicate when a future action will occur, use the preposition **dans** as the equivalent of *in*.

   Il est 7h55. Le concert va commencer **dans** cinq minutes.

3. **Il y a, pendant:** As you have already learned, **il y a** is used to indicate *how long ago* a past action occurred; **pendant** is used to indicate *for how long* an action continues.

   Il est maintenant 8h20. Le concert a commencé **il y a** vingt minutes. Jacques et Béatrice sont restés dans le foyer **pendant** quelques minutes, puis ils ont pris leurs places.

4. **Un quart d'heure, une demi-heure, trois quarts d'heure:** When breaking an hour into quarters in English, you can say *fifteen minutes* or *a quarter of an hour*. The French equivalents for quarter hours are:

quinze minutes	un quart d'heure
trente minutes	une demi-heure[5]
quarante-cinq minutes	trois quarts d'heure

Application

J. Il est maintenant 2h30. Répondez aux questions.

1. Jean va arriver dans un quart d'heure. À quelle heure va-t-il arriver?

---

5. Notice that the **demi** of **une demi-heure** does not end in **-e**.

2. Yvette a quitté la maison il y a une demi-heure. À quelle heure a-t-elle quitté la maison?
3. Didier a fini de travailler il y a quinze minutes. Il a travaillé pendant une heure. À quelle heure a-t-il commencé à travailler?
4. Sara va être au musée pendant une heure et trois quarts. Elle va arriver au musée dans une demi-heure. À quelle heure va-t-elle quitter le musée?

K. La classe de mathématiques commence à 9h. Répondez aux questions.

1. Il est maintenant 8h50. Jacques dort. Il habite loin de l'université. Est-ce qu'il va être à l'heure?
2. Il est maintenant 7h30. Gabrielle prend son petit déjeuner. Elle va quitter la maison dans vingt minutes. Elle habite tout près du campus. Va-t-elle être à l'heure?
3. Il est maintenant 8h30. Quand est-ce que la classe va commencer?
4. Il est maintenant 9h15. Quand est-ce que la classe a commencé?

L. Dans les Alpes la saison d'hiver commence le 1er décembre. Répondez aux questions.

1. C'est maintenant le 1er novembre. Quand est-ce que la saison va commencer?
2. On fait du ski jusqu'au 1er avril. Pendant combien de mois est-ce qu'on fait du ski dans les Alpes?
3. C'est maintenant le 1er février. Quand est-ce que la saison a commencé?
4. Nous aimons faire du ski le premier jour de la saison. C'est aujourd'hui le 15 novembre. Nous avons deux semaines de travail avant nos vacances. Est-ce que nous allons être en retard pour le premier jour de la saison?

Mise au point (Petite révision de l'étape)

M. Échange. Posez les questions à un(e) autre étudiant(e), qui va vous répondre.

1. Quand est-ce qu'on sert le petit déjeuner à l'université? le dîner?
2. Comment est-ce que tu as dormi hier soir? (bien? mal?)
3. Jusqu'à quelle heure est-ce que tu dors le dimanche matin?
4. Est-ce que tu es arrivé(e) à l'heure aujourd'hui?
5. Pendant combien de temps as-tu préparé ton français hier soir?
6. Quand est-ce que nous allons quitter cette classe?
7. Il y a combien de temps que cette classe a commencé?

N. Exercice écrit. Use the verbs and time expressions to write sentences about your friends and/or family.

1. dormir / hier soir / pendant
2. dormir / le samedi matin / jusqu'à
3. servir / dimanche prochain
4. servir / hier soir
5. être en retard / d'habitude

Troisième Étape

POINT DE DÉPART: *Réglons la note!*

réglons la note: let's pay the bill

plus tard: later

Quelques jours **plus tard**. Kathy et Beth vont quitter Paris. Il est sept heures du matin. Kathy téléphone à la réception.

to leave

KATHY:	Bonjour, Monsieur. Deux petits déjeuners pour la 35, s'il vous plaît. Un café au lait et un chocolat... Et nous **partons** aujourd'hui. Pourriez-vous préparer la note?
L'EMPLOYÉ:	Certainement, Mademoiselle.

pack their suitcases

Elles prennent le petit déjeuner, **font leurs valises** et vont à la réception.

let's see

in cash

BETH:	Bonjour, Monsieur. Avez-vous la note pour la 35? Voici la clé.
L'EMPLOYÉ:	Ah, oui. **Voyons.** Cinq nuits à 210F par nuit, ça fait 1.050F. Dix petits déjeuners à 8F, ça fait 80F. Bon... 1.130F, s'il vous plaît. Vous payez **en espèces**, par chèques de voyage ou par carte de crédit?
BETH:	En espèces. Voici 1.200F.
L'EMPLOYÉ:	Et voici votre monnaie.
BETH:	Est-ce que la gare de Lyon est loin d'ici?
L'EMPLOYÉ:	À quelle heure part votre train?
KATHY:	À 13h05.
L'EMPLOYÉ:	Vous avez beaucoup de temps. Prenez le métro.
KATHY ET BETH:	Merci, Monsieur. Au revoir, Monsieur.
L'EMPLOYÉ:	Au revoir, Mesdemoiselles.

À vous! (Exercices de vocabulaire)

A. Réglons la note! You and your friend are trying to figure out how much you will owe for your room. Imitate the model.

MODELE: 3 nuits/90F   6 petits déjeuners/8F   en espèces
    —*Trois nuits à 90F. Ça fait 270F.*
    —*Six petits déjeuners à 8F. Ça fait 48F.*
    —*Voyons... La note est 318F.*
    —*Je préfère payer en espèces.*

1. 2 nuits/110F   4 petits déjeuners/6F   par chèques de voyage
2. 4 nuits/80F   8 petits déjeuners/8F   en espèces
3. 3 nuits/150F   6 petits déjeuners/10F   par carte de crédit
4. 7 nuits/90F   petit déjeuner: compris   par chèques de voyage

B. S'il vous plaît, Monsieur. Ask questions to elicit the required information from the desk clerk. **Demandez à l'employé:**

1. à quelle heure le petit déjeuner est servi.   2. où le petit déjeuner est servi.
3. s'il a préparé la note.   4. si le petit déjeuner est compris.   5. s'il accepte des cartes de crédit.

Reprise (Deuxième Étape)

C. À la réception. Go the hotel and ask for a room. The student playing the role of the desk clerk will use the suggested information to answer your questions.

1. 2 personnes/avec   120F/10F   2ᵉ/24
2. 1 personne/sans   75F/6F50   5ᵉ/51
3. 2 personnes/avec   295F/compris   4ᵉ/43
4. 2 personnes/sans   100F/compris   1ᵉʳ/16

D. Répondez aux questions d'après le dessin.

1. Jean-Jacques a-t-il bien dormi hier soir?
2. Jusqu'à quelle heure est-il resté au lit?
3. Qu'est-ce qu'il a pris à 9h05?
4. À quelle heure est-ce qu'il a quitté la maison?
5. Comment est-ce qu'il est allé à l'université?
6. À quelle heure est-il arrivé à l'université?
7. Est-ce qu'il a été en retard pour son cours de français?
8. Il est maintenant 7h30 du soir. Il y a combien de temps qu'il est rentré à la maison?

STRUCTURE 6: *Les verbes irréguliers* sortir et partir

Mon frère **sort** avec Françoise.	My brother *goes out* with Françoise.
À quelle heure est-ce que Florence **est sortie**?	What time *did* Florence *go out*?
Nous partons en vacances.	We *are leaving* on vacation.
L'avion **est parti** il y a cinq minutes.	The plane *left* five minutes ago.

The verbs **sortir** (*to go out, to leave*) and **partir** (*to leave*) are irregular in French. The forms are as follows:

sortir	*partir*
je **sors**	je **pars**
tu **sors**	tu **pars**
il/elle/on **sort**	il/elle/on **part**
nous **sortons**	nous **partons**
vous **sortez**	vous **partez**
ils/elles **sortent**	ils/elles **partent**
Past participle: **sorti** (être)	Past participle: **parti** (être)

Sortir, partir, and **quitter** all have as an English equivalent *to leave*.

1. The verb **quitter** (conjugated with **avoir** in the passé composé) always has a direct object; i.e., you must specify the place you are leaving.

   Elle **quitte** la maison.   J'**ai quitté** l'université.

2. The verbs **sortir** and **partir** (both conjugated with **être** in the passé composé) are used either alone or with a preposition.

   Je sors.   Nous partons.
   Elle est sortie du restaurant.   Ils sont partis pour Paris.

3. It is helpful to associate **sortir** and **partir** with their opposites.

   entrer dans ◄──► sortir de (*to go out from within*)
   Elle **est entrée dans** la banque.   Elle est **sortie de** la banque.

   arriver à ◄──► partir de (*to go away from*)
   Il **est arrivé à** New York.   Il **est parti de** New York.

   arriver de ◄──► partir pour (*to leave for*)
   Nous **arrivons de** Paris.   Nous **partons pour** Paris.

4. The verb **sortir**, accompanied sometimes by the preposition **avec**, is used to express the idea of *to go out socially* (on a date, with friends).

   Elle **va sortir** ce soir (**avec** Jean-Paul).

Application

E. Remplacez les sujets et faites les changements nécessaires.

1. *Françoise* sort avec ses amis. (Henri / je / nous / M. et Mme Carle / vous / Gilbert / tu)
2. *Roger* n'est pas sorti hier soir. (Valentine / tu / mes frères / nous / Jean-Pierre / vous / je)
3. *Martine* part pour Madrid. (Éric / mes amis / tu / nous / je / vous / Jacqueline)
4. *Alfred* est parti il y a un quart d'heure. (Ève / nous / les autres / je / Thierry / tu / vous)

F. Répondez aux questions.

1. Est-ce que vous et vos amis, vous sortez le soir?
2. Vos parents sortent-ils souvent le samedi soir?
3. Est-ce que vous êtes sorti(e) avec vos amis hier soir?
4. Votre camarade de chambre est-il (elle) sorti(e) hier soir?
5. À quelle heure est-ce que vous partez pour votre première classe?
6. De quelles villes américaines part-on d'habitude pour aller à Paris?
7. Quand est-ce que vous et vos amis allez partir pour les vacances?
8. Il y a combien de temps que votre camarade de chambre est parti(e) pour aller à sa classe?

G. Questions. Posez cinq questions (**tu, vous, il** ou **elle, ils** ou **elles**) aux autres membres de votre groupe.

1. sortir souvent le vendredi soir
2. sortir hier soir
3. partir pour votre première classe (à quelle heure)
4. quitter la maison/votre chambre ce matin (à quelle heure)
5. aller partir en vacances (quand)

PRONONCIATION: *La combinaison* ill *après une voyelle*

When the combination **ill** follows a vowel sound, it is always pronounced [j]. The **i** does *not* represent a separate sound. To pronounce the combination **aille**, produce only two sounds, [a] + [j]. The same is true for **ouille** [uj] and **eille** [ej].

Pratique

H. Read each word aloud. Limit the vowel + *ill* combination to two sounds:

travaille / bataille / Versailles / braille / Marseille / bouteille / vieille / mouiller / fouiller / brouillard

STRUCTURE 7: L'heure officielle

La pièce commence à **21h**.	The play begins at *9 o'clock*.
Le train pour Besançon part à **18h30**.	The train for Besançon leaves at *6:30*.

When you learned to tell time earlier in this lesson, you learned the method used in conversation. In airports and railroad stations, on radio and TV, at concerts and movies, the French use official time (**l'heure officielle**). The basic differences between the two can be summarized as follows:

Conversational time...	Official time...
is based on a 12-hour clock;	is based on a 24-hour clock (0 = midnight; 12 = noon);
divides the hour into two 30-minute segments (i.e., after and before the hour);	treats the hour as a 60-minute whole (i.e., only moves forward);
uses **et quart, et demi(e), moins le quart, minuit,** and **midi**.	uses cardinal numbers (**quinze, trente, quarante-cinq**), **zéro heures** and **douze heures**.

The easiest way to switch from official time to conversational time is to *subtract* twelve from the hour of official time (*unless* the hour is already less than twelve). Here are some equivalents:

Official time	*Conversational time*
9h45: neuf heures quarante-cinq	9h45: dix heures moins le quart (du matin)
12h30: douze heures trente	12h30: midi et demi
14h50: quatorze heures cinquante	2h50: trois heures moins dix (de l'après-midi)
23h15: vingt-trois heures quinze	11h15: onze heures et quart (du soir)
0h05: zéro heures cinq	12h05: minuit cinq

Application

I. Change official time to conversational time.

MODÈLE: 15h   *3h (trois heures de l'après-midi)*

1. 17h   2. 13h   3. 9h   4. 16h   5. 22h   6. 21h   7. 14h   8. 23h
9. 12h   10. 3h15   11. 15h30   12. 20h45   13. 18h06   14. 19h

J. Answer the following questions, using conversational time to explain your response.

1. Il faut deux heures pour voyager de Paris à Nice en avion. Vous désirez arriver à Nice à 9h du soir. Est-ce que vous allez prendre l'avion de 15h, de 17h, de 19h ou de 21h?
2. Vous désirez aller au cinéma, mais il faut rentrer avant six heures du soir. Le film commence à 13h, à 16h, à 19h ou à 22h. À quelle heure allez-vous au cinéma?
3. À la télévision il y a souvent un film à 22h30. D'habitude vous dormez de 10h du soir jusqu'à 6h du matin. Est-ce que vous regardez le film?
4. Vous allez à la gare chercher vos parents. Leur train arrive de Genève à 17h30. Vous arrivez à la gare à quatre heures et demie de l'après-midi. Êtes-vous à l'heure?
5. Vous avez invité un(e) ami(e) à aller au concert. Le concert commence à 21h. Il faut une demi-heure pour aller de son appartement au concert. À quelle heure allez-vous chercher votre ami(e)?

Mise au point (Petite révision de l'étape)

K. Échange. Posez les questions à un(e) autre étudiant(e), qui va vous répondre.

1. Quand tu voyages, est-ce que tu aimes descendre dans un vieil hôtel ou dans un hôtel moderne?
2. Est-ce que tu préfères payer en espèces, par chèques de voyage ou par carte de crédit?
3. Est-ce que tu es sorti(e) hier soir? Où es-tu allé(e)?
4. Quand est-ce que tu vas partir en vacances? Où est-ce que tu espères aller?
5. À quelle heure part le dernier autobus?

L. Exercice écrit. Complete each sentence with the appropriate form of **sortir, partir,** or **quitter.**

1. Est-ce que Francine _____ avec ses amis hier soir?
2. Nous _____ la maison à huit heures ce matin.
3. Mes parents _____ en vacances la semaine dernière.
4. Claude est entré dans la pharmacie il y a dix minutes. Est-ce qu'il _____ déjà _____?
5. Le train pour Nice va _____ dans trois minutes. Quand est-ce qu'il va arriver à Nice?
6. Tu cherches un bureau de tabac? Quand tu _____ l'hôtel, tu tournes à gauche et tu prends la rue St-Pierre.

LECTURE: **Un hôtel deux étoiles**

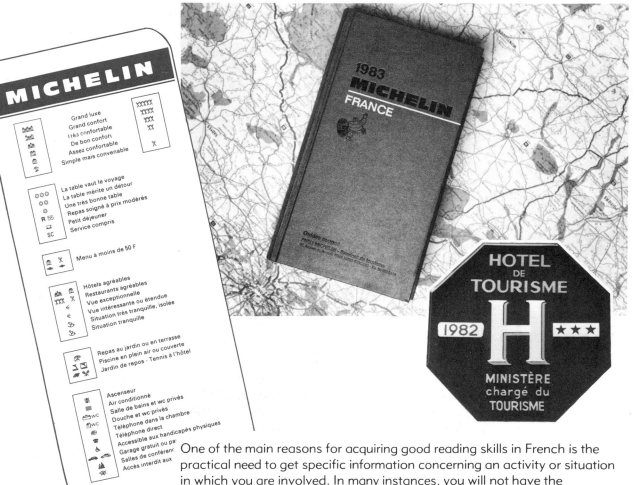

One of the main reasons for acquiring good reading skills in French is the practical need to get specific information concerning an activity or situation in which you are involved. In many instances, you will not have the opportunity to consult a dictionary, and you will need to apply all the reading techniques you have learned—looking for the main idea, guessing meanings from context, associating words of the same family, recognizing cognates, and identifying word groups. In the following passage, no words will be glossed. Read the paragraph, then use whatever information you can gain to do the comprehension exercise.

Le gouvernement français classe les hôtels en cinq catégories:

Hôtels de grand luxe—Des salles de bains et des W.-C. dans toutes les chambres

Hôtels ** (quatre étoiles)**—Hôtels de première classe; la plupart des chambres avec salle de bains et W.-C.

Hôtels * (trois étoiles)**—Très confortables; beaucoup de salles de bains, ascenseur, téléphone

Hôtels ** (deux étoiles)—Confortables: 30% des chambres avec salle de bains

Hôtels * (une étoile)—Bonne qualité, confort moyen: au moins dix chambres avec lavabo; cabine téléphonique

Les prix des hôtels une, deux et trois étoiles sont fixés par le gouvernement; les prix des quatre étoiles et des hôtels de luxe ne sont pas réglementés. Dans tous les cas, si vous réservez par lettre, demandez s'il faut envoyer un acompte (argent payé à l'avance pour réserver).

Si vous voyagez en France, il est très utile d'avoir un Guide Michelin rouge (guide des hôtels et des restaurants). Ce guide utilise un système un peu différent. Il y a six catégories d'hôtels:

Voici ce que dit le Guide Michelin pour l'hôtel Rennes-Montparnasse:

L'hôtel Rennes-Montparnasse est un hôtel confortable. Il n'y a pas de restaurant. Il est situé dans la rue de Rennes dans le 6ᵉ arrondissement. Le numéro de téléphone est le 548.97.38. Il y a un ascenseur. Il y a des chambres avec salle de bains et W.C. privés. Il y a un téléphone dans la chambre, mais il faut passer par la réception. L'hôtel n'est pas ouvert au mois d'août. Le service et le petit déjeuner sont compris. Il y a 35 chambres. Les prix sont entre 190F et 340F.

Compréhension

A. Les hôtels à Chartres. Some friends of your parents, who don't speak French, are planning to visit the cathedral at Chartres. They ask your help in finding a hotel. Read the following extract from the *Guide Michelin*, then answer the questions.

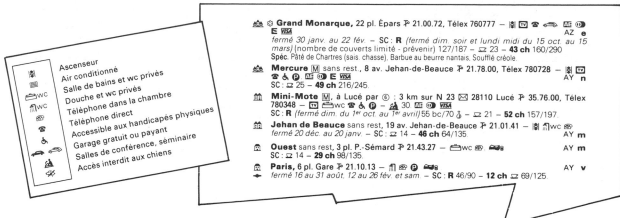

Ascenseur
Air conditionné
Salle de bains et wc privés
Douche et wc privés
Téléphone dans la chambre
Téléphone direct
Accessible aux handicapés physiques
Garage gratuit ou payant
Salles de conférence, séminaire
Accès interdit aux chiens

Grand Monarque, 22 pl. Épars ☎ 21.00.72, Télex 760777 — ... ... AZ e
fermé 30 janv. au 22 fév. - SC : **R** (fermé dim. soir et lundi midi du 15 oct. au 15 mars) (nombre de couverts limité - prévenir) 127/187 – 🍽 23 – **43 ch** 160/290
Spéc. Pâté de Chartres (sais. chasse), Barbue au beurre nantais, Soufflé créole.

Mercure M sans rest., 8 av. Jehan-de-Beauce ☎ 21.78.00, Télex 780728 — ... ... AY n
SC : 🍽 25 – **49 ch** 216/245.

Mini-Mote M, à Lucé par ⑥ : 3 km sur N 23 ✉ 28110 Lucé ☎ 35.76.00, Télex 780348 – ... ... 30. ... ... 55 bc/70 – 🍽 21 – **52 ch** 157/197.

Jehan de Beauce sans rest, 19 av. Jehan-de-Beauce ☎ 21.01.41 — ... ... AY m
fermé 20 déc. au 20 janv. - SC : 🍽 14 – **46 ch** 64/135.

Ouest sans rest, 3 pl. P.-Sémard ☎ 21.43.27 – ... ... AY m
SC : 🍽 14 – **29 ch** 98/135.

Paris, 6 pl. Gare ☎ 21.10.13 – ... ... AY v
fermé 16 au 31 août, 12 au 26 fév. et sam. - SC : **R** 46/90 – **12 ch** 🍽 69/125.

1. Which is the largest hotel in Chartres?
2. Which is the most expensive? What justifies the high prices?
3. Can you get a room with a shower at the Hôtel Jehan de Beauce? at the Hôtel de l'Ouest?
4. Which hotels have telephones in the rooms?
5. Do all the hotels have elevators?
6. Is breakfast included with the price of a room at the Mercure? If not, how much extra does it cost?

Reprise (Troisième Étape)

B. Répondez négativement en utilisant les expressions entre parenthèses.

MODÈLE: Elle sort de la banque? (pharmacie)
         Non, elle sort de la pharmacie.

1. Il part pour Paris? (Londres)
2. Elle sort avec ses parents? (amis)
3. Il entre dans le bureau de tabac? (bureau de poste)
4. Elle arrive de Rome? (Madrid)
5. Ils sortent à une heure et demie? (3h30)
6. Il part de Pékin? (Moscou)
7. Il arrive à Lisbonne? (Paris)
8. Elles sortent de la boulangerie? (boucherie)

C. Corrigez en donnant le contraire de chaque expresssion en italique.

MODÈLE: Elle *entre dans* la banque?
         Non, elle sort de la banque.

1. Il *arrive de* Rome?
2. Elle *sort de* la bibliothèque?
3. Ils *rentrent à* deux heures?
4. Il *part de* Tokyo?
5. Elles *entrent dans* l'école?
6. Il *arrive à* Paris?
7. Elle *sort de* l'épicerie?
8. Il *arrive de* Montréal?

Point d'arrivée
(Activités orales et écrites)

D. Trouvons un hôtel! A friend has given you the name of a hotel in Paris. Go to the hotel and make the appropriate reservations. Get as much information as possible about cost, location, breakfast, etc.

1. You are traveling alone. You are in Paris for two nights. You don't have a great deal of money.
2. You are traveling with a friend. You will be in Paris for a week. You want a room with bath.
3. You are staying with friends in Paris. However, your family (mother, father, brothers and sisters) are coming to visit, and you need a room (or rooms) for them. They plan to spend four days in Paris.

E. Réglons la note! Using situation 1 and/or 2 from Exercise D, pay your hotel bill at the end of your stay. The hotel will probably not accept your credit card, so be prepared to pay with cash or traveler's checks.

F. Tu cherches un hôtel? Your Japanese friend is planning to visit Paris for the first time. He or she has no idea how to get a hotel room. Explain what to do and what to expect. *MODÈLE*: **Tu arrives à Paris et tu vas au Service d'Accueil... Tu demandes...,** etc.

Vocabulaire actif

NOMS		ADJECTIFS	AUTRES EXPRESSIONS
un ascenseur	le rez-de-chaussée	compris(e)	à l'heure
un avion	la réception	confortable	au bout de
un bidet	une salle de bains	demi(e)	en avance
une carte de crédit	une salle à manger	faux(sse)	en espèces
une chambre d'hôtel	le service d'accueil	incroyable	en retard
un chèque de voyage	un supplément	marqué(e)	évidemment
un couloir	les vacances (f.)	servi(e)	par nuit
une douche	le W.-C.	vrai(e)	plus tard
un étage			sans
un lavabo	VERBES		
un lit	dormir		
midi	faire (la valise)		
minuit	partir		
une nuit	payer		
la note	régler		
une pièce	réserver		
le quart	servir		
	sortir		

CHAPITRE NEUF

Parlons de la vie de tous les jours!

Première Étape

POINT DE DÉPART: Le Matin...

Ils s'appellent Cécile et Jean Massignon.

Ils se réveillent à 6h.

Jean se lève à 6h15.

Il se rase rapidement.

Il se brosse les dents.

Il s'habille.

Cécile ne se lève qu'à 6h30.

Elle se lave.

Elle se brosse les cheveux.

Elle se maquille et ensuite elle s'habille.

Ils prennent le petit déjeuner à 7h15.

Ils s'embrassent.

Cécile va au bureau et Jean s'occupe de la maison.

À vous! (Exercices de vocabulaire)

A. Est-ce Jean ou Cécile? Consultez les dessins du *Point de départ* et décidez si l'action décrit Jean ou Cécile ou les deux.

1. Qui se réveille à six heures?
2. Qui se lève à six heures et demie?
3. Qui se rase rapidement?
4. Qui se maquille?
5. Qui se brosse les cheveux?
6. Qui se brosse les dents?
7. Qui va au bureau?
8. Qui s'occupe de la maison?

B. Vrai ou faux? Consultez les dessins du *Point de départ* et décidez si la phrase est vraie ou fausse. Si la phrase est fausse, corrigez-la.

MODÈLE: Jean se lève à six heures.
Faux. Jean se lève à six heures et quart.

1. Jean se réveille à sept heures.
2. Jean se rase rapidement.
3. Ils prennent le petit déjeuner à huit heures moins le quart.
4. Cécile ne se maquille pas.
5. Jean se lève à six heures et quart.
6. Jean et Cécile s'embrassent.
7. Jean va au bureau.
8. Cécile s'occupe de la maison.

NOTE CULTURELLE

Over the last few decades, much has been done to advance the cause of women in France. Although Cécile and Jean Massignon are not the *typical* couple, more and more French men are assuming responsibilities in the home while their wives pursue a career. Equality between men and women has still not been fully achieved, however. Although laws have been enacted to give women the same professional opportunities as men, equality in pay for equal work is not yet a reality, and the unemployment rate among women is significantly higher than it is among men.

STRUCTURE 1: *Le présent des verbes pronominaux*

Nous nous lavons tous[1] les matins.	*We wash ourselves* every morning.
Je me porte bien.	*I'm well.*
Ils se téléphonent tous les jours.	*They call each other* every day.

---

1. **tout, toute, tous, toutes** + definite article + noun = *every* or *the entire:* **tous les soirs** = *every evening.*

A reflexive verb **(verbe pronominal)** is used to indicate that the subject of the action is also its object. The subject therefore not only performs the action but is also the target of the action. When a verb is reflexive, the subject (noun or pronoun) is accompanied by its corresponding reflexive pronoun **(me, te, se, nous, vous).** The reflexive pronoun is always included in French, whereas in English *myself, himself,* etc., may often be omitted.

Il se rase.　　　　　　　　　　　*He is shaving.* (Literally: He is shaving *himself.*)

Elle se lève.　　　　　　　　　　*She is getting up.* (Literally: She is getting *herself* up.)

Many of the verbs that you have already learned may be used reflexively.

Il lave **la vaisselle.**　　　　　　　*He washes the dishes.*
Il **se** lave.　　　　　　　　　　　*He's washing himself.*

Je regarde **une émission.**　　　　*I'm watching a program.*
Je **me** regarde dans le miroir.　　*I'm looking at myself in the mirror.*

When a reflexive verb is used in the plural, the action may be directed back to each individual subject or it may be reciprocal. The meaning of a verb is reciprocal when the subjects interact with *each other.* Either the context or the nature of the action indicates how the sentence is to be interpreted.

Reciprocal

Ils **se** parlent.
They're speaking to each other.

Reflexive

Ils **se** parlent.
They're talking to themselves.

se laver	
je **me lave**	nous **nous lavons**
tu **te laves**	vous **vous lavez**
il/elle/on **se lave**	ils/elles **se lavent**

In the present tense, the reflexive pronoun immediately precedes the verb.

Il se brosse les dents le matin**?**	Does he brush his teeth in the morning?
Est-ce qu'elle se maquille toujours?	Does she always put on makeup?
Pourquoi est-ce que tu te lèves à 8h?	Why do you get up at 8:00 A.M.?

To form questions in the reflexive, use intonation, **est-ce que**, or an interrogative expression followed by **est-ce que**.

Some additional reflexive verbs are:

s'amuser	to have fun	**se préparer**	to get ready
s'appeler	to be called (name)	**se rencontrer**	to meet (by accident)
se porter	to feel (health)	**se retrouver**	to meet (by arrangement)

Application

C. Remplacez les mots en italique et faites tous les changements nécessaires.

1. *Il* s'occupe de la maison. (vous / Marie et Jacques / je / Suzanne / tu)
2. *Je* me lève à six heures. (nous / elles / Paul / les étudiants / vous)
3. *Nous* nous brossons les dents. (mon grand-père / je / Janine / elles / vous)
4. Est-ce qu'*elle* se lave tous les jours? (vous / il / tu / elles / on)
5. Où est-ce que *vous* vous retrouvez? (elles / nous / on / ils / vous)

D. Soyons égoïstes! *(Let's be selfish!)* Transformez les phrases pour montrer que chaque personne ne s'occupe que d'elle-même.

MODÈLE: Marie lave les enfants.   *Marie se lave.*

1. Je brosse les cheveux à Nicole.
2. Est-ce que vous réveillez Jacques?
3. Elle habille le bébé.
4. Ils regardent le professeur.
5. Est-ce que vous lavez la voiture?
6. Elle parle à ses amis.
7. Il prépare un bon dîner.
8. Ils amusent leurs amis.
9. Nous lavons la voiture.
10. Elles regardent un film.

E. Réponses/questions. Voici une série de réponses. Trouvez la question qui correspond à chacune de ces réponses.

MODÈLE: Oui, je me brosse les dents tous les jours.
            Est-ce que tu te brosses les dents tous les jours?

1. Ils se lèvent avant neuf heures.
2. Il se rase seulement le lundi.
3. Nous nous téléphonons tous les dimanches.
4. On se retrouve devant la librairie.
5. Elle se maquille avant de sortir.
6. Je m'occupe des enfants.
7. Nous nous lavons les mains avant le dîner.
8. Elles s'habillent après le petit déjeuner.
9. Elles se portent bien.
10. Claudine s'amuse en classe.

F. Questions. Posez quatre questions **(tu, vous, il** ou **elle, ils** ou **elles)** aux autres membres de votre groupe.

1. se réveiller (à quelle heure?)
2. se parler souvent
3. se laver la tête tous les matins
4. se raser / se maquiller

PRONONCIATION: *L'e caduc et la loi des trois consonnes*

In Chapter 4, you saw that the French vowel **e** (without a written accent) can represent three sounds:

[e]	le**s**, parle**r**	**e** + silent consonant at the end of a word
[ɛ]	ell**e**, personn**e**	**e** + pronounced consonant in the same syllable
[ə]	le, petit	**e** in two-letter words and at the end of a syllable

An unaccented **e** that occurs at the end of a syllable in the middle of a word presents special pronunciation problems. This vowel is called **l'e caduc** (the *falling* or *dropped* e) or **l'e instable** (the *unstable* e), because there are certain cases when it is not pronounced at all.

As a general rule, the **e** is not pronounced so long as dropping it does not result in three consecutive consonant sounds. Thus, in **sam**e**di**, the dropping of the **e** leaves together only the two consonants **md**. However, if the second **e** of **vendredi** were dropped, there would remain **drd**, a combination that would be difficult to pronounce. This general rule is called the *three-consonant law* (**la loi des trois consonnes**).

Pratique

G. Read each word aloud, dropping the **e** when indicated and retaining it when it is underlined:

samèdi / mercre̲di / omèlette / médècin / achèter / appart̲ement / bouchèrie / tart̲elette / boulangèrie / entre̲prise

STRUCTURE 2: *La forme négative des verbes pronominaux (présent)*

Il **ne** se rase **pas** rapidement.	He *doesn't* shave quickly.
Nous **ne** nous téléphonons **pas** souvent.	We *don't* call each other often.
Elle **ne** se maquille **pas** avant de² sortir.	She *doesn't* put on makeup before going out.
Les crocodiles **ne** se brossent **pas** les dents.	Crocodiles *don't* brush their teeth.

The negative of reflexive and reciprocal verbs is formed by putting **ne** in front of the reflexive pronoun and **pas** immediately after the verb.

Application

H. Mettez les phrases à la forme négative.

MODÈLE: Nous nous parlons tous les jours.
    Nous ne nous parlons pas tous les jours.

1. Je me lève avant six heures.
2. Nous nous embrassons souvent.
3. Elle se maquille.
4. Ils s'occupent de la maison.
5. On se brosse les dents tous les jours.
6. Chantal et Hervé se téléphonent tous les soirs.
7. Vous vous retrouvez au bureau de tabac?
8. Je me regarde souvent dans le miroir.
9. Nous nous habillons dans la cuisine.
10. Tu te réveilles facilement?

I. Répondez négativement.

MODÈLE: Est-ce que tu te maquilles souvent?
    Non, je ne me maquille pas souvent.

1. Est-ce que vous vous téléphonez tous les jours?
2. Est-ce qu'elles s'amusent bien au travail?

---

2. **Avant de** *(before)* is always accompanied by an infinitive.

3. Est-ce qu'il se prépare pour partir en vacances?
4. Est-ce que tu te lèves avant midi?
5. Est-ce que vous vous retrouvez au bureau?
6. Est-ce qu'elles se lavent la tête le matin?
7. Est-ce que vous vous portez bien?
8. Est-ce que vos amis s'occupent des enfants?

J. Curiosité et commérage. *(Curiosity and gossip).* Posez les questions suivantes à un ou une de vos camarades. Répétez le contraire de sa réponse à une troisième personne.

MODÈLE: ÉTUDIANT(E) 1: *Est-ce que vous vous lavez souvent la tête?*
ÉTUDIANT(E) 2: *Oui, je me lave souvent la tête.*
ÉTUDIANT(E) 3: *J'ai entendu dire* (I heard) *qu'il (elle) ne se lave pas souvent la tête.*

1. Est-ce que vous vous amusez dans la classe de français?
2. Est-ce que vous vous occupez de vos enfants?
3. Est-ce que vous vous levez avant midi?
4. Est-ce que vous vous brossez les dents?
5. Est-ce que vous vous téléphonez tous les soirs?
6. Est-ce que vous vous lavez tous les jours?
7. Est-ce que vous vous portez bien?

Mise au point *(Petite révision de l'étape)*

K. Racontez aux autres étudiants de votre groupe ce que vous faites d'habitude le matin. Employez des verbes pronominaux et non-pronominaux, et donnez beaucoup de détails. Expliquez, par exemple, à quelle heure vous vous levez, avec qui vous prenez le petit déjeuner, ce que vous prenez pour le petit déjeuner, etc. Vos camarades sont obligés de vous poser des questions.

L. Exercice écrit. Composez des phrases en utilisant les éléments donnés.

MODÈLE: je / se lever   *Je me lève tous les matins à 6h30.*

1. Suzanne / se réveiller
2. tu / se brosser / ?
3. nous / se retrouver

4. ils / se laver
5. je / s'occuper de
6. vous / s'amuser / ?

Deuxième Étape

POINT DE DÉPART: Cet Après-midi...

Cécile a déjeuné au café avec des amis.

À l4h elle s'est dépêchée pour retourner au bureau.

Elle s'est occupée du courrier.

À 17h elle est rentrée à la maison.

Entre-temps, Jean a fait les courses. Il s'est arrêté à la boulangerie.

Au marché, il s'est impatienté parce qu'il y avait trop de monde.

Il s'est acheté une chemise au Monoprix[3].

Jean est satisfait. Il s'est bien débrouillé cet après-midi.

À vous! (Exercices de vocabulaire)

A. Corrigeons-nous! *(Let's correct ourselves!).* Voici une série de phrases incorrectes. Consultez les dessins du *Point de départ* et corrigez chacune de ces phrases.

MODÈLE: Cécile a passé l'après-midi à la maison.
   Non, elle a passé l'après-midi au bureau.

1.   Cécile a déjeuné au café avec sa mère.

---

3. **Monoprix** is a large department store chain in France.

2. Elle s'est dépêchée pour retourner à la bibliothèque.
3. Elle s'est occupée des enfants.
4. Elle est rentrée à la maison à 15h.
5. Entre-temps, Jean a lavé la voiture.
6. Il s'est arrêté à la pharmacie pour acheter de l'aspirine.
7. Au marché il s'est impatienté parce qu'il n'y avait pas de légumes.
8. Il s'est acheté un pull-over au Monoprix.
9. Il n'est pas satisfait. Il s'est mal débrouillé cet après-midi.

B. Vous et votre mari (femme). Décrivez vos activités habituelles en employant les éléments donnés.

MODÈLE: quitter le travail   *D'habitude nous quittons le travail à 18h.*

1. faire les courses
2. s'arrêter à l'épicerie
3. s'acheter quelque chose
4. se dépêcher pour rentrer
5. s'impatienter parce que
6. s'occuper du dîner
7. faire la vaisselle
8. sortir pour

Reprise (Première Étape)

C. À quelle heure? Indiquez à quelle heure vous faites les choses suivantes. À quelle heure est-ce que vous:

1. vous réveillez?   2. vous levez?   3. vous brossez les dents?   4. vous lavez?
5. vous rasez?   6. vous maquillez?   7. vous habillez?   8. prenez le petit déjeuner?   9. vous brossez les cheveux?

STRUCTURE 3: Le passé composé des verbes pronominaux

Je me suis trompé(e).	*I made a mistake. (I was mistaken.)*
Il s'est coupé les cheveux.	*He cut his hair.*
Elle s'est occupée du repas.	*She took care of the meal.*

In the passé composé, *all* reflexive verbs are conjugated with the auxiliary verb **être.** The reflexive pronoun is placed directly in front of the auxiliary verb.

se tromper	
je **me suis trompé(e)**	nous **nous sommes trompé(e)s**
tu **t'es trompé(e)**	vous **vous êtes trompé(e)(s)**
il **s'est trompé**	ils **se sont trompés**
elle **s'est trompée**	elles **se sont trompées**
on **s'est trompé**	

In most cases when the passé composé is used, the past participle agrees in gender and number with the preceding reflexive pronoun (direct object), which in turn stands for the subject. This agreement is illustrated in the conjugation of the verb **se tromper**. Note, for example, that **je** may be either masculine or feminine depending on who is speaking. If it is feminine, an **-e** must be added to the past participle.

In two situations this agreement does not occur.

1. When the verb is followed by a direct object:

    Elle s'est lav**ée**. *but:* Elle s'est lavé **les mains**.
    Ils **se** sont coup**és**. *but:* Ils se sont coupé **les cheveux**.

2. When the verb takes an indirect object (i.e., is followed by a preposition):

    Jean a téléphoné **à Marc**. Ils **se** sont téléphon**é**.
    J'ai parlé **à ma tante**. Nous **nous** sommes parl**é**.

    ———————————————

To form a question in the passé composé, use intonation, **est-ce que,** or an interrogative expression with **est-ce que.**

    Quand est-ce que tu t'es rasé?   When did you shave?
    Est-ce que vous vous êtes   Did you have a good time (fun)?
    amusés?

    ———————————————

Some additional reflexive and reciprocal verbs are:

    se baigner   to take a bath, to go swimming (in ocean, lake, etc.)
    se couper (les cheveux, etc.)   to cut oneself (one's hair, etc.)
    se disputer (avec)   to have an argument (with)
    s'énerver   to get annoyed
    s'inquiéter (de)   to worry, to get worried (about)
    se reposer   to rest
    se tromper de (numéro, etc.)   to get the wrong (number, etc.)

Application

D. Remplacez le sujet indiqué par le sujet entre parenthèses et faites tous les changements nécessaires.

MODÈLE: *Ils* se sont parlé. (nous)   *Nous nous sommes parlé.*

1. *Ils* se sont rencontrés? (vous)
2. *Je* me suis amusé. (il)
3. *Elle* s'est impatientée. (ils)
4. *Nous* nous sommes levés à 6h. (je)
5. *Vous* vous êtes disputé avec son frère? (tu)
6. *Elles* se sont reposées pendant quelques minutes. (nous)
7. *Tu* t'es trompé de numéro. (elles)

8. *Elle* s'est coupé les cheveux. (je)
9. *Nous* nous sommes acheté une télévision. (elle)
10. *Je* me suis bien débrouillé. (on)

E. Mettez les phrases au passé composé.

MODÈLE: Elle se lave.   *Elle s'est lavée.*

1. Nous nous baignons.
2. Il se brosse les cheveux.
3. On s'amuse ici.
4. Elles se parlent.
5. Je m'énerve.
6. Il se dispute avec son père.
7. Les enfants se reposent.
8. Je me trompe d'avenue.
9. Est-ce que vous vous retrouvez au café?
10. Elles s'achètent une robe.

F. Pourquoi pas? Indicate that if the following people are not doing something today, it is because they did it yesterday.

MODÈLE: Paul ne se rase pas. Pourquoi pas?
              Parce qu'il s'est rasé hier.

1. Les enfants ne se baignent pas. Pourquoi pas?
2. Je ne me trompe pas. Pourquoi pas?
3. Robert ne s'occupe pas des enfants. Pourquoi pas?
4. Nous ne nous retrouvons pas. Pourquoi pas?
5. Ils ne se coupent pas les cheveux. Pourquoi pas?
6. Elles ne se téléphonent pas. Pourquoi pas?
7. Je ne me lave pas la tête. Pourquoi pas?
8. Nous ne nous arrêtons pas à la boulangerie. Pourquoi pas?

PRONONCIATION: *L'e caduc et les groupes figés*

The **loi des trois consonnes** is a descriptive guideline, not a hard and fast rule. There are many special cases involving the deletion or the retention of the **e caduc**. Among these are the following, which you may have already noticed while working in class and in the laboratory:

est-c¢ que, qu'est-c¢ que, parc¢ que   je n¢   je m¢   pas d¢

Each of these word combinations represents a fixed group **(un groupe figé)** that is always pronounced in the same manner no matter what sounds follow.

Pratique

G. Read each group of words aloud, taking care to delete the **e** when indicated.

je m¢ couche

je m¢ demand¢

je n¢ vais pas

où est-c¢ qu'il va

parc¢ que je n¢ travaille pas

qu'est-c¢ que vous désirez

pas d¢ pain

pas d¢ légumes

pas d¢ problème

je n¢ suis pas

STRUCTURE 4: *La forme négative des verbes pronominaux (passé composé)*

Elle **ne** s'est **pas** lavée ce matin.	She *didn't* wash herself this morning.
Nous **ne** nous sommes **pas** disputés.	We *didn't* have an argument.
Je **ne** me suis **pas** énervé.	I *didn't* get irritated.
Il **ne** s'est **pas** réveillé tout de suite.	He *didn't* wake up right away.

When making a reflexive or reciprocal sentence negative in the passé composé, the **ne...pas** is always put *around* the reflexive pronoun and the auxiliary verb **être**. **Ne** precedes the reflexive pronoun, **pas** follows **être**. Note that the reflexive pronoun directly precedes the verb whether the sentence is affirmative or negative.

Application

H. Répondez en employant la forme négative.

MODÈLE: Est-ce que Gilles s'est amusé?
Non, il ne s'est pas amusé.

1. Est-ce que Simone s'est impatientée avec votre cousin?
2. Est-ce que vous vous êtes disputé avec votre mère?
3. Est-ce qu'ils se sont téléphoné?
4. Est-ce que tu t'es acheté une voiture?
5. Est-ce que je me suis trompé d'autobus?
6. Est-ce que Marcel s'est reposé?
7. Est-ce que vous vous êtes parlé?
8. Est-ce que Françoise s'est coupé les cheveux?
9. Est-ce que le professeur s'est trompé?
10. Est-ce que tu t'es dépêché?

I. J'ai entendu dire... Deux amis parlent de leurs collègues du bureau. Le premier raconte ce qu'il a entendu dire, le deuxième insiste que ce n'est pas vrai.

MODÈLE: J'ai entendu dire que Paul s'est acheté une maison.
    Mais c'est absurde! Il ne s'est pas acheté de maison.

1. J'ai entendu dire que Cécile s'est disputée avec son mari.
2. J'ai entendu dire que tu t'es mal débrouillé aujourd'hui.
3. J'ai entendu dire que Richard s'est acheté une voiture.
4. J'ai entendu dire que vous vous êtes arrêtés de fumer.
5. J'ai entendu dire que Marie-France s'est coupé les cheveux.
6. J'ai entendu dire que Jacques s'est trompé de date.

J. Questions. Posez quatre questions **(tu, vous, il ou elle, ils ou elles)** aux autres membres de votre groupe.

1. se lever ce matin (à quelle heure?)
2. se disputer avec... hier
3. se reposer bien hier soir
4. s'acheter récemment (qu'est-ce que?)

Mise au point *(Petite révision de l'étape)*

K. La dernière fois... *(The last time...).* Discutez les sujets en vous basant sur vos expériences personnelles. Les autres étudiants dans votre groupe vont vous poser des questions.

1. La dernière fois que vous vous êtes impatienté(e)
2. La dernière fois que vous vous êtes disputé(e) avec quelqu'un
3. La dernière fois que vous vous êtes acheté quelque chose
4. La dernière fois que vous vous êtes inquiété(e) de quelque chose
5. La dernière fois que vous vous êtes bien amusé(e)

L. Exercice écrit. Composez des phrases avec les éléments donnés.

MODÈLE: Jean / se tromper de / hier
    Hier, Jean s'est trompé d'autobus.

1. nous / s'arrêter... pour... / il y a deux jours
2. tu / s'amuser / hier soir
3. elles / se disputer avec / hier après-midi
4. Marc / se réveiller / ce matin
5. mes parents / se dépêcher / la semaine dernière
6. Françoise / se tromper de / hier
7. je / se couper / il y a trois jours
8. vous / se brosser / ce matin / ?

Troisième Étape

POINT DE DÉPART: Ce Soir...

Avant le dîner, Cécile va se laver les mains.

Jean et Cécile vont manger vers 19h.

Après, ils vont se promener.

Jean et Cécile vont regarder la télé.

A 23h ils vont se coucher.

Ils vont se déshabiller.

Ils vont s'embrasser.

Ils vont s'endormir avant minuit.

À vous! (Exercices de vocabulaire)

A. Vrai/faux. Décidez si les phrases sont vraies ou fausses selon les dessins du *Point de départ.* Si elles sont fausses, corrigez-les.

MODÈLE: Cécile va rentrer à minuit.   *Faux. Elle va rentrer à 17h.*

1. Cécile va se laver les mains après le dîner.
2. Ils vont manger vers 19h.
3. Jean va se promener avant le dîner.
4. Jean et Cécile vont écouter la radio.
5. Ils vont se coucher à 23h.
6. Ils vont s'endormir à minuit.

B. Qu'est-ce qu'ils vont faire ce soir? En vous basant sur les indications données dans le *Point de départ,* expliquez ce que Jean et Cécile vont faire ce soir.

MODÈLE: avant le dîner   *Avant le dîner, Cécile va se laver les mains.*

1. à 23h 2. vers 19h 3. après le dîner 4. après la promenade
5. avant minuit

Reprise (Deuxième Étape)

C. Hier... Utilisez les expressions données pour poser des questions à votre partenaire, qui va vous répondre.

MODÈLE: se réveiller
        —*À quelle heure est-ce que tu t'es réveillé(e) hier matin?*
        —*Je me suis réveillé(e) à 6h30.*

1. se lever tout de suite
2. se raser ou se maquiller
3. se laver
4. s'habiller avant le petit déjeuner
5. se brosser les dents

6. sortir
7. s'arrêter
8. s'acheter
9. s'impatienter
10. se dépêcher pour rentrer

STRUCTURE 5: Le futur immédiat des verbes pronominaux

Je vais me baigner.	*I'm going to take a bath.*
Est-ce que **tu vas te promener?**	*Are you going to take a walk?*
On va s'en aller.	*We're going to leave.*
Elles vont se dépêcher.	*They're going to hurry.*

The immediate future of reflexive verbs is formed in the same way as the immediate future of nonreflexive verbs. However, since a reflexive verb is always accompanied by a reflexive pronoun, this pronoun must immediately precede the infinitive. Compare:

Je vais coucher **les enfants.**   **Je vais me** coucher.

To form a question, use intonation, **est-ce que,** or an interrogative expression with **est-ce que.**

Est-ce que vous allez vous amuser?   **Quand est-ce que** tu vas t'en aller?

Add the following reflexive and reciprocal verbs to those you have learned:

se comprendre	to understand oneself (each other)
se faire mal (à)	to hurt oneself

se fiancer	to get engaged
se marier	to get married
se rappeler	to remember
se servir de	to use

Application

D. Remplacez les mots en italique et faites tous les changements nécessaires.

1. *Elle* va s'occuper des enfants. (nous / Marc / mes parents / tu / je)
2. *Je* vais me reposer. (Jacques / vous / elle / nous / ils)
3. *Nous* allons nous dépêcher. (elles / je / tu / il / vous)
4. *Ils* vont se marier? (elle / tu / vous / elles / il)
5. *On* va se servir du sac à dos. (nous / elle / je / les enfants / ils)
6. *Il* va se rappeler cette décision. (nous / elle / je / elles / tu / on / vous)

E. Transformez les phrases en substituant le pronom entre parenthèses.

MODÈLE: Ils vont se téléphoner. (nous)   *Nous allons nous téléphoner.*

1. Nous allons nous parler. (elles)
2. Est-ce que vous allez vous préparer? (tu)
3. Il va s'amuser. (on)
4. On va se lever? (vous)
5. Tu vas te faire mal! (vous)
6. Elles vont se couper les cheveux. (je)
7. Il va se reposer. (nous)
8. Est-ce que vous allez vous marier? (il)
9. Nous allons nous débrouiller. (elles)
10. Ils vont se retrouver demain. (nous)
11. Je vais me promener dans le parc. (elles)
12. Elle va se servir de la carte orange. (je)

F. Qu'est-ce que vous allez faire si... Imaginez une conclusion à chacun des fragments. Employez le futur proche des verbes pronominaux.

MODÈLE: S'il fait beau...   *S'il fait beau, je vais me promener.*

1. Si je ne trouve pas de travail...
2. Si le pâté n'est pas bon...
3. Si la boulangerie est fermée...
4. Si tu es à la maison...
5. Si je suis trop fatigué(e)...
6. Si le magasin est ouvert...
7. Si tu continues à fumer...
8. S'il fait mauvais...

STRUCTURE 6: *La forme négative des verbes pronominaux (futur immédiat)*

Je **ne** vais **pas** me lever.

Nous **n'**allons **pas** nous dépêcher.

I'm *not* going to get up.

We're *not* going to hurry.

As with any construction that includes a conjugated verb and an infinitive, the negative **ne...pas** goes around the conjugated verb when it is used to negate a reflexive sentence in the immediate future.

Application

G. Mettez les phrases à la forme négative.

MODÈLE: Je vais me servir de la machine à écrire.
Je ne vais pas me servir de la machine à écrire.

1. Les enfants vont se coucher tôt.
2. Elles vont se disputer.
3. Je vais me déshabiller.
4. Elle va se maquiller.
5. Nous allons nous amuser.
6. Tu vas t'occuper de la maison?
7. Vous allez vous lever?
8. Il va se faire mal.

H. Répondez négativement.

1. Est-ce que Chantal va se fiancer cette année?
2. Est-ce que vous allez vous marier en France?
3. Est-ce que les Durant vont se servir d'un ordinateur?
4. Est-ce que tu vas te promener cet après-midi?
5. Est-ce que Jean-Marc va se coucher tout de suite?
6. Est-ce que je vais me faire mal si je prends votre vélo?

PRONONCIATION: *L'e caduc (suite)*

At this stage in learning French, you should not be overly concerned with the problem of the **e caduc**. Awareness of the tendency to drop the unaccented **e** whenever possible will help you to understand spoken French. In your own speaking, for now, you need only be aware of frequently used expressions in which an **e** is either dropped or pronounced. The following exercise reviews some examples of the **e caduc** that you have already learned.

I. Repeat the following sentences carefully, dropping the **e caduc** when necessary.

1. Tu désires quelque chose?
2. Moi, je désire un citron pressé.

3. Est-ce qu'il y a un bureau de tabac près d'ici?
4. Le bureau de poste est en face de l'hôtel Univers.
5. Mais je ne sais pas où il se trouve.
6. Est-ce que tu désires aller en ville?
7. Je prends le train demain à quatre heures.
8. Deux petits déjeuners pour la chambre 35.

STRUCTURE 7: *L'inversion avec les verbes pronominaux*

Te rappelles-**tu** ma sœur? Antoine **s'habille-t-il** toujours comme ça?

When using inversion to form a question in the present tense, always place the subject pronoun after the verb, leaving the reflexive pronoun in its habitual place before the verb. If a proper noun is necessary for clarity, the proper noun will precede this construction.

Vous êtes-**vous** promenés hier soir? Marie **s'est-elle** coupé les cheveux?

Inversion in the passé composé differs from the present tense only in that it occurs with the auxiliary verb **être.** Thus the word order is: reflexive pronoun + **être** + subject pronoun + past participle. A proper noun precedes this construction.

Les enfants vont-**ils se baigner?** Allons-**nous nous téléphoner?**

In the immediate future, inversion of the subject pronoun is made with the verb **aller,** and the reflexive pronoun remains in front of the infinitive. A proper noun precedes the verb **aller,** if needed for clarity.

Application

J. Voilà une série de questions avec **est-ce que.** Changez chaque phrase en employant l'inversion.

MODÈLE: Est-ce que tu te débrouilles bien?   *Te débrouilles-tu bien?*

1. Est-ce que vous vous téléphonez souvent?
2. Est-ce que Jean s'est rasé?
3. Est-ce qu'elles se comprennent?
4. Est-ce qu'il se rappelle ses parents?
5. Est-ce que vous allez vous impatienter?
6. Est-ce que M. et Mme Massignon se sont promenés?
7. Est-ce qu'ils se sont mariés?
8. Est-ce qu'il s'est fait mal?
9. Est-ce que les enfants vont s'amuser?
10. Est-ce que vous vous disputez souvent?

K. Quelle est la question? Voici une série de réponses. Trouvez les questions et employez l'inversion.

MODÈLE: Oui, je me couche avant minuit. *Te couches-tu avant minuit?*

1. Oui, je m'appelle Maurice.
2. Oui, ils se comprennent.
3. Oui, elle s'impatiente facilement.
4. Oui, nous nous achetons une calculatrice.
5. Oui, on se retrouve en face de l'église.

MODÈLE: Oui, il s'est marié. *S'est-il marié?*

6. Oui, nous nous sommes disputés.
7. Oui, ils se sont endormis.
8. Oui, il s'est bien débrouillé.
9. Oui, elle s'est fait mal.
10. Oui, elles se sont servies de ma voiture.

MODÈLE: Oui, nous allons nous parler. *Allez-vous vous parler?*

11. Oui, nous allons nous retrouver derrière la bibliothèque.
12. Oui, je vais me coucher.
13. Oui, ils vont se promener.
14. Oui, elle va se fiancer.
15. Oui, elles vont s'acheter une chaîne stéréo.

Mise au point (Petite révision de l'étape)

L. Échange. En utilisant les verbes donnés, demandez à votre partenaire ce qu'il/elle va faire demain.

1. se promener
2. se brosser les cheveux
3. se lever
4. se reposer
5. se servir d'une voiture
6. s'acheter quelque chose

M. Exercice écrit. Composez des phrases avec les éléments donnés. Utilisez l'inversion dans les questions.

1. tu / se servir de (passé composé) / vélomoteur / ?
2. elle / se rappeler (présent) / frère / ?
3. ils / ne...pas / se fiancer (futur immédiat)
4. je / s'acheter (futur immédiat) / calculatrice
5. vous / se disputer (passé composé) / vos parents / ?

Quatrième Étape

LECTURE: *Le Rôle de la femme*

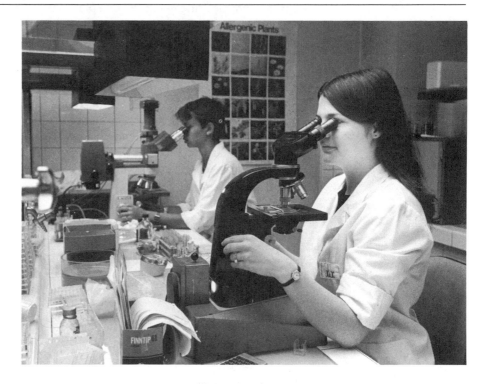

This reading passage provides a general overview of the role that women play in French society today. Read the passage and try to retain three ideas that you consider important for the understanding of the text.

Comme nous le montre notre petite histoire[1] de Jean et Cécile Massignon, la femme française ne se contente plus[2] simplement de rester à la maison et de s'occuper des enfants et de son mari. Les hommes, eux[3] aussi, se libèrent[4] peu à peu de leur rôle traditionnel et, comme Jean, commencent à s'intéresser au ménage[5] et au bon fonctionnement de la maison. Cependant,[6] il ne faut pas[7] croire[8] que ce changement de rôles s'effectue[9] sans difficultés. Si beaucoup de femmes travaillent, il y a par contre encore très peu de maris qui sont prêts[10] à abandonner leur vie professionnelle. En plus, la crise économique oblige souvent la femme et le mari de travailler tous les deux[11] pour s'assurer une vie relativement confortable.

Et les femmes, sont-elles tout à fait satisfaites de leur nouvelle situation? Certainement pas, car les enquêtes[12] révèlent encore trop d'inégalités entre hommes et femmes: inégalité de salaire pour le même travail, inégalité devant les supérieurs, inégalité dans l'avancement professionnel.

Les Françaises ont cependant fait énormément de progrès depuis 1945: elles ont le droit[13] de vote; elles partagent[14] entièrement la responsabilité parentale avec leur mari en cas de divorce; et en 1972 elles ont acquis[15] le droit d'entrer à École Polytechnique.[16] Par conséquent, depuis une vingtaine d'années la femme française se fait une place importante dans le monde professionnel. Elle est cinéaste,[17] ingénieur, avocate, médecin, P.D.G. (Président-directeur-général);[18] elle participe activement à la vie politique de son pays, et il n'est plus si rare de voir[19] une femme ministre dans le gouvernement. Enfin, elle commence à comprendre qu'elle n'a plus à se sentir[20] inférieure et que sa contribution est essentielle au bien-être[21] de la société française.

Nous sommes encore loin de cette égalité entière tant souhaitée[22] par les féministes du M.L.F. (Mouvement de la libération de la femme). Mais les attitudes et les comportements[23] changent de plus en plus, et un grand nombre de femmes françaises reconnaissent[24] aujourd'hui que c'est à elles[25] de choisir[26] leur vie et de décider de leur avenir.[27]

---

1. as our little story indicates   2. no longer   3. they   4. are liberating themselves   5. household   6. however   7. one must (should) not   8. believe   9. is coming about   10. ready   11. both   12. opinion polls   13. right   14. share   15. acquired   16. School of Engineering   17. filmmaker   18. president of a business firm   19. to see   20. to feel   21. well-being   22. hoped for   23. behavior   24. recognize   25. it's up to them   26. to choose   27. future

Compréhension

A. Jot down very quickly in English the three ideas that you have retained from the reading passage. Explain to your classmates what they are and why you think they are important.

B. Vrai/faux. Décidez si les idées suivantes sont vraies ou fausses selon le passage.

1. Jean et Cécile Massignon sont un couple typique dans la société française.
2. Un mari et une femme sont souvent obligés de travailler tous les deux à cause de la crise économique.
3. Les femmes sont tout à fait contentes de leur nouvelle situation.
4. Il n'y a pas d'inégalités de salaire pour le même travail entre hommes et femmes en France.
5. Les Françaises ont le droit de vote.
6. Les Françaises ont acquis le droit d'entrer à l'École Polytechnique.
7. Il est encore très rare de voir une femme ministre dans le gouvernement.
8. Les féministes du M.L.F. sont entièrement satisfaites des progrès faits par les femmes.

Reprise (Troisième Étape)

C. Conséquences logiques. En employant un verbe pronominal, expliquez ce que chaque personne va faire comme résultat de la première action ou situation.

MODÈLE: Paul habite loin de l'université et il n'a pas de voiture.
        Il va s'acheter une voiture.

1. Il est 4h de l'après-midi et nous sommes fatigués.
2. François n'aime pas les cheveux longs.
3. Mes parents sont en retard pour le concert.
4. Eric désire aller au cinéma, Chantal désire faire du tennis.
5. Je ne désire pas travailler.
6. Il n'a pas de machine à écrire.

D. Hier et demain. Dans cet exercice, deux étudiant(e)s vont travailler ensemble.

MODÈLE: Hier, je me suis couché à 8h.
        —Vas-tu te coucher à 8h demain aussi?
        —Oui, demain je vais me coucher à 8h aussi. ou: *—Non,*
         demain je ne vais pas me coucher à 8h.

1. Hier, je me suis réveillé à 5h du matin.
2. Hier, je me suis disputé avec mon ami.
3. Hier, je me suis bien amusé.
4. Hier, je me suis couché après minuit.
5. Hier, je me suis impatienté avec mon frère.
6. Hier, je me suis promené en ville.
7. Hier, je me suis servi de ta voiture.
8. Hier, je me suis occupé de ma petite cousine.
9. Hier, nous nous sommes téléphoné.
10. Hier, nous nous sommes parlé.

Point d'arrivée
(Activités orales et écrites)

E. Une présentation. Question another student in order to introduce him or her to the class. The object of this activity is to find out the other student's likes and dislikes, the kinds of things that irritate or worry him or her, the kinds of things he or she has arguments about, and the people these arguments are most likely to occur with.

MODÈLES: *Quand est-ce que vous vous irritez?*
         Quand est-ce que vous vous énervez?
         Avec qui est-ce que vous vous disputez et pourquoi?

When the interview is completed, you will tell the rest of the class what you have learned (MODÈLE: *Jean s'irrite quand son frère se sert de son vélomoteur.*).

F. Ma journée. Explain what you did yesterday from the time you got up to the time you went to bed.

G. En l'an 2005. Imagine a day in the year 2005 and explain to your classmates what you will or will not be doing by that time. Your friends will ask you questions as you proceed.

H. Une photo. Describe the photo on page 213.

Vocabulaire actif

NOMS

un bureau
une chemise
le courrier
une dent
une émission
une main
le marché
un miroir
un monde
un repas
une tête
la vaisselle

VERBES

s'acheter
s'en aller
s'amuser
s'appeler
s'arrêter (de)
se baigner
se brosser
se comprendre
se coucher
se couper
se débrouiller
déjeuner
se dépêcher
se déshabiller
se disputer (avec)
s'embrasser
s'endormir
s'énerver
se faire mal (à)
se fiancer

s'habiller
s'impatienter
s'inquiéter (de)
se laver
se lever
se maquiller
se marier
s'occuper de
se porter
se préparer
se promener
se rappeler
se raser
se regarder
se rencontrer
se reposer
se retrouver
se réveiller
se servir de
se téléphoner
se tromper (de)

ADJECTIF

même

AUTRES EXPRESSIONS

entre-temps
rapidement
tout de suite

CHAPITRE DIX

Soignons-nous!

Première Étape
Chez le médecin

Deuxième Étape
À la Pharmacie

Troisième Étape
Un Séjour dans une station thermale

Quatrième Étape
Lecture: L'Homéopathie

Première Étape

POINT DE DÉPART: *Chez le médecin*

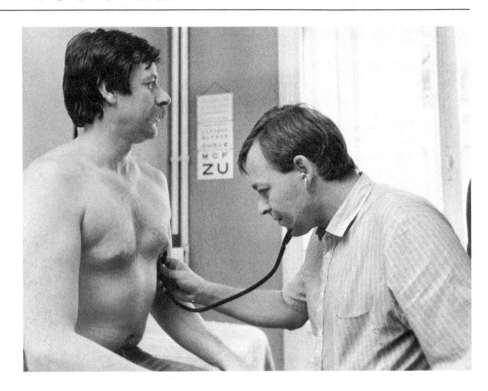

waiting room / has an
    appointment with
feels
sick, ill / him / office
shake (hands)

since when

several / a headache
    am sick to my stomach
hurt all over
let's see / 100.5°F

fever / cough

chills

Jean-Luc Bonnefoi se trouve dans la **salle d'attente** du docteur Roussin. Il **a rendez-vous avec** le docteur à 10h30. Jean-Luc ne **se sent**[1] pas très bien; il est **malade**. À 10h30 on **l'appelle** et il entre dans le **cabinet** du docteur. Le docteur Roussin et Jean-Luc **se serrent** la main et la consultation commence.

LE DOCTEUR: **Depuis quand** est-ce que vous ne vous sentez pas bien?

JEAN-LUC: Depuis **plusieurs** jours j'ai souvent **mal à la tête** et j'**ai mal au cœur**. En fait, j'**ai mal partout**.

LE DOCTEUR: Prenons votre température. **Voyons... 38°1...** Vous avez de la **fièvre**, mais ce n'est pas grave. Vous **toussez**?

JEAN-LUC: Non, mais j'ai souvent des **frissons** et je me sens très fatigué.

---

1. **Se sentir** is conjugated in the same way as the verbs **sortir, partir,** and **servir: je me sens, tu te sens, il/elle/on se sent, nous nous sentons, vous vous sentez, ils/elles se sentent.**

flu / prescription

disappear

OK

LE DOCTEUR: C'est certainement une **grippe**. Je vais vous donner une **ordonnance** et je vais signer un arrêt de travail[2] pour trois jours. Si vos symptômes ne **disparaissent** pas, consultez-moi la semaine prochaine.
JEAN-LUC: **Entendu.** Merci bien, et au revoir, docteur.
LE DOCTEUR: Au revoir, Monsieur.

À vous! (*Exercices de vocabulaire*)

A. Quels sont ses symptômes? Faites une description des symptômes de Jean-Luc en complétant les phrases suivantes.

1. Jean-Luc ne se sent pas _____ .
2. Il est _____ .
3. Il a mal _____ .
4. Il a mal _____ .
5. Il a mal _____ .
6. Il a souvent des _____ .
7. Il se sent très _____ .
8. Il a de la _____ .
9. Il ne _____ pas.
10. Il a certainement une _____ .

---

2. **Un arrêt de travail** is written permission from a doctor to be absent from work. In France, this form is often required by employers and an employer may even call an employee at home to verify that an absence is really due to illness.

B. J'ai mal à... Regardez le dessin et indiquez au médecin où vous avez mal.

MODÈLE: le bras   *J'ai mal au bras.*

1. la tête   2. le bras   3. le ventre   4. le dos   5. la jambe   6. la gorge
7. les pieds   8. les dents   9. le cœur   10. le cou   11. les yeux   12. les
oreilles

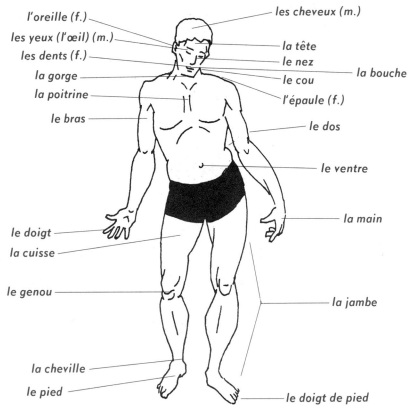

l'oreille (f.)
les yeux (l'œil) (m.)
les dents (f.)
la gorge
la poitrine
le bras
le doigt
la cuisse
le genou
la cheville
le pied

les cheveux (m.)
la tête
le nez
le cou
la bouche
l'épaule (f.)
le dos
le ventre
la main
la jambe
le doigt de pied

STRUCTURE 1: *L'article défini avec les parties du corps*

Elle a mal à **la** jambe.	*Her* leg hurts.
Je me suis lavé **la** tête.	I washed *my* hair.
Il a **les** cheveux bruns.	He has brown hair. (*His* hair is brown.)
Elle a **un** petit nez.	She has *a* small nose.

French uses the definite article rather than the possessive adjective with parts of
the body. Remember also that in physical descriptions, French uses the verb
avoir (*to have*). When an adjective modifies a part of the body, the definite article
is used if the adjective follows the noun; the indefinite article (**un, une, des**) is
used if the adjective precedes the noun.

Application

C. Substituez les mots entre parenthèses aux mots en italique et faites tous les changements nécessaires.

MODÈLE: J'ai mal à la *tête*. (gorge)   *J'ai mal à la gorge.*

1. Il s'est brossé les *dents*. (cheveux)
2. Nous nous sommes lavé les *mains*. (tête)
3. Paul a les *yeux* bruns. (cheveux)
4. J'ai mal au *pied*. (gorge)
5. Elle a mal à la *tête*. (cœur)
6. Ils se sont lavé les *pieds*. (mains)
7. Claudine a mal au *genou*. (dos)
8. As-tu mal au *ventre*? (pieds)

D. Mon voisin, ma voisine. Faites une description physique de la personne assise à côté de vous. Employez le négatif et ensuite l'affirmatif selon le modèle.

MODÈLE: *Ma voisine n'a pas les cheveux noirs; elle a les cheveux blonds.*

E. Chez le médecin. Vous êtes malade et vous consultez votre médecin. Un(e) de vos camarades va jouer le rôle du médecin. Expliquez vos symptômes selon le modèle.

MODÈLE: avoir mal à la tête
—*J'ai souvent mal à la tête.*
—*Est-ce que vous toussez?*
—*Non, je ne tousse pas, mais j'ai mal à la gorge.*

Symptômes: avoir mal à la gorge (tête, cœur, oreilles, partout), avoir de la fièvre (des frissons), tousser, se sentir bien (mal, fatigué)

STRUCTURE 2: *Les expressions avec* avoir

Philippe **a dix ans.**	Philip *is ten years old.*
As-tu froid?[3]	*Are you cold?*
Est-ce que tu **as envie de** sortir?	Do you *feel like* going out?
Le concert **a eu lieu** hier soir.	The concert *took place* last night.
Je n'**ai** pas **besoin** de calmant.	I *don't need* a tranquilizer.

Many common French expressions are formed with the verb **avoir.** As the examples indicate, the interrogative (inversion and **est-ce que**) as well as the negative are built around **avoir.**

---

3. Note that French distinguishes between an object being hot (verb **être**): **le café est chaud**; and a person being hot (verb **avoir**): **Marc a chaud.**

The **passé composé** and immediate future of **avoir** expressions follow the rules you have already learned for these tense formations. Remember that it is always the verb **avoir** that is affected.

1. **Avoir besoin** is accompanied either by **de** + noun when the need is general or by **de** + article + noun when the need is specific.

J'ai besoin **de calme** et **de repos.**	I need *calm* and *rest.*
J'ai besoin **du médicament.**	I need *the medicine.*
J'ai besoin **d'un livre.**	I need *a book.*

2. **Avoir l'air** may be accompanied either by a masculine adjective or by **de** + noun.

Elle **a l'air heureux.**	She *looks happy.*
Ils **ont l'air malade.**	They *look sick.*
Elle **a l'air d'**une jeune fille.	She *looks like* a young girl.
Il **a l'air d'**un homme intéressant.	He *looks like* an interesting man.

Here are some common expressions formed with **avoir:**

avoir... ans	to be... years old
avoir chaud	to feel hot
avoir confiance en	to have confidence in
avoir de la chance	to be lucky
avoir faim	to be hungry
avoir honte	to feel ashamed
avoir horreur de	to dislike intensely
avoir l'habitude de	to be used to
avoir l'intention de	to intend
avoir peur (de)	to be afraid (of)
avoir raison	to be right
avoir soif	to be thirsty
avoir sommeil	to be sleepy
avoir tort	to be wrong

Application

F. Remplacez les mots en italique et faites tous les changements nécessaires.

1. *Marie* a peur des chiens. (ils / nous / Françoise / vous / tu / elle)
2. *Nous* avons besoin de la voiture. (elle / je / ils / on / elles / nous)
3. *Il* a l'air heureux. (vous / tu / elles / les enfants / il)
4. *Elle* a vingt ans? (tu / il / elles / vous / elle)
5. Je n'ai pas *froid*. (chaud / honte / peur / tort / sommeil / soif / raison / froid)

G. Décrivez la situation dans les dessins en employant des expressions avec **avoir**.

MODÈLE: *Il a vingt ans aujourd'hui.*

H. Pourquoi? Posez une question à un(e) autre étudiant(e) selon les indications données. Votre camarade va inventer une réponse à votre question.

MODÈLE: avoir besoin
   —*Pourquoi as-tu besoin de la voiture?*
   —*J'ai besoin de la voiture parce que je voudrais aller en ville.*

1. avoir confiance en
2. avoir horreur de
3. avoir peur de
4. avoir mal à
5. avoir besoin de
6. avoir rendez-vous avec
7. avoir sommeil
8. avoir l'intention de

PRONONCIATION: *Les liaisons obligatoires*

In Chapter 1, you learned to make **liaisons**—for example, **nous habitons**. Liaison refers to the situation in which a final consonant that is normally silent is pronounced when followed by a word beginning with a vowel or a vowel sound. In French, liaison is accomplished by "adding" this final consonant to the following word. Thus, **vous avez** is not pronounced [vuz ave] but rather [vu zave].

French speakers tend to use more liaisons in formal speech and fewer liaisons in informal conversation. Certain liaisons are required **(obligatoires)** in all situations. The following liaisons are mandatory:

1. An article + a noun beginning with a vowel sound:

   un ami, les enfants, des hôtels, ces arbres

2. A subject + a verb beginning with a vowel sound:

   vous êtes, nous arrivons, ils habitent, elles aiment

3. An adjective + a noun beginning with a vowel sound:

   un petit hôtel, de grands arbres, vos amis

4. A one-syllable preposition + a word beginning with a vowel sound:

   dans un musée, chez elle, en hiver

5. After **est:**

   elle est absente, c'est une bonne idée, il est à Paris

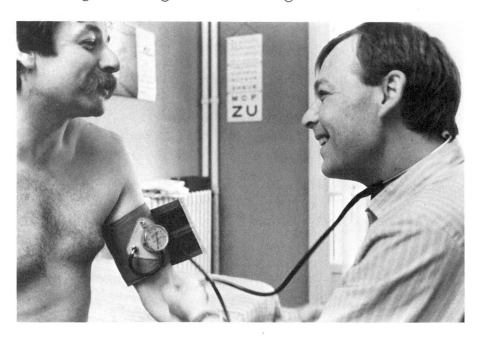

Pratique

I. Read each sentence aloud, taking care to make liaisons whenever necessary.

1. Les étudiants sont allés chez elle.
2. Les asperges sont excellentes en été.
3. Mes amis vont aller en Égypte en hiver.
4. Nous nous occupons des enfants d'un ami.
5. Elles ont l'air très heureux.
6. Ils espèrent passer trois ans en Espagne.

STRUCTURE 3: *Les expressions* depuis quand, depuis combien de temps *et* depuis

Depuis quand fumes-tu?	*How long* (since what point in time) have you been smoking?
Je fume **depuis** 1972.	I've been smoking *since* 1972.
Depuis combien de temps êtes-vous ici?	*How long* (for how much time) have you been here?
Nous sommes ici **depuis** six mois.	We've been here *for* six months.

Depuis quand and **depuis combien de temps** are used to ask questions about something that started in the past and is continuing in the present. **Depuis quand** elicits information about a specific point in time, and the answer **(depuis)** is translated in English as *since*. **Depuis combien de temps** asks how much time has been spent doing something, and the answer **(depuis)** is translated as *for*. Note that any form of **depuis** is usually accompanied by the present tense. However, in the negative, you may use the **passé composé** when you wish to explain that you have not done something *since* a specific point in time or *for* a certain period of time.

Je n'ai pas fumé depuis 1972.	*I haven't smoked since* 1972.
Je n'ai pas travaillé depuis six mois.	*I haven't worked for* six months.

Application

J. Répondez en utilisant les expressions données.

MODÈLE: Depuis quand travaille-t-il? (1980)
Il travaille depuis 1980.

1. Depuis combien de temps étudiez-vous le français? (trois mois)
2. Depuis quand habites-tu ici? (le mois de septembre)
3. Depuis combien de temps parlent-ils espagnol? (cinq ans)
4. Depuis quand êtes-vous malade? (hier soir)

5. Depuis quand a-t-elle mal à la gorge? (lundi dernier)
6. Depuis quand avez-vous mal à la tête? (la semaine dernière)
7. Depuis combien de temps sont-elles en France? (six mois)
8. Depuis combien de temps consultez-vous ce médecin? (deux ans)

K. À la Sorbonne. Un étudiant américain et une étudiante brésilienne se retrouvent après leur cours de philosophie. Avec un(e) autre étudiant(e), jouez les deux rôles et inventez des questions et des réponses pour faire connaissance. Employez **depuis quand, depuis combien de temps** et les verbes donnés.

MODÈLES: être / à Paris   —*Depuis quand es-tu à Paris?*
                      —*Je suis à Paris depuis le mois de juin.*
         ou: —*Depuis combien de temps es-tu à Paris?*
                    —*Je suis à Paris depuis trois mois.*

1. étudier la philosophie   2. être étudiant(e) à la Sorbonne   3. être en France   4. parler français   5. habiter un appartement   6. avoir une voiture

Mise au point (Petite révision de l'étape)

L. Échange. Posez les questions à un(e) autre étudiant(e), qui va vous répondre.

1. Comment est-ce que tu te sens aujourd'hui? Est-ce que tu as mal à la tête?
2. Quels sont tes symptômes quand tu as une grippe?
3. As-tu peur des chiens? Pourquoi, pourquoi pas?
4. Qu'est-ce que tu prends quand tu as soif?
5. Depuis quand est-ce que tu étudies le français? Depuis combien de temps es-tu à l'université?

M. Exercice écrit. Répondez aux questions.

MODÈLE: Qu'est-ce que vous faites quand vous avez soif?
               Quand j'ai soif, je prends un verre d'eau minérale.

1. Qu'est-ce que vous faites quand vous avez sommeil?
2. Depuis combien de temps étudiez-vous le français?
3. Qu'est-ce que vous faites quand vous avez faim?
4. Depuis quand habitez-vous ici?
5. Pourquoi est-ce que vous avez confiance en vos parents?
6. Qu'est-ce que vous avez l'intention de faire le week-end prochain?
7. Qu'est-ce que vous faites quand vous avez une grippe?
8. Quand est-ce que vous consultez votre médecin?

Deuxième Étape

POINT DE DÉPART: À la pharmacie

medicine

Jean-Luc Bonnefoi se trouve à la pharmacie où il va acheter les **médicaments** prescrits par son médecin.

LE PHARMACIEN: Bonjour, Monsieur, vous désirez?

JEAN-LUC: Voici une ordonnance de mon médecin.

can
pill / capsule

LE PHARMACIEN: Bon, je **peux** vous donner ce médicament sous forme de **cachet**, de **pilule** ou de suppositoire.

JEAN-LUC: Je préfère les pilules.

LE PHARMACIEN: D'accord. Voilà , Monsieur... C'est 35 francs. Vous désirez autre chose?

lozenges
drink

JEAN-LUC: Oui, est-ce que vous avez des **pastilles** pour la gorge?

try
light / herbal tea

LE PHARMACIEN: Bien sûr, Monsieur, Voilà des pastilles. Surtout ne **buvez** pas de vin quand vous prenez ces médicaments. Reposez-vous, **essayez** de dormir, ne sortez pas si possible et ne prenez que des repas **légers**. Buvez des **tisanes** et des jus de fruits.

JEAN-LUC: Entendu, et merci, Monsieur.

take care of yourself

LE PHARMACIEN: De rien. **Soignez-vous** bien!

À vous! (Exercices de vocabulaire)

A. Consultez le dialogue et complétez les phrases suivantes.

MODÈLE: Jean-Luc se trouve <u>à la pharmacie.</u>

1. Jean-Luc va acheter _____ .
2. Il préfère le médicament sous forme de _____ .
3. Il paie le médicament _____ .
4. Le pharmacien dit à Jean-Luc:

    a. Ne buvez pas de _____ !
    b. Essayez de _____ !
    c. Ne prenez que _____ !
    d. Buvez des _____ et des _____ !
    e. _____ bien!

B. Buvez... Ne buvez pas... Vous êtes le pharmacien (la pharmacienne) et vous conseillez (*advise*) votre client(e). Employez d'abord l'affirmatif et ensuite le négatif avec les éléments donnés.

MODÈLE: jus de fruits   *Buvez du jus de fruits! Ne buvez pas de jus de fruits!*

1. café 2. eau 3. Coca 4. lait 5. limonade 6. tisanes 7. eau minérale 8. bière 9. vin 10. thé 11. pastis 12. menthe à l'eau

---

NOTE CULTURELLE

The French often consult their local pharmacist when they are not feeling well. If the pharmacist considers the illness to be serious, he or she will advise the customer to see a doctor. In case of a cold or flu, the pharmacist will recommend over-the-counter medicines. Every city and town in France has at least one pharmacy that remains open all night. All other pharmacies have signs on their doors indicating which pharmacy has long hours.

    Here are some ways to tell a pharmacist what you need: **J'ai besoin de quelque chose contre: les hémorroïdes, la toux** (*cough*), **le rhume de foins** (*hayfever*), **la constipation, la migraine, la diarrhée, la grippe, la nausée, le mal de l'air** (*air sickness*), **le mal de mer** (*seasickness*). **J'ai besoin d'un tube d'aspirines, d'une crème anti-soleil, de gouttes pour le nez** (*nosedrops*).

C. À la pharmacie. Imitez le modèle en utilisant les expressions données.

MODÈLE: migraine
    —*Bonjour, Monsieur (Madame, Mademoiselle). Vous désirez?*
    —*Oui, j'ai besoin de quelque chose contre la migraine.*

1. la toux 2. la diarrhée 3. le rhume des foins 4. la fièvre 5. la constipation 6. la grippe 7. les hémorroïdes 8. le mal de mer 9. le mal de l'air 10. la nausée 11. le rhume

Reprise (Première Étape)

D. Qu'est-ce que tu fais quand...? Find out the required information from the other members of your group.

MODÈLE: What they do when they're sick
—*Qu'est-ce que vous faites quand vous êtes malade?*
—*Moi, je vais chez le médecin. Et toi?*
—*Moi, je me couche. Et toi?*
—*Moi, je reste à la maison.*

1. How long they've been studying French
2. What they like to eat when they're hungry
3. What they feel like doing this weekend
4. Since when they have been at the university
5. What they like to have when they're thirsty
6. Whether they're afraid of cats
7. What they do when they have a headache
8. What they feel like today

E. Complétez les phrases suivantes et imitez le modèle.

MODÈLE: J'ai de la chance parce que...
—*J'ai de la chance parce que je suis en bonne santé.*
—*Comment?*
—*Elle a de la chance parce qu'elle est en bonne santé.*

1. J'ai faim parce que...
2. Je suis allé(e) chez le médecin parce que...
3. J'ai horreur de...
4. J'ai l'intention de...
5. J'ai fermé les fenêtres parce que...
6. Je suis ici depuis...
7. J'ai de la chance parce que...
8. Je n'ai pas confiance en...

STRUCTURE 4: *L'impératif*

Fais attention!	*Be* careful!
Mangez les légumes!	*Eat* the vegetables!
Commandons une boisson!	*Let's order* a drink!
Ne parle pas anglais!	*Don't speak* English!

Imperative, or command, forms of verbs are used to give orders, directions, and suggestions. You have already seen imperative forms in chapter titles and exercise directions. The three forms of the imperative—1) **tu** (familiar), 2) **vous** (formal or plural), and 3) **nous** (plural, including yourself)—are based on the present tense. The subject pronoun is omitted and the verb is used alone. In the **tu** form of the imperative, regular **-er** verbs and the verb **aller** drop the **s** from the present tense.

Present tense		**Imperative**
tu travailles	→	travaille!
vous travaillez	→	travaillez!
nous travaillons	→	travaillons!

avoir	**Aie** de la patience!
	Ayez une calculatrice avec vous!
	Ayons du courage!
être	**Sois** patient!
	Soyez ambitieux!
	Soyons courageux!

The verbs **avoir** and **être** have irregular imperative forms.

To form the negative imperative, place **ne** before the verb and **pas** after it.

Tu ne parles pas.	**Ne parle pas!**
Nous ne sortons pas.	**Ne sortons pas!**

Tu te lèves.	**Lève-toi!**
Vous vous reposez.	**Reposez-vous!**
Nous nous arrêtons ici.	**Arrêtons-nous** ici!

The affirmative imperative of reflexive verbs presents a special variation. The reflexive pronoun must be retained and is attached to the verb with a hyphen. The pronoun **te** becomes **toi.**

Vous ne vous parlez pas.	**Ne vous parlez pas!**
Tu ne te lèves pas.	**Ne te lève pas!**

The negative imperative of reflexive verbs follows the same general rules as do other verbs.

Application

F. Donnez les trois formes impératives des verbes suivants.

MODÈLE: prendre un taxi   *Prends un taxi! Prenez un taxi! Prenons un taxi!*

1. rester à la maison   2. être patient   3. avoir du courage   4. changer de direction   5. faire les courses   6. descendre au premier étage
7. s'occuper du malade   8. s'acheter un croissant   9. régler la note

10. se servir de la voiture   11. aller à la gare   12. se réveiller à 6h
13. s'amuser   14. s'arrêter à la boulangerie   15. se dépêcher   16. prendre l'autobus

G. Dites à vos camarades de faire les choses suivantes.

MODÈLE: Tu as besoin de laver ta voiture.   *Lave ta voiture!*

1. Vous avez besoin d'acheter du pain.
2. Nous avons besoin d'aller en ville.
3. Tu as besoin d'étudier les verbes.
4. Nous avons besoin de téléphoner à Jean.
5. Tu as besoin d'apprendre le français.
6. Vous avez besoin de vous raser.
7. Nous avons besoin de sortir ce soir.
8. Tu as besoin de te reposer.

H. Dites à... (Tell...) Dites à vos camarades de faire les choses que vous leur indiquez. Vos camarades sont obligés de faire ce que vous leur dites et ensuite de dire ce qu'ils ont fait.

MODÈLE: —*Chante une chanson!*
             (L'étudiant[e] chante une chanson)   —*J'ai chanté une chanson.*

PRONONCIATION: *Les liaisons interdites*

While some liaisons are required, other liaisons are forbidden **(interdites).** The following liaisons are never made:

1. A proper name + a word beginning with a vowel sound:

   Jean/est là; Robert/a faim; Georges/et Marie

2. A plural noun + a verb beginning with a vowel sound:

   les garçons/ont vu le film; les autres/habitent à Londres; mes parents/ aiment danser

3. **Et** + a word beginning with a vowel sound:

   Paul et/Annick; un thé et/un café

4. **-On, -ils, -elles** (inversion) + a past participle or an infinitive beginning with a vowel sound:

   a-t-on/entendu?; sont-ils/arrivés?; vont-elles/attendre?

Pratique

I. Read each sentence aloud, taking care to avoid prohibited liaisons.

1. Le médecin a prescrit un médicament et un arrêt de travail.
2. Ont-ils envie de sortir?
3. Vont-elles aller à la pharmacie?
4. Richard a soif et il a faim aussi.
5. Marie et Yves habitent à Paris.

STRUCTURE 5: Le verbe irrégulier boire

Qu'est-ce que **vous buvez**?	What *are you drinking*?
Je bois un Coca.	*I'm drinking* a Coke.
Ils ont bu une bière.	*They drank* a beer.

Following is the conjugation of the irregular verb **boire** *(to drink)*.

boire	
je **bois**	nous **buvons**
tu **bois**	vous **buvez**
il/elle/on **boit**	ils/elles **boivent**
Past participle: bu (avoir)	

Application

J. Remplacez le sujet en italique et faites tous les changements nécessaires.

1. *Nous* buvons du vin tous les jours. (je / vous / elles / il / tu)
2. *J'ai* bu une tasse de café. (nous / ils / on / elle / je)
3. Allez-*vous* boire un apéritif avec nous? (tu / elle / ils / il / vous)
4. *Elle* ne boit pas de thé. (nous / ils / on / je / elles)
5. Bois-*tu* du lait? (vous / elle / ils / tu)
6. *Nous* avons bu de l'eau. (elles / tu / il / je / ils / elle)

K. Répondez aux questions.

1. Qu'est-ce que vous buvez quand il fait chaud?
2. Qu'est-ce que vous buvez en hiver?
3. Qu'est-ce que vous buvez quand vous invitez des amis chez vous?
4. Qu'est-ce que vous buvez quand vous allez au match de football?
5. Qu'est-ce que vous buvez au petit déjeuner?
6. Qu'est-ce que vous buvez avec un bifteck?

Mise au point (Petite révision de l'étape)

L. Des plaintes. *(Complaints.)* Vous êtes pharmacien(ne). Recommandez les remèdes entre parenthèses.

MODÈLE: J'ai mal à la tête. (cachets d'aspirine)
           Prenez trois cachets d'aspirine.

1. J'ai mal partout. (médecin)
2. J'ai mal au ventre. (tisane)
3. J'ai de la fièvre. (cachets d'aspirine)
4. Je suis toujours fatigué. (se reposer)
5. Je tousse. (pastilles)

Votre ami(e) a des ennuis. Qu'est-ce que vous recommandez?

MODÈLE: J'ai mal à la tête.   (lait)   *Bois un verre de lait.*

7. J'ai une grippe. (se coucher)
8. Je tousse. (quelque chose contre)
9. Je m'énerve facilement. (se calmer)
10. Je suis constipé. (manger des épinards)

M. Exercice écrit. Employez les éléments donnés pour former des conseils avec l'impératif (affirmatif ou négatif).

MODÈLE: légumes   (tu)   *Mange beaucoup de légumes!*

1. calmants (vous) 2. vin (tu) 3. cigarettes (nous) 4. cachets d'aspirine (tu) 5. Coca (vous) 6. bière (nous) 7. médicaments (tu) 8. salade (vous)

Troisième Étape

POINT DE DÉPART: Un Séjour dans une station thermale

C'est l'été. Jean-Luc et sa grand-mère Mme Grévisse vont à la **station thermale** de Vichy. Ils font **une cure** de trois semaines et se parlent de leur **traitement** et de leurs activités.

health spa	
therapeutic stay / treatment	

liver ailments/severe, serious	JEAN-LUC:	Et tes **crises de foie,** sont-elles toujours aussi **sévères?**
arrival	MME GRÉVISSE:	Un peu moins depuis mon **arrivée.** Cette cure d'eau minérale et
is improving / health		de repas légers **améliore** considérablement ma **santé.** Et toi, tes
		troubles digestifs continuent comme avant?
the least	JEAN-LUC:	Ah, c'est **la moindre** des choses... Le « stress » du travail con-
problems		tribue certainement à mes **ennuis.** J'ai eu une grippe terrible, et
seriously indisposed		en plus, mon accident de voiture m'a **drôlement indisposé.** Je
broke / sprained		**me suis cassé** le bras et je me suis **foulé** la cheville.
hurt yourself	MME GRÉVISSE:	Heureusement tu ne **t'es** pas sérieusement **blessé!**
	JEAN-LUC:	Tu as raison. Les eaux semblent avoir des effets miraculeux.

in short	MME GRÉVISSE: Oui, ici on se repose, on joue au tennis, aux cartes. **Bref**, on s'amuse.
care	JEAN-LUC: Et les **soins** personnalisés, n'oublie pas ça!
that's true / spoiled	MME GRÉVISSE: **En effet**, on est très **gâté**.

À vous! (Exercices de vocabulaire)

A. Remplacez les mots en italique et faites tous les changements nécessaires.

1. Elles sont toujours aussi *sévères?* (graves / importantes / malades / contentes / paresseuses)
2. Un peu moins depuis *mon arrivée*. (la semaine dernière / hier / dimanche / l'année dernière)
3. Et toi, tes *troubles digestifs* continuent? (crises de foie / maladies / ennuis / problèmes)
4. Tu as *raison*. (tort / de la chance / peur / faim / soif)
5. Ici *on* joue au tennis. (nous / je / elle / ils / vous / on)
6. N'oublie pas *ça!* (les cachets / la cure / l'eau minérale / les soins personnalisés)

B. Bon ou mauvais? Décidez si les choses sont bonnes ou mauvaises pour la santé.

MODÈLES: les eaux minérales
  Les eaux minérales sont bonnes pour la santé.

  les accidents de voiture
  Les accidents de voiture sont mauvais pour la santé.

1. les repas légers
2. une cure dans une station thermale
3. le «stress»
4. les sports
5. les cigarettes
6. les légumes
7. le lait
8. les problèmes
9. le café
10. le tennis

Reprise (Deuxième Étape)

C. Une surprise-partie. Vous organisez une surprise-partie pour un de vos amis. Dites aux autres étudiants ce qu'ils vont faire pour préparer la surprise-partie.

MODÈLE: aller / supermarché   *Michel, va au supermarché!*

1. aller / magasin
2. acheter / vin
3. ne...pas se disputer
4. téléphoner / amis
5. inviter Marc
6. ne...pas manger / fromage
7. apporter / disques
8. amener / sœur
9. se dépêcher
10. faire les courses
11. ne...pas boire / eau minérale
12. acheter / pain et pâté

D. Imitez le modèle en employant les éléments donnés.

MODÈLE: migraine / cachets —*J'ai une migraine.*
—*Prends des cachets.*
—*J'ai déjà pris des cachets.*

1. mal au ventre / tisane
2. mal à la tête / pilules
3. malade / médecin
4. fatigué / se reposer

5. grippe / pharmacie
6. fièvre / aspirine
7. énervé / calmant
8. rhume / gouttes pour le nez

STRUCTURE 6: *Les pronoms accentués*

Elle s'est mariée avec **lui?**   Did she marry *him?*
Qu'est-ce que tu fais, **toi?**   What are *you* doing?

Disjunctive pronouns **(les pronoms accentués)** are personal pronouns that are used very frequently in French. The following is a list of disjunctive pronouns with their corresponding subject pronouns:

je →	**moi**	elle →	**elle**	vous →	**vous**
tu →	**toi**	on →	**soi**	ils →	**eux**
il →	**lui**	nous →	**nous**	elles →	**elles**

Disjunctive pronouns are used in the following situations:

1. As objects of a preposition:

avec **moi**	devant **nous**	loin de **nous**	contre **toi**
sans **lui**	à côté d'**eux**	près de **moi**	pour **vous**
chez[4] **elle**	derrière **vous**	en face de **lui**	entre **nous**

2. As parts of a compound subject:

Vous et moi, nous allons nous retrouver à midi.
Lui et elle, ils vont se retrouver à 2h.

3. After **c'est** and **ce sont:**

C'est moi.   **Ce sont eux.**   **C'est nous.**

Note that the plural form **ce sont** is used only with **eux** and **elles** (third-person plural). **Nous** and **vous** are introduced by **c'est.**

---

4. **Chez** means *at someone's house* or *at someone's office:* **chez mes parents, chez le dentiste, chez lui.**

4. As a one-word answer:

   Qui va au supermarché? **Lui.**

5. For emphasis, at either the beginning or the end of a sentence:

   Moi, je préfère parler français.   Il adore le pastis, **lui.**

6. With **-même** *(-self):*

   Je vais téléphoner **moi-même.**   Nous allons descendre **nous-mêmes.**

Note the plural agreement of the word **-mêmes** when the disjunctive pronoun is plural.

7. To indicate possession with the verb **être à:**

   Cette auto **est à elle.**   Ces cachets **sont à moi.**

8. With **penser à, penser de, s'intéresser à:**

   Est-ce que tu **penses à eux?**   Elle **s'intéresse à lui?**
   Qu'est-ce que vous **pensez d'elle?**

Application

E. Transformez les phrases en utilisant **être à.**

MODÈLE: C'est la chemise de Jean.   *Cette chemise est à lui.*

1. C'est la voiture de M. et de Mme Dupont.
2. C'est le parapluie de l'avocat.
3. C'est le billet de Janine.
4. Ce sont mes clés.
5. C'est votre sac?
6. Ce sont les livres des étudiants.
7. C'est la maison de sa mère.
8. Ce sont nos peintures.

F. Insistons! Ajoutez un pronom accentué au début ou à la fin de chacune des phrases.

MODÈLE: Je n'ai pas de troubles digestifs.
            Moi, je n'ai pas de troubles digestifs.
     ou: *Je n'ai pas de troubles digestifs, moi.*

1. Il a des crises de foie.
2. Elles ont des ennuis.
3. Nous avons raison.
4. Ils sont toujours malades.
5. Je vais chez le pharmacien.
6. Tu t'en vas?
7. Il préfère la station thermale à Vichy.
8. Elle fait une cure d'eau minérale.

G. Raison ou tort? Indiquez si, à votre avis, chaque personne a raison ou tort. Ensuite, exprimez votre point de vue, en commençant les phrases avec **moi.**

MODÈLE: Michel va consulter son médecin.
> *Il a raison, lui. Moi aussi je vais consulter mon médecin.*
> ou: *Il a tort, lui. Moi, je vais consulter le pharmacien.*

1. Janine fume des cigarettes.
2. Marc va acheter une voiture.
3. Mme Sucret va téléphoner à la police.
4. Mes parents vont aller à une station thermale.
5. Mon frère va faire une cure à Vittel.
6. Agnès va prendre trois cachets d'aspirine.

PRONONCIATION: *La liaison et la consonne* h

Even though **h** is never pronounced, it behaves in two different ways with regard to liaison. In most words that begin with **h**, the **h** is mute. In the singular, words with mute **h** take the definite article **l'**: **l'hôtel.** In the plural, liaison is obligatory: **les͜ hôtels.** Other words, however, begin with an aspirate **h** (**h aspiré**). In such cases, the word "acts" as if the **h** were pronounced (although it is actually silent). As a result, in the singular, the definite article **le** or **la** is used: **le hall, la Hollandaise.** In the plural, liaison is forbidden: **les/halls, les/Hollandaises.** Dictionaries usually indicate an aspirate **h** with a special symbol (an asterisk or a comma).

Pratique

H. Read each word group aloud, making or omitting the liaison as indicated.

cet hôpital	il est dix heures	sans / haine
un hôtel	en hiver	un / hasard
je suis heureux	un grand homme	des / hors-d'œuvre
je me suis habillé	elles habitent	dans / huit jours
des histoires	des habitudes	en / haut

STRUCTURE 7: *Les verbes* jouer à *et* jouer de

Ils **jouent** dans le parc.	They're *playing* in the park.
Aimez-vous **jouer au tennis?**	Do you like *to play tennis?*
Non, je préfère **jouer au golf.**	No, I prefer *to play golf.*
Joues-tu **du piano?**	Do you *play the piano?*
Non, je **joue de la guitare.**	No, I *play the guitar.*

The verb **jouer** can either stand alone or be accompanied by the prepositions **à** or **de**. Study the following three uses of **jouer:**

jouer *(to play)*	Janine **joue** avec ses amis.
	Ils **jouent** dans le jardin.
jouer à *(to play a sport, cards)*	Ils **jouent au** football.
	Nous **jouons aux** cartes.
jouer de *(to play an instrument)*	Nous **jouons du** violon.
	Je **joue de la** flûte.
	Tu **joues de** l'accordéon?

Application

I. Remplacez les mots en italique et faites tous les changements nécessaires.

1. Paul joue au *golf*. (tennis / cartes / guitare / violon)
2. Je préfère jouer au *tennis*. (bridge / piano / accordéon / football)
3. Aime-t-elle jouer du *piano*? (golf / flûte / cartes / basket)
4. Joue de la *guitare!* (base-ball / golf / piano / violon / rugby)

J. Du temps libre. *(Free time.)* Expliquez aux autres étudiant(e)s ce que vous faites et ce que vous ne faites pas quand vous avez du temps libre. Employez **jouer à, jouer de** et d'autres verbes que vous avez déjà appris.

MODÈLE: bridge —*Moi, je joue au bridge. / Moi, je ne joue pas au bridge.*

1. flûte 2. piano 3. golf 4. accordéon 5. tennis 6. violon 7. base-ball 8. cartes 9. guitare 10. basket

Mise au point (Petite révision de l'étape)

K. Échange. Qu'est-ce que tu vas faire demain? Demandez à votre partenaire ce qu'il(elle) a l'intention de faire demain. Employez les éléments donnés.

MODÈLE: chez —*Est-ce que tu vas rester chez toi?*
—*Non, je ne vais pas rester chez moi.*
ou: —*Quand est-ce que tu vas aller chez tes parents?*
ou: —*Pourquoi ne vas-tu pas aller chez Michel?*

1. dentiste 2. tennis 3. piano 4. cartes 5. chez 6. jouer à 7. jouer de 8. moi 9. eux

L. Exercice écrit. Composez des phrases avec les éléments donnés et des pronoms accentués.

MODÈLE: je / bridge   *Moi, je joue au bridge le mercredi avec mes amis.*

1. ils / français
2. nous / guitare
3. tu / parents / ?
4. elle / avocat
5. vous / rendez-vous / ?
6. il / golf
7. je / faim
8. elles / cartes

Quatrième Étape

LECTURE: L'Homéopathie

This reading passage describes the basic difference between allopathic and homeopathic medicine. As you read the text, look for the words that you consider most important in characterizing this difference.

«Je ne me sens vraiment pas bien...» «J'ai une migraine...» «Je dors très mal...» «Ça ne va pas du tout.» Ces plaintes,[1] que nous entendons[2] tous les jours, semblent indiquer que nous sommes tous souffrants.[3] Nous faisons de la tension,[4] nous avons une courbature,[5] et même si nous ne sommes pas à l'hôpital, nous sommes en très mauvais état.[6]

Que faisons-nous alors pour nous protéger[7] contre les maladies? Depuis des années, les Américains ont la manie des[8] vitamines et du jogging; ils font de la publicité[9] contre le tabac, l'alcool, le sel, le sucre; mais ils prennent aussi beaucoup d'antibiotiques qui ont pour but[10] de détruire[11] les microbes qui attaquent le corps. Certains médecins, particulièrement en Europe, ne sont pas d'accord avec ce genre de[12] traitement. Ces homéopathes maintiennent qu'il faut fortifier le corps par des moyens[13] naturels, comme des extraits de plantes, et qu'il ne faut pas empoisonner le corps avec des substances chimiques.[14] Selon eux, si la résistance naturelle est développée, les maladies se guérissent[15] plus rapidement et les rechutes[16] sont plus rares. L'important c'est donc de donner au corps la force de combattre lui-même les microbes, sans l'intervention de substances artificielles.

En France, on peut[17] toujours choisir[18] de se faire soigner par un homéopathe, et il y a beaucoup de Français qui ont énormément de confiance en eux. Même les pharmacies leur[19] offrent un choix entre les médicaments à base chimique et les remèdes[20] homéopathes.

Est-ce que l'homéopathie est la solution à nos ennuis de santé? Peut-être bien, car nous commençons à reconnaître[21] que les produits chimiques n'éliminent souvent que les symptômes et ne nous aident pas à nous guérir nous-mêmes.

---

1. complaints 2. hear 3. ailing 4. have high blood pressure 5. ache 6. in bad shape 7. to protect 8. are crazy about 9. advertisement 10. goal 11. to destroy 12. that kind of 13. means 14. chemical 15. are cured 16. relapses 17. can 18. choose 19. them 20. remedies 21. to recognize

Compréhension

A. Décidez si **oui** ou **non** chaque expression caractérise l'homéopathie.

MODÈLE: remèdes naturels *oui*

1. les antibiotiques
2. fortifier le corps
3. extraits de plantes
4. substances chimiques
5. substances artificielles
6. la résistance naturelle
7. les rechutes sont plus rares
8. un médicament à base chimique

B. Des phrases **a-c**, choisissez celle qui exprime le mieux l'idée du texte.

1. Depuis des années, les Américains ont la manie des vitamines et du jogging.
   a. Les Américains n'aiment pas les vitamines et le jogging.
   b. Les vitamines et le jogging sont importants depuis peu de temps.
   c. Les Américains pensent que les vitamines et le jogging sont bons pour la santé.
2. Il ne faut pas empoisonner le corps avec des substances chimiques.
   a. Les substances chimiques sont mauvaises pour la santé.
   b. Les poissons contiennent beaucoup de substances chimiques.
   c. Le corps a besoin de substances chimiques.
3. L'important c'est de donner au corps la force de combattre lui-même les microbes.
   a. Le corps ne peut pas combattre les microbes.
   b. Le corps peut lui-même combattre les maladies.
   c. À l'intérieur du corps, les microbes se combattent.
4. Les produits chimiques n'éliminent souvent que les symptômes.
   a. Les produits chimiques n'éliminent pas les symptômes.
   b. Les produits chimiques éliminent les symptômes mais pas toujours la maladie.
   c. Les produits chimiques éliminent toujours les symptômes.

Reprise (Troisième Étape)

C. Répondez affirmativement aux questions et remplacez le mot en italique par un pronom accentué.

MODÈLE: Est-ce qu'elle s'occupe de *son frère?*
            Oui, elle s'occupe de lui.

1. Pensez-vous à *vos parents?*
2. Est-ce qu'il s'intéresse à *Simone?*
3. Qui prépare le repas? *Paul.*
4. Est-il allé au théâtre avec *ses sœurs?*
5. Travailles-tu pour *Marcel?*
6. Est-ce que ces clés sont à *toi?*
7. Va-t-il chez *les Massignon?*
8. Allez-vous au cinéma avec *nous?*
9. Est-ce que le professeur s'intéresse à *ses étudiants?*
10. As-tu rendez-vous avec *ta tante?*

D. Feeling sick, you call a friend, describe your symptoms, and ask him or her to go to the pharmacy. Your friend goes to the pharmacy and describes your symptoms to the pharmacist, who makes a recommendation. Your friend returns and explains the medicine and the pharmacist's recommendations.

E. Discuss with the others in your group good and bad health habits that you have. For example, do you get a lot of exercise, a moderate amount, or none at all? Do you play tennis? Do you smoke? Do you take a lot of aspirin or other medicines? What do you eat? Do you get enough sleep? Do you get too much salt and sugar? Etc.

F. Faisons du théâtre. Prepare a skit based on one of the following situations: 1) **un séjour dans une station thermale;** 2) **une visite chez le médecin;** 3) **chez le pharmacien.**

G. Une photo. Study the photograph on page 237 and describe what is happening in the photo.

Vocabulaire actif

NOMS

un accordéon
la bouche
un bras
un cabinet
un cachet
un calmant
le cœur
le corps
le cou
une crise de foie
une cure
un doigt
le dos
un énervement
un ennui
la fièvre
une flûte
un frisson
un genou
la gorge
une grippe
une guitare
une jambe

un jus de fruit
un médicament
le nez
une ordonnance
une oreille
une pastille
un piano
un pied
une pilule
une salle d'attente
la santé
le soin
une station thermale
un suppositoire
un symptôme
une tisane
le ventre
un violon

ADJECTIFS

gâté(e)
grave
léger(ère)
malade

VERBES

avoir besoin de
avoir chaud
avoir confiance en
avoir de la chance
avoir envie de
avoir faim
avoir froid
avoir honte
avoir horreur de
avoir l'air (de)
avoir l'habitude
avoir lieu
avoir l'intention de
avoir mal (à)
avoir peur (de)
avoir raison
avoir rendez-vous (avec)
avoir soif
avoir sommeil

avoir tort
se blesser
boire
se casser
essayer (de)
faire attention (à)
s'intéresser à
jouer à
jouer de
penser à
penser de
se sentir
se soigner
tousser

AUTRES EXPRESSIONS

certainement
chez
depuis
en effet
entendu
malheureusement
partout
plusieurs

CHAPITRE ONZE

Amusons-nous!

Première Étape
Faisons du sport!

Deuxième Étape
Au spectacle

Troisième Étape
Un Jour de fête

Quatrième Étape
Lecture: Les Vacances

POINT DE DÉPART: *Faisons du sport!*

to show / championship
(play-off) game
soccer
of course everyone

Régine et Philippe parlent avec des amis. Cet après-midi on va **passer la finale** de la coupe de France de **football** à la télévision, et **bien entendu, tout le monde** parle des sports.

—Tu vas regarder la finale, toi?

—Non, je ne m'intéresse pas beaucoup au football.

that's too bad / great
anyway, in any case /
unbeatable
to win / you'll see

depends on

team / exciting

to each his own
checkers

—**C'est dommage!** Un match entre Lyon et Nantes, ça va être **épatant!**

—**De toute façon,** les Lyonnais sont **imbattables**...

—Pas du tout. Nantes va **gagner, tu verras**...

—Ne vous disputez pas déjà . Moi, je préfère les sports individuels. Quand on fait du patinage ou du ski, on ne **dépend** que **de** soi-même.

—Oui, mais les sports d'**équipe**... c'est **passionnant!** Un bon match de basket-ball ou de rugby est un vrai effort collectif.

—**Chacun à son goût**... Moi, personnellement, je vais rentrer et je vais jouer aux **dames!**

Nous avons fait...

de l'alpinisme	de la **natation**	swimming
de la boxe	du ski	
du cyclisme	de la gymnastique	horseback riding/
de l'**équitation**	du **canotage**	canoeing
du footing (du jogging)	du **patinage**	skating

Nous sommes allés..

nager	à la **pêche**	à la **course** fishing/racing
		automobile

À vous! (Exercices de vocabulaire)

A. Faisons du sport! Proposez à vos amis les activités suivantes.

MODÈLE: ski   *Faisons du ski!*

1. natation 2. gymnastique 3. patinage 4. canotage 5. ski 6. boxe
7. cyclisme 8. jogging 9. équitation 10. footing 11. alpinisme

B. Participons! Expliquez à vos camarades pourquoi vous pratiquez ou ne pratiquez pas les sports suivants.

MODÈLE: l'alpinisme
Je fais de l'alpinisme parce que j'aime le danger.
ou: *Je ne fais pas d'alpinisme parce que j'ai peur dans les montagnes.*

1. ski 2. nager 3. patinage 4. boxe 5. pêche 6. cyclisme 7. rugby
8. base-ball 9. golf 10. équitation 11. football américain
12. gymnastique 13. alpinisme 14. tennis 15. football 16. canotage
17. jogging

NOTE CULTURELLE	In general, the French would rather watch sports than participate in them. This may be changing somewhat among the younger generations, who seem to be particularly interested in such sports as cycling, soccer, and jogging. For those who prefer more solitary or tranquil outdoor activities, hunting, fishing, and **boules (pétanque)** are still the most popular sports in France. **Boules** is usually played in teams of two. The object of the game is to toss heavy metal balls as close as possible to a small wooden ball that has previously been tossed about ten yards from the players. This game can be played anywhere and is a favorite activity among elderly men in particular.
	As for spectator sports, all of France comes alive at the time of the **Tour de France** (cycling) and the **Coupe de France de football** (soccer).

STRUCTURE 1: Les expressions avec faire

Je **fais du sport.**	I'm *involved in sports.*
Nous **faisons du français.**	We *study French.*
Il **a fait de la musique.**	He *was involved in music.*
Elles **font les courses** tous les jours.	They *go shopping* every day.
Demain il va **faire beau.**	Tomorrow it's *going to be beautiful.*

The verb **faire** is used in many idiomatic expressions. Note that the English equivalent of **faire** is often other than *to make* or *to do.*

Here are some common expressions with **faire:**

Les loisirs (Leisure-time activities)

faire l'amour	to make love
faire du camping	to go camping
faire du crochet	to do crocheting
faire du jardinage	to do gardening
faire la (une) sieste	to take a nap

Le ménage (Household)

faire de la couture	to do sewing (sew)
faire la cuisine	to cook
faire la lessive	to do the laundry
faire le ménage	to do the housework
faire la vaisselle	to do the dishes

Les études (Studies)

faire les devoirs	to do homework
faire son droit, sa médecine	to study law, medicine
faire des études	to pursue studies

D'autres expressions utiles

faire la connaissance de	to meet
faire des économies	to save money
faire de la politique	to be involved in politics
faire sa toilette	to prepare oneself, to dress

Application

C. Remplacez les mots en italique et faites tous les changements nécessaires.

1. Est-ce que vous faites de la *musique?* (patinage / jardinage / ménage / couture / natation / économies)

2. Ce matin, j'ai fait les *courses*. (ménage / cuisine / vaisselle / lessive / devoirs)
3. Vas-tu faire tes *devoirs?* (droit / médecine / français / toilette)
4. Ils ont fait des *économies*. (politique / études / voyage / camping / anglais / tennis)

D. Indiquez ce que font les personnes selon les descriptions données. Employez les expressions avec **faire.**

MODÈLE: Je suis très sportif.   *Je fais du sport.*

1. Il aime la musique.
2. Elles adorent aller dans les Alpes.
3. Nous avons faim.
4. J'ai besoin de pain et de légumes.
5. Il s'occupe de la maison.
6. Nous allons acheter une voiture très chère.
7. J'ai envie d'être avocat.
8. Ils sont très fatigués.

E.   Terminez les phrases par une expression avec **faire.**

MODÈLE: Quand j'ai envie de m'amuser...
            Quand j'ai envie de m'amuser, je fais une promenade avec mes amis.

1. Quand j'invite des amis chez moi...
2. Quand je vais sortir...
3. Quand j'ai envie de dormir...
4. Quand j'ai besoin d'exercice...
5. Quand je rentre après mes cours...
6. Quand je vais préparer un repas...
7. Quand j'ai envie de m'amuser...
8. Quand j'ai besoin d'argent...

F.   Trouvez quelqu'un qui... Circulez dans la classe et trouvez un(e) étudiant(e) qui fait chacune des choses suivantes.

MODÈLE: Trouvez quelqu'un qui fait de la musique.
            —Fais-tu de la musique?
            —Oui, je fais de la musique.

Trouvez quelqu'un qui

1. fait du judo
2. fait du ski
3. fait le ménage tous les jours
4. fait des économies
5. déteste faire la vaisselle
6. aime faire la vaisselle
7. fait du jardinage
8. aime faire de la couture

9. va faire de la politique
10. va faire son droit
11. va faire un grand voyage

12. n'a pas fait sa toilette ce matin
13. a envie de faire une sieste
14. a fait sa lessive hier

STRUCTURE 2: *Le verbe irrégulier* connaitre

Nous ne **connaissons** pas très bien la France.	*We* don't *know* France very well.
Connaissez-vous le frère de Marie?	*Do you know* Mary's brother?
Non, mais **je connais** sa sœur.	No, but *I know* her sister.

The verb **connaître** *(to know a person or a place)* has the following conjugation in the present tense:

connaître	
je **connais**	nous **connaissons**
tu **connais**	vous **connaissez**
il/elle/on **connaît**	ils/elles **connaissent**
Past participle: **connu** (avoir)	

The passé composé of **connaître** (**j'ai connu,** etc.) means *to meet* rather than *to know* a person. Compare the following sentences:

Je connais Jeanne.	*I know* Jean.
J'ai connu Jeanne chez Robert.	*I met* Jean at Robert's house.

Application

G. Remplacez les mots en italique et faites tous les changements nécessaires.

1. *Je* connais New York. (nous / elle / tu / ils / vous / je)
2. *Elle* ne connaît pas Marianne. (je / il / elles / nous / tu / elle)
3. Connais-*tu* ce monument? (vous / il / elles / elle / tu)
4. *Il* a connu Christiane chez Marc. (je / nous / elles / tu / vous / il)

H. Composez des phrases avec les éléments suivants. Conjuguez le verbe **connaître** au présent.

MODÈLE: nous / Rome   *Nous connaissons Rome.*

1. elle / Françoise
2. vous / la France / ?

3. ils / Chicago
4. je / Londres

5. il / ma cousine
6. nous / Paris

7. tu / Philadelphie / ?
8. elles / ces monuments

I. En employant les éléments donnés, composez avec un(e) autre étudiant(e) d'abord une question et ensuite une réponse. Suivez le modèle.

MODÈLE: Je connais le président. (Paris)
—*Où as-tu connu le président?*
—*J'ai connu le président à Paris.*

1. Annie connaît ta mère. (surprise-partie)
2. Nous connaissons les étudiants. (match de football)
3. Il connaît Jean-Luc. (boulangerie)
4. Elles connaissent Yvonne. (café)
5. Je connais M. Dupont. (Rome)
6. Éric connaît ton frère. (musée)
7. Nous connaissons Robert. (université)
8. Donald connaît Jeannette. (Boston)

PRONONCIATION: *Le groupement des mots*

In English, there tends to be a slight pause between words. As a result, native English speakers can readily distinguish, for example, between *ice cream* and *I scream.* In French, however, this pause is often lacking. Consequently, the word **élégant** and the phrase **et les gants** sound exactly the same. The absence of clear-cut breaks between words means that the basic element of spoken French is the phrase, or group of related words.

You have probably already noticed the numerous phrases and clauses you have been asked to learn: for example, **au revoir, n'est-ce pas, un sandwich au fromage, quelle heure est-il**, etc. Usually the word groups are logically organized according to the grammatical structure of the sentence. Here are some frequent word groupings:

1. **Subject and verb:** je parle, nous sommes, elles ont
2. **Subject, verb and modifiers or pronouns:** je ne travaille pas, il se couche, nous nous dépêchons
3. **Article, noun, and adjective** (or **article, adjective, and noun**): un restaurant français, des livres intéressants, un grand homme, une petite ville, de nouveaux amis
4. **A preposition and its complement:** au cinéma, dans la chambre, avec mes amis

It is important, both when listening and when speaking, to work with word groups rather than with individual words.

Pratique

J. Read each word group aloud, taking care to avoid pauses between words.

je ne vais pas / nous avons fait / ils n'ont pas faim / un grand repas / des exercices faciles / un match épatant / ne vous disputez pas / au café / de toute façon / c'est dommage / pas du tout / je vais rentrer / ma petite amie / un bon match / en face du cinéma / vous et moi

STRUCTURE 3: *Le verbe irrégulier* savoir

Sais-tu nager? Oui, **je sais** nager.	*Do you know how* to swim? Yes, *I know how to* swim.
Savez-vous que Pierre est malade?	*Do you know that* Peter is sick?
Je sais le français, et toi?	*I know* French, and you?
Elle ne sait pas le titre du livre.	*She doesn't know* the title of the book.

The conjugation of the irregular verb **savoir** (*to know*) is as follows:

savoir	
je **sais**	nous **savons**
tu **sais**	vous **savez**
il/elle/on **sait**	ils/elles **savent**
Imperative: **sache, sachez, sachons**	
Past participle: **su** (avoir)	

Savoir can be used to express the following ideas:

1. **Savoir** + infinitive = to know how to do something.

   Il sait jouer du piano.   *He knows how to play* the piano.

2. **Savoir** + **que** + clause = to know that...

   Nous savons qu'il travaille pour Air France.   *We know that* he works for Air France.

3. **savoir** + a language = to know a language.

   Elles savent l'espagnol, mais **elles ne savent pas** le chinois.   *They know* Spanish, but *they don't know* Chinese.

4. **Savoir** + factual information = to know something.

   Nous savons la réponse.   *We know* the answer.

Note the use of **savoir** as a filler in conversation.

> Oh, **vous savez,** ce n'est pas très grave.
>
> Oh, *you know,* this isn't very serious.

When **savoir** is used in the passé composé, the meaning of the verb changes. Note the difference in meaning in these two sentences:

> **Je sais que** Marie est en Italie.
> **J'ai su** hier **que** Paul va se marier.
>
> *I know that* Marie is in Italy.
> *I found out* yesterday *that* Paul is going to get married.

Application

K. Répondez affirmativement.

MODÈLE: Moi, je sais faire la cuisine. Et lui?
          Lui, il sait faire la cuisine aussi.

1. Nous savons qu'elle est à l'hôpital. Et lui?
2. Je sais le français. Et les enfants?
3. Elles savent jouer du piano. Et Marc?
4. Nous savons qu'il est à Paris. Et toi?
5. Il sait que nous préférons le pâté. Et vous?
6. Je sais chanter. Et Claudine?
7. Elle sait faire de l'alpinisme. Et toi?

L. Savent-ils que...? Employez les éléments donnés pour composer des phrases avec **savoir que.**

MODÈLE: Elle est à l'hôpital. (Jacques)
              Jacques sait qu'elle est à l'hôpital.

1. Vous faites de l'alpinisme. (nous)
2. Ils adorent la cuisine française. (ma mère)
3. Elle a rencontré son fiancé en France. (je)
4. Tu sais parler italien. (elles)
5. J'ai consulté le pharmacien. (il)
6. Elles ont pris le métro. (je)

M. Je ne sais pas... Expliquez pourquoi il est impossible de faire les choses suivantes.

MODÈLE: Téléphonons à Marie-Claire. (numéro de téléphone)
              Je ne sais pas son numéro de téléphone.

1. Prenons le métro pour aller au Louvre. (direction)
2. Achetons le livre pour le cours de philosophie. (titre)
3. Allons chez les Monnier. (adresse)
4. Réservons des places pour le concert. (date)
5. Parlons à ce monsieur. (nom)
6. Téléphonons chez Philippe. (nom de famille)

Mise au point (Petite révision de l'étape)

N. Échange. Utilisez les expressions données pour poser des questions.

MODÈLE: faire de la couture   —*Sais-tu faire de la couture?*
                                         —*Oui, je sais faire de la couture.*
                                  ou: —*Aimes-tu faire de la couture?*
                                  ou: —*Fais-tu souvent de la couture?*

1. savoir (sport)   2. savoir que   3. connaître (ville)   4. connaître (personne)
5. savoir (langue)   6. savoir (renseignement)   7. faire le ménage   8. faire la
lessive   9. faire la cuisine   10. faire de la politique   11. faire la
connaissance de

O. Exercice écrit. Composez des phrases avec les éléments donnés.

1. nous / ne...pas / faire du ski / souvent
2. je / savoir que / Michèle / aller / France / été
3. tu / connaître / Bruxelles / ?
4. vous / savoir / titre / film / ?
5. ils / ne...pas / faire le ménage *(passé composé)* / matin
6. elle / faire des études *(futur immédiat)* / médecine

Deuxième Étape

POINT DE DÉPART: *Au spectacle*

CINEMA

classement par genre

AVENTURES (AV)

LES AVENTURES DE ROBIN DES BOI
adventures of Robin Hood 1938 améric
couleurs de Michaël Curtiz avec Errol Flynn,
de Havilland, Basil Rathbone, Claude
♦ Acacias 215 v.f.

LES AVENTURIERS DE L'ARCHE PERDUE
ders of the lost ark 1980 américain en coule
Steven Spielberg avec Harrison Ford, Karen /
Paul Freeman, Ronald Lacey, John Rhys-Da
♦ Saint-Michel 44 v.o. ♦ George V 93 v.o. ♦ L
Haussmann 137 v.f.

BALLON ROUGE 1956 français en noir et b
d'Albert Lamorisse avec Pascal Lamori
♦ Palace 205

BERMUDES, TRIANGLE DE L'ENFER 1979 it
espagnol en couleurs d'Anthony Richmond a
Andres Garcia, Janet Agren, Arthur Kenne
♦ Club 123 v.f.

BUTCH CASSIDY ET LE KID Butch Cassidy a
the sundance Kid 1969 américain en scope et
couleurs de George Roy Hill avec Paul Newma
Robert Redford, Katharine Ross. ♦ Daumesnil 1t

DRAMES
PSYCHOLOGIQUES (DP)

ACCIDENT 1966 anglais en couleurs de Joseph
Losey avec Dirk Bogarde, Stanley Baker, Jacqueline
Sassard, Michael York, Delphine Seyrig.
♦ Châtelet-Victoria 1 v.o.

LES ANNEES DE PLOMB 1981 allemand en
couleurs de Margarethe Von Trotta avec Jutta
Lampe, Barbara Sukowa, Rudiger Vogler, Verenice
Rudolph. ♦ Les Forums Cinémas 2 v.o.
♦ Quintette Pathe 40 v.o. ♦ La Pagode 82 v.o.
♦ Elysees Lincoln 87 v.o. ♦ Les 7 Parnassiens
181 v.o. ♦ Olympic Entrepot 193 v.o.
♦ Saint-Lazare-Pasquier 104 v.f. ♦ Paramount

une semaine de paris
pariscope

théâtre : qui a peur de virginia woolf ?
cinéma : une interview de jean-pierre mocky
personnalité : daniel toscan du plantier

mez les portes... ils arriv

Il mène une vie banale de banlieusard.
Des qu'ils entrerent, un univers comique et
cauchemardesque changera son existence.

JOHN BELUSHI DANS DAN AYKROYD
Les Voisins
"Un cauchemar de rires."

GRANDS CLASSIQUES (GC)

LES CHEVAUX DE FEU Teni zabypych Predkov
1964 soviétique en couleurs de Serge Paradjanov
avec I Mikolaitchouk, L Kadotshnikova. ♦ Rivoli
Cinema 28 v.o.

EN GAGNANT MON PAIN 1938 soviétique en noir
et blanc de Marc Donskoï avec Alexeï Larsky,
Varvara, Massalitinova. ♦ Le Cosmos 60 v.o.

LES ENFANTS DU PARADIS 1943 française en
noir et blanc de Marcel Carné avec Jean-Louis
Barrault, Arletty, Pierre Brasseur, Marcel Herrand,
Maria Casares ♦ Le Ranelagh 212

POLICIERS (PO)

BLOW OUT 1981 américain en couleurs de Brian
le Palma avec John Travolta, Nancy Allen, Dennis
ranz, Terrence Curner, John Lightgow. ♦ U.G.C.
ierritz 105 v.o.

CHINATOWN 1974 américain en couleurs de
oman Polanski avec Jack Nicholson, Faye Duna-
ay John Huston Int — 13 ans ♦ Le Ranelagh
12 v.o.

SCIENCE-FICTION (SF)

CONQUETE DE LA TERRE Conquest of the
th 1980 américain en couleurs de Sidney
ers, Sigmund Neufeld Jr, Barry Crané avec
t McCord, Barry Van Duke, Robyn Douglas,
e Greene. ♦ Paris-Loisirs-Bowling 244 v.f.

1 : **L'ODYSSEE DE L'ESPACE** 2001 : A
ce Odyssey 1968 américain en couleurs de
ley Kubrick avec Keir Dullea, Gary Lockwood,
m Sylvester. ♦ Action Christine 58 v.o.
3 Haussmann 137 v.f.

STERNS (WS)

Un groupe d'amis consulte *Pariscope* pour décider comment ils vont passer la soirée.

—C'est décidé, on va au théâtre ce soir.

that, so / to see / play —Je ne sais pas. Je n'ai pas **tellement** envie de **voir** une **pièce.**

want —Alors qu'est-ce que tu **veux** faire, toi?

can —Euh... on **peut** aller au concert.

—Ah non! Nous sommes allés au concert la semaine dernière.

the only thing left is / horror —**Il ne reste que** le cinéma. Nous avons le choix entre un film **d'épouvante,** une

musical / documentary **comédie musicale,** un **documentaire,** un Western...

detective, mystery movie / —Allons voir *Chinatown*... Un bon **film policier nous fera du bien.**
will be good for us

Au **ciné-club** de la rue d'Ulm.

tip / usher

—Tu as donné un **pourboire** à l'**ouvreuse?**

—Bien sûr. À l'**entr'acte** vous allez me payer des bonbons et un Coca.

—À quelle heure commence le film?

time

—À 20h30. Encore dix minutes, ne t'impatiente pas. C'est la première **fois** que tu vois ce film?

in the original language

—Non, mais c'est la première fois que je vois la **version originale.**

—Moi aussi. Qui sait! Nous allons peut-être comprendre quelques mots maintenant que nous avons fait de l'anglais!

À vous! (Exercices de vocabulaire)

A. Regardez la page de *Pariscope* à la page 273 et le billet à la page 277 et répondez aux questions.

1. Quel âge faut-il avoir pour voir *Chinatown?*
2. Est-ce que le film *Les Enfants du paradis* est un film en couleur?
3. Trouvez deux films d'aventures.
4. Trouvez un film en version française (v.f.).
5. Trouvez un film en version originale (v.o.).
6. À quelle heure commence la représentation au Théâtre des Champs-Élysées?
7. Où se trouve la place?
8. Combien coûte la place au Théâtre des Champs-Élysées?

B. **Choisissez un film!** Regardez la page de *Pariscope*, décidez quel genre de film (d'aventures, policier, etc.) vous désirez voir et expliquez aux autres pourquoi.

MODÈLE: *Je veux voir un film d'aventure parce que j'adore le danger.*

ou: *Je veux voir un film d'aventure parce que je n'aime pas les comédies musicales.*

Reprise (Première Étape)

C. **Je m'intéresse aux sports.** Est-ce que vous vous intéressez:

1. Au base-ball? Quelle équipe préférez-vous?
2. Au ski? Où est-ce que vous allez pour faire du ski?
3. Au tennis? Avec qui faites-vous du tennis?
4. À l'alpinisme? Pourquoi?
5. Au footing? Combien de kilomètres faites-vous par semaine?
6. Au football? Est-ce que vous préférez le football américain ou européen?
7. Au cyclisme? Où allez-vous à bicyclette?

D. **Priorités.** *(Rank order.)* 1) Éliminez toutes les activités auxquelles vous ne participez pas. 2) Arrangez les activités qui restent selon l'importance qu'elles ont pour vous. 3) Expliquez aux autres étudiants pourquoi vous avez ces priorités.

> faire le ménage, faire les devoirs, faire une promenade, faire la sieste, faire du jardinage, faire du sport, faire la vaisselle, faire du ski, faire du judo, faire du français, faire les courses, faire la cuisine

STRUCTURE 4: *Les verbes* connaître *et* savoir *(suite)*

Elle sait que je vais lui rendre visite.	*She knows that* I'm going to visit her.
Tu connais sa sœur?	*Do you know* her sister?

Now that you have learned both **savoir** and **connaître,** you are able to distinguish between these two ways of saying *to know.* Remember that **savoir** is used in the following contexts: (1) **savoir** + a language, (2) **savoir que** + clause, (3) **savoir** + infinitive, (4) **savoir** + fact. By contrast, **connaître** indicates that you *know* or are *acquainted* with a person or a place. Also keep in mind that the **passé composé** changes the meaning of both verbs: **j'ai su** = *I found out;* **j'ai connu** = *I met.*

Application

E. Traduisez les phrases.

1. I know how to take care of myself.
2. She met him at a party.
3. We found out yesterday that she left by train.
4. He knows that you're here.
5. I don't know this city.
6. Do you know French?
7. They don't know his aunt.
8. She knows Paris very well.
9. We know that they know the president.
10. I found out about it yesterday.

PRONONCIATION: *L'accent*

Stress **(l'accent)** makes a word or syllable stand out from the sounds or words surrounding it. In English, a stressed syllable is louder and more intense than an unstressed one. Moreover, the stress may fall at the beginning (*UNder*), in the middle (*inTERpret*), or at the end (*upSET*) of an English word. In a sentence, there may be one or more stressed syllables in a variety of places: You WEREn't supPOSed to KNOW that; DON'T do that aGAIN.

In French, stress is indicated by length; a stressed syllable has a longer vowel than the syllables surrounding it. The accent, or stress, always falls in the same place—at the end of a word or phrase. Moreover, since French is spoken in groups of words, there is only one accent per phrase. If a group has a single word, the accent is on the final syllable of that word (**bonjOUR**). If the phrase consists of several words, the accent is on the final syllable *of the group* (**à la maiSON, je me suis couCHÉ**).

Pratique

F. Read each word and phrase aloud, taking care to stress the proper syllable.

1. Au revoir. Au revoir, Madame. Au revoir, Madame Dupont.
2. Françoise! Françoise, veux-tu sortir? Françoise, veux-tu sortir avec moi?
3. Je suis allé chez moi. Je suis allé chez moi et j'ai mangé. Je suis allé chez moi, j'ai mangé et je me suis couché.

STRUCTURE 5: *Les verbes irréguliers* vouloir et pouvoir

Je veux sortir mais **je ne peux pas.**	I *want* to go out but I *can't.*
Nous voulons aller au cinéma mais **nous ne pouvons pas.**	We *want* to go to the movies but we *can't.*
Elles veulent faire du ski mais **elles ne peuvent pas.**	They *want* to go skiing but they *can't.*
J'ai voulu aider mon oncle mais **je n'ai pas pu.**	I *tried* to help my uncle but *I didn't succeed.*

The verbs **vouloir** *(to want)* and **pouvoir** *(to be able to)* are both irregular in French, but they follow a similar pattern in their conjugations.

vouloir	*pouvoir*
je **veux**	je **peux**
tu **veux**	tu **peux**
il/elle/on **veut**	il/elle/on **peut**
nous **voulons**	nous **pouvons**
vous **voulez**	vous **pouvez**
ils/elles **veulent**	ils/elles **peuvent**
Past participle: **voulu** (avoir)	Past participle: **pu** (avoir)

Vouloir

Veux-tu faire une promenade avec moi?
Est-ce qu'**ils veulent mon sac à dos?**

The verb **vouloir** is accompanied by either an infinitive construction or a noun. It indicates something *one wants to do* or *wants to have*.

Elle **a voulu** comprendre, sans succès.

She *tried* unsuccessfully to understand.

Vouloir in the **passé composé** is equivalent to the verb *to try* in English.

Voudriez-vous une tasse de café?
Je voudrais sortir avec toi.

Would you like a cup of coffee?
I would like to go out with you.

Voudriez-vous and **je voudrais** are the polite forms of **vouloir**. It is advisable to use these forms whenever you offer something or request something. For the present, it suffices that you know the **vous** and **je** forms of this conjugation.

—Vous voulez prendre un café? —Oui, **je veux bien.**
Que **veut dire** cette expression?

Vouloir bien is an affirmative idiomatic expression meaning *OK, gladly, with pleasure.* **Vouloir dire** is used to ask the meaning of a word, phrase, expression, etc. The answer can be a definition, an explanation, a translation, or anything that will make the meaning clear to someone.

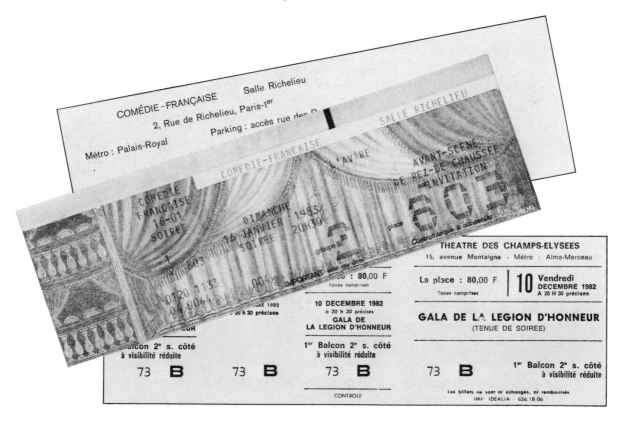

Pouvoir

> J'ai du temps libre. Je **peux** faire la cuisine ce soir.
> Sa mère dit qu'il **peut** aller au cinéma.

The verb **pouvoir** is usually followed by an infinitive. Its meaning varies according to the context. In the first example above, it indicates that *I can* or *am able to* do the cooking because I have some free time. In the second example, his mother says that *he may* or *has permission to* go to the movies.

Simone **n'a pas pu** faire ses devoirs.	Simone *couldn't (was unable to)* do her homework.

In the passé composé, **pouvoir** loses the meaning of permission. It simply indicates that someone was prevented from doing something or was unable to do it.

Est-ce que je peux avoir une bière?	**Puis-je** regarder votre dissertation?

In the first-person singular **(je),** the interrogative is most commonly formed with **est-ce que.** There is, however, an alternative and more formal form **(puis-je),** which you may encounter in written texts but only rarely in the spoken language.

Application

G. Remplacez les mots en italique et faites tous les changements nécessaires.

1. *Je* veux habiter à Paris. (nous / elles / il / je)
2. Voudriez-vous une *bière?* (Coca / apéritif / salade / limonade / croissant)
3. Elle ne veut pas de *pain.* (cerises / rôti / pommes de terre / poulet / légumes)
4. *Nous* pouvons travailler demain? (je / elles / tu / il / vous / ils)
5. *Je* n'ai pas pu faire la vaisselle. (nous / il / elles / je / on)
6. *Ils* ont voulu s'endormir. (nous / elle / je / ils)

H. Vouloir, c'est pouvoir. *(Where there's a will, there's a way.)* Indiquez que les personnes veulent et peuvent faire les choses mentionnées.

MODÈLE: nous / faire la cuisine
Nous voulons faire la cuisine et nous pouvons faire la cuisine.

1. je / chanter
2. elle / travailler
3. nous / comprendre
4. ils / payer
5. vous / se rencontrer
6. je / s'acheter une voiture
7. tu / s'en aller
8. elles / faire du ski

I. Indiquez que vous ne **voulez** pas ou ne **pouvez** pas faire les choses mentionnées et expliquez pourquoi.

MODÈLE: faire la cuisine
           Je ne veux pas faire la cuisine parce que je ne sais pas faire la
              cuisine.
       ou: *Je ne peux pas faire la cuisine parce que je n'ai pas le temps.*

1. faire du camping   2. aller au cinéma   3. faire du jardinage   4. jouer au football   5. faire le ménage   6. sortir ce soir   7. faire la cuisine   8. travailler pour IBM   9. faire une promenade   10. faire de la politique   11. acheter une maison   12. se marier

Mise au point (Petite révision de l'étape)

J. Échange. Posez des questions pour avoir les renseignements suivants. *Ask your partner if he or she...*

1. Knows how to swim
2. Wants to go to a mystery film
3. Knows a good doctor
4. Can lend you ten dollars
5. Wants to meet you for lunch
6. Knows the name of the president of France
7. Can go out tonight
8. Knows the United States well

K. Exercice écrit. Complétez les phrases du dialogue en employant **connaître** et **savoir**.

JULIETTE: _____ -tu Marie-Claire?

ALAIN: Non, je ne la _____ pas, mais je _____ qu'elle sort avec mon frère. Tu la _____ , toi?

JULIETTE: Oui, je l'ai _____ l'autre soir chez Suzanne. Elle semble très sympathique.

ALAIN: _____ -tu qu'elle va nous accompagner en Espagne cet été? Mes parents _____ ses parents depuis longtemps, et ils _____ que Marie-Claire s'intéresse à faire des études en Espagne.

JULIETTE: Elle _____ l'espagnol?

ALAIN: Je l'espère bien. Elle _____ déjà un peu l'Espagne et va nous servir d'interprète!

POINT DE DÉPART: *Un Jour de fête*

Demain c'est vendredi le 14 juillet, jour de la Fête Nationale française. Tout le monde **fait des préparatifs** pour cette **journée** très importante: on décore les maisons de **drapeaux** et de **lampions,** on fait les courses pour le week-end. Richard, un étudiant américain, discute **l'événement** avec son amie parisienne Julienne.

prepares / day
flags / lanterns
event

RICHARD: Le 14 juillet, c'est comme notre 4 juillet, n'est-ce pas?
JULIENNE: Oui, probablement. C'est **un jour chômé**...
RICHARD: Chômé... qu'est-ce que c'est?
JULIENNE: Ça veut dire qu'on ne travaille pas.
RICHARD: Si on ne travaille pas, qu'est-ce qu'on fait alors?
JULIENNE: Ça dépend... en général on prépare d'abord un repas très spécial et on **le** mange en famille ou avec des amis. Ensuite il y a souvent des **défilés militaires.**

day off (from work)

it
military parades

to commemorate / taking	RICHARD: Des défilés militaires?
happens	JULIENNE: Oui, c'est pour **commémorer** la **prise** de la Bastille en 1789.
	RICHARD: Qu'est-ce qui **se passe** ensuite?
fireworks	JULIENNE: Le soir, nous avons des **feux d'artifice,** et après, tout le monde se réunit.
wait for it	RICHARD: Cette célébration, je **l'attends** avec impatience.
the next day / to have a hangover	JULIENNE: Moi aussi. Mais attention, **le lendemain** tu risques d'**avoir mal aux cheveux!**

À vous! (Exercices de vocabulaire)

A. Donnez les dates des jours chômés aux Etats-Unis.

MODÈLE: *Le 25 décembre est un jour chômé.*

B. Le 4 juillet. Julienne vous demande des renseignements sur le 4 juillet. Répondez à ses questions.

1. Qu'est-ce qu'on célèbre le 4 juillet?
2. Est-ce qu'on travaille ce jour-là?
3. Est-ce qu'il y a un défilé dans ta ville?
4. Qu'est-ce qu'on mange ce jour-là?
5. Qu'est-ce qu'on fait le soir?

Reprise (Deuxième Étape)

C. Sondage. *(Survey.)* Chaque membre de votre groupe va répondre à chacune des questions suivantes. Ensuite votre professeur va vous demander les résultats du sondage.

MODÈLES:	PROFESSEUR:	Qui veut être médecin dans votre groupe?
	ÉTUDIANT(E) A:	*Moi, je veux être médecin, mais les autres ne veulent pas.*
	PROFESSEUR:	Qui sait parler chinois?
	ÉTUDIANT(E) B:	*Nous ne savons pas parler chinois dans notre groupe.*

1. Qui veut faire du ski?
2. Qui peut répondre à toutes les questions du professeur?
3. Qui sait faire une bonne mousse au chocolat?
4. Qui connaît le président de l'université?
5. Qui veut apprendre le russe?
6. Qui sait réparer une voiture?
7. Qui veut être avocat?
8. Qui connaît la ville de Chicago?

STRUCTURE 6: *Les pronoms d'objets directs* le, la, l', les

With the present tense

Elles ne regardent pas **la peinture.**	Elles ne **la** regardent pas.
Nous traversons **le parc.**	Nous **le** traversons.
J'aime **ma mère.**	Je **l'**aime.
Achète-t-il **les billets?**	**Les** achète-t-il?

A direct object is the person or thing directly affected by the verb. It tells *what* or *who* is acted upon. Thus in the first column of sentences, **la peinture, le parc, ma mère,** and **les billets** are all direct objects (nouns). The following third-person direct-object pronouns are used to replace these nouns:

le masculine singular
la feminine singular
l' masculine or feminine singular, before vowel or mute **h**
les masculine or feminine plural

In the present tense, a noun object follows the verb; direct-object pronouns precede the verb. This is true in all situations: affirmative, negative, interrogative.[1]

With the passé composé

—As-tu mangé **le pamplemousse?**	—Oui, je **l'**ai mangé.
—Avez-vous étudié **les verbes?**	—Non, nous ne **les** avons pas étudié**s.**
—Est-ce qu'il a trouvé **la clé?**	—Oui, il **l'**a trouvé**e.**
—Est-ce qu'ils ont fumé **les cigarettes?**	—Non, ils ne **les** ont pas fumé**es.**

In the passé composé, the direct-object pronouns are always placed immediately in front of the auxiliary verb. The past participle agrees in gender and number with the preceding direct object.

Near future and conjugated verb with infinitive

—Elle va apprendre **le chinois?**	—Oui, elle va **l'**apprendre.
—Va-t-elle **l'**apprendre?	—Non, elle ne va pas **l'**apprendre.
—Vous aimez étudier **les verbes?**	—Oui, nous aimons **les** étudier.
—Est-ce que vous aimez **les** étudier?	—Non, nous n'aimons pas **les** étudier.

In a construction that contains a conjugated verb and an infinitive, the direct object is usually affected by the action described by the infinitive. The pronoun is therefore placed directly before the infinitive. Remember that the negative and interrogative forms are built around the conjugated verb.

---

1 **Voici** and **voilà** do not need a verb. Direct object pronouns are placed before them: **Voici** *mon petit frère.* **Le voici.**

Imperative

Donne **la caméra** à Marie!	Donne-**la** à Marie!
Donnez **le portefeuille** à Jacques.	Donnez-**le** à Jacques.
Donnons **les billets** à Sylvie!	Donnons-**les** à Sylvie!

In the affirmative imperative, the direct object, whether noun or pronoun, follows the verb. The pronoun is attached to the verb by a hyphen.

———————

Ne donne pas **la caméra** à Marie!	Ne **la** donne pas à Marie!
Ne donnez pas **le portefeuille** à Jacques!	Ne **le** donnez pas à Jacques!
Ne donnons pas **les billets** à Sylvie!	Ne **les** donnons pas à Sylvie!

In the negative imperative, the object pronoun returns to its normal place in front of the verb.

———————

The following verbs take a direct object in French, although their English equivalents take an indirect object:

écouter	J'ai écouté **la musique.** Je l'ai écoutée.
regarder	Elle va regarder **le film.** Elle va **le** regarder.
chercher	Nous avons cherché **les enfants.** Nous **les** avons cherchés.
demander	Il a demandé **l'addition.** Il l'a demandée.
payer	Je paie **la note.** Je **la** paie.

Application

D. Remplacez le nom indiqué par un pronom objet direct et faites tous les changements nécessaires. Faites attention à l'accord du participe passé.

MODÈLE: Je n'aime pas *les légumes.*   *Je ne les aime pas.*

1. Avez-vous acheté *la maison*?
2. Apprends *les verbes*!
3. Ne chante pas *cette chanson*!
4. Je préfère acheter *les épinards.*
5. Nous avons déjà commandé *les bières.*
6. Elle n'a pas compris *cette explication.*
7. Voici *votre eau minérale.*
8. Je peux acheter *les croissants,* si tu veux.
9. Nous aimons *les enfants,* et vous?
10. Est-ce qu'elles ont fait *les devoirs*?

E. Indiquez que vous êtes ou n'êtes pas d'accord selon le modèle.

MODÈLE: Je vais acheter cette voiture.
    Bonne idée. Achète-la!   ou: *Mais non. Ne l'achète pas!*

1. Je vais acheter ce portefeuille.
2. Nous allons apprendre le japonais.
3. On va boire le vin.
4. Je vais emmener ma mère chez le médecin.
5. Nous allons étudier la leçon.
6. On va commander la bière.

F. Indiquez que vous avez déjà fait chaque action en employant un pronom d'objet direct.

MODÈLES: Faites la vaisselle!   *Nous l'avons déjà faite.*
             Fais la vaisselle!   *Je l'ai déjà faite.*

1. Bois ton lait!
2. Mangez les haricots verts!
3. Achète le pain!
4. Prépare le poulet!
5. Étudiez la leçon!
6. Achète les oignons!
7. Arrangez les chaises!
8. Emmenez Claudine à l'aéroport!
9. Commande le vin!
10. Paie la note!
11. Apprenez les pronoms!
12. Écoute le professeur!

PRONONCIATION: *L'intonation*

Intonation (**l'intonation**) refers to pitch, the rising and falling of the voice. French intonation patterns are determined both by word groups and by type of utterance. In some cases, intonation is the key to meaning. The basic intonation patterns are:

1. **Yes/no questions—rising intonation:**

   Tu comprends?   Est-ce qu'elle va sortir ce soir?

2. **Information questions—falling intonation:**

   Quelle heure est-il?   Où est-ce que tu habites?

3. **Commands—falling intonation:**

   Tournez à gauche!   Lève-toi!

4. **Short declarative phrases or sentences—falling intonation:**

   Merci beaucoup.   Bonjour, Madame.   Je ne sais pas.

5. **Longer declarative sentences—a combination of rising and falling intonation.** Rising intonation at the end of a word group indicates that the sentence will continue. Falling intonation marks the end of sentence.

Je me lève, je m'habille et je prends le petit déjeuner.

Helpful hint: When reading French aloud, remember that a comma usually marks a rising intonation and a period marks falling intonation.

Pratique

H. Read each sentence aloud, taking care to follow the proper intonation pattern.

1. Qu'est-ce que tu as fait hier?
2. Est-il toujours ici?
3. Après le travail, je rentre chez moi, je fais la cuisine et je mange.
4. Tiens, voilà Janine.
5. Ne traversez pas le boulevard!
6. Où sont les enfants? Je ne sais pas.
7. Est-ce que tu aimes les films d'épouvante?
8. Oui, je les aime, mais je préfère les films d'aventure.
9. Tournez à droite et continuez jusqu'au cinéma.
10. En été, il fait très chaud et très humide ici.

Mise au point (Petite révision de l'étape)

I. Échange. Posez chaque question à votre partenaire. Si la réponse est affirmative, continuez à poser des questions en employant les éléments donnés.

1. Est-ce que tu as une auto? (où / quand / combien /)
2. Connais-tu (nom d'un[e] camarade de classe)? (depuis quand / où / ses parents?)
3. Est-ce que tu as fait tes devoirs pour aujourd'hui? (d'habitude / ce soir / où)
4. Est-ce que tu regardes souvent la télévision? (jusqu'à quelle heure / le dimanche soir / hier soir / demain soir)

J. Exercice écrit. Répondez affirmativement et ensuite négativement. Remplacez le nom par un pronom d'objet direct (**le, la, les**).

MODÈLE: As-tu pris les aspirines?
            Oui, je les ai prises. Non, je ne les ai pas prises.

1. Aime-t-elle le fromage?
2. Avez-vous cherché les enfants?
3. Est-ce qu'ils ont compris la leçon?
4. As-tu fait les devoirs?
5. Est-ce qu'elles vont commander la salade?
6. Est-ce que tu as envoyé la lettre?

Quatrième Étape

LECTURE: Les Vacances

As you read the following passage, underline the words and phrases that strike you as essential to comprehension.

Les touristes qui arrivent à Paris au mois d'août s'étonnent[1] du manque[2] d'activité dans cette ville habituellement si animée. Où sont les Parisiens? Pourquoi y a-t-il tant de magasins fermés? Que veut dire l'affiche[3] « Fermeture annuelle» sur la porte du commerçant?[4] Eh bien, ce sont les grandes vacances, le moment où les citadins[5] quittent[6] leur ville pour retrouver l'air moins pollué de la campagne[7] ou le soleil brillant du Midi.[8] À peu près la moitié[9] de la population française part en vacances en été, pour ne revenir[10] qu'à la rentrée au mois de septembre. Et maintenant que François Mitterrand est Président de la République, les Français ont droit à[11] cinq semaines de congé payé.[12]

Où vont-ils avec leurs enfants, leurs valises, leurs sacs de couchage,[13] leurs tentes et toutes leurs affaires?[14] Certains se réfugient[15] dans leur maison de campagne pour y[16] passer des journées tranquilles dans la nature. D'autres se précipitent[17] au bord de la mer pour revenir bronzés[18] et en bonne forme. Il y a ceux aussi qui fréquentent les casinos du Midi, qui s'installent dans les terrains de camping[19] en Espagne, qui participent aux vacances organisées du Club Méditerranée.[20] Il va sans dire[21] que les hôteliers, les restaurateurs, les agences de voyages et les guides font tout ce qu'ils peuvent pour assurer à cette foule[22] de touristes des journées de détente agréables et sans soucis.[23]

Compréhension

A. Make a list of the words and sentences you underlined, and explain why you consider them essential for the understanding of the passage.

B. In English, tell what you consider to be the main ideas of the reading passage.

Reprise (Troisième Étape)

C. Indiquez ce que les personnes veulent acheter et dites où elles vont l'acheter en employant un pronom objet direct.

MODÈLE: je / un livre
Je veux acheter un livre, et je vais l'acheter à la librairie.

1. elle / le pain   2. nous / les cigarettes   3. ils / les billets   4. je / les médicaments   5. il / les pêches   6. nous / les côtelettes   7. tu / le pâté   8. vous / la tarte

D. Dites aux personnes suivantes de faire ce qu'elles ont l'intention de faire. Employez un pronom objet direct.

MODÈLE: J'ai l'intention d'acheter cette voiture.   *Eh bien, achète-la!*

1. J'ai l'intention de prendre les photos.
2. J'ai l'intention d'apprendre l'espagnol.
3. J'ai l'intention de chanter cette chanson.
4. J'ai l'intention de manger les haricots verts.
5. J'ai l'intention de laver la voiture.
6. J'ai l'intention d'appeler mes parents.
7. J'ai l'intention de rencontrer le président.
8. J'ai l'intention de servir les tartelettes.

---

1. are surprised   2. lack   3. notice, poster   4. shopkeeper   5. city dwellers   6. leave   7. countryside   8. the south of France   9. half   10. to come back, to return   11. have the right to   12. paid vacation   13. sleeping bags   14. things   15. take refuge   16. there   17. rush   18. tanned   19. campgrounds   20. organized vacation club   21. it goes without saying   22. crowd   23. worry

E. Un jour de fête. You and your friends are making plans for a holiday. Plan a full day of activities including sports, movies (see *Pariscope*), and so forth. Be detailed in your plans—determine time, place, etc.

F. À l'agence de voyages. You want to take a vacation trip. Go to the travel agent and tell him or her the kinds of things you want to do. After the agent suggests some possible destinations, you make a choice and buy your ticket.

G. Au café. Having just returned from vacation, you meet some friends at a café. Greet them, order something to drink, and discuss what each of you did during the vacation.

H. Publicité. You work for a tourist attraction in your area. A group of French tourists have just arrived in town. Try to convince them to visit the place where you work.

I. Une photo. Describe the photograph on page 263. Give as many details as possible.

Vocabulaire actif

NOMS

l'alpinisme (m.)
la boxe
un ciné-club
une comédie musicale
une course automobile
le cyclisme
les dames (jouer aux)
un documentaire
un drapeau
un entr'acte
une équipe
l'équitation (f.)
un événement
un film d'épouvante
un film policier
le footing
un feu d'artifice

le football
une journée
un lampion
le lendemain
la natation
une ouvreuse
la pêche
une pièce
un pourboire
les préparatifs (m.)
la prise
un titre
un western

ADJECTIFS

chômé(e)
épatant(e)
imbattable
passionnant(e)

VERBES

avoir mal aux cheveux
connaître
faire de la couture
faire de la politique
faire des études
faire du bien
faire du camping
faire du crochet
faire du jardinage
faire du tricot
faire la connaissance de
faire la cuisine
faire l'amour
faire la lessive
faire la sieste

faire la vaisselle
faire le ménage
faire sa médecine
faire sa toilette
faire ses devoirs
faire son droit
gagner
se passer
pouvoir
savoir
vouloir
vouloir dire

AUTRES EXPRESSIONS

bien entendu
ça dépend
c'est dommage
de toute façon
tellement
tout le monde

CHAPITRE DOUZE

Habillons-nous!

Première Étape
Au rayon des vêtements

Deuxième Étape
Essayons...!

Troisième Étape
Au rayon des chaussures

Quatrième Étape
Lecture: La Haute Couture

Première Étape

POINT DE DÉPART: *Au rayon des vêtements*

department store / clothing department, section in a store

Élizabeth et son frère Yves sont au **grand magasin** pour acheter des **vêtements.** Élizabeth se trouve au **rayon** des vêtements pour dames, et son frère Yves au rayon des vêtements pour hommes.

Vêtements pour dames

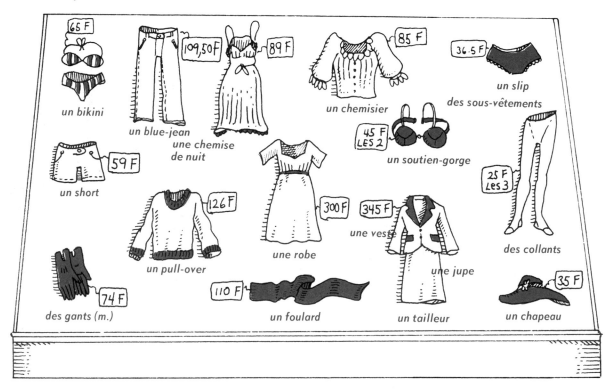

Élizabeth et Yves sont obligés de se décider.

to pay an exorbitant price

YVES:	Tu as remarqué les prix? On va **payer les yeux de la tête**!
ÉLIZABETH:	Oui, mais quel choix!
YVES:	Moi, je sais que j'ai besoin de quelques chemises et de jeans.
ÉLIZABETH:	Tu ne vas pas t'acheter un costume?

in fashion, in style

YVES: Ah, non! Les jeans, c'est **à la mode**!

I need / silk
baptism

ÉLIZABETH: Moi, **il me faut** une belle robe de **soie**. Je vais la mettre pour le **baptême** du petit Nicolas. J'ai besoin aussi de collants et d'un foulard.
YVES: Eh bien... Allons-y!

Vêtements pour hommes

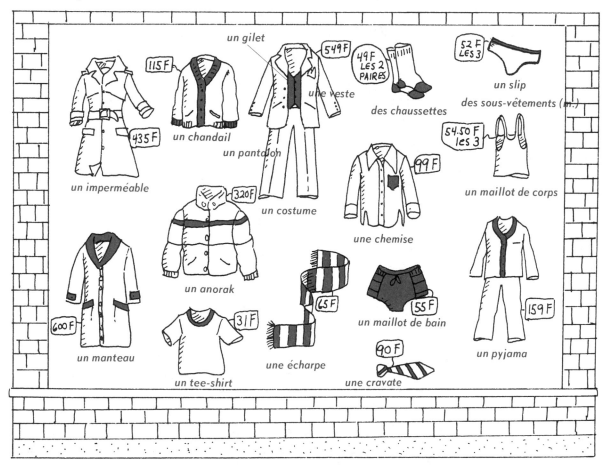

À vous! (Exercices de vocabulaire)

A. Au rayon des vêtements. Vous avez les sommes indiquées dans votre portefeuille. Regardez les dessins des vêtements et leurs prix aux pages 290 et 291, et décidez ce que vous allez acheter.

MODÈLE: 750F

Je vais m'acheter une jupe pour 109F, une veste pour 345F et un sac pour 275F. Il me reste 21F.

1. 2000F   2. 500F   3. 175F   4. 1500F   5. 750F   6. 350F   7. 400F
8. 290F   9. 630F   10. 1100F

B. Il me faut...; Il te faut... Regardez les dessins aux pages 290 et 291, et décidez ce qu'il vous faut et ce qu'il faut à votre ami(e) dans chacune des situations.

MODÈLE: automne

Pour l'automne il me faut un blue-jean et plusieurs chemises. Il te faut un chandail et des chaussettes.

1. automne   2. hiver   3. printemps   4. été   5. sortir le soir   6. aller chez le président de l'université   7. se coucher

STRUCTURE 1: *Les verbes réguliers en -ir*

Tu manges trop. **Tu grossis.**	You're eating too much. *You're gaining weight.*
Elle **obéit** toujours à ses parents.	She always *obeys* her parents.
Réfléchissons bien avant de parler.	*Let's think* before speaking.
Est-ce qu'**ils ont fini** les devoirs?	*Did they finish* the homework?
J'ai choisi une jupe et un pull-over.	*I chose* a skirt and a pullover.

Here is the present tense formation of regular **-ir** verbs:

finir	
je **finis**	nous **finissons**
tu **finis**	vous **finissez**
il/elle/on **finit**	ils/elles **finissent**
Past participle: **fini** (avoir)	

Helpful hint: Many regular **-ir** verbs are based on adjectives. Remember this when trying to guess the meanings of such verbs.

grosse *(fat)*	**grossir** *(to gain weight)*
vieille (old)	**vieillir** *(to get old, to age)*
maigre (thin)	**maigrir** *(to lose weight)*

Additional **-ir** verbs:

finir (**de** + infinitive)	to finish, to stop (doing something)
choisir	to choose
punir	to punish
obéir (à + noun)	to obey (something or someone)
réfléchir (à + noun)	to think; to reflect (about, on something)
réagir (à + noun)	to react (to something)
réussir (à + infinitive)	to succeed (at doing something)
réussir à un examen	to pass an exam

Application

C. Remplacez les mots en italique et faites tous les changements nécessaires.

1. *Nous* allons choisir ces gants-ci. (ils / je / elle / tu / on / nous)
2. *Il* réagit mal. (ils / nous / je / elles / on)
3. *Elles* finissent toujours à l'heure. (je / nous / tu / on / vous / il / elles)
4. *J'ai* réussi à l'examen. (nous / vous / il / elles / tu / je)
5. *Vous* ne réfléchissez pas assez. (je / elles / tu / ils / nous / vous)

D. Dites aux personnes de faire ce qu'elles veulent faire et remplacez le nom par un pronom objet direct.

MODÈLE: Je vais choisir cette robe-là.   *Eh bien, choisis-la!*

1. Nous allons finir le travail.
2. Je vais punir les enfants.
3. Je ne vais pas finir la soupe.
4. Je vais choisir la jupe verte.
5. Je ne vais pas choisir ce pyjama.
6. Nous n'allons pas finir cet exercice.

E. Questions. Posez quatre questions (**tu, vous, il** ou **elle, ils** ou **elles**) aux autres membres du groupe.

1. réussir au dernier examen   2. finir les devoirs   3. rougir (pourquoi)   4. obéir toujours à... parents   5. maigrir (pourquoi)

F. Des nouvelles. Vous rencontrez des amis que vous n'avez pas vus depuis trois ans. Après les salutations, expliquez ce que vous avez fait pendant ces trois ans. Voici quelques suggestions: **réussir aux examens, finir les études, maigrir, grossir, vieillir** et d'autres verbes que vous connaissez.

MODÈLE: —Tiens, salut Annie, ça va?
—Salut, Monique. Ça va pas mal, et toi?
—Très bien. Tu sais, j'ai réussi à mes examens et maintenant je travaille pour un avocat.
—Formidable! Moi aussi, j'ai fini mes études. Tu as maigri un peu, n'est-ce pas?
—Oui j'ai maigri de cinq kilos. Etc.

PRONONCIATION: *La consonne r entre les voyelles*

All the pronunciation exercises thus far have been designed to help you be understood when you speak French. Another aspect of spoken French, however, involves the *quality* of the sounds you make—what is often called "your accent." Of course, the ability to make the fundamental distinctions of sound and intonation, even if you do so with an "American accent," is more important than "sounding French." Some of you have probably already acquired the beginnings of a "French accent" simply by carefully imitating your instructor and the voices you hear on the laboratory tapes. Others will find that gaining a "good accent" is not as easy and may require more time and effort than you are willing to put forth. This final set of pronunciation exercises is designed to help you begin to sound "more French." It focuses on the consonant r, which sounds quite different in French from the way it does in English.

The French r is pronounced in the back of the throat. To produce it, place the tip of your tongue against the back of your lower teeth. This will free the back of your tongue and allow the air to vibrate correctly. In the following exercise, all the r sounds fall between vowels.

Pratique

G. Pronounce the following words, imitating carefully the r sound as pronounced by your instructor:

arriver / désirer / eau minérale / verre / américain / caméra /
parapluie / adorer / aéroport / bureau / gare / faire / derrière /
apéritif / correspondance / direction / cerise / haricots /
meringue / poire / orange / orage / courageux / généreux /
heureux / marron / paresseux / sérieux / guerre / anorak /
ceinture / heure / se marier / affaires / varié

STRUCTURE 2: *Le verbe irrégulier* mettre

Mets ton manteau; il fait froid.	*Put* your coat *on*; it's cold out.
Elle met toujours la même robe.	*She* always *puts on* the same dress.
Ne **mettez** pas la table tout de suite.	Don't *set* the table right away.
J'ai mis les clés dans ton sac.	*I put* the keys in your purse.

The verb **mettre** is irregular and can have several meanings. It can mean *to put on (clothing), to put* or *place something somewhere*, and in the idiomatic expressions **mettre la table** and **mettre le couvert**, it means *to set the table*.

mettre	
je **mets**	nous **mettons**
tu **mets**	vous **mettez**
il/elle/on **met**	ils/elles **mettent**
Past participle: **mis** (avoir)	

A number of idiomatic expresssions and verbs are based on the verb **mettre**:

se mettre à	to begin
se mettre au régime	to go on a diet
se mettre en colère	to get angry
permettre (à)	to permit
promettre (à)	to promise

Application

H. Répondez affirmativement.

MODÈLE:　Il s'est mis à boire. Et elle?
Elle s'est mise à boire aussi.

1. Nous nous sommes mis en colère. Et lui?
2. Elle a permis à son fils de sortir. Et vous?
3. Quand il fait chaud, je mets un short. Et elle?
4. Je mets la table tous les jours. Et eux?
5. Nous avons promis à Jacques de l'aider. Et toi?
6. Ils se mettent souvent en colère. Et vous?
7. Demain, je me mets au régime. Et eux?

I. À quelle occasion? Expliquez quand vous, votre famille ou vos amis font les choses suivantes.

MODÈLE:　mon frère / se mettre en colère
Mon frère se met en colère quand je vais dans sa chambre.

1. je / mettre la table
2. ma mère / se mettre en colère
3. mes parents / se mettre à travailler
4. je / se mettre au régime
5. mon père / se mettre en colère
6. mes amis / se mettre à boire
7. je / se mettre en colère

J. Complétez les phrases.

1. J'ai promis à... de...
2. Hier, je me suis mis(e) en colère parce que...
3. Je ne vais pas permettre à mes enfants de...
4. Je vais me mettre au régime parce que...
5. Je me mets à... quand le professeur...
6. Quand je sors, je mets rarement...

Mise au point (Petite révision de l'étape)

K. Vous êtes dans un magasin. Regardez les vêtements dans le dessin et demandez le prix à la vendeuse. La vendeuse vous indique ensuite le prix.

MODÈLE: —Madame, combien coûte cette robe?
—Elle coûte 250F.

L. Exercice écrit. Terminez les phrases logiquement en employant un verbe régulier en **-ir, mettre** ou un verbe conjugué comme **mettre**.

MODÈLE: Quand j'ai trop grossi...
Quand j'ai trop grossi, je me mets au régime.

1. Quand il fait très chaud...
2. Quand nous invitons nos amis...
3. Quand on étudie beaucoup...
4. Quand j'ai trop bu...
5. Quand je ne réussis pas aux examens...
6. Quand on mange très peu...
7. Quand nous avons trop d'ennuis...
8. Quand je prends des médicaments...

Deuxième Étape

POINT DE DÉPART: *Essayons...!*

made from wool
to try on
saleswoman

Élizabeth a regardé plusieurs robes—en coton, **en laine,** en polyester. Enfin, elle a choisi une jolie robe de soie qu'elle veut **essayer** avant de prendre sa décision. Elle parle à **la vendeuse.**

ÉLIZABETH: Est-ce que je peux essayer cette robe, Madame?
LA VENDEUSE: Bien sûr, Mademoiselle. Vous avez bien choisi; elle est très jolie. C'est par là , Mademoiselle.

Après quelques minutes...

looks good; fits me well / tight

ÉLIZABETH: Vous trouvez qu'elle me **va bien**? Elle n'est pas trop **étroite**? C'est un 40[1]; il me faut peut-être un 42.

marvelously

LA VENDEUSE: Pas du tout. Elle vous va **à merveille.**

to shorten

ÉLIZABETH: Oui, mais je voudrais la **raccourcir** de quelques centimètres.
LA VENDEUSE: Très bien. Nous allons nous occuper de cela. Vous avez de la chance, vous savez; cette robe est **en solde** aujourd'hui.

on sale

so much the better / that is left over

ÉLIZABETH: **Tant mieux.** Avec l'argent **qui me reste** je vais acheter une paire de chaussures.

salesman

Au moment où Élizabeth essaie sa robe, Yves parle au **vendeur** au sujet des vêtements qu'il a l'intention d'acheter.

LE VENDEUR: Ce blue-jean vous va comme un gant.

Yves regarde dans le miroir.

YVES: Oui, c'est pas mal. Heureusement que j'ai maigri un peu cet été.
LE VENDEUR: Il vous faut autre chose?
YVES: Oui, j'ai besoin d'une chemise.

size

LE VENDEUR: Quelle **taille**, Monsieur?
YVES: Un 38, je pense.

sleeves

LE VENDEUR: **Manches** longues ou courtes?
YVES: Manches longues.
LE VENDEUR: Voilà ce que vous cherchez. Une chemise bleu clair à manches longues.
YVES: Oui, elle va bien avec mon blue-jean.
LE VENDEUR: Autre chose?

have spent

YVES: Non, merci. J'**ai** déjà **dépensé** assez d'argent.

---

1. See size chart on p. 299 in *Notes culturelles.*

À vous! (Exercices de vocabulaire)

A. Élizabeth et Yves se retrouvent après avoir fait leurs achats. Ils se racontent leur expérience au rayon des vêtements. Imaginez leur conversation en employant les verbes suivants au passé composé: **essayer, choisir, regarder, acheter, se regarder.** Ensuite, décrivez ce qu'ils ont acheté.

B. Vous allez au magasin pour acheter les vêtements indiqués. Pour chacun de ces vêtements, imaginez la conversation avec la vendeuse ou le vendeur. Parlez des couleurs, de la taille, du tissu (*material*) et du prix.

MODÈLE: costume / 650F
—J'ai besoin d'un costume.
—De quelle couleur?
—Bleu clair.
—Quelle est votre taille?
—Un 54, je pense.
—En laine, en coton?
—Je préfère la laine.
—Vous voulez essayer ce costume-ci?
—Oui, c'est combien?
—650F, Monsieur.

1. une jupe / 135F   2. un pantalon / 120F   3. une chemise / 87F
4. une robe / 178F   5. un manteau / 652F

Les Tailles:

Dames: Robes et manteaux

Tailles américaines	8	10	12	14	16	18	20
Tailles françaises	38	40	42	44	46	48	50

Dames: Pull-overs et chandails

Tailles américaines	32	34	36	38	40	42
Tailles françaises	38	40	42	44	46	48

Messieurs: Complets et pardessus
(overcoats)

Tailles américaines	36	38	40	42	44	46
Tailles françaises	46	48	51	54	56	59

Messieurs: Chemises

Tailles américaines	14.5	15	15.5	16	16.5
Tailles françaises	37	38	39	40	41

Helpful hint: When buying shirts in France, simply multiply your neck size by 2.5 to find your approximate French size.

Reprise (Première Étape)

C. Vous allez en voyage. Selon l'endroit que vous allez visiter, décidez quels vêtements vous allez mettre dans votre valise.

MODÈLE: les Alpes   *Je mets une écharpe et des gants dans ma valise.*

1. la Californie 2. l'Alaska 3. Seattle 4. la Maison Blanche 5. la Méditerranée

D. Refaites les phrases en employant le pronom entre parenthèses.

MODÈLE: Je me suis mis au régime. (elle)
    Elle s'est mise au régime.

1. Tu finis la salade? (vous)
2. Nous obéissons à notre professeur. (je)
3. Elle réfléchit trop à ses problèmes. (ils)
4. Je me suis mis en colère. (vous)
5. Il a permis à Jean de sortir. (tu)
6. Elles vieillissent. (il)
7. Il réagit mal. (elles)
8. J'ai choisi du vin. (nous)
9. Est-ce que tu finis tes études? (vous)
10. Tu maigris? (ils)

STRUCTURE 3: *Les verbes réguliers en -re*

J'attends les vacances avec impatience.	*I'm waiting* impatiently *for* vacation.
Nous descendons à la cuisine.	*We're going down* to the kitchen.
Il vend des vêtements.	*He sells* clothes.
Elles ont perdu leur parapluie.	*They lost* their umbrella.

The third group of regular verbs in French end in **-re.** They are conjugated as follows:

vendre	
je **vends**	nous **vendons**
tu **vends**	vous **vendez**
il/elle/on **vend**	ils/elles **vendent**
Past participle: **vendu** (avoir)	

Here are some other regular **-re** verbs:

attendre	to wait for
descendre (conjugated with **être**)	to go down (downstairs)
entendre	to hear
entendre dire	to hear second-hand
entendre parler de	to hear about
perdre	to lose
rendre	to return (something)
répondre (à)	to answer
vendre	to sell

Application

E. Remplacez les mots en italique et faites tous les changements nécessaires.

1. *Elle* vend sa maison. (nous / elle / ils / je / elles / vous)
2. *J'*entends la musique. (tu / elle / nous / vous / ils)
3. *Nous* attendons nos parents. (je / elle / ils / nous / il)
4. *Ils* ont perdu les billets? (vous / elle / tu / elles / on)

F. Transformez les phrases au présent et au passé composé.

MODÈLE: Je vais vendre ma voiture.
Je vends ma voiture. J'ai vendu ma voiture.

1. Elle va attendre Paul à la gare.
2. Nous allons descendre dans la cuisine.
3. Ils vont répondre à la question.
4. Tu vas entendre le téléphone.
5. Est-ce que tu vas l'attendre?
6. Je ne vais pas descendre.

G. Questions. Posez quatre questions **(tu, vous, il** ou **elle, ils** ou **elles)** aux autres membres du groupe.

1. vendre (pourquoi)   2. attendre (depuis combien de temps)   3. entendre dire (qu'est-ce que)   4. perdre (qu'est-ce que)

PRONONCIATION: *La consonne* r *initiale et finale*

The technique for articulating the French **r** remains the same, regardless of its position in a sentence. Remember to keep the tip of your tongue against the back of your lower front teeth. In the following exercise, all of the **r** sounds are either at the beginning or at the end of a word or phrase.

Pratique

H. Pronounce each sentence carefully.

1. La robe à rayures a besoin de retouches.
2. Il a rendez-vous dans la rue avec Robert.
3. Remets le rôti et le riz dans la cuisine.
4. Je pars de la gare du Nord.
5. Elle désire sortir ce soir.
6. J'ai peur de ma sœur.
7. Robert et sa sœur ont rendez-vous derrière la gare du Nord.

STRUCTURE 4: *Le verbe irrégulier* dire

Il ne **dit** pas toujours la vérité.	*He* doesn't always *tell* the truth.
Dites à Monique d'attendre.	*Tell* Monique to wait.
J'ai dit à Marc de faire la cuisine.	*I told* Mark to do the cooking.

The verb **dire** *(to say, to tell)* is irregular.

dire	
je **dis**	nous **disons**
tu **dis**	vous **dites**
il/elle/on **dit**	ils/elles **disent**
Past participle: **dit** (avoir)	

Parler / raconter / dire

Il a parlé à sa sœur.	*He spoke to* his sister.
Il a parlé de ses ennuis.	*He talked about* his problems.
Elles ont raconté une histoire.	*They told* a story.
Qu'est-ce que **tu dis**?	What *are you saying*?
Dites à Paul de vendre la maison.	*Tell* Paul to sell the house.

The verbs **parler, raconter,** and **dire** are each used in very specific contexts.

parler à (avec)	to speak (talk) to (with) someone
parler de	to speak (talk) about someone or something
raconter (une histoire)	to tell (a story)
dire	to say (to tell, in commands)

Application

I. Remplacez les mots en italique et faites tous les changements nécessaires.

1. Vous dites toujours la vérité? (tu / elles / il / vous / ils / elle)
2. Qu'est-ce que *tu* dis? (elle / ils / vous / on / elles / tu)
3. Dites à Philippe d'acheter du *pain*. (légumes / vin / viande / pâté / fruits / disques / vêtements)
4. *J'*ai dit à Jacques de le faire. (nous / elle / ils / je / on / nous / je)

J. Composez des phrases en utilisant **parler à (avec), parler de, raconter** ou **dire** selon l'élément donné.

MODÈLE: acheter un vélo
          Dites à votre cousine d'acheter un vélo.

1. changer de chemise 2. histoire 3. promenade 4. parents
5. manger le pain 6. voyage 7. faire attention 8. amis 9. ennuis

Mise au point (Petite révision de l'étape)

K. Échange. Posez des questions en employant les éléments donnés.

1. acheter un imperméable (quand)
2. payer le pull-over (combien)
3. acheter des gants (pourquoi)
4. faire des courses (quand)
5. acheter hier (qu'est-ce que)
6. essayer cette robe (est-ce que)

L. Exercice écrit. Faites des phrases avec les éléments donnés en employant un verbe en **-re, dire, raconter** ou **parler,** au présent et au passé composé.

MODÈLE: nous / la musique
          Nous entendons la musique. Nous avons entendu la musique.

1. elles / la vérité
2. il / une histoire
3. nous / les questions
4. vous / les livres
5. je / à la gare
6. elle / qu'il est parti
7. tu / ton vélomoteur / ?
8. ils / avec Paul
9. nous / notre machine à écrire
10. elles / à Marie de se préparer

POINT DE DÉPART: *Au rayon des chaussures*

shows
again / practical

to make a decision

Élizabeth se trouve au rayon des chaussures. Le vendeur lui **montre** ce qu'il a, et, **de nouveau**, elle hésite. Faut-il acheter quelque chose de **pratique** ou vaut-il mieux prendre des chaussures élégantes qui vont avec sa robe de soie? Quelle **décision** va-t-elle **prendre**?

LE VENDEUR: Eh bien, Mademoiselle, vous avez décidé?

ÉLIZABETH: Pas vraiment, mais commençons avec ces chaussures de tennis.

shoe size   LE VENDEUR: Quelle **pointure**?

take (size)   ÉLIZABETH: Je **chausse du** 38.[2]

LE VENDEUR: Et la couleur?

ÉLIZABETH: Bleu et blanc... non... rouge et blanc.

Élizabeth essaie les tennis.

---

2. To tell a salesperson your shoe size, use the verb **chausser de.** To convert from American sizes to French sizes: for women, 4 = 35, 5 = 36, etc; for men, 8 = 41, 8.5 = 42, 9 = 43, etc.

	ÉLIZABETH: Ils sont un peu trop grands.
	LE VENDEUR: Bon, alors essayons un 37.
perfectly / comfortable	ÉLIZABETH: Ah oui, ils me vont **parfaitement**. Ils sont très **confortables** et certainement pratiques.
	LE VENDEUR: Ah oui, et ils vont bien avec les jeans.
pumps / heel / high	ÉLIZABETH: Non, après tout... j'ai acheté une robe de soie et il me faut vraiment un **escarpin**, avec un **talon** pas trop **haut**.
	LE VENDEUR: Comme vous voulez, Mademoiselle.

Le vendeur lui montre une grande sélection.

	ÉLIZABETH: Voilà ce que je cherche. Ils sont combien, ces escarpins?
	LE VENDEUR: 175F, Mademoiselle.
broke	ÉLIZABETH: C'est un peu cher, mais je les prends. (À part:) Maintenant je suis vraiment **fauchée**!

À vous! (Exercices de vocabulaire)

A. Décidez quelles chaussures vous allez mettre dans les situations suivantes (des tennis, des sandales, des bottes, des espadrilles, des escarpins, des mocassins).

MODÈLE: Vous allez à la plage. *Je vais mettre des sandales.*

1. Il fait très froid et il neige.
2. Vous allez au baptême de votre neveu.
3. Vous allez en classe et vous portez un blue-jean.
4. Vous faites une excursion dans les Alpes.
5. Vous allez vous promener dans le parc et vous voulez être confortable.
6. Il fait chaud et vous portez un short.
7. Vous allez à un dîner élégant et vous portez un costume ou un tailleur.

B. Vous êtes riche et vous décidez d'acheter une paire de chaussures pour chaque occasion et qui va bien avec vos vêtements. Réfléchissez à ce qu'il y a dans votre penderie *(closet)* et choisissez les chaussures que vous allez acheter.

MODÈLE: *J'ai un tailleur marron; je vais m'acheter un escarpin marron à 180F.*

C. Au rayon des chaussures. Imitez le modèle.

MODÈLE: mocassin
—*Je voudrais essayer des mocassins.*
—*Quelle est votre pointure?*
—*Je chausse du 43.*
—*Et la couleur?*
—*Marron, je pense.*
—*Voici des mocassins marron.*
—*Ils me vont très bien (ils sont trop étroits, trop grands, etc.)*

1. des tennis   2. des sandales   3. des bottes   4. des espadrilles   5. des escarpins   6. des mocassins

Reprise (Deuxième Étape)

D. Qu'est-ce que vous avez dit? Faites des phrases avec les pronoms et les verbes donnés. Un(e) autre étudiant(e), qui ne vous a pas entendu(e), vous pose une question. Vous répétez ce que vous avez dit selon le modèle.

MODÈLE: elle / attendre
   —*Elle a attendu sa nièce à l'aéroport.*
   —*Qu'est-ce que tu as dit?*
   —*J'ai dit qu'elle a attendu sa nièce à l'aéroport.*

1. ils / vendre   2. je / entendre dire   3. elle / perdre   4. il / rendre
5. nous / répondre   6. je / entendre parler de   7. elles / descendre   8. il / entendre

E. Faites les transformations selon les modèles.

MODÈLES: tu / Jean-Pierre / aller à la boucherie
   —*Dis à Jean-Pierre d'aller à la boucherie.*
   —*Va à la boucherie!*

   vous / M. Clément / ne pas attendre
   —*Dites à M. Clément de ne pas attendre.*
   —*N'attendez pas!*

1. tu / Suzanne / rendre les disques à Jean
2. vous / Mme Pelletier / vendre son auto
3. tu / ton frère / descendre dans la cuisine
4. vous / Mlle Moreau / attendre un moment
5. tu / Paul / vendre son vélo
6. vous / M. Corbeau / descendre à Lyon

STRUCTURE 5: *Les pronoms d'objets indirects* lui et leur

J'ai téléphoné **à Jeanne** hier soir.	I called *Jean* last night.
Je **lui** ai téléphoné hier soir.	I called *her* last night.
Nous avons expliqué le problème **à nos parents.**	We explained the problem *to our parents.*
Nous **leur** avons expliqué le problème.	We explained the problem *to them.*

Lui and **leur** are third-person indirect-object pronouns that replace indirect-object nouns. In French, an indirect-object noun is introduced by the preposition **à.** The indirect object pronoun therefore replaces **à** + a person. **Lui** replaces **à**

+ a feminine or masculine noun. Only the context makes clear whether **lui** represents a man or a woman. **Leur** replaces **à** + a plural noun, masculine or feminine. Note that these two pronouns are used only with people, not with things.

Tu **lui** parles aujourd'hui?	Non, je ne **lui** ai pas parlé, mais je
Est-ce que tu **lui** as parlé?	vais **lui** parler demain.
Lui as-tu parlé?	Alors, parle-**lui**!
Oui, je **lui** ai parlé.	Non, ne **lui** parle pas demain.

Lui and **leur** take the same position in a sentence as the direct-object pronouns you learned in Chapter 11. **Lui** and **leur** are placed immediately before the conjugated verb in every case except in the affirmative command (**Parle-lui!**) and in the construction *conjugated verb + infinitive* (**Je vais lui parler. Elle veut leur téléphoner.**).

Verbs that take an indirect object:

apprendre	expliquer	promettre	rendre visite
demander	obéir	proposer	répondre
dire	parler	raconter	téléphoner
donner	permettre	rendre	vendre

Study these sentences before doing the exercises.

Nous avons permis **aux enfants** de sortir.
Nous **leur** avons permis de sortir.

Je vais poser une question **au professeur**.
Je vais **lui** poser une question.

Elle a fait mal **à son frère**.
Elle **lui** a fait mal.

Ils ont dit **à Jacqueline** de rendre les disques **à Marc**.
Ils **lui** ont dit de **lui** rendre les disques.

Application

F. Répondez affirmativement et négativement aux questions.

1. Vas-tu expliquer à Marie que je suis malade?
2. Tu as dit à tes parents que tu vas te marier?
3. Est-ce qu'elle a demandé à son mari de lui téléphoner:
4. Ont-ils l'intention d'obéir au médecin.
5. Avez-vous parlé à votre avocat?
6. As-tu permis à Charles de sortir?
7. Est-ce que tu vas rendre ces clés à M. Dubois?
8. Ne veut-elle pas parler à ses grands-parents?
9. Est-ce qu'il a raconté une histoire aux garçons?
10. Est-ce que tu as rendu les disques à Véronique?

G. Hier... Expliquez aux autres dans votre groupe deux choses que vous avez faites hier. Utilisez les verbes suggérés avec **lui** ou **leur**. Vos camarades vont vous poser des questions. Verbes: **demander, répondre, téléphoner, rendre visite, raconter, expliquer, parler, proposer, apprendre à, dire.**

> MODÈLE: —J'ai rencontré mon ami Paul et je lui ai demandé d'aller au cinéma avec moi.
> —Quand as-tu rencontré Paul?
> —Quel film avez-vous vu?

PRONONCIATION: *La consonne r avant et après une autre consonne*

The presence of a consonant either before or after the French r tends to cause you to Americanize the r sound. Therefore, you must be particularly careful to articulate the r correctly when it is combined with another consonant.

Pratique

H. Pronounce each sentence carefully.

1. Prends les croissants et sers-les à Christine et Marc.
2. Merci bien, Mademoiselle. Je voudrais un citron pressé.
3. C'est un professeur brésilien.
4. Ton frère n'a que trois francs dans son portefeuille.
5. Ma calculatrice ne marche pas très bien.
6. Je voudrais une paire d'espadrilles et une paire d'escarpins.
7. Il a perdu sa serviette dans le parc.

STRUCTURE 6: *Les pronoms d'objets directs* le, la, les *et indirects* lui, leur

Je l'ai rencontré et je lui ai donné mon adresse.	I met *him* and I gave *him* my address.

In English, the pronouns *him, her,* and *them* can be either direct or indirect objects. In French, it is always necessary to distinguish between the direct-object pronouns **(le, la, les)**, used with verbs that are not followed by a preposition, and the indirect-object pronouns **(lui, leur)**, used with verbs that take a preposition.

Elle prend **le train**.	Elle **le** prend.
Nous aimons **la bière**.	Nous **l'**aimons.
J'ai perdu **mes clés**.	Je **les** ai perdues.
Ils ont parlé **au président**.	Ils **lui** ont parlé.
As-tu rendu visite **à tes parents**?	**Leur** as-tu rendu visite?

Application

I. Remplacez les mots en italique par des pronoms d'objet direct (**le, la, les**) ou par des pronoms d'objet indirect (**lui, leur**).

1. Quand elle a rencontré *son fiancé*, elle a demandé *à son fiancé* d'aller au restaurant avec elle.
2. Je comprends *mes parents* et j'obéis toujours *à mes parents*.
3. Aimes-tu *les légumes*? Oh oui, j'adore *les légumes*.
4. Vous avez dit *à votre mari* pourquoi vous allez à Paris?
5. As-tu appris *le verbe « mettre »*?
6. Nous avons très bien compris *la situation*.
7. Je sais *que tu as besoin d'une cravate*.
8. Elle a rendu visite *à sa grand-mère*.
9. Ils ont promis *à leurs amis* de leur envoyer une carte postale.

Mise au point (Petite révision de l'étape)

J. Voici une série de situations imaginaires. Expliquez ce que vous dites aux personnes dans ces situations. Employez des verbes comme **dire, raconter, expliquer, demander, proposer, répondre,** etc.

MODÈLE: Vous êtes au rayon des chaussures. Le vendeur essaie de vous vendre une paire de bottes à 250F que vous ne voulez pas. Qu'est-ce que vous lui dites?
              Je lui dis que je n'ai pas besoin de bottes.

1. Vous êtes chez le médecin parce que vous avez la grippe. Qu'est-ce que vous lui dites?
2. Vos parents veulent aller au cinéma avec vous mais vous avez déjà un rendez-vous avec vos amis. Qu'est-ce que vous leur dites?
3. Vous êtes au rayon des vêtements. Vous voulez acheter un manteau. Qu'est-ce que vous dites à la vendeuse?
4. Vous êtes au restaurant avec vos amis et vous n'êtes pas content(e) du service. Qu'est-ce que vous dites au garçon?
5. Vous voulez acheter une voiture et vous demandez à vos parents de vous aider avec de l'argent. Qu'est-ce que vous leur dites?

K. Exercice écrit. Remplacez les mots en italique par un pronom d'objet direct ou indirect.

1. Pourquoi as-tu cherché *Michèle?* Parce que je veux demander *à Michèle* d'aller à la bibliothèque.
2. Quand est-ce qu'ils ont rencontré *les Durand*? Je ne sais pas.
3. J'ai téléphoné *à Françoise* et j'ai parlé *à Françoise* pendant une heure.
4. Combien avez-vous payé *ce maillot de bain*? 210F.
5. Je vais finir *les devoirs* dans quelques minutes. Après je vais rendre visite *à mon ami*.
6. Si elle n'obéit pas *à son professeur*, je vais parler *à ses parents*.
7. As-tu apporté *le disque*? Non, j'ai oublié *le disque* chez moi.

Quatrième Étape

LECTURE: La Haute Couture

As you read the following passage, underline all the French-English cognates you can find.

Quand on dit « Haute Couture »,[1] on parle surtout des créations des grandes maisons de couture françaises qui dominent le marché des vêtements. En fait, les noms de Chanel, de Cardin, de Courrèges, de Givenchy et d'Yves Saint Laurent sont connus dans le monde entier. Mais qui peut se permettre de fréquenter les grands couturiers et couturières?[2] Qui peut payer 15.000 une robe faite sur mesures[3] chez Yves Saint Laurent? Ce ne sont certainement pas les Français moyens,[4] et moins encore[5] les jeunes! C'est surtout une élite riche qui ne se soucie[6] guère[7] des sommes folles[8] dépensées pour être à la mode.

Que fait alors la grande majorité des Français qui désire, elle aussi, être « dans le vent»?[9] Ils suivent[10] d'abord attentivement les développements dans la haute couture, ils consultent les magazines de mode comme *Elle, Marie-Claire* ou *Vogue*, ils se laissent influencer par les commerçants qui leur présentent les derniers styles, coloris[11] et tissus.[12] De plus en plus, les Françaises font la couture elles-mêmes en s'inspirant des patrons[13] qui sortent chaque saison et qui représentent le dernier cri[14] de la mode. Elles n'ont donc pas besoin de se rendre[15] au faubourg Saint-Honoré, ni du côté des Champs-Élysées ou de l'avenue Montaigne pour être à la mode.

Être bien habillé est une préoccupation importante dans la vie des Français. On ne se prépare pas seulement pour les noces,[16] les baptêmes ou les jours de fête; on s'habille avec une certaine élégance pour aller au bureau ou pour se promener le soir. Et on a surtout un sens de ce qui est convenable pour chaque occasion. On ne porte pas de short, ni de blue-jean, ni[17] de sweatshirt au travail, on ne se permet pas de sortir sans soigner son apparence.

---

1. high fashion 2. fashion designers 3. to order 4. average 5. even less 6. worry about
7. scarcely 8. mad, crazy 9. to be in style 10. follow 11. shades, colors
12. fabrics 13. pattern 14. the latest style 15. to go 16. weddings 17. neither . . . nor

Exercices de compréhension

A. Make a list of the cognates that you found in the reading passage. Which of these words are important for the understanding of the text? Explain why.

B. Vrai/faux. Decide whether each statement is true or false according to the reading passage.

1. Les noms des couturiers français sont connus dans le monde entier.
2. Une robe d'Yves Saint Laurent peut coûter 15.000F.
3. Ce sont les Français moyens qui achètent leurs vêtements chez les grands couturiers.
4. L'expression « dans le vent» veut dire « à la mode».
5. La grande majorité des Français ne s'intéresse pas à la mode.
6. Beaucoup de Françaises font la couture elles-mêmes.
7. Les grandes maisons de couture se trouvent du côté des Champs-Élysées et de l'avenue Montaigne.
8. *Elle* est un magazine de jardinage.
9. En France, on porte les sweatshirts au bureau.
10. Les Français ont le sens de ce qui est convenable pour chaque occasion.

Reprise (Troisième Étape)

C. Donnez la raison pour laquelle vous faites les choses suivantes et expliquez quand vous les avez faites la dernière fois. Employez **le, la, les, lui** ou **leur** dans vos phrases.

MODÈLE: téléphoner au médecin
Je lui téléphone quand je suis malade.
Je lui ai téléphoné lundi dernier.

1. téléphoner à vos parents
2. téléphoner au pharmacien
3. parler à votre mère
4. donner un cadeau à votre ami
5. mettre votre imperméable
6. faire peur à vos parents
7. rendre visite à vos grands-parents
8. perdre les clés
9. poser une question au professeur
10. expliquer vos actions à votre père
11. écouter vos disques
12. retrouver vos amis

Point d'arrivée
(Activités orales et écrites)

D. Au grand magasin. Go to the department store, choose an outfit for a particular occasion, and discuss size, color, and price with the salesperson. Your outfit should include shoes.

E. Une dispute. You're in the clothing department of a store to buy a blue sports jacket. There is only one jacket left in your size, but when you reach for it, you find out that another person also wants it. Both of you give the salesperson reasons why he or she should sell the jacket to you.

F. Aux enchères *(At an auction).* Make an inventory of the clothes worn by the students in your class. Then hold an auction and try to sell the clothes to someone else. Before proposing a price, give a description of the article of clothing.

MODÈLE: —*Marie porte une jupe bleue très jolie. Qui va lui donner 150F pour la jupe?*
—*Je lui donne 60F.*
—*60F n'est pas assez. C'est une jupe de Dior.*
—*Je lui donne 85F.*

G. Obsession. Each student in the group chooses one of the following obsessions. One person begins to talk about his or her obsession and the others interrupt to talk about their own. Obsessions: **les vêtements / la nourriture / les vacances / la santé / le travail / l'argent**

MODÈLE: —*J'adore acheter des vêtements. Très souvent je vais au magasin pour regarder ce qu'ils ont, même si je n'ai pas d'argent...*
—*Justement, les vêtements sont très chers. C'est pour ça que je n'aime pas aller dans les magasins, moi. J'essaie de faire des économies, même quand j'achète de la nourriture...*
—*Ah, la nourriture... Moi, j'adore faire la cuisine, et surtout j'aime manger. Hier soir, je me suis préparé un steak...*
—*La viande n'est pas très bonne pour la santé. Moi, je préfère manger des légumes, et je prends beaucoup de vitamines...*
Etc.

H. Une photo. Look at the photograph on page 289. Choose one of the articles of clothing and tell the salesperson that you want to try it on. Then talk about the price and pay for the item.

Vocabulaire actif

NOMS

un anorak
un bikini
les bottes (f. pl.)
un chandail
un chapeau
les chaussettes (f. pl.)
les chaussures (f. pl.)
une chemise
une chemise de nuit
un chemisier
les collants (m. pl.)
un costume
le coton
une cravate
une écharpe
un escarpin
une espadrille
un foulard
un gant
un gilet
un grand magasin
un imperméable
une jupe
la laine
un maillot de bain
un maillot de corps
un manche
un manteau
un mocassin

un pantalon
un parapluie
un pull-over
une pointure
un pyjama
un rayon
une robe
une sandale
un slip
la soie
un sous-vêtement
un soutien-gorge
un tailleur
un talon
un tee-shirt
un tennis
un vendeur
une vendeuse
une veste
un vêtement

ADJECTIFS

clair (inv.)
étroit(e)
fauché(e)
haut(e)
pratique

VERBES

aller bien à
attendre
chausser de
choisir
dépenser
entendre
entendre dire
entendre parler de
essayer
finir
grossir
maigrir
mettre
mettre à
se mettre à
se mettre en colère
montrer
obéir à
perdre
permettre
promettre
punir

raccourcir
rendre
rendre visite à
répondre
réussir (à)
vendre
vieillir

AUTRES EXPRESSIONS

à la mode
en solde
payer les yeux de la tête
tant mieux

CHAPITRE TREIZE

Prenons le train!

Première Étape
Les Gares de Paris

Deuxième Étape
Achetons les billets!

Troisième Étape
Réservons des couchettes!

Quatrième Étape
Lecture: Paris–Lyon par le T.G.V.

Première Étape

POINT DE DÉPART: *Les Gares de Paris*

each one / serves

it's not enough

Le voyageur qui veut quitter Paris par le train est obligé de vérifier d'où son train va partir. À Paris il y a six gares et **chacune dessert** une région bien définie de la France. **Il ne suffit** donc **pas** de savoir où on veut aller, mais d'où on va partir.

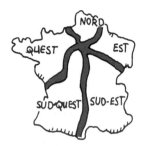

Région nord: Gare du Nord
Région est: Gare de l'Est
Région sud-est: Gare de Lyon
Région sud-ouest: Gare d'Austerlitz
Région ouest: Gare Montparnasse
              Gare Saint-Lazare

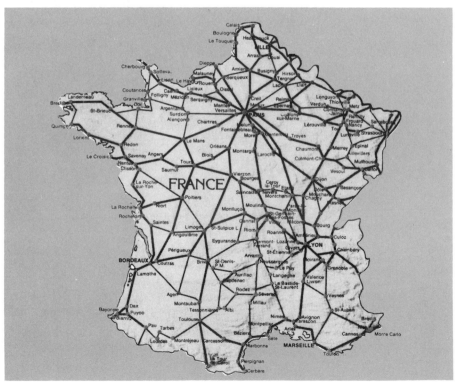

Nous sommes à la gare du Nord. Où allons-nous d'ici? Nous pouvons aller en Belgique. Je préfère aller en Angleterre.

Voilà la gare de l'Est. Où veux-tu aller? Oui, je voudrais aller à Strasbourg. Moi, je préfère aller en Suisse.

tourists, people on vacation
Riviera

Prenez le train à la gare de Lyon. C'est la gare des **vacanciers.** Où vont-ils? Ils vont dans le Midi, à Marseille, sur **la Côte d'Azur,** à Cannes, à Nice, en Corse. Et bien sûr, ils vont à Lyon par le T.G.V.[1]

you must go

Je suis à la gare d'Austerlitz. Je veux visiter le sud-ouest de la France, mais je ne sais pas où aller. **Il faut** absolument **que tu ailles** à Orléans, à Limoges et à Toulouse. Ou tu peux aller à Tours et ensuite tu peux descendre à Bordeaux et de là en Espagne.

Et de la gare Saint-Lazare? On prend le train pour aller en Normandie, à Rouen—la ville de Jeanne d'Arc—et au Havre, grand port français.

suburb
you (indirect object)
beach

La gare Montparnasse est la gare la plus moderne de Paris. Les trains de **ban-lieue** transportent les voyageurs au château de Versailles et à Chartres. Les trains rapides des grandes lignes **vous** permettent d'aller en Bretagne, à St-Malo, à Rennes, à Brest, à Lorient, à St-Nazaire et aux autres **plages** de l'Atlantique.

À vous! (Exercices de vocabulaire)

A. Regardez la carte à la page 314. Décidez de quelle gare on part pour aller aux villes suivantes.

MODÈLE: Mulhouse
   Pour aller à Mulhouse, il faut prendre le train à la gare de l'Est.

1. Nantes   2. Grenoble   3. Cannes   4. Pau   5. Poitiers   6. Reims
7. Nancy   8. Caen   9. Rouen   10. Bordeaux   11. Dunkerque
12. Amiens   13. Montpellier   14. Besançon

B. Un itinéraire. Regardez la carte à la page 314 et décrivez votre itinéraire de Paris. Expliquez (1) de quelle gare vous êtes parti(e) et (2) par quelles villes vous êtes passé(e) pour arriver à votre destination.

MODÈLE: Paris–Marseille
   J'ai pris le train à la gare de Lyon. Je suis passé par Dijon, par Mâcon et par Lyon.

1. Paris–Quimper
2. Paris–Perpignan
3. Paris–Nice
4. Paris–La Rochelle
5. Paris–Besançon
6. Paris–Boulogne
7. Paris–Bayonne
8. Paris–Metz

---

1. **T.G.V. (le train à grande vitesse)** is the fastest passenger train in the world. It runs between Paris and Lyon. See the reading in the **Quatrième Étape.**

STRUCTURE 1: *Les prépositions à et en avec les noms géographiques*

Tu vas **à** Madrid l'année prochaine?	Are you going *to* Madrid next year?
Non, je vais rester **en** France.	No, I'm going to stay *in* France.
Je vais peut-être aller **en** Normandie.	Maybe I'll go *to* Normandy.
Moi, je vais faire un voyage **au** Portugal.	I'm going to take a trip *to* Portugal.
Ensuite, je compte aller **aux** États-Unis.	Then, I hope to go *to* the United States.

	City	Feminine country or U.S. state, masculine country or U.S. state with vowel, continent or French province	Masculine country, masculine U.S. state	Plural country
To	à	en	au	aux
In	à	en	au	aux

The gender and nature of geographical names determine the prepositions that are used with them. Note that *to* and *in* are represented by the same preposition. Some generalizations will help you choose the proper preposition.

A + *city, town, village*

With very few exceptions, cities are never accompanied by a definite article. A definite article is used only when it is part of the name of the city.

Paris → à Paris	Rome → à Rome
but: Le Havre → au Havre	La Nouvelle Orléans → à La Nouvelle Orléans
Le Caire → au Caire	La Rochelle → à La Rochelle

En + *feminine country (U.S. state), masculine country (U.S. state) beginning with a vowel, continents and French provinces*

Most geographical names ending in an **-e** are feminine and take the preposition **en**. Study the following lists, noting in particular the spelling of the various names.

1. **Pays**[2]

*en Algérie	en Espagne	*en Nouvelle-
en Allemagne	*en France	Calédonie
en Angleterre	en Grèce	en Russie
*en Belgique	*en Haïti *(m.)*	en Suède
en Chine	en Israël *(m.)*	*en Suisse
*en Côte-d'Ivoire	en Italie	*en Tunisie
en Égypte	*en Mauritanie	en U.R.S.S. (Union
		des Républiques
		socialistes
		soviétiques)

2. **Continents**

en Afrique	en Amérique du sud	en Australie
en Amérique du nord	en Asie	en Europe

3. **États des États-Unis**

en Californie	en Louisiane	en Ohio *(m.)*
en Floride	en Alabama *(m.)*	en Oregon *(m.)*

4. **Provinces françaises**

en Alsace	en Bretagne	en Normandie
en Bourgogne	en Champagne	en Provence

Au + *masculine country (U.S. state)*

A country is generally masculine when it ends in a letter other than **-e.** Study the spellings of the following masculine geographical names.

1. **Pays masculins**

au Brésil	au Japon	*au Niger
*au Cameroun	*au Luxembourg	au Pérou
*au Canada	*au Madagascar	au Portugal
au Danemark	*au Maroc	*au Sénégal
*au Gabon		

Note: A few countries, although they end in **-e,** are masculine and therefore take the preposition **au.** Among these are: **au Cambodge, au Mexique,** *au Zaïre.**

2. **États masculins des États-Unis**

au Texas   au Vermont   au Mississippi   au Montana

---

2. The countries marked by an asterisk are either former French colonies or Francophone countries where French is one of the official languages.

Aux + plural country

The major geographical area designated by a plural noun is the United States:

les États-Unis   aux États-Unis

Helpful hints: 1. If you do not know the gender of a U.S. state, you can use the expression **dans l'état de.** This expression must be used when speaking of the states of New York and Washington, where even in English we tend to distinguish between the state and the cities.

Il a fait ses études **dans l'état de** Colorado.   He went to school *in* Colorado.

2. When no preposition accompanies a country, state, continent or province in English, you must use the definite article in French.

Je vais visiter **la** France et **le** Portugal.   I'm going to visit France and Portugal.

3. The definite article is also used with the preposition **pour** *(for)*.

Je pars **pour la** France demain.   I'm leaving *for* France tomorrow.

Application

C. Où se trouve...? Indiquez dans quel pays sont situées les villes suivantes:

MODÈLE: Paris   *Paris se trouve en France.*

1. Madrid   2. Montréal   3. Rome   4. Berlin   5. Tokyo   6. Londres
7. La Nouvelle Orléans   8. Moscou   9. Lisbonne   10. Bruxelles
11. Mexico   12. Jérusalem   13. Pékin   14. Dakar   15. Copenhague

D. Où est-ce qu'on parle...? En employant les indications entre parenthèses, indiquez dans quels pays on parle les langues suivantes.

MODÈLE: Où est-ce qu'on parle allemand? (Allemagne / Suisse)
    On parle allemand en Allemagne.
    On parle allemand en Suisse.

1. Où est-ce qu'on parle espagnol? (Espagne / Pérou)
2. Où est-ce qu'on parle anglais? (Angleterre / États-Unis)
3. Où est-ce qu'on parle russe? (U.R.S.S.)
4. Où est-ce qu'on parle suédois? (Suède)
5. Où est-ce qu'on parle portugais? (Portugal / Brésil)
6. Où est-ce qu'on parle français? (Luxembourg / Tunisie / Monaco / Canada)
7. Où est-ce qu'on parle chinois? (Chine)
8. Où est-ce qu'on parle japonais? (Japon)

E. Où sommes-nous? Selon les indications données, essayez de deviner dans quels pays, état, province ou ville nous sommes.

MODÈLE: C'est l'état du soleil. Il y a beaucoup de plages et c'est un endroit préféré des vacanciers.
Nous sommes en Floride.

1. C'est un pays célèbre pour le chocolat et les montres. Il y a aussi beaucoup de banques.
2. Les habitants de ce pays adorent le riz et ils boivent beaucoup de thé. Leur cuisine est aujourd'hui très célèbre aux États-Unis.
3. C'est un pays de l'Afrique du Nord où on parle français mais où la langue officielle est l'arabe. Ce pays est situé entre le Maroc et la Tunisie.
4. C'est une île d'Europe où on parle anglais. Les habitants de ce pays aiment boire le thé avec du sucre et du lait.
5. C'est le pays du pape et du Vatican. Dans ce pays il y a aussi beaucoup de ruines de l'époque romaine.
6. C'est un des plus grands états des États-Unis. Le pétrole *(oil)* est une grande industrie de cet état.
7. C'est la province française que visitent beaucoup de touristes, surtout en été. Ici il fait très chaud et les gens aiment passer leur temps à la plage.
8. Ce pays a le train le plus rapide du monde. Les habitants de ce pays aiment le vin, et leur cuisine a une réputation mondiale.
9. C'est le pays qui est le grand rival des Etats-Unis.
10. C'est une des villes où se réunissent les représentants des Nations Unies. On parle français dans cette ville.

STRUCTURE 2: *La formation du présent du subjonctif*

The subjunctive mood is used in sentences having more than one clause and in which the speaker or writer is expressing opinion, emotion, doubt, necessity, or making any other personal evaluation of what he or she is stating. The boldfaced expressions in the following examples indicate the speaker's own assessment of the situation.

Il faut qu'elle **prenne** le train à 18h.	*She has to* take the train at 6 P.M. (Literally: *It is necessary that* she take...)
Il est important qu'ils **aillent** à la gare de l'Est.	*It's important that* they go to the gare de l'Est.

These sentences are composed of two clauses connected by **que**; the subjunctive is used only in the second clause—i.e., after **que.**

The following endings are used with all verbs in the subjunctive except **avoir** and **être: -e, -es, -e, -ions, -iez, -ent.** As with any other verb formation, the most important thing to do is to determine the verb stem to which the endings will be added.

Regular -er, -ir, -re verbs and verbs conjugated like sortir in the present subjunctive

The simplest way to find the subjunctive stem for these verbs is by dropping the **-ons** ending from the present tense **nous** form. Then add the appropriate subjunctive ending.

		parler	*réussir*	*rendre*	*sortir*
(que)	je	parle	réussisse	rende	sorte
	tu	parles	réussisses	rendes	sortes
	il/elle/on	parle	réussisse	rende	sorte
	nous	parlions	réussissions	rendions	sortions
	vous	parliez	réussissiez	rendiez	sortiez
	ils/elles	parlent	réussissent	rendent	sortent

Aller, avoir and être in the present subjunctive[3]

		aller	*avoir*	*être*
(que)	je (j')	aille	aie	sois
	tu	ailles	aies	sois
	il/elle/on	aille	ait	soit
	nous	allions	ayons	soyons
	vous	alliez	ayez	soyez
	ils/elles	aillent	aient	soient

Application

F. Réagissez selon le modèle en donnant le contraire des phrases suivantes.

MODÈLE: Il ne va pas au Brésil.
Mais, il faut qu'il aille au Brésil!

1. Nous n'allons pas à la banque aujourd'hui.
2. Nous ne consultons pas le médecin.
3. Je ne m'occupe pas des enfants.
4. Elles n'ont pas confiance en lui.
5. Elle n'étudie pas le japonais.
6. Il ne se soigne pas.
7. Je ne me repose pas.
8. Ils ne sont pas à l'heure.

---

3. The stem of **aller** is irregular, but its subjunctive endings are regular. Both the stems and the endings of **avoir** and **être** are irregular. Additional irregular verbs are presented in the **Deuxième Étape.**

G. Qu'est-ce qu'il faut faire? Voici une série de projets. Dites à chacune des personnes ce qu'il faut faire pour réussir selon les indications entre parenthèses. Employez d'abord **il faut que** et ensuite **il est important que.**

MODÈLE: Je veux aller en Europe. (avoir un passeport/acheter le billet)
Il faut que tu aies ton passeport.
Il est important que tu achètes ton billet bien à l'avance.

1. Hélène veut être médecin. (aller à l'université / étudier beaucoup)
2. Je voudrais aller en Chine. (étudier le chinois / avoir un visa)
3. Nous voulons aller de Paris à Nice. (partir de la gare de Lyon / arriver à la gare à l'avance)
4. Jean-Paul veut apprendre l'anglais. (avoir de la patience / aller aux États-Unis)
5. Ils veulent inviter leurs amis à dîner. (aller au supermarché / préparer un dîner délicieux)
6. Elle veut trouver un job. (être patiente / arranger des interviews)

STRUCTURE 3: *Le subjonctif avec les expressions impersonnelles*

In all of the previous sentences, the subjunctive was introduced by an impersonal expression **(il faut que, il est important que)**—i.e., an expression that has no specific subject. In these expressions, **il** is equivalent to *it* in English. All of the following impersonal expressions introduce the subjunctive in the subordinate clause. Note that they reflect the speaker's opinion of what should or should not happen. It is uncertain or doubtful, however, that these things will in fact occur.

il faut que	il est essentiel que	il est préférable que
il est important que	il est indispensable	il est dommage que
il est peu probable que	que	il est douteux que
	il est nécessaire que	il se peut que
il vaut mieux que	il est possible que	
il est bon que		

Unlike the previous expressions, some impersonal expressions, when used in the affirmative, suggest certainty or probability. In such cases, the speaker believes that the statement is likely to come true. These expressions therefore take the *indicative* rather than the subjunctive in the subordinate clause.

il est certain que	il est évident que	il est sûr que
il est clair que	il est probable que	il est vrai que

Il est probable qu'il **va** les accompagner.	*It's likely that* he *will go* with them.
Il est vrai qu'elles **sont allées** en Belgique.	*It's true that* they *went* to Belgium.

The French railway system (**S.N.C.F., Société Nationale des Chemins de Fer français**) is one of the most efficient and sophisticated in the world. The French are rightly proud of the fact that their trains are very punctual and comfortable. The **S.N.C.F.** was nationalized in 1937, which means that it is state owned and state controlled. With its 35,000 km. of track and 11,500 trains, it transports more than 610 million people and 250 tons of merchandise each year. Express trains travel at over 120 km. an hour, and the new **T.G.V. (Train à grande vitesse)** between Paris and Lyon is the fastest train in the world, traveling at a speed of 280 to 300 km. an hour.

When the same expressions are used in the negative or the interrogative they often express uncertainty or improbability (**il n'est pas certain que, est-il vrai que?**). In these cases they are followed by the subjunctive.

Il est certain qu'elle **est** en France.

Il n'est pas certain qu'elle **soit** en France.

Application

H. Refaites les phrases en ajoutant l'élément entre parenthèses. Faites tous les changements nécessaires.

MODÈLE: Nous nous occupons de la maison. (il faut que)
Il faut que nous nous occupions de la maison.

1. Vous allez à la banque. (il vaut mieux que)
2. Nous allons consulter le médecin. (il est indispensable que)
3. Tu vas t'occuper des enfants. (il est préférable que)
4. Elles ont confiance en lui. (il n'est pas sûr que)
5. Il a assez de patience. (il est douteux que)
6. Nous sommes toujours à l'heure. (il est nécessaire que)
7. Le train part de la gare Saint-Lazare. (il est possible que)
8. Vous étudiez le japonais. (il est essentiel que)

I. À mon avis... *(In my opinion...)* Voici une série d'idées. Donnez votre opinion de chacune de ces idées en employant une expression impersonnelle. Quelquefois le verbe va être au subjonctif et quelquefois à l'indicatif.

MODÈLES: La guerre est inévitable.
Il n'est pas vrai que la guerre soit inévitable.

La paix est préférable.
Il est certain que la paix est préférable.

1. Les Français ont le train le plus rapide du monde.
2. L'alcool est une substance dangereuse.

3. L'inflation est un grand problème économique.
4. Les émissions télévisées s'adressent à nos besoins.
5. La communication entre les parents et les enfants est facile.
6. Le français est une langue facile à apprendre.
7. Les Américains sont généralement en bonne santé.

Mise au point (Petite révision de l'étape)

J. Échange. Réagissez aux projets de votre camarade. Suivez le modèle et employez les expressions impersonnelles de nécessité (**il faut que**, etc.) et de préférence (**il vaut mieux que, il est préférable que**):

MODÈLE: acheter une montre / Japon / Suisse
              —*Je vais acheter une montre au Japon.*
              —*Il vaut mieux que tu ailles en Suisse.*
     ou: —*Il faut que tu l'achètes en Suisse.*

1. passer les vacances / Italie / Venise
2. étudier l'architecture gothique / France / Chartres
3. étudier l'architecture byzantine / Russie / Turquie
4. acheter un ordinateur / un appareil-photo / Pérou / Allemagne
5. écouter un opéra de Puccini / New York / Italie
6. être / États-Unis / Angleterre

K. Exercice écrit. Composez des phrases avec les éléments donnés. Commencez chaque phrase par une expression impersonnelle différente.

MODÈLE: nous / visiter / France
              Il faut que nous visitions la France.

1. je / partir / tout de suite
2. nous / se soigner
3. vous / aller / Mexique
4. elles / être / Paris
5. il / réussir / examen
6. on / avoir / patience
7. vous / se téléphoner
8. je / sortir / soir

POINT DE DÉPART: Achetons les billets!

honeymoon
schedule, time table

Jacques et sa fiancée Simone font les préparatifs pour leur **voyage de noces.** Ils ont décidé de passer quinze jours[4] à Rome et ils consultent l'**horaire** des trains.

JACQUES: À quelle heure part le train pour Rome?
SIMONE: Ça dépend. Il y a un train de nuit qui part à 20h et un train de jour qui part à 7h45.

express train / express train

JACQUES: Le train de nuit, c'est un **express** ou un **rapide?**
SIMONE: Un express, je pense. Mais tu sais, il y a aussi le T.G.V.

nonstop train
convenient

JACQUES: Oui, mais ce n'est pas un **train direct.** Il faut changer à Lyon et il n'y a peut-être pas de correspondance **commode.**

trip

SIMONE: T'as raison. Prenons le train de nuit, et faisons le **trajet** le plus vite possible.

---

4. Note that in French the expression **huit jours** is the equivalent of *a week* and **quinze jours** is used for *two weeks.*

Au guichet de la gare de Lyon...

JACQUES: Je voudrais deux billets pour Rome pour le 15 juin.

one-way / round-trip

EMPLOYÉ: **Aller simple** ou **aller-retour?**

JACQUES: Aller-retour. Retour le 30 juin.

EMPLOYÉ: Première ou deuxième classe?

JACQUES: Première classe.

EMPLOYÉ: Il y a un train de nuit direct Paris-Rome, ou vous pouvez prendre un rapide et faire le voyage le jour.

JACQUES: Donnez-moi les billets pour le train de nuit.

sleeping car (with bunks)
sleeping car (with beds)

EMPLOYÉ: Voilà, Monsieur. Deux billets Paris-Rome pour le 15 juin, avec retour le 30 juin. C'est 2.500 francs. Pour les **voitures-couchettes** ou les **wagons-lits**, passez au guichet à droite.

JACQUES: Merci bien, Monsieur.

À vous! (Exercices de vocabulaire)

A. Au guichet. Achetez un billet de train en employant les renseignements donnés. Un(e) de vos camarades va jouer le rôle de l'employé(e).

MODÈLE: 4 / Genève / 18 septembre / aller-retour (30 septembre) / 2^e
—Je voudrais quatre billets pour Genève pour le 18 septembre.
—Aller simple ou aller-retour?
—Aller-retour. Retour le 30 septembre.
—Première ou deuxième classe?
—Deuxième classe.

1. 1 / Rouen / 5 mai / simple / $1^{\text{ère}}$
2. 3 / Lille / 28 août / aller-retour (4 septembre) / 2^e
3. 2 / Bordeaux / 12 juin / aller-retour (19 juin) / $1^{\text{ère}}$
4. 4 / Cannes / 3 juillet / simple / 2^e

B. Quel train prendre? Répondez aux questions selon les renseignements donnés dans l'horaire suivant.

1. Je veux arriver à Lyon avant midi. Quel train faut-il prendre de Mulhouse?
2. Je vais à Lyon et je veux quitter Strasbourg avant midi. Quelles sont les possibilités?

Numéro du train		1571	1551	5025	5089	1573	5049	1575	181	7071	7073	5053	11577	1577	5537
Notes à consulter		1	2	3	4	1	5	1	6	7	8	4	9	10	11
Strasbourg	D	06.28				08.30		11.58					14.40	15.40	
Colmar	D	07.04				09.01		12.30					15.16	16.12	
Mulhouse	D	07.30				09.27		12.56					15.51	16.38	
Belfort	D	08.01				09.57		13.26					16.25	17.08	
Montbéliard	D	08.14				10.09		13.39					16.41	17.21	
Besançon	D	09.07				11.03		14.32					17.51	18.14	
Lons-le-Saunier	A	10.04				12.01		15.29					18.59	19.12	
Bourg-en-Bresse	A	10.42				12.38		16.05					19.42	19.48	
Lyon-Brotteaux	A	11.26				13.21		16.46					20.29	20.29	
Lyon-Perrache	A	11.36				13.31		16.55					20.38	20.38	
Lyon-Perrache	D		11.48	11.53	12.18		13.50		17.07	17.17	17.17	18.16			20.55
Valence	A		12.43	12.47	13.41		14.44		18.00	18.52	18.45	19.32			21.49
Montélimar	A				14.17		15.11				19.22	20.13			22.14
Marseille	A			14.53	16.34		17.06		20.00						
Toulon	A			16.04			18.11		20.48						

Numéro du train		5009	11588	11579	1589	1579	5479	5075	5075	1581	1597	1593	7063	5027	5291
Notes à consulter		14	12	13	12	15	4	11	16	9	17	18	4	2	4
Strasbourg	D			17.21	17.29	18.25				19.12	20.12	23.04			
Colmar	D		17.01	17.56	18.04	18.57				19.44	20.53	23.48			
Mulhouse	D		17.33	18.29	18.35	19.23				20.10	21.25	00.32			
Belfort	D		18.18	19.07	19.14	19.53				20.40	22.03	01.22			
Montbéliard	D		18.32	19.20	19.28	20.06				20.53	22.21	01.40			
Besançon	D		19.39	20.24	20.27	20.58				21.47	23.32	02.51			07.10
Lons-le-Saunier	A			21.35		21.56						04.04			08.35
Bourg-en-Bresse	A			22.20		22.33				23.46		04.52			09.24
Lyon-Brotteaux	A			23.12		23.12				00.28		05.59			10.12
Lyon-Perrache	A		22.54	23.21	23.18	23.21				00.37	02.30	06.10			10.21
Lyon-Perrache	D	20.58			23.24		23.55	00.05	00.05		02.37		06.20	07.08	
Valence	A	21.55			00.26		01.01	01.47	01.47		03.35		07.57	08.06	
Montélimar	A	22.20					01.36	02.17	03.44				08.58	08.34	
Marseille	A	00.17						04.37	05.54		06.16			10.33	
Toulon	A	01.28							07.07		07.19			11.31	

Tous les trains offrent des places assises en 1re et 2e cl. sauf indication contraire dans les notes.

3. Je veux quitter Besançon à 17h51, destination Toulon. Combien d'arrêts y a-t-il entre les deux villes?
4. Quelle est votre destination finale si vous prenez le train de Strasbourg à 17h29?

Reprise (Première Étape)

C. D'où sont-ils? Selon la ville indiquée, décidez quel est le pays d'origine de chaque personne.

MODÈLE: Monique habite à Lyon.   *Elle est née en France.*

1. Takeo Yoshida habite à Osaka.
2. Ernst Schmidt habite à Hambourg.
3. Rosa Pereira habite à Rio de Janeiro.
4. Les Buhler habitent à Berne.
5. Roger et Susan habitent à Chicago.
6. Juanita habite à Lima.
7. Hussein Pacha habite au Caire.
8. Dmitri habite à Moscou.
9. Harold Fraser habite à Londres.
10. M. Senghor habite à Dakar.

D. Esprit de contradiction. Pour chacun des impératifs, refusez de faire ce qu'on vous dit et expliquez que vous êtes obligé de faire autre chose. Employez **je** et **nous** selon la forme de l'impératif.

MODÈLE: Va au supermarché! (banque)
   Je ne peux (veux) pas aller au supermarché; il faut que j'aille à la banque.

1. Parle au professeur! (directeur)
2. Soyez à la gare à 16h! (maison)
3. Achète une bicyclette! (vélomoteur)
4. Étudiez le russe! (espagnol)
5. Finis tes devoirs! (lettre)
6. Allez à la banque! (gare)
7. Va à Versailles! (Fontainebleau)
8. Sortez avec vos amis! (parents)

STRUCTURE 4: *Le subjonctif avec les verbes d'émotion*

Je suis désolé que tu sois malade.	*I'm sorry that* you're sick.
Elle est contente que nous restions avec elle.	*She's glad that* we're staying with her.

In the first **étape** of this chapter, you learned about the subjunctive, its formation in the present, and its use with impersonal expressions. Now you will learn to use the subjunctive with verbs that express emotion, such as happiness, sadness, fear, doubt, regret, and surprise. The most common of these expressions are:

avoir peur	être étonné(e)	être satisfait(e)
déplorer	être furieux(se)	être surpris(e)
être content(e)	être heureux(se)	être triste
être désolé(e)	être navré(e)	regretter

Whenever these verbs are followed by a subordinate clause, the verb of that clause is in the subjunctive mood.

Application

E. Refaites les phrases en ajoutant l'élément entre parenthèses:

MODÈLE: Il part ce soir. (je regrette que)
            Je regrette qu'il parte ce soir.

1. Vous étudiez le français. (elle est heureuse que)
2. Je suis en retard. (il est surpris que)
3. Vous le quittez. (nous sommes étonnés que)
4. Tu pars demain. (elle est désolée que)
5. Vous finissez la leçon. (je voudrais que)
6. Vous ne sortez pas. (je regrette que)
7. Elles vont en vacances. (il est content que)
8. Nous ne réussissons pas. (elles ont peur que)

F. Réagissez aux phrases en employant un verbe ou une expression d'émotion + le subjonctif.

MODÈLES: J'ai rendez-vous avec Michel.
             Je suis content(e) que tu aies rendez-vous avec Michel.

             Je vais me coucher de bonne heure.
             Je suis étonné(e) que tu te couches de bonne heure.

1. J'ai mal au dos.
2. Je ne suis pas heureux.
3. Je ne sors pas ce soir.
4. Je ne pars pas avec elle.
5. J'ai un rhume.
6. Je vais partir demain.
7. Je vais aller en vacances.
8. Je vais visiter Madrid.
9. Je vais sortir avec ton frère.
10. Je vais m'occuper des enfants.

STRUCTURE 5: *Le subjonctif avec les verbes de volonté*

J'aime mieux que tu ailles à la boulangerie.	*I prefer* for you to go to the bakery.
Vous désirez que je parte tout de suite?	*Do you want* me to leave right away?
Elle souhaite que vous étudiiez le français.	*She wishes* you to study French.

A **verbe de volonté** (**volonté** comes from **vouloir**) is any verb that suggests the imposing of one person's will on someone else. When you use such a verb in a principal clause, the verb in the subordinate clause is in the subjunctive mood. The most common of these verbs are:

accepter	exiger (*to demand*)	préférer
aimer mieux	insister	souhaiter (*to wish*)
désirer	permettre	vouloir

As in other situations that require the subjunctive, uncertainty is a condition of these **verbes de volonté**—i.e., just because you want someone to do something does not automatically mean that they will comply.

Application

G. Je suis Napoléon Bonaparte! Napoléon Bonaparte, empereur des Français au 19ᵉ siècle, est connu pour ses manières tyranniques. Faites semblant que vous êtes Napoléon. Ajoutez à chacune des phrases suivantes un verbe de volonté et faites tous les changements nécessaires:

MODÈLE: Vous obéissez.
　　　　　　Je veux que vous obéissiez: ou: *J'insiste que vous obéissiez!*

1. Nous allons en Russie.
2. Tu descends en Espagne.
3. Elle rencontre le général anglais.
4. Vous servez un repas somptueux.
5. Nous finissons la guerre.
6. Tu punis les traîtres.
7. Tu vas en Italie.
8. Ils partent en Égypte.

H. Je veux que... When you tell your friend(s) what you want him(her, them) to do, they will refuse.
Tell your friend(s) that:

MODÈLE: You want him to buy the tickets
　　　　　　—Je veux que tu achètes les billets.
　　　　　　—Je ne veux pas les acheter.

1. You want them to be on time
2. You want her to finish her work
3. You want them to wait
4. You want her to go to the train station
5. You want them to leave immediately
6. You don't want them to argue
7. You don't want her to leave

STRUCTURE 6: *Les verbes irréguliers au subjonctif*

Stem-changing verbs like **préférer, acheter, jeter**

Il faut que tu **achètes** du vin.	You have to buy some wine.
Il faut que nous **achetions** les billets.	We have to buy the tickets.
Il faut que vous **achetiez** des gants.	You have to buy gloves.

Regular stem-changing verbs retain the spelling changes in all forms of the subjunctive conjugation except **nous** and **vous.** This means that when you add or change an accent or double a consonant in the present indicative, the same changes will occur in the subjunctive.

Irregular verbs in the subjunctive

faire	*pouvoir*
que je **fasse**	*que* je **puisse**
que tu **fasses**	*que* tu **puisses**
*qu'*il/elle/on **fasse**	*qu'*il/elle/on **puisse**
que nous **fassions**	*que* nous **puissions**
que vous **fassiez**	*que* vous **puissiez**
*qu'*ils/elles **fassent**	*qu'*ils/elles **puissent**

savoir	*vouloir*	*prendre*
que je **sache**	*que* je **veuille**	*que* je **prenne**
que tu **saches**	*que* tu **veuilles**	*que* tu **prennes**
*qu'*il/elle/on **sache**	*qu'*il/elle/on **veuille**	*qu'*il/elle/on **prenne**
que nous **sachions**	*que* nous **voulions**	*que* nous **prenions**
que vous **sachiez**	*que* vous **vouliez**	*que* vous **preniez**
*qu'*ils/elles **sachent**	*qu'*ils/elles **veuillent**	*qu'*ils/elles **prennent**

Application

I. Répondez affirmativement en employant l'expression entre parenthèses.

MODÈLE: Va-t-il faire la vaisselle? (il faut que)
            Oui, il faut qu'il fasse la vaisselle.

1. Vas-tu prendre l'avion? (il est indispensable que)
2. Dit-il la vérité? (il est nécessaire que)
3. Vont-elles mettre une robe? (je veux que)
4. Pouvez-vous les rencontrer? (il est important que)
5. Va-t-elle faire des études? (nous insistons que)
6. Vont-ils comprendre la situation? (nous voulons que)
7. Savez-vous nager? (ils exigent que)
8. Vas-tu faire des progrès? (il est possible que)

Mise au point (Petite révision de l'étape)

J. Qu'est-ce que tu veux que je fasse? Pour chacun des projets, dites à quelqu'un d'autre ce que vous voulez qu'il (elle) fasse. Employez des verbes de volonté ou d'émotion et le subjonctif.

MODÈLE: Faisons un voyage en France! (je veux / je préfère / je suis
            content[e])
            —*Je veux que tu achètes les billets.*
            —*Je préfère que tu fasses les valises.*
            —*Je suis content(e) que tu viennes avec moi.*

1. Faisons un pique-nique! (je souhaite / j'aimerais / j'insiste)
2. Visitons Paris! (je suis content[e] / je regrette / je désire)
3. Faisons les courses! (j'aime mieux / je suis furieux[se] / je suis surpris[e])
4. Cherchons un appartement! (je suis content[e] / je préfère / je veux)
5. Allons au match de football! (je suis navré[e] / je regrette / je désire)
6. Prenons le train! (je suis heureux[se] / j'insiste / je préfère)

K. Exercice écrit. Complétez les phrases avec la forme convenable du verbe entre parenthèses. Employez le présent de l'indicatif ou le présent du subjonctif:

MODÈLE: (aller) Je veux que tu _____ au cinéma avec moi.
          Je veux que tu ailles au cinéma avec moi.

1. (vouloir) Il est peu probable qu'ils _____ les accompagner.
2. (savoir) Nous voulons que tu _____ parler français.
3. (faire) Elle est contente que nous _____ du ski.
4. (pouvoir) Il est probable que je _____ leur parler.
5. (avoir) Je veux qu'elle _____ confiance en nous.
6. (être) Nous regrettons que vous _____ malade.
7. (aller) Il est vrai que je _____ au Brésil.

Troisième Étape

POINT DE DÉPART: *Réservons des couchettes!*

Jacques passe au guichet à droite pour réserver deux places dans une voiture-couchettes Paris–Rome.

JACQUES: J'ai deux billets aller-retour Paris-Rome pour le 15 et le 30 juin. Je voudrais réserver deux couchettes.

L'EMPLOYÉE: Très bien, Monsieur. Première ou deuxième classe?

JACQUES: Première classe.

smoker / non-smoker   L'EMPLOYÉE: **Fumeur** ou **non-fumeur?**

JACQUES: Non-fumeur.

let's see   L'EMPLOYÉE: **Voyons...** C'est le train de nuit que vous prenez?

JACQUES: Oui, il part à 20h20.

    L'EMPLOYÉE: Nous n'avons pas de couchettes, mais il y a encore un **comparti-**

train compartment   **ment** de deux personnes dans un wagon-lit. C'est un peu plus cher que les couchettes mais c'est aussi plus confortable.

JACQUES: Bon, ça va très bien. Et pour le retour le 30 juin?

in first class   L'EMPLOYÉE: J'ai deux couchettes **en première.**

everything   JACQUES: D'accord. C'est combien pour **le tout**?

    L'EMPLOYÉE: Vous payez un supplément de 300 francs. Voilà vos réservations, Monsieur. Et bon voyage!

JACQUES: Merci bien, Madame.

À vous! (Exercices de vocabulaire)

A. Vous êtes Jacques. Répondez aux questions en employant les détails du dialogue:

1. L'employé: Combien de couchettes voulez-vous réserver? Première ou deuxième classe? Quel train prenez-vous?
2. Simone (la fiancée de Jacques): À quelle heure part notre train? Nous avons des couchettes? Et qu'est-ce que nous avons pour le retour? Combien as-tu payé les réservations?

B. À la location (Reservation bureau). Faites les réservations en utilisant les renseignements donnés. Un(e) de vos camarades va jouer le rôle de l'employé(e).

MODÈLE: 2 / place / 2e / fumeur / 13h25
—Je voudrais réserver deux places.
—Première ou deuxième classe?
—Deuxième.
—Fumeur ou non-fumeur?
—Fumeur.
—Quel train?
—Le train de treize heures vingt-cinq.

1. 1 / couchette / 2e / non-fumeur / 22h
2. 3 / places / 1ère / fumeur / 8h45
3. 2 / places / 2e / non-fumeur / 10h15
4. 2 / wagon-lit (compartiment) / 1ère / non-fumeur / 15h

Reprise (Deuxième Étape)

C. Préparatifs pour un voyage. Changez les impératifs en ajoutant **je veux**.

MODÈLE: Achetez des vêtements!
Je veux que vous achetiez des vêtements!

1. Achète les billets!
2. Faites les réservations!
3. Téléphonez à vos amis!
4. Choisissez vos vêtements!
5. Faisons les valises!
6. Dites au revoir à vos parents!
7. Prends un train!
8. Allons à la gare!
9. Prenez le train!
10. Amusez-vous!

D. Nous regrettons... Répondez négativement aux questions suivantes et commencez chaque réponse par une forme du verbe **regretter**.

MODÈLE: Peut-il venir avec nous?
Elle regrette qu'il ne puisse pas venir avec vous.

1. Vas-tu en Bretagne cette année?
2. Est-ce que sa mère est avec lui?

3. Savent-elles faire du patinage?
4. Peut-elle acheter ce manteau?
5. Faites-vous des études?
6. Parles-tu espagnol?
7. Avez-vous assez d'argent?
8. Comprend-il ses parents?

STRUCTURE 7: *L'emploi de l'infinitif pour remplacer le subjonctif*

Je voudrais que tu visites les musées de Paris.	*I'd like you to visit* the Paris museums.
but: **Je voudrais visiter** les musées de Paris.	*I'd like to visit* the Paris museums.

Although the present subjunctive is quite frequently used in French, it can sometimes be avoided by using an infinitive. Note that the first example above contains a change of subject (**je** to **tu),** whereas the second example has only one subject (**je**), indicating no doubt about who will visit the museums. As a rule, a change of subject necessitates the subjunctive, but when there is no ambiguity about who will carry out the action, an infinitive can be used.

Il est préférable que tu **prennes** le train.

Il est préférable de prendre le train.

Je suis contente que tu **fasses** des progrès.

Je suis contente de faire des progrès.

Note that any expression constructed with the verb **être** requires the preposition **de** with the infinitive.

Application

E. Composez des phrases en employant les éléments donnés avec les expressions entre parenthèses.

MODÈLE: parler français en classe (il faut / il faut que)
Il faut parler français en classe.
Il faut que nous parlions français en classe.

1. aller à la banque (il est indispensable / il est indispensable que)
2. téléphoner au professeur (il faut / il faut que)
3. prendre des médicaments (il est important / il est important que)
4. acheter des bottes (je veux / je veux que)
5. partir tout de suite (il est nécessaire / il est nécessaire que)
6. étudier cet après-midi (il vaut mieux / il vaut mieux que)

F. En utilisant le verbe entre parenthèses, donnez au moins deux réactions aux phrases. Employez une construction avec le subjonctif et une deuxième avec l'infinitif.

MODÈLE: Jean-Jacques et toi, vous n'allez pas au cinéma ce soir. Pourquoi pas? (vouloir)
    Parce que moi je ne veux pas aller au cinéma.
    Parce que Jean-Jacques ne veut pas que nous allions au cinéma.

1. Tu fais toujours attention en classe. Pourquoi? (il est nécessaire)
2. Jacqueline va en France. Moi, je reste aux États-Unis. (être content)
3. Mon mari veut que nous habitions à New York; moi, je veux que nous habitions à Londres. (il vaut mieux)
4. Moi, je vais partir en Europe. Tu ne peux pas aller en Europe avec moi. (regretter)

G. Complétez les phrases suivantes en vous adressant aux personnes indiquées.

À votre petit frère:

1. À ton âge, il faut toujours...
2. Je ne veux pas que tu...
3. Je suis heureux(se) que tu...
4. Il est important de...
5. Il vaut mieux...

À vos parents:

6. À votre âge, il faut toujours...
7. Je ne veux pas que vous...
8. Je suis heureux(se) que vous...
9. Il est important de...
10. Il vaut mieux...

STRUCTURE 8: *La préposition de avec les noms géographiques*

Je suis **de** Paris.	I'm *from* Paris.
Est-il **de** Californie ou **du** Texas?	Is he *from* California or Texas?
Elle a envoyé une lettre **de** Suisse.	She sent a letter *from* Switzerland.
Ce fromage est **de** Normandie.	This cheese is *from* Normandy.
Nous sommes partis **du** Maroc.	We left *from* Morocco.
Vous êtes **des** Etats-Unis?	Are you *from* the United States?

	City	Feminine countries and states of the U.S.	Masculine countries and states of the U.S.	Plural countries
From	de	de (d')	du	des

From + a geographical name in French is expressed by a form of **de.** All the rules determining gender that you have already studied apply in this case also.

1. **De** + city (Exceptions: **du Havre, de La Nouvelle Orléans, de La Rochelle, du Caire**)
   De (d') + feminine country, feminine U.S. state, or masculine country or masculine state beginning with a vowel
   De + continent
   De + French province
2. **Du** + masculine country and state
3. **Des** + plural country

Note that with feminine countries, states, continents, and provinces **de** means *from*. When **de** means *of*, add the definite article to the preposition. This is of course not necessary with masculine or plural names since **du** and **des** are already contractions of the preposition and the definite article. Compare the following sentences:

Nous sommes arrivés **de** France hier.   We arrived *from* France yesterday.

Paris est la capitale **de la** France.   Paris is the capital *of* France.

Application

H. Répondez négativement en substituant le nom entre parenthèses au nom en italique:

MODÈLE: Est-ce qu'elle est d'*Allemagne*? (Suisse)
          Non, elle est de Suisse.

1. Est-ce qu'ils arrivent du *Pérou*? (Israël)
2. Est-ce que vous êtes d'*Angleterre*? (États-Unis)
3. Est-ce que tu arrives de *Chicago*? (Los Angeles)
4. Est-ce que Lima est la capitale de l'*Italie*? (Pérou)
5. Est-ce que les habitants de *Chine* parlent français? (Algérie)
6. Est-ce qu'Élizabeth est la reine de *France*? (Angleterre)
7. Est-ce qu'elle est de *France*? (Allemagne)
8. Est-ce qu'ils lui ont montré les photos du *Brésil*? (Suède)

I. Des cadeaux. *(Presents.)* Composez des questions avec les éléments donnés.

MODÈLE: tu / cigarettes / France
            Est-ce que tu vas lui apporter des cigarettes de France?

1. elle / fromages / Suisse
2. vous / vin / France
3. ils / portefeuille / Maroc
4. tu / statuette / Mexique
5. elles / chaussures / Italie

6. vous / gants / Paris
7. elle / cadeau / Brésil
8. tu / photos / Israël
9. vous / oranges / Floride
10. ils / voiture / Japon

Mise au point (Petite révision de l'étape)

J. Échange. Réagissez d'abord et ensuite donnez un conseil:

MODÈLE: J'ai mal à la gorge.
            Je suis désolé(e) que tu aies mal à la gorge. Il faut que tu
            prennes des pastilles.

1. Claudine a de la fièvre.
2. Je suis fauché.
3. Nous dormons très mal.
4. Le train est en retard.

5. Ma femme ne veut pas habiter au Brésil.
6. Mon mari ne sait pas faire la cuisine.

K. Exercice écrit. Transformez les questions en employant les éléments entre parenthèses.

MODÈLE: Fais-tu des progrès? (il est essentiel)
            Il est essentiel que tu fasses des progrès.
            Il est essentiel de faire des progrès.

1. Prend-elle de l'aspirine? (il est important)
2. Vendez-vous votre auto? (il faut)
3. Choisissent-ils des cours intéressants? (il vaut mieux)
4. Es-tu en vacances? (je suis content)
5. Est-ce qu'il commande notre boisson? (je veux)
6. Allez-vous au Danemark? (il est essentiel)
7. Est-ce que nous partons à midi? (elle veut)
8. Est-ce que Marianne va chez le dentiste? (il faut)

Quatrième Étape

LECTURE: Paris-Lyon par le T.G.V.

The T.G.V. is the fastest train in the world. The following reading passage serves as an introduction to this latest French accomplishment. As you read the passage, pick out the five major ideas that describe the train.

Nous sommes à la gare de Lyon et la voix[1] de femme que nous entendons aux hauts-parleurs[2] nous rappelle que nous allons pour la première fois prendre le T.G.V. (train à grande vitesse[3].) Notre voyage commence à Paris et finira[4] à la gare Perrache de Lyon. « Attention, attention! À la voie[5] numéro trois, le T.G.V. à destination de Lyon va partir dans dix minutes. Tous les passagers sont invités à monter en voiture!»

Nous prenons nos petites valises, nous montons dans le train et nous nous installons dans les sièges[6] confortables du train le plus rapide du monde. 260 à 300 km. à l'heure! Quelle anticipation! Quelle expérience!

Nous avons fait bien des recherches avant de nous embarquer dans cette aventure extraordinaire. Nous savons, par exemple, que le T.G.V. a été inauguré en 1981 après dix ans de projets, de construction, et de pépins[7] à première vue[8] insurmontables. Avec l'appui[9] du gouvernement français, la S.N.C.F. a enfin réalisé ce projet qui diminue presque de moitié[10] le temps de parcours[11] entre Paris et Lyon. En fait, nous allons arriver à la gare Perrache en deux heures quarante minutes. Et nous allons le faire avec l'élégance et le style bien connu des Français. Qui n'est pas impressionné par le serpent orange et gris qui traverse le paysage[12] français? Et cela[13] avec un minimum de bruit[14] et sans augmenter la pollution! Car le T.G.V. est un train électrique qui n'est donc pas touché par les crises pétrolières[15] de nos jours. Aujourd'hui, 40% de la totalité du trafic ferroviaire[16] national se fait[17] déjà par le T.G.V., et sans doute ce chiffre[18] augmentera-t-il[19] d'année en année. Les voyageurs à destination de la Suisse, de l'Italie ou du Midi de la France vont faire ce trajet avec la rapidité et le confort offerts par le T.G.V.

Il est peu étonnant alors que les Français soient fiers[20] de cet accomplissement et qu'ils rêvent déjà de multiplier le transport à grande vitesse. Aujourd'hui c'est Lyon, demain... qui sait... Paris–Lille–Calais–Londres par un tunnel sous la Manche,[21] ou bien Paris–Lille–Bruxelles, ou Paris–Bordeaux en trois heures! Tout est possible!

---

1. voice 2. loudspeakers 3. speed 4. will finish 5. track 6. seats 7. problems 8. at first glance 9. support 10. by half 11. travel time 12. countryside 13. that 14. noise 15. oil 16. railway 17. is done 18. number 19. will increase 20. proud 21. English Channel

Exercices de compréhension

A. Name five characteristics of the T.G.V. as presented in the reading passage.

B. Vrai/faux. Decide if the following statements are true or false.

1. Le T.G.V. est le train le plus rapide du monde.
2. Le T.G.V. augmente la pollution.
3. Le T.G.V. a été inauguré en 1981.
4. Le T.G.V. diminue presque de moitié le temps de parcours entre Paris et Lille.
5. Il n'y a pas beaucoup de passagers qui voyagent par le T.G.V.
6. Le T.G.V. est un train électrique.

Reprise (Troisième Étape)

C. Congrès international de jeunes. (International youth conference). Un groupe de jeunes se réunit à Paris pour un congrès international. Chacun(e) se présente aux autres et indique de quel pays il (elle) arrive. Selon les éléments donnés, jouez le rôle des représentants.

MODÈLE: Jean-Claude / Canada
Bonjour, tout le monde. Je m'appelle Jean-Claude et j'arrive du Canada.

1. Hitoshi / Japon
2. Kerstin / Suède
3. Marco / Italie
4. Carlos / Mexique
5. Kathy / États-Unis

6. Rosa / Brésil
7. Peter / Allemagne
8. Christophe / Zaïre
9. Inge / Danemark
10. Marguerite / Suisse

Point d'arrivée
(Activités orales ou écrites)

D. Projet de voyage. You and a friend plan a train trip from Paris to Nice. Look at the train schedule on this page and decide on the details of the trip. One of you then goes to the train station, buys the tickets, makes the reservations, and returns to report to the other.

E. Découvrons les États-Unis! Tell the rest of the class which states you have visited and know fairly well. Say something about your experience. As each student talks about a state, you should ask questions and share your ideas with the others.

F. Le voyage idéal. You have just won a large sum of money in the lottery and have decided to spend some of it on travel. Decide which countries you want to visit and why. Then explain your itinerary and your reasons to the other students in your group. Your friends will ask you questions.

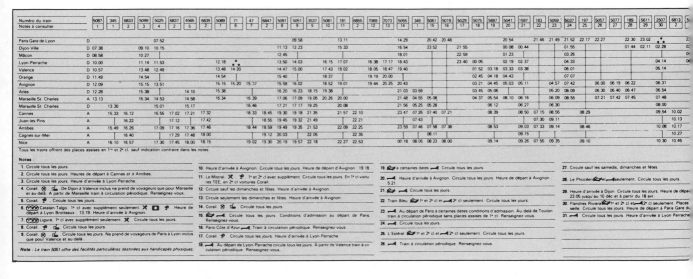

G. Leçon de géographie. Consult a map of the United States and find cities that have French names. Besides names of such famous French personalities as La Fayette, you will find geographical names that contain French words. For example, the town of Bellefonte in Pennsylvania contains the word **belle.** Find other examples of French influence in the United States and share your findings with the rest of the class.

H. Une photo. Look at the photograph on page 313 and imagine a conversation between some tourists at the station.

Vocabulaire actif

NOMS	ADJECTIFS	VERBES	AUTRES EXPRESSIONS
un aller-retour	commode	accepter	chacun(e)
un aller simple	désolé(e)	apporter	en première
la banlieue	direct(e)	déplorer	huit jours
un compartiment	étonné(e)	exiger	il est bon que
un express	fumeur	insister	il est certain que
un horaire	furieux(se)	regretter	il est clair que
un omnibus	navré(e)	souhaiter	il est dommage que
la plage	non-fumeur		il est douteux que
un rapide	satisfait(e)		il est essentiel que
un trajet	triste		il est évident que
un supplément			il est important que
le tout			il est indispensable que
une voiture-couchettes			il est nécessaire que
un voyage de noces			il se peut que
un voyageur			il est possible que
un wagon-lit			il est préférable que
un wagon-restaurant			il est peu probable que
			il est probable que
			il est sûr que
			il vaut mieux que
			il est vrai que
			il faut que
			quinze jours
			voyons

CHAPITRE QUATORZE

Visitons la France!

Première Étape
Lecture: Aperçu de la France

Deuxième Étape
Lecture: Une Province ensoleillée—La
Provence

Troisième Étape
Lecture: Une Province mystérieuse—La
Bretagne

Quatrième Étape
Lecture: Le Pays du Calvados—La
Normandie

LECTURE: Aperçu de la France

France is one of Europe's most geographically diverse nations. From the Alps to the Mediterranean and north again to the fertile plains, it offers tourists a variety of climates and landscapes from which to choose. In this reading chapter you will become familiar with the most outstanding geographical features of France as well as with some of the provinces that have attracted and continue to attract visitors from all over the world. Use the reading techniques you have already learned (in particular, cognates, guessing from context, and key words and sentences) to help you get the information presented.

INTRODUCTION À LA FRANCE

because of / very
western / offers /
landscapes

La France occupe une situation géographique unique en Europe. Souvent appelé « l'hexagone » *à cause de* sa forme, situé en *plein* centre de l'Europe *occidentale*, ce pays *offre* une grande variété de climats et de *paysages* au voyageur qui s'intéresse à faire sa connaissance.

Visitons
la France

Le Mont-Saint-Michel.
Cette abbaye
bénédictine avec église
est un grand centre
touristique (600.000
visiteurs par an). Où se
trouve Le Mont-Saint-
Michel?

La Bretagne. Juxtaposition du traditionnel et du moderne. Identifiez les éléments qui représentent ces deux côtés de la vie en Bretagne.

Amiens. *(à gauche)* Cette ville à 130 km au nord de Paris a 135.992 habitants. Sa vaste cathédrale date du 13ᵉ siècle. Qu'est-ce que vous voyez dans cette photo?

Vigneron de Bordeaux. *(à droite)* Qu'est-ce qu'il fait?

Le château de Chenonceaux.
Ce château de la Renaissance,
construit sous le roi François Ier
(1515-1522), est dans la vallée
de la Loire. Où se trouve la
vallée de la Loire? Trouvez les
noms des autres châteaux de
la Loire.

Gien, sur la Loire. Décrivez ce
que vous voyez dans cette
photo.

Sète. Port actif sur la Méditerranée, avec son phare et des bateaux de pêche. Quels pays Méditerranéens peut-on visiter en partant du port de Marseille?

Honfleur. Port du Calvados. Où peut-on aller de Honfleur? Quel travail font les habitants de Honfleur?

LES FRONTIÈRES

open / those
border
beyond

powerful
at one time... at another time
French-speaking / share
a few steps

La France a toujours été *ouverte* aux autres pays d'Europe, et surtout à *ceux* qui ont une *frontière* commune avec elle. Au sud, séparée par les Pyrénées, se trouve l'Espagne. Au sud-est, *au-delà* des Alpes, l'Italie a de bonnes relations avec la France. À l'est, la frontière naturelle du Jura sépare les Français des Suisses. Au nord-est, au-delà du Rhin, l'Allemagne est une voisine *puissante* qui est *tantôt* rivale, *tantôt* amie. Au nord, le Luxembourg et la Belgique sont des pays *francophones* qui *partagent* leur passé culturel avec la France. Et enfin, n'oublions pas que l'Angleterre ne se trouve qu'*à deux pas* de la France et joue ainsi un rôle important dans la vie économique et politique du continent.

LES FLEUVES ET LES RIVIÈRES

irrigated / that is to say / large rivers that empty into the sea
tributaries / fields
agricultural land / attract thousands
provides / vineyards
Bordeaux region
river (adj.)
lovers / along / banks

La France est un pays bien *arrosé, c'est-à-dire* qu'il y a beaucoup de *fleuves* et de *rivières*. Chaque région a son grand fleuve qui rend fertiles les *champs* et *terrains à cultiver*. La Loire et ses châteaux *attirent des milliers* de touristes tous les ans. Au sud-ouest la Garonne *fournit* de l'eau aux célèbres *vignobles* du *Bordelais*. Le Rhône, qui descend de la Suisse à la Méditerranée, est la source principale de l'hydro-électricité en France. Le Rhin fait de Strasbourg un port *fluvial* important pour le commerce. Et enfin, la Seine évoque avant tout les promenades des *amoureux le long de* ses *quais* et fait aussi de Paris un port fluvial important.

LA FRANCE AGRICOLE ET INDUSTRIELLE

wheat / grapes
agricultural
due / which / enjoys
rains / heat
coast
however / once, in the past
also
makes
steel
well-being

La culture du *blé*, du riz, du *raisin* et d'une grande variété de légumes fait de la France le pays *agricole* le plus important de l'Europe. Cette diversité dans la culture est *due* sans doute à la diversité de climats *dont jouit* le pays: climat tempéré du nord-ouest au sud-ouest avec des *pluies* fines, *chaleur* sèche sur la *côte* méditerranéenne.

Pourtant, si la France se limitait *autrefois* à la production agricole, elle est aujourd'hui *également* un des grands pays industriels. Qui ne connaît pas les *marques* d'automobiles françaises comme Renault, Peugeot, Citroën? Et n'oublions pas non plus l'*acier*, le gaz naturel et l'aluminium, qui sont essentiels au *bien-être* économique du pays.

LES PROVINCES ET LES DÉPARTMENTS

was
had / each

still

capital (county seat) / resides

Autrefois, la France *était* divisée en provinces, c'est-à-dire en régions qui *avaient, chacune,* leurs coutumes, leur folklore, leur identité bien définie. Au moment de la Révolution de 1789, le gouvernement révolutionnaire a créé des unités administratives qui s'appellent départements et qui constituent *encore* aujourd'hui la configuration politique française. En tout, il y a 95 départements, chacun avec un *chef-lieu* où *siège* l'administration départementale. Par exemple, le chef-lieu du département de la Gironde est la ville de Bordeaux. Chaque

have no difficulty /
recognize
inscribed / license plate

département a son numéro, et les Français *n'ont aucune peine* à *reconnaître* l'origine d'une voiture par le numéro *inscrit* sur sa *plaque d'immatriculation*. Ils savent tout de suite qu'une voiture est de Paris si elle porte le numéro 75, que le 33 est de la région de Bordeaux, que le 13 vient de Marseille.

Exercices de familiarisation

A. Lisez les phrases suivantes et si elles ne sont pas justes, corrigez-les.

1. La France est située en plein centre de l'Europe occidentale.
2. La France est souvent appelée l'hexagone parce que c'est un pays superstitieux.
3. Il n'y a pas beaucoup de fleuves et de rivières en France.
4. Les châteaux de la Loire attirent des milliers de touristes tous les ans.
5. La Seine est la source principale de l'hydro-électricité.
6. Strasbourg est un grand port fluvial important pour le commerce.
7. La France est le pays agricole le plus important de l'Europe.
8. La France est divisée en deux grandes régions: région agricole et région industrielle.
9. Les provinces sont encore aujourd'hui les unités administratives de la France.
10. La Révolution de 1789 a changé la configuration administrative de la France.

B. Regardez la carte à la page xxv et faites votre propre description de la France. Parlez, par exemple, de sa forme, de ses fleuves et rivières, de ses voisins, de son organisation administrative, etc.

STRUCTURE 1: L'imparfait

Qu'est-ce que **tu faisais** quand **tu étais** jeune?	What *did you do* when you *were* young?
J'allais souvent au cinéma.	*I used to go* (*went*) to the movies often.
Je jouais avec mes amis.	*I played* with my friends.
Mes parents et moi nous **voyagions** beaucoup.	My parents and I *traveled* a lot.

In Chapter 5, you learned to express actions in the past using the **passé composé.** Now you will learn a second past tense, the imperfect, which will allow you to describe what you *used to do* and what you *were doing* in the past.

To form the **imparfait,** begin with the **nous** form of the present tense, drop the **-ons** ending, and add the following imperfect endings: **-ais, -ais, -ait, -ions, -iez, -aient.**

	parler nous parl**∅ns**	*finir* nous finiss**∅ns**	*vendre* nous vend**∅ns**	*prendre* nous pren**∅ns**
je	parl**ais**	finiss**ais**	vend**ais**	pren**ais**
tu	parl**ais**	finiss**ais**	vend**ais**	pren**ais**
il/elle/on	parl**ait**	finiss**ait**	vend**ait**	pren**ait**
nous	parl**ions**	finiss**ions**	vend**ions**	pren**ions**
vous	parl**iez**	finiss**iez**	vend**iez**	pren**iez**
ils/elles	parl**aient**	finiss**aient**	vend**aient**	pren**aient**

The formation rule you have just learned for the imperfect applies to *all* verbs in French except the verb **être,** for which the stem is irregular (**ét-**), and the **nous** and **vous** forms of **-cer** and **-ger** verbs.[1]

être		
	j'**étais**	nous **étions**
	tu **étais**	vous **étiez**
	il/elle/on **était**	ils/elles **étaient**

The imperfect tense has three equivalents in English:

Elle travaillait pour Peugeot.
{ *She worked* for Peugeot.
She used to work for Peugeot.
She was working for Peugeot.

Certain adverbs and expressions are often associated with the imperfect tense. They reinforce the idea that something *used to be done* repeatedly:

autrefois	in the past
d'habitude	normally
le lundi, le mardi, etc.	Mondays, Tuesdays, etc.
fréquemment	frequently
le matin, l'après-midi, le soir, etc.	in the mornings, afternoons, evenings, etc.
quelquefois	sometimes
souvent	often
toujours	always
tous les jours	every day
une fois par jour, par semaine, etc.	once a day, a week, etc.

---

1. Remember to add a cedilla to **commencer** and an **e** to **manger** in the imperfect tense (**je commençais, je mangeais,** etc). Note that if the stem of a verb ends in **i**, the **nous** and **vous** forms of the imperfect will contain two **i**'s: nous étudiions, vous étudiiez.

Application

C. Remplacez les éléments en italique et faites tous les changements nécessaires.

1. Autrefois, *elle* adorait faire du ski. (nous / tu / vous / elles / je)
2. *Je* nageais tous les jours. (nous / tu / ils / vous / je)
3. *Nous* ne faisions pas attention en classe. (elle / je / vous / tu / elles / nous)
4. Est-ce que *tu* avais assez d'argent? (vous / elle / ils / nous / on)
5. *Il* était en Bretagne. (vous / ils / nous / je / elle)
6. *Je* réussissais toujours aux examens. (nous / tu / vous / elles / je)

D. Commencez chacune des phrases suivantes par une forme de l'expression **être jeune** et mettez la phrase à l'imparfait.

MODÈLE: Il ne fume pas.   *Quand il était jeune, il ne fumait pas.*

1. Nous étudions beaucoup.
2. Ils aiment mieux jouer au tennis.
3. Vous détestez les légumes.
4. Tu vas souvent au parc.
5. Je fais une promenade tous les jours.
6. Il veut être médecin.
7. Nous dormons beaucoup.
8. Je me dispute souvent avec mon frère.
9. Vous avez peur des chiens.
10. Elles savent le français.

E. Dans ma jeunesse... (*In my youth...*) Posez des questions sur sa jeunesse à votre partenaire en employant les indications données. Écrivez les réponses sur une feuille de papier et quand vous avez terminé, décrivez votre partenaire aux autres étudiants de la classe.

MODÈLE: aimer aller au cinéma
               —*Est-ce que tu aimais aller au cinéma?*
               —*Oui, j'aimais aller au cinéma.*
     ou: *Non, je n'aimais pas aller au cinéma.*

faire du sport / habiter ici / aller à la plage / jouer au basket / apprendre le français / être paresseux(se) / sortir souvent avec des amis / s'impatienter souvent / avoir envie d'aller à l'université / être souvent malade / aimer l'école / étudier beaucoup / voyager souvent

Mise au point (Petite révision de l'étape)

F. Mon séjour en France. Vous avez passé une année en France et maintenant que vous êtes rentré(e), vous faites une description de la France à vos amis. Transformez les phrases en employant l'imparfait.

MODÈLE: J'habite à Nice.   *J'habitais à Nice.*

1. Je fais des excursions presque tous les jours.
2. Il y a beaucoup de touristes en été.
3. Il fait chaud dans le Midi.
4. Les Français sont très sympathiques.
5. Je me promène souvent.
6. Je mange les spécialités de la région.
7. Je bois de bons vins français.
8. Mes amis et moi, nous allons à la plage.
9. Nous prenons souvent le train.
10. Je fais les courses au marché en plein air.
11. J'étudie la géographie de la France.
12. Nous parlons français tous les jours.

G. **Exercice écrit.** Mettez les verbes entre parenthèses à l'imparfait:

MODÈLE: Autrefois, la France _____ divisée en provinces. (être)
            Autrefois, la France était divisée en provinces.

1. Il y _____ beaucoup de voitures françaises sur les routes. (avoir)
2. Vous _____ le français? (apprendre)
3. Elle _____ au café tous les jours. (aller)
4. Les châteaux de la Loire _____ très intéressants. (être)
5. Nous _____ beaucoup de pain. (manger)
6. _____ -tu souvent du vin? (boire)
7. Je _____ un peu tous les jours. (grossir)
8. Il _____ froid (faire), et il _____ (neiger).
9. Est-ce que vous _____ content de votre séjour? (être)

Le Château de Chenonceau

Deuxième Étape

LECTURE: Une Province ensoleillée—La Provence

Marseille: le vieux port

face
those / go there

La Provence est une région de grande diversité qui attire des milliers de touristes chaque année. Riche en traditions, favorisée par le climat, elle présente un *visage* unique de la vie française qui ne cesse de fasciner *ceux* qui *s'y rendent.*

MARSEILLE

Christ

Quand les Grecs ont fondé la ville de Marseille en 600 avant *J.-C.,* ils l'ont fait pour des raisons commerciales. Car Marseille est avant tout un grand port de commerce qui est aujourd'hui la deuxième ville française après Paris. Malgré le développement rapide de l'industrie, Marseille a gardé son charme d'autrefois et

there / everything

le visiteur peut *y* trouver *de quoi* satisfaire sa curiosité.

on top of

sailors
cries out

Notre-Dame-de-la-Garde. *En haut de* cette vieille église, la statue de la Vierge Marie domine le port de Marseille. Les Marseillais l'appellent la « Bonne Mère » car c'est elle qui protège les *marins* des dangers de la mer. Quand un Marseillais *s'écrie* « Bonne Mère!» il invoque la protection de la Vierge, et cette expression est depuis longtemps entrée dans le langage de la région.

La Canebière. C'est la rue la plus célèbre de Marseille où se trouvent les banques, les hôtels et un grand nombre de boutiques et de cafés. Peu différente d'autres grandes avenues des villes françaises, la Canebière a pourtant un *attrait* singulier: elle mène directement au Vieux Port.

attraction

Le Vieux Port. *Au bout de* la Canebière, le Vieux Port est le centre même du commerce marseillais. C'est là qu'arrivent les bateaux de tous les *coins* du monde pour apporter leurs marchandises. C'est à cause de cette *ouverture* sur la Méditerranée qu'on appelle Marseille « La Porte de l'Orient ». Les cafés et les restaurants des quais du Vieux Port offrent au visiteur les délices de la cuisine régionale à base de poissons. *Après avoir goûté* un *pastis* bien rafraîchissant, il faut *déguster* une bonne *bouillabaisse,* le vrai plat marseillais.

at the end of
corners
opening

after having tasted /
alcoholic beverage with
an anise base
taste, eat / fish chowder in
clear broth

LA CAMARGUE

Située dans le delta du Rhône, la Camargue est surtout connue pour la cultivation du riz et l'*élevage* des *troupeaux* de *taureaux,* de chevaux et de *moutons.* Autrefois, la Camargue était une plaine *marécageuse,* mais aujourd'hui, *grâce aux* innovations technologiques, on a réussi à drainer ces marécages, et on y cultive donc de plus en plus le blé, la vigne et les arbres fruitiers.

raising / herds / bulls /
sheep
swampy / thanks to

Ce sont les chevaux et leurs «*gardians*» qui présentent le vrai aspect pittoresque de la Camargue. Le gardian est une sorte de « cowboy » provençal qui s'occupe des chevaux de son *manadier* (*propriétaire* des chevaux). Le soir, on le *voit, à cheval,* traverser les vastes terrains et *surveiller* son troupeau. La race de chevaux de la Camargue est connue dans le monde entier. On dit que ce sont les *Sarrasins* qui ont introduit en Provence ces chevaux assez petits, très forts et très rapides.

keepers of the horses

owner of horses / owner
/ sees / on horseback /
oversee

Sarracens

Gardians en Camargue

LA CÔTE D'AZUR

Riviera

century

apartment buildings
to please / crowds
still / jewelry
fabrics

coming from

La Côte d'Azur est la grande région du tourisme située entre Toulon et Menton. On y trouve les villes célèbres de St-Tropez, St-Raphaël, Cannes, Antibes et Nice. Au 19ᵉ siècle, les grands peintres impressionnistes Monet, Renoir et Cézanne ont trouvé leur inspiration dans la lumière pure, le soleil brillant et le calme des plages méditerranéennes. Aujourd'hui, pourtant, ce paysage a bien changé. Si le climat reste idéal, les plages et les villes ont perdu leur tranquillité. Hôtels, restaurants, discothèques, maisons, immeubles, aéroports, tout y est pour plaire aux foules qui arrivent de tous les pays du monde. Mais cette activité permet aussi aux artisans provençaux de continuer leur travail et de trouver des clients qui apprécient encore la qualité de leurs poteries, marionnettes, bijoux et tissus.

UN ITINÉRAIRE

Le visiteur désireux de connaître la Provence peut commencer son voyage à Marseille. Il y a trois autoroutes qui mènent à cette ville, une venant de Paris, une autre de la frontière italienne et la troisième de Toulon. Une excursion de quatre ou cinq jours vous permet de visiter les sites principaux de la Basse Provence: Marseille—Martigues—Salin-de-Giraud—La Camargue—Les Saintes-Maries-de-la-Mer—Aigues-Mortes—St-Gilles—Arles—St-Martin-de-Crau—Salon-de-Provence—Aix-en-Provence—Marseille.

Exercices de familiarisation

A. Visitons la Provence. Regardez la carte de la Provence et établissez les itinéraires suivants:

MODÈLE: Marseille–St-Raphaël
                 Pour aller à St-Raphaël, je vais passer par Cassis, La Ciotat,
                 Toulon, et St-Tropez.

1. Marseille–Aix
2. Nice–Grasse
3. Marseille–Arles
4. Arles–Avignon
5. Toulon–Cannes

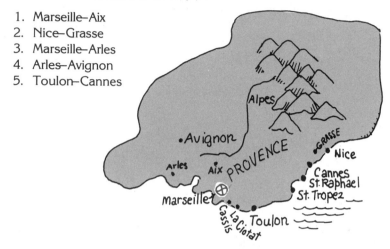

B. Des conseils. Vos amis vont indiquer ce qui les intéresse et vous allez leur donner le nom des endroits en Provence qui correspondent à leurs intérêts.

MODÈLE: Je veux aller à la plage et rencontrer des gens célèbres.
                 Alors, il faut que tu ailles à la Côte d'Azur.

1. J'adore le poisson.
2. Je veux voir des troupeaux de chevaux.
3. Je veux m'asseoir dans un café et regarder les gens qui passent.
4. Je veux visiter une ville touristique célèbre.
5. J'adore les vieilles églises.
6. Je veux goûter une boisson provençale typique.
7. Je veux acheter des poteries de la région.
8. Je m'intéresse aux endroits qui ont inspiré les peintres impressionnistes.

Reprise (Première Étape)

C. Vous êtes invité à une boum chez des amis. Décrivez ce que les gens faisaient quand vous êtes arrivé(e). Employez l'imparfait.

MODÈLE: Tout le monde boit du vin.   *Tout le monde buvait du vin.*

1. Ils mangent des hors-d'œuvre.
2. Paul et Simone discutent de politique.

3. Françoise chante une chanson française.
4. Sylvie et Marc dansent.
5. Yvonne raconte des histoires.
6. Deux enfants font beaucoup de bruit.
7. Éric prépare des hors-d'œuvre dans la cuisine.
8. Richard joue de la guitare.
9. Plusieurs personnes boivent de la bière.
10. Tout le monde s'amuse.

D. Où se trouve...? Regardez la carte à la page xxv et indiquez où se trouvent les endroits géographiques suivants:

MODÈLE: Bordeaux
            Bordeaux se trouve au sud-est de la France, sur la Garonne.

1. Nantes	7. le Luxembourg
2. Lyon	8. le Rhône
3. Marseille	9. l'Angleterre
4. les Pyrénées	10. Strasbourg
5. les Alpes	11. le Massif Central
6. la Suisse	12. l'Allemagne

STRUCTURE 2: *L'imparfait et le passé composé*

Autrefois, **j'allais** souvent en France.	In the past, *I used to go* to France often.
L'année dernière **je suis allé** en France.	Last year *I went* to France.

Since you have now learned two past tenses, the **passé composé** and the **imparfait**, you must now learn to distinguish between them. Remember that any French verb can be conjugated in either tense, and only the context determines which tense to use.

The first distinction between the **passé composé** and the **imparfait** occurs with *actions in the past*. If a past action is habitual, repeated an unspecified number of times, or performed in an indefinite time period, the verb will be in the imperfect. If the action occurs only once, is repeated a specific number of times, or performed in a definite time period with its beginning and end indicated, the verb will be in the **passé composé**. Note that the first example above indicates repeated actions in the past (imperfect), while the second indicates an action that occurred once within a very precise period of time (**passé composé**). The following sets of model sentences illustrate these distinctions more precisely.

Quand **j'étais** jeune, **j'allais** chez mon grand-père tous les week-ends. (habitual)	La semaine dernière **je suis allé** chez mon grand-p**è**re. (*single occurence*)

Autrefois, **il** lui **téléphonait** souvent. (unspecified number of repetitions)

Autrefois, **nous faisions** du jogging tous les jours. (indefinite time period)

Hier, **il** lui **a téléphoné** trois fois. (*specified number of repetitions*)

L'année dernière **nous avons fait** du jogging tous les jours. (*definite time period*)

The following paragraph illustrates the use of the imperfect in *descriptions of the past.* The imperfect is generally required for *physical description* (**il avait les cheveux blonds; la maison était blanche**), for *descriptions of weather* (**il pleuvait; il faisait beau**), of *feelings* (**nous étions contents**), of *attitudes and beliefs* (**je pensais qu'il avait raison**), of *age* (**elle avait treize ans**), of *state of health* (**j'avais mal à la tête**).

Hier, je **suis allée** en ville. J'**ai rencontré** Jacques et nous **sommes allés** au café de la Gare. Il **faisait** très beau et nous **étions** contents d'être ensemble. Je **portais** une robe légère et des sandales et Jacques **portait** une très belle chemise. Nous **étions** tous les deux très chic.

Each of the following model sentences contains one verb in the imperfect and a second verb in the **passé composé**. The imperfect describes what *was going on* when something else *happened*. The **passé composé** is used to interrupt an action already in progress. Note that the French imperfect often corresponds to the progressive *was* or *were doing* in English.

Il écoutait la radio quand le téléphone **a sonné.**

He was listening to the radio when the phone *rang.*

Je faisais la vaisselle quand elle **est rentrée.**

I was doing the dishes when she *got home.*

Ils dansaient dans la discothèque quand la police **est arrivée.**

They were dancing in the disco when the police *arrived.*

Application

E. Actions dans le passé. Mettez les phrases à l'imparfait ou au passé composé selon le contexte. Ajoutez l'élément entre parenthèses à chaque phrase:

MODÈLE: Je joue bien au tennis. (autrefois)
Autrefois, je jouais bien au tennis.

1. Elle fait une promenade. (hier)
2. Nous mangeons de la charcuterie. (tous les jours)
3. Ils achètent du vin. (une fois par semaine)
4. Vas-tu au cinéma? (samedi dernier)
5. Elle rencontre Michel au café. (le mercredi)
6. Je leur sers du poulet. (hier soir)
7. Nous nous disputons. (fréquemment)
8. Mettez-vous la table? (déjà)

F. Un peu d'histoire. Mettez les verbes en italique à l'imparfait.

Quand les Romains sont arrivés sur la côte de la Provence en 122 avant J.-C., Marseille *est* déjà une ville de grande réputation commerciale. On *cultive* la vigne, on *élève* des troupeaux d'animaux, on *profite* du climat pour cultiver des oliviers. Les marchands *arrivent* de partout et les Marseillais *vendent* les produits dans la rue ou dans leurs petites boutiques. Il y *a* déjà des routes qui *facilitent* le transport d'une région à l'autre. Des bateaux *arrivent* dans les ports et les Romains, eux aussi, *commencent* à participer à ce trafic. En Provence, il *fait* très chaud une grande partie de l'année, il *pleut* rarement et le soleil *brille* avec une intensité souvent difficile à supporter. Mais de temps en temps, un vent très froid *descend* du Nord et pendant quelques jours les Provençaux *sont* obligés de se réfugier dans leurs maisons. Les Romains *sont* très contents de leur conquête, qui leur *permet* de continuer les invasions à l'intérieur du pays. Partout où ils *vont*, ils *apportent* leur langue et leur civilisation.

G. Interruptions. Transformez les phrases en employant l'imparfait et le passé composé selon le modèle.

MODÈLE: Nous travaillons; le téléphone sonne.
Nous travaillions quand le téléphone a sonné.

1. Elle mange; son ami l'appelle.
2. Ils descendent; l'ascenseur s'arrête.
3. Il pleut; je sors.
4. Je dors; ils entrent dans la maison.
5. Nous parlons; Simone tombe.
6. Vous avez six ans; vous allez à l'école.
7. Elles passent les vacances en Provence; nous arrivons.

H. Mettez le passage au passé en employant le passé composé ou l'imparfait selon le contexte. Les verbes à changer sont en italique. Commencez le passage par **La dernière fois que...**

Je *vais* en France, j'*ai* dix ans. Mes parents et moi nous *prenons* l'avion et nous *arrivons* à l'aéroport Charles de Gaulle à Paris. Des amis *attendent* à l'aéroport et nous *allons* chez eux en voiture. Je *suis* fasciné par la ville de Paris, mais j'*ai* un peu peur dans la voiture. Il y *a* beaucoup de circulation et tout le monde *est* très pressé. À la maison, nos amis *préparent* un bon déjeuner avec un dessert qui *est* formidable! Après le déjeuner, je *prends* le métro pour la première fois. Quelle expérience! Les passagers *sont* comme des sardines dans une boîte de conserves. À côté de moi il y *a* un homme qui *porte* un grand chapeau avec des rubans rouges. Il *dit* quelque chose mais je ne le *comprends* pas. Je ne *parle* pas très bien le français. Nous *faisons* les courses et nous *rentrons*. Nous *sommes* fatigués mais c'*est* une journée formidable.

Mise au point (Petite révision de l'étape)

I. Qu'est-ce que tu as fait hier? En employant les indications données, expliquez d'abord ce que vous avez fait hier et ensuite donnez votre raison.

MODÈLE: rencontrer des amis / avoir envie de s'amuser
J'ai rencontré des amis parce que j'avais envie de m'amuser.

1. rester à la maison / avoir mal à la tête
2. regarder la télé / être paresseux(se)
3. faire le ménage / être énergique
4. parler au téléphone / vouloir organiser une surprise-partie
5. étudier / avoir un examen
6. laver les fenêtres / faire beau
7. jouer au bridge / vouloir s'amuser
8. beaucoup manger / avoir faim toute la journée

Maintenant, continuez à raconter ce que vous avez fait vraiment (*really*) et suivez le même modèle.

J. Exercice écrit. Complétez les phrases avec la forme convenable du verbe entre parenthèses. Employez le passé composé ou l'imparfait selon le contexte.

1. Quand je _____ (être) jeune, je _____ (étudier) le japonais.
2. Nous _____ (travailler) pour lui quand il _____ (partir) pour le Brésil.
3. Qu'est-ce qu'elle _____ (faire) hier? D'abord, elle _____ (se lever) et ensuite elle _____ (prendre) le petit déjeuner. Après, elle _____ (aller) chez le médecin parce qu'elle _____ (avoir) une grippe très grave. Le médecin lui _____ (donner) une ordonnance et elle _____ (rentrer) tout de suite. Elle _____ (se sentir) vraiment mal. Elle _____ (avoir) de la fièvre et mal à la tête. Elle _____ (ne... pas être) du tout contente parce qu'elle _____ (vouloir) aller au match de football.
4. Quand nous _____ (entrer) dans la vieille maison, il _____ (faire) très noir. Nous _____ (avoir) peur car nous _____ (savoir) que ce _____ (être) une maison mystérieuse. Je _____ (chercher) la lumière, mais elle _____ (ne...pas marcher). La porte _____ (se fermer) derrière nous, et quelqu'un _____ (s'approcher) très lentement. Nous _____ (ne... pas vouloir) rester un moment de plus dans cette maison. Nous _____ (être) sûrs que ce _____ (être) un fantôme. Nous _____ (sortir) très vite, et quand nous _____ (arriver) près de la voiture, nous _____ (entendre) une voix qui _____ (chanter) une mélodie étrange. C'est la dernière fois que nous _____ (retourner) à cette maison!

Troisième Étape

LECTURE: Une Province mystérieuse—La Bretagne

hard / region / battered / storms
misty / ground / rocky / temperate
vegetable

De Rennes, sa capitale, à Brest sur la côte atlantique, la Bretagne est une province mystérieuse, sauvage et *dure*. C'est une *contrée battue* par les *tempêtes*, souvent *brumeuse*, à *sol rocheux*, mais où le climat est assez *doux* pour favoriser les cultures *maraîchères*. En fait, la Bretagne produit 66% des artichauts français, 50% des choux-fleurs et 43% des haricots verts. Pourtant, les Bretons n'arrivent pas à vivre de l'agriculture. Certains continuent la tradition de leurs *aïeux* et *gagnent leur vie* de la mer. Les produits de la *pêche*, obtenus avec beaucoup de *peine*, sont vendus partout en France et sont à la base des spécialités bretonnes.

ancestors / earn their living / fishing
difficulty

that / fisherman

Si la vie traditionnelle en Bretagne est *celle* du *pêcheur*, les jeunes se dirigent de plus en plus vers les industries qui s'établissent depuis une vingtaine d'années autour de Rennes. Citroën s'y est installé *dernièrement*, et cette industrie automobile aide beaucoup à *soulager* le *chômage* qui menace toute la région.

there / recently
ease / unemployment

ferociously

refusal

La Bretagne, plus qu'aucune autre province française, a gardé son individualité et reste *farouchement* attachée à son passé. La langue bretonne est ressuscitée dans les écoles, le folklore et les légendes sont transmis d'une génération à l'autre. Dans son *refus* d'être assimilée à la culture française, la Bretagne reste indépendante et fière. Bien sûr, les touristes arrivent de plus en plus nombreux dans les vieilles cités de Dinan, Dinard, St-Malo et Carnac, mais les Bretons ne se laissent pas facilement influencer par ces invasions et n'oublient pas l'héritage celte qui *nourrit* leurs chansons, leurs mythes, leurs *contes*.

nourishes
stories

CARNAC

fields / rise / rocks, stones / size
witnesses / peoples
weigh

Dans les *champs* tout près de Carnac *s'élèvent* des *pierres* de *taille* énorme, *témoins* des *peuples* préhistoriques qui occupaient autrefois le territoire de la Gaule. Ces pierres *pèsent* souvent des milliers de kilos et les archéologues continuent à étudier leur symbolisme et les peuples qui ont réussi à les *déplacer*.

to move

megalithic, made of a single stone
aligned
arranged

Deux types de pierres *mégalithiques* dominent le paysage breton. D'une part, il y a les menhirs (*men* = pierre, *hir* = longue), hauts et droits, *alignés* en longues avenues régulières, ou *dressés* en cercle ou demi-cercle. D'autre part, les dolmens (*taol* = table, *men* = pierre) sont d'énormes tables de granit qui existent seules ou dans un ensemble formant un *couloir* qui se termine par une chambre ronde ou *carrée*.

corridor
square

Menhirs à Carnac

Si nous savons de quelle époque, plus ou moins, datent ces monuments (4000 avant J.-C.), il n'est pas du tout clair pourquoi ils ont été élevés et à quoi ils servaient. Est-ce qu'ils faisaient partie de rites et cérémonies religieux? Est-ce que les ensembles de pierres étaient des temples solaires ou des *tombeaux* collectifs? Nous ne *saurons* peut-être jamais les réponses à ces questions, mais nous pouvons continuer à admirer le spectacle impressionnant qui nous rappelle l'énergie et l'imagination des peuples préhistoriques.

tombs
will know

Exercices de familiarisation

A. Complétez les phrases en choisissant la réponse juste parmi les possibilités données entre parenthèses:

1. La capitale de la Bretagne est _____ . (Brest, Dinan, Rennes, St-Malo)
2. En Bretagne, le climat est généralement _____ . (froid, chaud, doux)

3. Les cultures qui dominent en Bretagne sont les cultures _____ . maraîchères, des vignes, du blé)
4. Certains Bretons gagnent leur vie de _____ . (leurs aïeux, la tradition, la mer)
5. Les jeunes se dirigent de plus en plus vers _____ . (la vie de pêcheur, les industries, le chômage)
6. _____ s'est récemment installé à Rennes. (Citroën, Peugeot, Renault)
7. La Bretagne a gardé _____ . (ses écoles, ses touristes, son individualité)
8. Les Bretons n'oublient pas leur héritage _____ . (français, celte, mythologique)
9. Les monuments de pierre qui ressemblent à des tables s'appellent _____ . (dolmens, menhirs, tombeaux)
10. Dans la langue celtique, le mot *hir* veut dire _____ . (haut, droit, long)

B. Décidez si les phrases sont vraies ou fausses.

1. En Bretagne il ne pleut pas très souvent. √
2. La Bretagne se trouve sur la côte atlantique. √
3. La plupart des Bretons gagnent leur vie de l'agriculture. √
4. Le chômage n'est pas un problème en Bretagne. √
5. Le poisson est à la base des spécialités bretonnes. F
6. Les étudiants bretons ont la possibilité d'étudier la langue bretonne. F
7. L'existence des menhirs et des dolmens reste un mystère. √
8. Les monuments mégalithiques datent de l'époque romaine. F

Reprise (Deuxième Étape)

C. Qu'est-ce qu'ils faisaient quand...? Répondez aux questions suivantes en employant l'élément entre parenthèses.

MODÈLE: Qu'est-ce qu'ils faisaient quand vous êtes arrivé? (jouer aux cartes)
Quand je suis arrivé, ils jouaient aux cartes.

1. Qu'est-ce que tu faisais quand Jean-Claude a téléphoné? (prendre le petit déjeuner)
2. Qu'est-ce que vous faisiez quand elle est descendue? (faire la lessive)
3. Qu'est-ce qu'il faisait quand tu es sortie? (dormir)
4. Qu'est-ce qu'elles faisaient quand il est rentré? (étudier)
5. Qu'est-ce que je faisais quand tu t'es couché? (regarder la télé)
6. Qu'est-ce que nous faisions quand vous êtes allés au café? (faire les courses)
7. Qu'est-ce qu'il faisait quand elle a quitté la maison? (s'occuper des enfants)
8. Qu'est-ce que tu faisais quand Marc est tombé? (mettre la table)

D. Notre voyage en Provence. Mettez les phrases au passé. Employez l'imparfait ou le passé composé selon le contexte.

1. Nous passons nos vacances en Provence.
2. Notre voyage commence à Marseille où nous visitons la Canebière. Il fait beau et les Marseillais se promènent sur le grand boulevard.
3. De Marseille nous faisons un séjour dans la Camargue. Les chevaux et leurs gardians sont très impressionnants, mais il fait très chaud.
4. Ensuite nous arrivons à Arles. À l'église St-Trophime nous admirons les sculptures et les scènes de la Bible. Un guide nous raconte aussi l'histoire de la ville.
5. Finalement, nous nous arrêtons à Salon-de-Provence où nous visitons le musée militaire.
6. C'est un voyage très intéressant et nous apprenons beaucoup.

STRUCTURE 3: *L'imparfait et le passé composé (suite)*

The following table outlines the various uses of the **passé composé** and the **imperfect**. As you study it, keep in mind the following basic principles:

1. Both the **passé composé** and the **imperfect** are past tenses.
2. Most French verbs can be put into either tense, depending on the context in which they appear.
3. As a general rule, the **passé composé** moves a story's action forward in time: **Je me suis levée, j'ai pris une tasse de café, j'ai quitté la maison.**
4. As a general rule, the **imperfect** tends to be more descriptive and static: **Il faisait beau, les enfants jouaient dans le parc pendant que je faisais tranquillement du tricot sur un banc.**

Imperfect	Passé composé
Description **Il faisait** beau.	———
Habitual action **Elles parlaient** français tous les jours.	*Single occurence* Ce matin, **je me suis préparé** un bon petit déjeuner.
Indefinite period of time Quand j'**étais** jeune...	*Definite period of time* En 1980, **j'ai passé** deux mois au Portugal.
Repeated an unspecified number of times **Nous** lui **téléphonions** souvent.	*Repeated a specified number of times* **Nous** lui **avons téléphoné** deux ou trois fois.

Application

E. Une mauvaise journée. Racontez l'histoire de la journée de Catherine en employant les verbes dans le dessin. Utilisez le passé composé ou l'imparfait selon le contexte.

MODÈLE: se réveiller   *Catherine s'est réveillée à 6h30.*

1. se réveiller, rester au lit, se lever, être fatiguée

2. prendre une douche, s'habiller, mettre, ne pas aller bien ensemble

3. quitter la maison, faire mauvais, pleuvoir, se dépêcher pour aller

4. être en retard, attendre, monter dans, ne pas y avoir de place

5. descendre, avoir faim, traverser, aller au café, commander

6. ne pas boire, être froid, demander, être trop chaud

7. regarder sa montre, être 10h

8. se disputer, ne pas vouloir travailler, rentrer, se coucher

F. Hier... Maintenant racontez l'histoire de votre journée (hier) en choisissant les verbes convenables de la liste suivante ou d'autres verbes que vous connaissez. Employez le passé composé ou l'imparfait selon le contexte.

se réveiller	s'habiller	être à l'heure
se lever	être content(e)	être en retard
avoir faim	être malheureux(se)	être fatigué(e)
préparer	se disputer	avoir beaucoup de
prendre le déjeuner	attendre	travail
boire	rencontrer	sortir
aller	avoir soif	manger
faire beau, mauvais,	être en avance	faire du sport
etc.		se coucher

Mise au point (Petite révision de l'étape)

G. Notre voyage en Bretagne. Mettez les phrases au passé composé ou à l'imparfait selon le contexte.

MODÈLE: Quand je vais en Bretagne, il pleut.
                 Quand je suis allé en Bretagne, il pleuvait.

1. Il y a trop de touristes à Saint-Malo.
2. Nous passons deux jours à la plage.
3. L'hôtel n'est pas cher et les spécialités de la région sont formidables.
4. De Saint-Malo nous allons à Dinan, où nous visitons le château.
5. A Dinan, nous prenons le train pour Morlaix.
6. Partout, nous rencontrons des gens très sympathiques.
7. À Morlaix nous louons une voiture pour continuer notre chemin.
8. Malheureusement, je ne suis pas en bonne forme.
9. J'ai une grippe.
10. Mais je m'amuse quand même parce que je veux profiter de mon voyage.
11. Sur la route entre Morlaix et Brest il y a beaucoup de calvaires.
12. Nous ne restons pas longtemps à Brest.
13. Nous descendons sur la côte et nous nous arrêtons de temps en temps pour faire une promenade.
14. Enfin, nous arrivons à Carnac.
15. Je suis fasciné par les menhirs et les dolmens.
16. Nous sommes contents de notre voyage et nous prenons beaucoup de photos.

H. Exercice écrit. Complétez les phrases en employant l'imparfait ou le passé composé.

MODÈLE: Le lundi...   *Le lundi nous allions toujours au café.*

1. Hier après-midi...
2. De temps en temps...
3. En 1979...
4. La semaine dernière...
5. Une fois par mois...
6. Autrefois...
7. Dimanche dernier...
8. Quand mon père était jeune...

LECTURE: *Le Pays du Calvados—La Normandie*

SPÉCIALITÉS DE VIEUX CALVADOS

CIDRE BOUCHÉ FERMIER - POIRÉ

"La Charmette"

Fernand GEFFROY

PROPRIÉTAIRE - RÉCOLTANT

BESLON (à 4 kms de Villedieu vers Caen) - 50800 **VILLEDIEU-LES-POÊLES**

Tél. 51.13.54 - 61.11.66

chez Geffroy à Beslon,
le calvados est toujours bon...

Read the passage once without consulting the definitions and try to retain the major ideas presented.

C'est le mois de mai en Normandie. Dés milliers de pommiers[1] sont déjà en fleur[2] et leur parfum[3] s'ajoute à la fraîcheur de l'air. De temps en temps des pluies fines viennent arroser[4] les prés[5] et les vergers[6] verdoyants.[7] En automne, les pommes récoltées[8] seront[9] utilisées dans la production du Calvados.

Le Calvados est une eau-de-vie[10] très forte bien connue en France mais encore peu connue à l'étranger.[11] Le meilleur Calvados se produit dans un petit coin de la Normandie, au pays d'Auge, au sud et à l'ouest de Honfleur. Les douze millions de pommiers produisent de 60 à 70 variétés de pommes dont[12] chacune contribue à la saveur très distincte du Calvados.

Le mot Calvados est un mot espagnol qui est connu en Normandie depuis le seizième siècle. En 1588, un bateau de l'Armada espagnole a sombré[13] près de la côte normande. Le nom du bateau: El Calvador. Dès lors,[14] cette côte a pris le nom de Calvados, la région et ensuite le département ont adopté le même nom, et enfin, l'eau-de-vie de pommes est devenue le Calvados.

La qualité du Calvados est définie selon trois catégories. Le meilleur, le Calvados Pays d'Auge, ne peut être produit que des pommes du pays d'Auge et doit être distillé deux fois dont seulement le cœur ou le liquide le plus pur est retenu. La deuxième catégorie est le Calvados « Appellation réglementée » qui ne subit qu'une seule distillation et qui est fait de pommes cueillies[15] dans toutes les régions de la Normandie. Enfin, le troisième niveau de qualité, « Appellation réglementée eau-de-vie de cidre », peut venir de la Normandie, de la Bretagne ou du Maine. C'est le Calvados le plus jeune mais néanmoins[16] très acceptable. Il y a même ceux[17] qui préfèrent ce dernier pour le parfum très distinct de pommes qui est moins évident dans un Calvados plus âgé. Un très bon Calvados peut coûter vingt-cinq dollars ou plus selon son âge.

Avec le Cognac et l'Armagnac, le Calvados est bu surtout comme digestif.[18] Mais les Normands l'aiment aussi comme apéritif mélangé[19] avec du cidre et servi avec des glaçons.[20] Et, bien sûr, le Calvados s'emploie dans de nombreuses spécialités culinaires parmi lesquelles[21] on trouve le poulet vallée d'Auge et les tripes[22] à la mode de Caen.

Si la plupart des Français boivent le Calvados comme digestif après le repas, cette eau-de-vie fait aussi partie d'une tradition chez les Normands: le trou[23] normand. Pour bien comprendre la tradition, imaginons-nous dans une maison normande attablés[24] devant un grand repas. Un plat après l'autre se présente, des plats avec des sauces à base de crème et de beurre. Au milieu du repas, au moment où nous sommes convaincus que nous ne pouvons plus avaler[25] une autre bouchée[26] nous nous arrêtons pour prendre un petit verre de Calvados. Ce Calvados a comme effet de créer un « trou » dans l'estomac qui nous permet de continuer notre repas somptueux.

---

1. apple trees 2. in bloom 3. fragrance 4. to sprinkle 5. meadows 6. orchards 7. green 8. harvested 9. will be 10. brandy 11. abroad 12. of which 13. sank 14. from then on 15. picked, gathered 16. nevertheless 17. those 18. after-dinner drink (to help digestion) 19. mixed 20. ice cubes 21. among which 22. tripe (stomach lining) 23. hole 24. seated at the table 25. to swallow 26. mouthful

A. Decide which of the following ideas are *major* or essential to a basic understanding of the reading. Cross out the ones you consider less important.

1. Calvados is made from apples.
2. Honfleur is a French seaport.
3. The word Calvados was first used in the sixteenth century.
4. There are three grades of Calvados, the finest of which comes from the **pays d'Auge**.
5. There are 12 million apple trees in the **pays d'Auge**.
6. Like Cognac and Armagnac, Calvados is primarily an after-dinner drink.
7. The province best known for the production of Calvados is Normandy.
8. Apple trees are in bloom during the month of May.
9. The younger the Calvados, the more it retains the flavor of apples.

B. Read the passage again, this time referring to the footnotes. Then decide which of the following statements are true and which are false.

1. Le trou normand est créé dans l'estomac par un petit verre de Calvados.

2. Le Calvados Pays d'Auge est le plus jeune de tous les Calvados. F
3. Le Calvados ne se boit pas comme apéritif. ✓
4. Le Calvados est une eau-de-vie très forte. ✓
5. Le pays d'Auge se trouve à l'est de la France. F
6. Le mot Calvados est d'origine espagnole. ✓
7. Le Calvados est encore peu connu à l'étranger. F
8. El Calvador était le nom du capitaine d'un bateau espagnol. ✓

Reprise (Troisième Étape)

C. Mettez les phrases au passé composé ou à l'imparfait selon le contexte.

1. Le garçon apporte la note et nous la payons tout de suite.
2. Quand je me lève, mon frère prépare le petit déjeuner.
3. Elle prend le train à Avignon, elle descend à Marseille et elle appelle un taxi.
4. Quand nous sommes en France, nous allons souvent au théâtre.
5. En 1950, ils passent trois mois au Japon.
6. C'est le mois de mai en Normandie. Il fait beau. Je me repose au soleil et je bois un bon verre de cidre quand mes amis arrivent.

Point d'arrivée
(Activités orales ou écrites)

D. Nous connaissons la France. Using the map of France on page xxv, say as much as you can about the country. For example, talk about its geography, rivers, agriculture, cities, and regions such as Paris, la Bretagne, la Provence, etc.

E. Parlons de notre jeunesse. Tell the others in your group what you used to do when you were a child. Then find the experiences which you all have in common and explain them to the rest of the class.

F. Une aventure. Tell the others in your group about an interesting, strange, funny, or terrible experience you had in the past.

G. Ask an older member of your family to tell you a story from his or her past. Translate the story into French and tell it to the members of your French class.

H. Des photos. Pretend that the photographs in this chapter and Chapter 5 are slides that you took yourself during a trip to France. You have now invited your friends to relive the trip with you and, as you show them the photos, describe them. Each member of the group should contribute to the description.

Vocabulaire actif

autrefois	fréquemment	une (deux) fois par...
d'habitude	quelquefois	vraiment

CHAPITRE QUINZE

Allons à la poste!

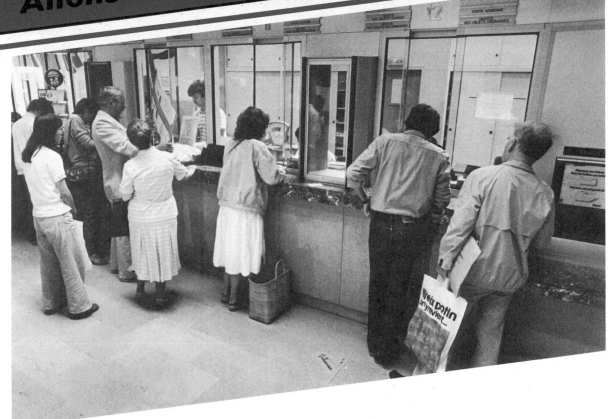

Première Étape
Envoyons une lettre!

Deuxième Étape
Envoyons un colis!

Troisième Étape
Un Coup de fil

Quatrième Étape
Lecture: Les P.T.T.

Première Étape

POINT DE DÉPART: *Envoyons une lettre!*

has written
sends
beginning

Anne-Marie **a écrit** une lettre à son ami Claude au Canada. Dans sa lettre elle l'invite à lui rendre visite pendant les vacances de Noël et elle lui **envoie** un billet d'avion. C'est déjà le **début** de décembre et Anne-Marie se dépêche pour mettre la lettre à la poste.

1. Pour envoyer sa lettre, elle va au bureau de poste.

2. Elle passe au guichet de la poste aérienne.

3. La postière pèse la lettre.

return receipt
addressee / sender
stamp / air letter / postage (rate)
receipt

Anne-Marie décide d'envoyer la lettre en recommandé et elle demande un **avis de réception**. Elle vérifie l'adresse du **destinataire** et de l'**expéditeur**. Elle achète aussi des **timbres** et un **aérogramme**. Enfin, elle paie le **tarif postal**, avec surtaxe pour sa lettre et demande un **récépissé.**

to send registered

will be

ANNE-MARIE: Je voudrais **faire recommander** cette lettre, avec avis de réception.

LA POSTIÈRE: D'accord, Mademoiselle. Votre lettre pèse 20 grammes. Voyons... ça **sera** quatre francs, plus cinquante centimes pour la surtaxe aérienne, plus huit francs quarante pour le recommandé. Le tout c'est douze francs quatre-vingt-dix.

ANNE-MARIE: Oh, là, là... c'est très cher tout ça. Enfin, donnez-moi en plus cinq timbres de deux francs et un aérogramme. Et je voudrais un récépissé pour l'**envoi** de la lettre.

sending (mailing)
please fill out / form
will receive

LA POSTIÈRE: Très bien, Mademoiselle. D'abord, **veuillez remplir** cette **formule** avec votre nom et adresse. Vous **recevrez** votre avis de réception après l'arrivée de la lettre au Canada.

ANNE-MARIE: Merci bien. À quelle heure part le prochain courrier?

366   *ALLONS-Y!*

LA POSTIÈRE: À dix-huit heures trente, Mademoiselle. Mais nous fermons à dix-sept heures. Si vous avez des lettres **pressées,** vous **pourrez** les **poster** au bureau de la gare.

ANNE-MARIE: D'accord. Merci bien, Madame.

À vous! (Exercices de vocabulaire)

A. Trouvez le mot qui correspond à chacune des phrases suivantes.

MODÈLE: On peut acheter des timbres dans cet endroit.
le bureau de poste

1. Ce papier montre combien j'ai payé la lettre recommandée.
2. C'est la personne qui envoie une lettre.
3. C'est la personne qui reçoit une lettre.
4. On les met sur l'enveloppe avant d'envoyer la lettre.
5. C'est la personne qui travaille au bureau de poste.
6. Si vous voulez envoyer une lettre par avion, vous allez à ce guichet.
7. Il faut le remplir quand on veut faire recommander une lettre.
8. Lettres, cartes postales, magazines, etc. qu'on reçoit par la poste.
9. C'est une lettre qui est aussi une enveloppe.

B. Au guichet de la poste aérienne. Achetez un timbre pour envoyer les lettres indiquées. Votre camarade va jouer le rôle du postier ou de la postière.

MODÈLE: États-Unis / 4,00F + 2,00F / en recommandé avec avis de réception
—*Je voudrais un timbre pour envoyer cette lettre aux Etats-Unis.*
—*C'est 4,00F plus 2,00F la surtaxe aérienne. Est-ce que vous voulez la faire recommander?*
—*Oui, avec avis de réception, s'il vous plaît.*

1. Canada / 3,40F + 2,00F / en recommandé avec avis de réception
2. Algérie / 2,20F + 0,20F / pas recommandé
3. Angleterre / 1,70F pas de surtaxe / en recommandé sans avis de réception
4. États-Unis / 4,00F + 2,00F / en recommandé avec avis de réception

STRUCTURE 1: Le futur

Je lui **parlerai** demain.	*I'll speak* to him tomorow.
Quand **finiras-tu** cette lettre?	When *will you finish* this letter?
Nous vendrons la voiture à Paul.	*We'll sell* the car to Paul.

In French, as in English, the future tense expresses what *will happen.* Its formation is very simple because the stem of the future tense is most often the infinitive of the verb, to which are added the endings **-ai, -as, -a, -ons, -ez, -ont.** These endings, with the exception of **-ons** and **-ez,** correspond to the present tense of the verb **avoir.** Note also that the **-e** of verbs ending in **-re** is dropped before the future endings are added (**vendre: nous vendrons**). Stem-changing verbs, except those like **préférer,** retain their spelling change in all persons of the future tense.

acheter	→ j'achèterai	payer	→ nous paierons
appeler	→ tu appelleras	peser	→ vous pèserez
jeter	→ elle jettera	préférer	→ ils préféreront

Irregular Verbs

There are a relatively limited number of irregular stems in the future tense. The following are the most common ones:

avoir	**aur-**	j'aurai	falloir	**faudr-**	il faudra
aller	**ir-**	tu iras	pouvoir	**pourr-**	nous pourrons
être	**ser-**	elle sera	savoir	**saur-**	vous saurez
faire	**fer-**	on fera	vouloir	**voudr-**	elles voudront

Usage

Although the future tense is not used as frequently in French as many of the other tenses, it is sometimes required when the present tense would be preferable in English. If a future time is implied after the following expressions, use the future tense.

quand	**Quand tu finiras** ton travail, va au marché.
	When you finish your work, go to the market.
dès que	**Dès qu'ils arriveront,** je leur parlerai.
	As soon as they arrive, I'll talk to them.
aussitôt que	**Aussitôt que vous serez** prête, nous partirons.
	As soon as you're ready, we'll leave.

Application

C. Remplacez les mots en italique et faites tous les changements nécessaires.

1. *Tu* réussiras certainement aux examens. (vous / il / nous / je / elles / tu)
2. Dès qu'*ils* seront en France, *ils* iront à Paris. (tu / nous / elles / je / vous / il)
3. Demain, *j'*aurai vingt et un ans. (elle / vous / ils / tu / je)
4. Est-ce qu'*elle* saura où aller? (vous / ils / tu / nous / elle)
5. *Nous* ne pourrons pas faire les courses. (je / elles / tu / il / vous / on)
6. *Je* ferai les devoirs plus tard. (nous / elle / vous / tu / ils)
7. Quand achèteras-*tu* une voiture? (nous / elle / ils / on / vous)

D. Projets de vacances. Indiquez ce que feront les personnes suivantes pendant leurs vacances. Mettez les phrases au futur.

MODÈLE: Maurice est chez nous.   *Maurice sera chez nous.*

1. Janine va en Normandie. *ira*
2. Mes parents sont à la plage. *seront*
3. Je fais du camping. *ferais*
4. Je reste chez moi et je dors. *resterai*
5. Les Dubois font de l'alpinisme. *feront*
6. Nous habitons dans un appartement à Paris. *habiterons*
7. Il prend le T.G.V. pour Lyon. *prendra*
8. J'achète un bateau. *achèterai*

E. Demain... Indiquez que les personnes suivantes feront demain ce qu'il faut faire.

MODÈLE: Il faut que tu ailles à la banque.
            Bon, j'irai à la banque demain, si tu veux.

1. Il faut qu'elle parle à Jean.
2. Il est indispensable que vous étudiiez.
3. Il est nécessaire qu'elles fassent des projets.
4. Il faut que nous appelions nos amis.
5. Il est nécessaire que vous achetiez des timbres.
6. Il est indispensable que tu ailles en ville.
7. Il faut qu'on paie la note.
8. Il faut que tu te couches.

STRUCTURE 2: *Le présent et le futur dans les phrases avec* si

Si elle va en Bretagne, **je** lui **rendrai** visite.	*If she goes* to Brittany, *I'll visit her.*
S'ils n'étudient pas, **nous** leur **parlerons.**	*If they don't study, I'll talk to them.*
Si vous ne trouvez pas vos clés, **nous ne pourrons pas** sortir.	*If you don't find your keys, we won't be able to go out.*

When a sentence begins with **si** and the present tense in the principal clause, the resulting, or subordinate clause takes the future tense. This sequence of tenses (**si** + present + future) corresponds to the sequence of tenses found under the same conditions in English.

Application

F. Qu'est-ce qu'on fera si...? En employant les éléments entre parenthèses, indiquez ce que feront les personnes suivantes sous les conditions données.

MODÈLE: Qu'est-ce qu'il fera si je lui donne l'argent? (acheter le vélomoteur)
Si tu lui donnes l'argent, il achètera le vélomoteur.

1. Qu'est-ce que tu feras si elle n'arrive pas? (aller la chercher)
2. Qu'est-ce qu'ils feront s'ils sont en ville? (rencontrer Suzanne)
3. Qu'est-ce que nous ferons si Françoise est en retard? (l'attendre)
4. Qu'est-ce que vous ferez si vous gagnez de l'argent? (le mettre à la banque)
5. Qu'est-ce que je ferai si la voiture ne marche pas? (prendre le train)
6. Qu'est-ce qu'elle fera si Robert se marie avec Claudine? (quitter le pays)

STRUCTURE 3: *Les verbes irréguliers* écrire, envoyer, recevoir, voir

Écrire

Est-ce que **tu as écrit** à Claude?	*Did you write* to Claude?
Pas encore. **J'écris** d'abord à Robert.	Not yet. First, *I'm writing* to Robert.
J'écrirai à Claude demain.	*I'll write* to Claude tomorrow.

The verb **écrire** (*to write*) is irregular in the present tense but regular in the imperfect and future tenses. The verb **décrire** (*to describe*) is conjugated in the same way as **écrire.**

écrire	
j'**écris**	nous **écrivons**
tu **écris**	vous **écrivez**
il/elle/on **écrit**	ils/elles **écrivent**
Past participle: **écrit** (avoir)	Imperfect stem: **écriv-**
Subjunctive stem: **écriv-**	Future stem: **écrir-**

Envoyer

Elle a envoyé une lettre à Monique.	*She sent* a letter to Monique.
Tu envoies des cartes pour le Nouvel An?	*Are you sending* New Year's cards?
Je leur **enverrai** un mot.	*I'll send* them a line.

In the present tense, the verb **envoyer** (*to send*) is conjugated like **payer** and all other stem-changing **-yer** verbs (**employer, essayer,** etc.). It differs from these verbs, however, in that the future tense of **envoyer** has the irregular stem **enverr-.**

envoyer	
j'**envoie**	nous **envoyons**
tu **envoies**	vous **envoyez**
il/elle/on **envoie**	ils/elles **envoient**
Past participle: **envoyé** (avoir)	Imperfect stem: **envoy-**
Subjunctive stem: **envoi-, envoy-**	Future stem: **enverr-**

Recevoir

Est-ce qu'**elle a reçu** une lettre de Claude?	*Has she gotten* a letter from Claude?
Oui, et **elle reçoit** des cartes postales tous les jours.	Yes, and *she gets* postcards every day.
Autrefois, **je recevais** beaucoup de courrier aussi.	In the past, *I used to get* a lot of mail also.

The verb **recevoir** (*to get, to receive*) is irregular in all forms of the present tense except **nous** and **vous.** Pay close attention to the spelling changes, particularly the addition of a cedilla in certain forms.

recevoir	
je **reçois**	nous **recevons**
tu **reçois**	vous **recevez**
il/elle/on **reçoit**	ils/elles **reçoivent**
Past participle: **reçu** (avoir)	Imperfect stem: **recev-**
Subjunctive stem: **reçoiv-, recev-**	Future stem: **recevr-**

voir

Nous avons vu Mireille au bureau de la gare.	*We saw* Mireille at the train station post office.
Je vois que vous portez toujours les mêmes vêtements!	*I see* you're still wearing the same clothes!
Je peux sortir ce soir? **On verra!**	Can I go out tonight? *We'll see!*

Be sure to distinguish **voir** (*to see*) from **regarder** (*to look at, to watch*). **Voyons** is often used as a hesitation filler in conversation:

—Vous désirez, Madame?	—What would you like, Madam?
—**Voyons**... Je prendrai un demi et un sandwich.	—*Let's see....* I'll have a beer and a sandwich.

voir	
je **vois**	nous **voyons**
tu **vois**	vous **voyez**
il/elle/on **voit**	ils/elles **voient**
Past participle: **vu** (avoir)	Imperfect stem: **voy-**
Subjunctive stem: **voi-, voy-**	Future stem: **verr-**

Application

G. Remplacez les mots en italique et faites tous les changements nécessaires.

1. *Elle* lui enverra un mot. (nous / je / ils / tu / elle)
2. *Nous* avons écrit des cartes pour le Nouvel An. (je / il / tu / elles / nous)
3. Est-ce que *tu* écris souvent à tes parents? (vous / elle / ils / il / tu)
4. Il est important qu'*elle* le voie demain, (nous / ils / elle / tu / vous / je / on)
5. Autrefois, *je* recevais beaucoup de lettres. (nous / elles / il / tu / ils / je)
6. *Nous* recevons de bonnes notes en français. (elle / tu / ils / je / vous / nous)
7. Envoient-*ils* un télégramme? (vous / tu / elle / on / ils)
8. *J'*ai vu Monique au cinéma. (nous / elle / ils / on / vous / tu / je)

H. Questionnaire. Posez les questions à un(e) autre étudiant(e) et écrivez les réponses sur une feuille de papier. Ensuite, expliquez vos résultats à la classe entière. Demandez:

1. s'il / si elle envoie souvent des cartes postales et à qui.
2. s'il / si elle reçoit souvent des lettres et de qui.
3. s'il / si elle a reçu une lettre ou un cadeau hier.
4. de qui il / elle recevait des cadeaux quand il / elle était jeune.
5. à qui il / elle écrit souvent.
6. s'il / si elle a vu un film récemment, et quel film.
7. à qui il / elle envoie des colis.
8. s'il / si elle aime écrire des lettres.

Mise au point (Petite révision de l'étape)

I. Projets pour l'avenir. (*Plans for the future.*) Indiquez ce que les personnes suivantes feront dans l'avenir. Employez le futur.

MODÈLE: Sylvie veut voyager.   *Elle voyagera.*

1. Henri veut faire du ski.
2. Angélique veut chanter à l'opéra.

3. Mireille veut être médecin.
4. Nous voulons être interprètes.
5. Éric voudrait se marier.
6. Ils veulent avoir beaucoup d'argent.
7. Je veux soigner les malades.
8. Annie voudrait aller en Chine.

J. Expliquez aux autres dans votre groupe vos projets pour l'avenir. Vos camarades vous poseront des questions. Employez le futur.

K. Exercice écrit. Composez des phrases au futur avec les éléments donnés.

MODÈLE: demain / nous / aller / parents
Demain nous irons chez nos parents.

1. quand / elle / avoir / 21 ans / elle / aller / France
2. vous / envoyer / carte postale / Jean / ?
3. si / tu / écrire / lettre / je / mettre / poste
4. la semaine prochaine / nous / voir / enfants.
5. je / ne...pas / recevoir / cadeaux
6. elle / savoir / répondre / questions
7. ils / pouvoir / sortir / week-end
8. tu / acheter / chemise / ?

Deuxième Étape

POINT DE DÉPART: Envoyons un colis!

Dialogue entre Sylvie et Anne-Marie.

SYLVIE: Tiens, salut, Anne-Marie. Où vas-tu?

ANNE-MARIE: Je vais à la poste pour **expédier** ces deux **colis**. Claude m'a envoyé un télégramme pour me dire qu'il ne sera pas ici à Noël. Alors, je lui envoie ses **cadeaux** au Canada.

SYLVIE: Il est dommage qu'il ne puisse pas te rendre visite. **Rien de grave**, j'espère.

ANNE-MARIE: Non, pas du tout. Il a appris qu'il n'aura que cinq jours de vacances à Noël et le voyage **ne vaudra donc pas la peine**. Mais on se verra à **Pâques.**

to send / packages

presents

nothing serious

will therefore not be worthwhile / Easter

Dialogue entre la postière et Anne-Marie.

LA POSTIÈRE:	À votre service, Mademoiselle.
ANNE-MARIE:	Je voudrais envoyer ces deux paquets au Canada.
LA POSTIÈRE:	Par avion ou **voie de surface**?
ANNE-MARIE:	Par avion, et je voudrais les recommander.
LA POSTIÈRE:	Tenez! Voilà deux **étiquettes** de **douane**. Pendant que je pèse les paquets, vous allez indiquer leur **contenu** sur l'étiquette.
ANNE-MARIE:	Il **suffit** de mettre « cadeaux»?
LA POSTIÈRE:	Non, Mademoiselle... il faut énumérer chaque objet.
ANNE-MARIE:	Quelle complication! Voyons... un T-shirt, du Brie, une bouteille de Cognac, quatre boîtes de conserves de **maquereaux** au vin blanc...
LA POSTIÈRE:	Un instant, Mademoiselle. Vous envoyez là un véritable supermarché! Il y a la famine au Canada! Je regrette...mais c'est impossible. Vous **ne** pouvez envoyer **ni** alcool **ni périssables** par la poste!
ANNE-MARIE:	Mais, Madame... Vous ne comprenez pas. Claude m'a justement demandé du vrai Cognac français...
LA POSTIÈRE:	Écoutez, Mademoiselle. Il vaut mieux boire le Cognac vous-même et envoyer de l'argent à votre Claude. Il s'achètera une bouteille de Cognac au Canada et il trouvera bien des maquereaux là où il habite.

Marginal glosses:
- surface mail
- labels / customs
- content
- is it enough
- mackerel
- neither... nor / perishables

À vous! (Exercices de vocabulaire)

A. **Dialogue entre Véronique et Chantal**. Complétez le dialoque en jouant le rôle de Chantal. Employez les éléments entre parenthèses pour vous aider.

MODÈLE: VÉRONIQUE: Tiens, salut, Chantal. Où vas-tu? (poste)
CHANTAL: *Je vais à la poste.*

VÉRONIQUE: Pour quoi faire? (envoyer / colis)
CHANTAL: _____
VÉRONIQUE: Jean-François ne te rend pas visite à Noël? (non)
CHANTAL: _____
VÉRONIQUE: Pourquoi pas? (il faut / rendre visit à ses grands-parents)
CHANTAL: _____
VÉRONIQUE: Quand est-ce que vous vous verrez alors? (Pâques)
CHANTAL: _____
VÉRONIQUE: Qu'est-ce que tu lui envoies? (pull / croissants / Roquefort)
CHANTAL: _____
VÉRONIQUE: Tu envoies tout ça par voie de surface? (par avion)
CHANTAL: _____
VÉRONIQUE: Tu seras obligée de remplir un formulaire, n'est-ce pas? (étiquette de douane)
CHANTAL: _____
VÉRONIQUE: C'est bien compliqué tout ça!

Reprise (Première Étape)

B. En l'an 2491... Imaginez le monde en l'an 2491. Mettez les phrases suivantes au futur.

MODÈLE: Nous habitons d'autres planètes.
          Nous habiterons d'autres planètes.

1. Les hommes et les femmes sont égaux.
2. Le bifteck est en forme de pilule.
3. Nous n'avons pas de guerres.
4. Il n'y a pas de pollution.
5. Nous faisons des voyages inter-planétaires.
6. Nous rencontrons des habitants d'autres planètes.
7. Les enfants apprennent beaucoup de choses.
8. La nature est protégée.

C. Composez des phrases avec les éléments indiqués en variant chaque fois le temps du verbe.

MODÈLE: envoyer (lettre)   *J'ai envoyé une lettre à ma mère.*

1. envoyer (aérogramme / carte postale / télégramme / lettre)
2. recevoir (télégramme / colis / cadeau)
3. écrire (poème / lettre)
4. voir (film / émission)

STRUCTURE 4: *Les pronoms d'objets directs et indirects* me, te, nous, vous

Vous **nous** écrivez une lettre?	Are you writing *us* a letter?
Je **vous** appellerai demain après-midi.	I'll call *you* tomorrow afternoon.
Elle **m'**a raconté une histoire très drôle.	She told *me* a funny story.
Ils ne **t'**ont pas accompagnée?	They didn't accompany *you*?
Envoie-**moi** ton adresse!	Send *me* your address!
Ne **nous** parlez pas de votre voyage!	Don't talk *to us* about your trip!

Me, te, nous, and **vous** are first- and second-person object pronouns that replace both direct and indirect object nouns. All the rules for direct and indirect objects you have learned in Chapters 11 and 12 apply to **me, te, nous,** and **vous.** As a reminder, study the placement of the pronouns in the sentences above. Note that in an affirmative command, when the pronoun follows the verb, **me** becomes **moi.**

Helpful hint: In spoken French, certain patterns occur that help you determine the appropriate subject and object pronouns to use. This is particularly true in question-answer situations. Here are the most common of these patterns.

Question	Answer
1. **vous/me (m')**	**je/vous**
Vous m'avez téléphoné hier?	Oui, **je vous** ai téléphoné hier.
2. **tu/me (m')**	**je/te (t')**
Tu me cherchais?	Oui, **je te** cherchais.

If you become accustomed to these patterns, your response will be more natural and automatic when someone addresses you directly.

Application

D. Répondez aux questions suivantes. La première personne répond à l'affirmatif, la deuxième personne répond au négatif.

MODÈLE: Vous m'écoutez?   *Oui, je vous écoute.*   *Non, je ne vous écoute pas.*

1. Vous me cherchez?
2. Vous me regardez?
3. Vous m'attendez?
4. Vous me parlez?
5. Vous m'entendez?
6. Il vous cherche?
7. Il vous admire?
8. Il vous écrit?
9. Il vous voit?
10. Il vous comprend?
11. Elle me cherche?
12. Elle m'aide?
13. Elle me quitte?
14. Elle me téléphone?
15. Elle me rencontre?

E. Répondez aux questions suivantes, d'abord à l'affirmatif, ensuite au négatif.

MODÈLE: Tu m'entends?   *Oui, je t'entends.*   *Non, je ne t'entends pas.*

1. Tu m'écoutes?
2. Tu me cherches?
3. Tu me comprends?
4. Tu m'attends?
5. Tu me rencontres?
6. Il t'accompagne?
7. Il te voit?
8. Il t'écrit?
9. Il te téléphone?
10. Il t'appelle?
11. Il me cherche?
12. Il me regarde?
13. Il me quitte?
14. Il m'aime?
15. Il m'attend?

F. Réagissez d'abord affirmativement et ensuite négativement.

MODÈLE: Je vais vous acheter des cigarettes.
Oui, achetez-moi des cigarettes.
Non, ne m'achetez pas de cigarettes.

1. Je vais vous apporter du vin.
2. Je vais vous téléphoner.
3. Je vais vous accompagner.
4. Je vais vous aider.
5. Je vais vous écrire.

MODÈLE: Je vais te téléphoner.   *Oui, téléphone-moi.*   *Non, ne me téléphone pas.*

6. Je vais t'attendre.
7. Je vais t'embrasser.
8. Je vais t'acheter un cadeau.
9. Je vais t'accompagner.
10. Je vais te parler de mon voyage.

STRUCTURE 5: *Les expressions négatives* ne... jamais, ne... plus, ne... pas encore, ne... ni... ni

Travaille-t-elle au bureau de poste?	Non, elle **ne** travaille **pas** au bureau de poste.
Does she work at the post office?	No, she *doesn't* work at the post office.
Vas-tu **souvent** au théâtre?	Non, je **ne** vais **jamais** au théâtre.
Do you go to the theater often?	No, I *never* go to the theater.
Est-il **encore** là?	Non, il **n'**est **plus** là.
Is he still here?	No, he is *no longer* here.
Sont-ils **déjà** partis?	Non, ils **ne** sont **pas encore** partis.
Did they leave already?	No, they *haven't* left *yet.*
Avez-vous acheté du pain **et** du lait?	Non, nous **n'**avons acheté **ni** pain **ni** lait.
Did you buy bread and milk?	No, we bought *neither* bread *nor* milk.

Until now, you have been using the expression **ne... pas** to negate an affirmative statement. As you know, both parts of the expression are necessary in a sentence, and **ne** generally stands before the conjugated verb while **pas** follows it. You will also remember that the indefinite and partitive articles become **de** after negative expressions. These basic rules also apply to other negative expressions.

ne...jamais[1] (*never*)	=	toujours[2], quelquefois, souvent
ne...plus (*no longer*)	=	encore, toujours
ne...pas encore (*not yet*)	=	déjà
ne... ni... ni...[3] (*neither... nor...*)	=	...et...

Application

G. Répondez en employant une expression négative.

MODÈLE: As-tu déjà acheté les timbres?
Non, je n'ai pas encore acheté les timbres.

1. Fera-t-il encore les mêmes erreurs?
2. Avez-vous acheté le café et le vin?
3. Envoient-elles toujours des cartes de Noël?
4. As-tu déjà appris les expressions négatives?
5. Est-ce qu'elle va souvent à la plage?
6. Avez-vous déjà pris le T.G.V.?
7. Ont-elles commandé les escargots et le pain?
8. Est-ce qu'il a déjà servi les boissons?

H. Voici une série d'activités. Décidez si vous faites ces choses **souvent, quelquefois, encore, toujours** ou si vous **ne** les faites **jamais.**

MODÈLE: faire de l'alpinisme   *Je ne fais jamais d'alpinisme.*

1. jouer aux cartes
2. regarder la télévision
3. faire le ménage
4. mettre la table
5. faire la cuisine
6. parler français
7. faire du canotage
8. manger des escargots
9. sortir le week-end
10. prendre le train
11. écrire des lettres
12. envoyer des colis

---

1. **Ne...jamais** can be used without the **ne** in a sentence fragment or short answer (**Tu vas te marier? Jamais!**). **Jamais** used without **ne** in a full sentence means *ever*: **Es-tu jamais allé en France?** *Have you ever gone to France?*
2. **Toujours** can mean either *always* or *still*
3. When **ne...ni...ni...** is used with nouns, the definite, indefinite, and partitive articles are dropped: **Je n'ai ni frères ni sœurs.**

Mise au point *(Petite révision de l'étape)*

I. As-tu des nouvelles de...? (*Do you have any news from...?*) Racontez à votre camarade ce que vous avez entendu des personnes suivantes. Inventez des détails de leur vie et employez les structures suivantes le plus possible: **il (elle) m'a dit, m'a expliqué, m'a raconté, m'a téléphoné, m'a promis, m'a demandé, m'a envoyé, m'a écrit.**

MODÈLE: As-tu des nouvelles de ton frère?
Oui, il m'a téléphoné et m'a invité chez lui.

As-tu des nouvelles de:

1. ta sœur?
2. ton cousin?
3. ta mère?
4. du Président des États-Unis?
5. Paul Newman?
6. Margaret Thatcher?

J. Exercice écrit. Ajoutez les éléments entre parenthèses et faites tous les changements nécessaires.

MODÈLE: Il a envoyé un cadeau. (vous / ne...jamais)
Il ne vous a jamais envoyé de cadeau.

1. J'ai apporté les disques. (vous / ne...pas encore)
2. Elle enverra son adresse. (te / ne...jamais)
3. Ils ont vendu leur moto? (vous / déjà)
4. Vous avez donné votre argent. (me / ne...pas encore)
5. J'écris. (vous / ne...plus)
6. Autrefois, elles téléphonaient. (nous / souvent)

Troisième Étape

POINT DE DÉPART: Un Coup de fil

un coup de fil: telephone call

public phone booths
sidewalks
party being called
phone book / coins
token
collect call
operator

Si vous voulez téléphoner à quelqu'un, vous pouvez le faire d'une cabine publique. Les **cabines téléphoniques** se trouvent dans les bureaux de poste, dans certains bureaux de tabac, dans les gares, dans les hôtels et sur les **trottoirs** des rues principales. Si vous n'avez pas le numéro de votre **correspondant**, vous le trouverez dans l'**annuaire**. Certains téléphones fonctionnent avec des **pièces de monnaie**, d'autres avec un **jeton**. Si vous voulez une communication spéciale (par exemple, une communication **en P.C.V.**), faites le 10 au cadran et parlez à l'**opératrice** (la **standardiste**).

Pour donner un coup de fil à quelqu'un:

pick up the receiver / slot / dial tone

décrochez l'appareil,

introduisez les pièces ou le jeton dans la **fente,**

attendez la **tonalité,**

dial / hang up

composez le numéro au **cadran,**

parlez à votre correspondant(e),

raccrochez l'appareil.

Hervé donne un coup de fil à son amie Hélène à Besançon. Il lui téléphone d'une cabine au bureau de poste.

HERVÉ:	Je voudrais téléphoner à Besançon, s'il vous plaît.
LA TÉLÉPHONISTE:	Prenez la cabine 5 et composez le numéro de votre correspondant.
HERVÉ:	Il me faut des pièces ou un jeton?
LA TÉLÉPHONISTE:	**Ni l'un ni l'autre.** Vous me paierez après votre communication.

neither (margin note for "Ni l'un ni l'autre")

Dans la cabine téléphonique...

HERVÉ:	Allô, allô... 42.56.74 à Besançon?
LA CORRESPONDANTE:	Oui, Monsieur.
HERVÉ:	Je voudrais parler à Hélène, s'il vous plaît.
LA CORRESPONDANTE:	**C'est de la part de qui?**
HERVÉ:	**C'est** Hervé Jourdain **à l'appareil.**
LA CORRESPONDANTE:	**Ne quittez pas,** Monsieur, je vais voir si elle est là.

Margin notes:
Who may I say is calling? (for "C'est de la part de qui?")
This is... (for "C'est... à l'appareil")
hang on, just a moment (for "Ne quittez pas")

Après un instant de silence...

LA CORRESPONDANTE:	Allô... je...
HERVÉ:	Écoute, Hélène. Je sais que nous nous sommes disputés. Je sais que tu es furieuse.
LA CORRESPONDANTE:	Mais...
HERVÉ:	Ne dis rien... je te demande pardon. Je ne voulais certainement pas t'offenser. Tu sais que je t'adore, ma chérie... Alors, tu me pardonnes?
LA CORRESPONDANTE:	Je veux bien, moi, mais je ne sais pas si Hélène vous pardonnera. J'allais vous dire qu'elle n'est pas là!

À vous! (Exercices de vocabulaire)

A. Trouvez le mot qui correspond à chacune des définitions.

MODÈLE: L'endroit d'où on peut téléphoner   *le bureau de poste*

1. La personne à qui vous téléphonez
2. Le livre où se trouvent les numéros de téléphone
3. L'objet qu'on met dans la fente
4. Le son qu'on entend avant de composer le numéro
5. Il y a les chiffres zéro à neuf
6. La personne à qui vous demandez une communication spéciale
7. Une communication où c'est le (la) correspondant(e) qui paie

B. Conversation au téléphone. Complétez le dialogue suivant en employant les expressions du dialogue précédent. Vous voulez téléphoner à André Monnier, qui habite à Marseille, mais vous n'avez pas son numéro. Vous faites le 12 et vous parlez à la standardiste.

LA STANDARDISTE:	Service des renseignements.
L'ÉTUDIANT(E):	_____

LA STANDARDISTE:	Un moment, s'il vous plaît. C'est le 15.62.81.
L'ÉTUDIANT(E):	———

Vous faites le numéro.

LE CORRESPONDANT:	Allô.
L'ÉTUDIANT(E):	———
LE CORRESPONDANT:	Oui, Monsieur.
L'ÉTUDIANT(E):	———
LE CORRESPONDANT:	C'est de la part de qui?
L'ÉTUDIANT(E):	———
LE CORRESPONDANT:	Ne quittez pas. Je vais voir si Monsieur Monnier est là. Je regrette... il est sorti.
L'ÉTUDIANT(E):	———
LE CORRESPONDANT:	Pas avant 18h. Vous voulez rappeler?
L'ÉTUDIANT(E):	———
LE CORRESPONDANT:	Très bien. Au revoir.

Reprise (Deuxième Étape)

C. Répondez affirmativement et ensuite négativement.

MODÈLE: Est-ce que je t'ai expliqué mon problème?
Oui, tu m'as expliqué ton problème.
Non, tu ne m'as pas expliqué ton problème.

1. Est-ce qu'il va te rencontrer demain?
2. Est-ce qu'elle vous téléphonera?
3. Est-ce que vous m'avez rendu mes disques?
4. Est-ce que je peux t'aider?
5. Est-ce qu'elles vous accompagneront?
6. Est-ce que je t'apprends quelque chose?

D. Répondez négativement en employant **ne... pas** ou une autre expression négative. Attention au changement des objets directs et indirects.

MODÈLE: Est-ce qu'il vous téléphone souvent?
Non, il ne nous téléphone jamais.

1. Est-ce que tu lui as déjà parlé?
2. Est-ce qu'elles t'ont déjà écrit une carte?
3. Est-ce que vous m'avez envoyé un télégramme?
4. Sont-ils encore en France?
5. Veux-tu nous raconter une histoire?
6. Est-ce qu'elle vous a acheté la bière et le vin?
7. Est-ce que vous leur avez écrit?
8. Vont-ils souvent à Marseille?

Tu seras **en Provence** cet été?	Oui, j'**y** serai.
Will you be in Provence this summer?	Yes, I'll be *there.*
Est-ce que les clés sont **sur la table**?	Oui, elles **y** sont.
Are the keys on the table?	Yes, they're *there.*
Est-ce que la librairie est **à côté de la banque**?	Oui, elle **y** est.
Is the book store next to the bank?	Yes, it is (*there*).
Vous avez répondu **à la question**?	Oui, j'**y** ai répondu.
Did you answer the question?	Yes, I answered *it.*
J'ai pris **de la salade**.	J'**en** ai pris.
I had some salad.	I had *some.*
Nous avons acheté beaucoup **de légumes**.	Nous **en** avons acheté beaucoup.
We bought a lot of vegetables.	We bought a lot *of them.*
J'ai vu deux **émissions**.	J'**en** ai vu deux.
I saw two programs.	I saw two *of them.*
Elle a besoin **de la voiture**.	Elle **en** a besoin.
She needs the car.	She needs *it.*

The object pronouns **y** and **en** refer to things, not people. They replace nouns introduced by a preposition. When the phrase to be replaced consists of any preposition other than **de** + noun, use the object pronoun **y**. This substitution occurs most frequently in the following situations:

1. Prepositions of place (**en Provence, sur la table, à côté de la banque**)
2. verbal expressions followed by **à** (**répondre à la question**)[1]

When the phrase to be replaced consists of **de** + noun, use the object pronoun **en**. This substitution occurs most frequently in the following situations:

1. The partitive (**de la salade**)
2. Expressions of quantity, including numbers (**beaucoup de légumes, deux émissions**)
3. Verbal expressions followed by **de** (**avoir besoin de**)[2]

---

1. For phonetic reasons, the future tense of **aller** is never accompanied by **y: Demain j'irai à la plage. Demain j'irai.**

2. When **en** precedes a compound tense such as the passé composé, the past participle does not agree with it: **Des autos? Je n'en ai pas vu.**

Placement of **y** and **en** is identical to that of direct and indirect object pronouns: before the verb in simple and compound tenses and negative commands; before the infinitive in conjugated verb + infinitive; following the verb in affirmative commands.[3]

Application

E. Remplacez les mots en italique par le pronom **y**.

MODÈLE: Il faut qu'elle aille *à Paris*.   *Il faut qu'elle y aille.*

1. Nous allons habiter *au Danemark*.
2. Jean travaillera *chez Peugeot*.
3. Elles sont allées *à la boulangerie*.
4. Je retrouverai tes amis *en face de la poste*.
5. Nous avons fait sa connaissance *chez Marc*.
6. Ils ont appris le français *dans la classe de français*.
7. Elle n'est pas née *en Algérie*.
8. Nous nous sommes promenés *dans le parc*.

F. Remplacez les mots en italique par le pronom **en**.

MODÈLE: Tu veux parler *de tes ennuis?*   *Tu veux en parler?*

1. Ne mange pas trop *de chocolat!*
2. Nous avons besoin *d'argent*.
3. Achète un *stylo!*
4. Est-ce qu'elles ont mangé *des escargots?*
5. Je ne veux pas *de soupe*.
6. As-tu besoin *de la voiture?*
7. Il n'a pas acheté *d'eau minérale*.
8. Nous mangeons souvent *de la salade*.

G. Remplacez les mots en italique par un pronom d'objet direct, indirect, **y** ou **en**. Attention à l'accord du participe passé.

MODÈLE: Tu as écrit *à ta mère?*   *Tu lui as écrit?*

1. Nous réfléchissons souvent *à notre situation*.
2. Je préfère acheter deux bouteilles *de Cognac*.
3. Faut-il que tu écrives *au président?*
4. Si tu veux prendre *la voiture*, prends *la voiture*.
5. Elle a choisi *les chaussures rouges*.
6. J'adore *les chats*.
7. Est-ce que vous avez invité *vos parents?*
8. Je parlerai *à ma cousine*.
9. Quand vous serez *en France*, prenez *des photos*.

---

3. In the familiar form of affirmative commands, **-er** verbs and **aller** retain the **s** in order to allow for liaison: **Vas-y! Achètes-en!**

H. Répondez en employant les expressions entre parenthèses et un pronom d'objet direct, indirect, **y** ou **en**.

MODÈLE: Tu es allé en France? (l'année dernière)
Oui, j'y suis allé l'année dernière.

1. Vous avez besoin de jetons? (non)
2. Ils sont allés au bureau de poste? (ce matin)
3. Tu as écrit à tes parents? (ne... pas encore)
4. Est-ce qu'elle a reçu des lettres? (trois)
5. Quand est-ce que vous allez téléphoner à Suzanne? (dans huit jours)
6. Pourquoi es-tu allé en Espagne? (en vacances)
7. Ont-elles bien réfléchi à la question? (oui)
8. Est-ce qu'elle a reçu mon colis? (il y a trois jours)
9. Où est-ce que vous allez retrouver vos amis? (au café)
10. À quelle heure est-ce qu'il sera devant la gare? (midi)

STRUCTURE 7: *Les expressions négatives* ne... rien, *et* ne... personne

Ne... rien

Est-ce qu'elle voit **tout**?	Non, elle **ne** voit **rien**.
Does she see everything?	No, she sees *nothing*.
A-t-elle vu **quelque chose**?	Non, elle n'a **rien** vu.
Did she see something?	No, she saw *nothing*.

Ne... rien, the opposite of **tout** or **quelque chose,** means *nothing*. The placement of **ne... rien** is essentially the same as that of the other negative expressions you have learned. However, **ne... rien** can also be the subject of a verb, in which case **rien** is placed directly in front of **ne** and they both precede the verb.

Quelque chose est arrivé?	Non, **rien** n'est arrivé.
Did something happen?	No, *nothing* happened.
Quelque chose est sous le lit?	Non, **rien** n'est sous le lit.
Is there something under the bed?	No, *nothing* is under the bed.
Tout va bien?	Non, **rien ne** va bien.
Is everything OK?	No, *nothing* is OK.

Ne... personne

Vois-tu **quelqu'un**?	Non, je **ne** vois **personne**.
Do you see someone?	No, I see *no one*.
As-tu vu **quelqu'un**?	Non, je n'ai vu **personne**.
Did you see someone?	No, I saw *no one*.

Ne... personne, the opposite of **quelqu'un,** is a negative expression that means *no one.* In both simple and compound tenses, **ne** precedes the verb and **personne** follows the verb. When **ne... personne** is the subject, **personne** precedes **ne** and the verb. When **quelqu'un** or **quelque chose** are accompanied by a preposition, this preposition must be retained in the negative with **ne... personne** and **ne... rien.**

Avez-vous parlé **à quelqu'un?**	Non, je **n'**ai parlé **à personne.**
Did you speak to someone?	No, I spoke *to no one.*
Travaille-t-il **pour quelqu'un?**	Non, il **ne** travaille **pour personne.**
Does he work for someone?	No, he works *for no one.*
Tu as besoin **de quelque chose?**	Non, je **n'**ai besoin **de rien.**
Do you need something?	No, I need *nothing* (I don't need anything).

Personne *(no one)* and **rien** *(nothing)* can be used without **ne** and a verb as single-word answers to questions.

Qui est là?	**Personne.**
Qu'est-ce que tu fais?	**Rien.**

Application

I. Donnez le contraire des phrases suivantes.

MODÈLE: Quelqu'un m'a aidé.   *Personne ne m'a aidé.*

1. Elle a fait quelque chose.
2. Quelqu'un a acheté la voiture blanche.
3. Quelque chose est tombé.
4. Si tu m'aides, je te donnerai quelque chose.
5. Quelqu'un est malade.
6. J'ai vu quelque chose derrière la porte.
7. Il a envoyé un télégramme à quelqu'un.
8. Voyez-vous quelque chose?

J. Posez la question à votre partenaire et puis faites répéter la réponse:

MODÈLES: —Qu'est-ce que tu as dit?   —Qui as-tu vu?
             —*Rien.*   —*Personne.*
             —*Comment?*   —*Comment?*
             —*Je n'ai rien dit.*   —*Je n'ai vu personne.*

1. Qu'est-ce que tu as fait?
2. Qui as-tu rencontré?
3. Qui ont-ils vu?
4. Qu'est-ce que tu as pris?
5. Qui avez-vous entendu?
6. Qui ont-elles invité?
7. Qu'est-ce qu'il a mangé?
8. Qui avez-vous puni?
9. Qu'est-ce que tu as écrit?
10. Qu'est-ce qu'elle a reçu?

Mise au point (Petite révision de l'étape)

K. Un crime. L'inspecteur de police interroge des personnes au sujet d'un crime. Chaque personne dit le contraire de ce que dit l'inspecteur. Remplacez les mots en italique par un pronom.

MODÈLE: Étiez-vous encore *dans la boutique?*
    Non, je n'y étais plus.

1. Avez-vous vu quelqu'un *derrière la porte?*
2. Avez-vous entendu *quelque chose?*
3. Vous rappelez-vous *quelque chose?*
4. Avez-vous pris *de l'argent?*
5. Allez-vous souvent *dans cette boutique?*
6. Avez-vous réfléchi *à cet incident?*
7. Est-ce que *quelqu'un* vous a parlé?
8. Est-ce que vous pouvez ajouter *quelque chose?*
9. Étiez-vous déjà *dans la boutique?*

L. Exercice écrit. Donnez le contraire de chacune des phrases dans le paragraphe. Employez **ne... pas** et d'autres expressions négatives.

Hier soir, j'étais de bonne humeur. J'avais du vin et de la bière chez moi, et il y avait quelque chose à manger dans le frigo. J'avais beaucoup de choses à faire: je voulais regarder la télévision et j'avais envie d'écrire des lettres. J'attendais quelqu'un et j'ai donc préparé quelque chose à manger. Je voulais rendre visite à des amis parce que j'avais envie de parler à quelqu'un. Ma voiture marchait bien et il faisait encore beau. Je suis donc sorti et je ne me suis pas couché de bonne heure.

LECTURE: Les P.T.T.

Read the following passage once without consulting the glossary at the end. Pay particular attention to cognates. Then proceed to Exercise A.

Imaginez un monde sans bureau de poste. Un monde où il n'y a plus de lettres ni cartes postales, ni vœux d'anniversaire,[1] ni cadeaux envoyés par ceux[2] qui nous aiment. Imaginez les kilomètres à parcourir[3] chaque mois pour payer les factures[4] et régler les comptes![5] Nous nous plaignons[6] souvent des défauts[7] dans les services que nous rendent les bureaux de poste, mais en fin de compte,[8] nous imaginons avec difficulté un monde sans ce moyen[9] de communication. Car les bureaux de poste font partie de notre vie et malgré[10] leurs inconvénients,[11] nous avons besoin de leur service.

En France, les fonctions des P.T.T. (Postes, Télégraphes, Téléphones) ne se limitent pas à l'envoi[12] du courrier, des imprimés[13] et des télégrammes. On y va pour téléphoner, pour payer les factures du gaz et de l'électricité, pour recevoir et envoyer de l'argent par des mandats[14] et même pour mettre de l'argent à son compte d'épargne.[15] Si on n'a pas de domicile fixe, on peut recevoir le courrier au guichet de la poste restante[16] sur présentation d'une pièce d'identité.[17]

Aujourd'hui, l'administration des P.T.T. est la plus grande entreprise de communication de la France. Comme monopole, elle transporte non seulement l'écrit[18] (courrier, imprimés, journaux,[19] etc.) et la voix[20] (téléphone), mais également[21] l'image[22] et le son:[23] sous sa direction, la télédiffusion (télévision) et la radiodiffusion se modernisent de plus en plus. Avec l'aide des ordinateurs, la France se propose un avenir[24] qui se numérise[25] progressivement, un avenir où le réseau[26] téléphonique sera plus efficace, où l'on établira des centres informatiques, où les satellites de télécommunication mettront la France en contact direct avec le monde entier.

---

1. birthday wish   2. those   3. to cover   4. bill   5. account   6. to complain   7. flaw   8. in the long run   9. mean, way   10. in spite of   11. drawback, disadvantage   12. sending, mailing   13. printed matter   14. money order   15. savings account   16. general delivery   17. identification   18. written word   19. newspaper   20. voice   21. also   22. picture   23. sound   24. future   25. to depend on numbers (become quantitative)   26. network

Compréhension

A. Reread the passage to find the **cognates** that fit the following patterns:

1. Words ending in **-tion**
2. Verbs ending in **-er**
3. Words ending in **-té** that end in **-ty** in English

B. Vrai ou faux? Reread the passage, using the English definitions. Then decide whether the following statements are true or false. Support your answer by finding the appropriate sentence(s) in the reading passage.

1. Sans bureau de poste il n'y aura plus de lettres envoyés par ceux qui nous aiment.
2. Sans bureau de poste nous aurons des kilomètres à parcourir pour payer les factures.
3. Nous sommes toujours contents de la qualité du service rendu par les P.T.T.
4. Nous n'avons pas vraiment besoin des bureaux de poste.
5. En France, les fonctions des P.T.T. se limitent à l'envoi du courrier.
6. On y peut envoyer de l'argent par des mandats.
7. Si on n'a pas de domicile fixe, on peut recevoir son courrier au guichet de la poste aérienne.
8. L'administration des P.T.T. est un monopole.

Reprise (Troisième Étape)

C. Une recette: La quiche lorraine. Remplacez les noms en italique par des pronoms.

MODÈLE: Allez *au supermarché!*   Allez-y!

1. Achetez *de la pâte brisée* (pie dough) ou préparez *de la pâte brisée.*
2. Il faut 100 grammes *de bacon* et trois œufs.
3. Achetez 1 1/2 décilitres *de crème fraîche.*
4. Mettez *la pâte brisée* dans un plat.
5. Mettez le bacon *sur la pâte.*
6. Battez *les œufs.*
7. Mettez *la crème* dans les œufs.
8. Ajoutez un peu *de sel et de poivre.*
9. Mettez le tout *sur le bacon.*
10. Ajoutez *du fromage.*

D. Répondez négativement en employant **ne... rien** ou **ne... personne.**

MODÈLE: Est-ce que quelqu'un vous a téléphoné?
         Non, personne ne nous a téléphoné.

1. Est-ce que quelqu'un a regardé par la fenêtre?
2. Est-ce que tout le monde est sorti samedi soir?
3. Avez-vous regardé quelque chose à la télévision?
4. Quelque chose t'a fait peur?
5. Elle a acheté quelque chose pour Noël?
6. Sors-tu avec quelqu'un?
7. Ils ont tout compris?
8. Quelqu'un vous a écrit?

Point d'arrivée
(Activités orales ou écrites)

E. À la poste. You are in France for the summer. Go to the post office to perform the following tasks.

1. Send a package to a friend in the United States.
2. Send a registered letter to your employer (professor, etc.).
3. Buy some airletters and stamps. Ask for a receipt.

F. Un coup de fil. Phone a friend to invite him or her to dinner in a restaurant. Supply the day and time and together decide how you will get to the restaurant. Explain why you have chosen the restaurant you did.

G. Envoyons un télégramme. Use a blank form to send a telegram to a friend in the United States. Give the following information: You will arrive in New York on June 30. You will be at Kennedy Airport at 8:45 P.M. You will arrive by Air France Flight 345. You're bringing your sister and will stay in New York for one week.

H. Now call your friend in New York and explain the same things as in Activity G. Add other details in your phone conversation.

I. Jamais! Explain to the other members of your group the kinds of things you will never do in your life and why. For example, **Je ne serai jamais ingénieur parce que je déteste les mathématiques.** Your friends will ask you questions.

J. Write a letter to a friend. Begin the letter with **Cher** or **Chère...** *(Dear...)* and end it with **Grosses bises...** *(Love...).*

K. Une photo. The photo on page 365 depicts the interior of a post office with employees and customers. Decide why each customer is there and imagine his or her conversation with the employee.

Vocabulaire actif

NOMS

un aérogramme
un annuaire
un appareil
un avis de réception
une boîte aux lettres
une cabine téléphonique
un cadeau
un cadran
un colis
un contenu
un(e) correspondant(ce)
un coup de fil
le courrier
un début
un(e) destinataire
la douane
une enveloppe
un envoi
une étiquette
un expéditeur
une fente
une formule
un indicatif
un jeton
une lettre
une opératrice

un papier
Pâques
une pièce de monnaie
un postier, une postière
un récépissé
une standardiste
le tarif postal
un téléphone
un timbre (-poste)
la tonalité
un trottoir

ADJECTIFS

aérien(ne)
périssable
pressé(e)

VERBES

accompagner
décrire
décrocher
écrire
employer
envoyer
essayer
expédier
faire recommander
peser
poster
raccrocher
recevoir
remplir
suffire
valoir la peine
voir

AUTRES EXPRESSIONS

aussitôt que
c'est de la part de qui?
dès que
en P.C.V.
ne... jamais
ne... ni... ni
ne... pas encore
ne... personne
ne... plus
ne quittez pas
ne... rien
ni l'un ni l'autre
par avion
par voie de surface
quelqu'un
si

CHAPITRE SEIZE

Allons à la banque!

Première Étape
Changeons de l'argent!

Deuxième Étape
Ouvrons un compte!

Troisième Étape
Questions d'argent

Quatrième Étape
Lecture: L'Argent ne fait pas le bonheur!

Première Étape

POINT DE DÉPART: Changeons de l'argent!

le client: customer

Dialogue entre le client et l'employé de la banque:

exchange rate

receipt
cashier
identification

Je voudrais changer 150 dollars en francs, s'il vous plaît.

Certainement, Monsieur. Vous avez votre passeport ou une pièce d'identité?

Le cours est à six francs cinquante-cinq.[1] Ça vous fait donc neuf cent quatre-vingt-deux francs et cinquante centimes.

Voilà votre passeport et votre reçu. Veuillez passer à la caisse, s'il vous plaît.

À la caisse:

bill (money)

Votre reçu, Monsieur. Neuf cent quatre-vingt-deux francs cinquante... Voilà, Monsieur.

Pouvez-vous me changer le billet de cinq cents? Je veux trois billets de cent, deux billets de cinquante, et le reste en petite monnaie, s'il vous plaît.

Oui, je peux vous faire de la monnaie.

---

1. The exchange rate fluctuates from day to day. In the past, it has stood anywhere between 3,50F to 8,50F to the dollar. Consult your bank or a major newspaper to determine the rate on any given day.

À vous! (Exercices de vocabulaire)

A. Changeons de l'argent! Complétez les phrases avec les mots logiques tirés du *Point de départ*.

1. Pour changer de l'argent, vous pouvez aller à _____ .
2. Avant de changer votre argent, l'employé vous demandera votre passeport ou une autre _____ .
3. La somme d'argent que vous recevrez dépend du _____ de change.
4. L'employé vous donnera _____ que vous présenterez _____ .
5. L'argent français est en forme de _____ et de _____ .

B. Regardez les dessins à la page 394 et refaites le dialogue entre le client et l'employé, le client et le caissier. Changez de l'argent en utilisant les éléments donnés.

MODÈLE: $150.00 / 6,55F / 500F
> —*Je voudrais changer 150 dollars en francs, s'il vous plaît.*
> —*Certainement, Monsieur. Vous avez une pièce d'identité?*
> —*Oui, voilà mon passeport. Quel est le cours du change?*
> —*Le cours est à 6,55F. Ça vous fait 982,50F.*
> —*(à la caisse) Pouvez-vous me changer le billet de 500F?*
> —*Certainement. Comment le voulez-vous?*
> —*Trois billets de 100, deux billets de 50, et le reste en petite monnaie, s'il vous plaît.*

1. $100 / 7,00F / 500F
2. $100 / 5,00F / 100F
3. $200 / 7,05F / 1000F
4. $200 / 6,25F / 1000F

STRUCTURE 1: L'infinitif après les prépositions

When a conjugated verb is followed by an infinitive, that infinitive may follow the verb directly, or it may be introduced by either the preposition **à** or the preposition **de.** There is no convenient rule that will enable you to distinguish among these three possibilities. Thus, it is a good idea to learn each verb with its corresponding preposition, if one is necessary.

Verbe conjugué + infinitif

Nous **aimons jouer** au tennis.	We *like to play* tennis.
Je ne **vais** pas **changer** mon argent.	I'm not *going to change* my money.
Elle **comptait gagner** une fortune.	She *expected to earn (win)* a fortune.

The most common verbs followed directly by an infinitive are:

adorer	descendre	falloir (il faut)	savoir
aimer	désirer	penser	sembler
aimer mieux	détester	pouvoir	valoir mieux
aller	espérer	préférer	vouloir
compter			

Note that **compter, espérer,** and **penser** + infinitive all mean *to expect, to plan, to hope* to do something. These verbs are especially useful in indicating activities planned for in the future.

Verbe conjugué + à + infinitif

Ils **s'amusent à jouer** aux cartes.	They're *having a good time playing* cards.
J'**ai appris à faire** du ski.	I *learned to ski*.
Nous **commencerons à étudier** demain.	We'll *begin studying* tomorrow.

Many French verbs are followed by the preposition **à** + infinitive. English translation of this structure may vary (*to begin to study, to begin studying*), but the French always remains the same (conjugated verb + **à** + infinitive).

Here are some verbs that require the preposition **à** before an infinitive:

s'amuser à	avoir de la	s'habituer à	s'occuper à
apprendre à	peine à (*to	(*to get used	réussir à
arriver à (*to	have	to*)	servir à
succeed in*)	difficulty in*)	hésiter à	
	chercher à	inviter à	
	commencer à	se mettre à	
	continuer à		

Verbe conjugué + de + infinitif

J'ai choisi d'acheter des chèques de voyage.

I *chose to buy* travelers checks.

Elle m'a empêché de parler.

She *prevented* me *from speaking*.

Vous méritez d'être heureux.

You *deserve to be* happy.

The following verbs require **de** before an infinitive:

choisir de	se dépêcher de	éviter de (*to avoid*)	oublier de
se contenter de (*to be happy with*)	empêcher de	finir de	refuser de
	essayer de	mériter de	regretter de
décider de	être obligé(e) de		risquer de

Verbe conjugué + à + nom + de + infinitif

J'ai dit à Marie de s'occuper des enfants.

Nous **avons permis à Nicole de sortir.**

Je **lui ai dit de** s'occuper des enfants.

Nous **lui avons permis de sortir**.

These verbs all follow the same pattern in combination with a noun and an infinitive:

demander à... de...	promettre à... de...	suggérer à... de...
dire à... de...	proposer à... de...	conseiller à... de...
permettre à... de...		

Application

C. Employez les verbes entre parenthèses pour construire des phrases avec l'activité donnée. Employez les temps des verbes que vous voulez. Attention aux prépositions.

MODÈLE: jouer du piano (aimer, apprendre, refuser)
J'aime jouer du piano.
J'ai appris à jouer du piano.
Je refuse de jouer du piano.

1. changer de l'argent (être obligé[e], hésiter, vouloir)
2. parler français (adorer, savoir, apprendre)
3. jouer aux cartes (éviter, préférer, aimer mieux)
4. faire des économies (essayer, avoir de la peine, continuer)
5. aller en France (mériter, compter, pouvoir)
6. écrire des lettres (s'amuser, éviter, se mettre)
7. manger de la viande (éviter, détester, hésiter)

8. faire le ménage (descendre, refuser, commencer)
9. acheter une maison (réussir, penser, proposer)
10. téléphoner à mes parents (oublier, vouloir, se dépêcher)

D. Terminez les phrases en employant un infinitif. Attention aux prépositions.

MODÈLE: J'ai oublié...   *J'ai oublié de leur dire au revoir.*

1. Nous comptons...
2. Mon professeur m'empêche...
3. Tu risques...
4. Elle ne semble pas...
5. Je me suis habitué(e)...
6. Il faut...
7. Elles nous ont invités...
8. Je ne veux pas...
9. Mes parents ont de la peine...
10. J'ai décidé...

STRUCTURE 2: *Les verbes irréguliers conjugués comme* venir

Vous venez chez nous ce week-end?	*Are you coming* to our house this weekend?
Il **devient** de plus en plus radin.	*He's becoming* more and more stingy.
Il faut que **tu te souviennes** de cela.	You have *to remember* this.
Nous tenons à lui dire la vérité.	*We insist on* telling him the truth.
Elles sont venues nous rendre visite.	*They came* to visit us.
Tiens-toi droit!	*Stand (sit) up* straight!

The verb **venir** means *to come*. The present tense of **venir** is as follows:

venir	
je **viens**	nous **venons**
tu **viens**	vous **venez**
il/elle/on **vient**	ils/elles **viennent**
Past participle: **venu** (être)	Imperfect stem: **ven-**
Subjunctive stem: **vienn-, ven-**	Future stem: **viendr-**

All the following verbs are conjugated like **venir. Revenir, devenir,** and **se souvenir de** are conjugated with **être** in the passé composé. **Tenir à, obtenir** and **retenir** are conjugated with **avoir.**

revenir	to return, to come back
devenir	to become
se souvenir de + nom	to remember

tenir à + nom (+ infinitif)	to be anxious to (to insist on)
obtenir	to get, to obtain
retenir	to retain, to remember

Application

E. Répondez en utilisant les éléments entre parenthèses.

MODÈLE: Elle est française? (oui / venir / Paris)
Oui, elle vient de Paris.

1. Ils sont canadiens? (oui / venir / Montréal)
2. Tu vas aller au cinéma? (oui / tenir / voir le film)
3. Elle est ambitieuse? (non / il faut / devenir)
4. Vous connaissez Gérard? (non / se souvenir / lui)
5. Est-ce que Sylvie est toujours en France? (non / revenir / il y a trois jours)
6. Vous avez de bonnes notes en mathématiques? (non / retenir / chiffres)
7. Nous verrons les Marchand demain? (non / venir / pique-nique)
8. Tu as bien réussi dans tes cours? (oui / obtenir / bonnes notes)

F. De bons conseils. (*Good advice.*) Choisissez un mot de chaque liste pour donner un conseil à quelqu'un dans votre groupe. Employez un impératif ou **il faut que, il est indispensable que, il est nécessaire que.**

MODÈLE: Student 1:*Il faut que tu te souviennes de ton passé.* ou: *Souviens-toi de ton passé!*
Student 2: *Je vais me souvenir de mon passé.*

Verbes: se souvenir de / revenir / devenir / venir / tenir à / obtenir / retenir

Expressions: passé / plus indépendant(e) / parents / un bon job / de bonnes notes / France / États-Unis / moins paresseux(se) / faire des progrès / un sens de l'humour / l'université / plus honnête / me parler / amis / études / parler français

Mise au point (Petite révision de l'étape)

G. Réagissez négativement en commençant chaque phrase par les éléments entre parenthèses. Employez **je** ou **nous** selon l'impératif.

MODÈLE: Donne-lui ton argent! (je refuse)
Non, je refuse de lui donner mon argent.

1. Rends visite à ta cousine! (je ne vais pas)
2. Allez en ville! (nous ne sommes pas obligés)
3. Fais la lessive! (je ne vais pas me mettre)

4. Visitez l'Angleterre! (nous ne voulons pas)
5. Rentre! Tout de suite! (je ne vais pas me dépêcher)
6. Fais des escargots! (je n'ai pas appris)
7. Devenez médecin! (nous ne comptons pas)
8. Bois du vin! (je ne vais pas commencer)

H. Exercice écrit. Complétez chacune des phrases en ajoutant une préposition si c'est nécessaire.

1. Elle a demandé _____ Monique _____ lui téléphoner.
2. Si tu veux _____ t'amuser, il faut que tu apprennes _____ danser.
3. Ils hésitent _____ nous donner une réponse parce qu'ils risqueront _____ se tromper.
4. Quand j'ai de la peine _____ faire quelque chose, je demande _____ quelqu'un _____ m'aider.
5. Il vaut mieux _____ mettre l'argent à la banque.
6. Nous l'avons invité _____ dîner mais il a refusé _____ venir.
7. Si tu viens _____ me voir, essaie _____ venir avent 8h.
8. J'ai promis _____ mon père _____ devenir ingénieur.

POINT DE DÉPART: *Ouvrons un compte!*

ouvrons un compte: let's
open an account

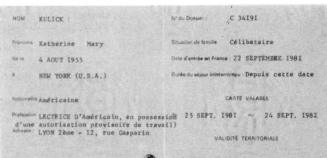

Mademoiselle Katherine Kulick va passer deux ans à Lyon où elle travaillera

company, business / has
just

pour une **société** américaine. Elle **vient** d'arriver à Lyon et elle désire ouvrir un compte en banque. Elle se présente donc au guichet de la Société Générale.

MLLE KULICK: Madame, je voudrais ouvrir un compte, s'il vous plaît.

L'EMPLOYÉE: Très bien, Mademoiselle. Vous êtes de nationalité française?

MLLE KULICK: Non, je suis américaine, mais je vais passer deux ans ici pour travailler dans une société américaine.

proof of employment

L'EMPLOYÉE: Si vous avez votre carte de séjour[2] et une **preuve d'emploi**, nous remplirons tout de suite les documents nécessaires.

Plus tard...

---

2. **Une carte de séjour** est une carte d'identité qui est obligatoire pour les étrangers qui restent en France pour plus de 3 mois.

advise	L'EMPLOYÉE: Voilà, Mademoiselle. Tout est en ordre. Je vous **conseille** de **garder suffisamment** d'argent pour les quinze jours **à venir**. A ce moment-là vous recevrez votre **carnet de chèques**.
to keep out / enough / coming checkbook deposited	

<table>
<tr><td>advise</td><td>L'EMPLOYÉE:</td><td>Voilà, Mademoiselle. Tout est en ordre. Je vous conseille de garder suffisamment d'argent pour les quinze jours à venir. A ce moment-là vous recevrez votre carnet de chèques.</td></tr>
</table>

advise

to keep out / enough / coming
checkbook
deposited

L'EMPLOYÉE: Voilà, Mademoiselle. Tout est en ordre. Je vous **conseille** de **garder suffisamment** d'argent pour les quinze jours **à venir**. A ce moment-là vous recevrez votre **carnet de chèques**.

MLLE KULICK: Est-ce que mon salaire sera **déposé** directement sur mon compte?

L'EMPLOYÉE: Oui, Mademoiselle.[3] Notez aussi que vos chèques seront des **chèques barrés**.

check for deposit only
    (non-negotiable)
to withdraw
payable to
to endorse

MLLE KULICK: Alors comment est-ce que je pourrai **retirer** mon argent?

L'EMPLOYÉE: C'est très simple. Vous écrirez **payable à** « moi-même » sur un de vos chèques, vous l'**endosserez** et vous viendrez ici retirer votre argent.

bank statement

MLLE KULICK: D'accord. Et le **relevé de compte**?

L'EMPLOYÉE: Vous en recevrez un chaque mois à votre domicile.

À vous! (Exercices de vocabulaire)

A. Choisissez le mot entre parenthèses qui complète le mieux chacune des phrases. Consultez le *Point de départ* pour vous assurer de la bonne réponse.

1. Mlle Kulick _____ à Lyon. (étudiera, travaillera)
2. Elle veut _____ un compte. (ouvrir, fermer)
3. Elle est _____ . (allemande, française, américaine).
4. Elle va passer deux _____ à Lyon (mois, semaines, jours, ans)
5. Elle est obligée de présenter _____ à l'employée. (son passeport, sa carte de séjour, sa photo)
6. Dans quinze jours elle recevra _____ . (son carnet de chèques, son relevé de compte, son salaire)
7. Son salaire sera _____ directement sur son compte. (payé, retiré, déposé)
8. Chaque mois elle recevra _____ . (un carnet de chèques, un relevé de compte, une preuve d'emploi)

B. Pour ouvrir un compte... Indiquez ce que vous direz ou demanderez à l'employé(e) de banque. *Tell or ask the bank employee:*

1. That you want to open a checking account
2. That you're going to stay for one year
3. That you're going to work for an American company
4. If your salary will be deposited into your account
5. How you'll be able to withdraw your money if you have non-negotiable checks
6. When you will get a bank statement

C. Regardez le relevé de compte *(on transparency)* et répondez aux questions.

1. Quel est le nom de la banque où Mlle Kulick a son compte?
2. Quelle est son adresse?

---

3. Si vous n'êtes pas français mais que vous travaillez en France, vous êtes obligé de faire déposer votre salaire directement à la banque.

3. Quel est le numéro de son compte?
4. C'est le relevé pour quelles dates?
5. Combien d'argent est-ce que Mlle Kulick a envoyé à l'étranger?
6. Combine d'argent a-t-elle retiré le 25 mars?
7. Quel était son salaire pour ce mois?
8. Quelle est la somme du chèque numéro 284604?
9. Combien d'argent a-t-elle retiré le Ier avril?
10. Combien d'argent est-ce qu'il lui reste selon ce relevé de compte?

Reprise (Première Étape)

D. Questionnaire. Posez les questions suivantes à un(e) autre étudiant(e). Quand vous aurez obtenu une réponse, écrivez-la sur une feuille de papier. Après, partagez les résultats avec la classe entière.

Demandez à votre partenaire ce qu'il (elle):

1. espère faire à l'avenir   2. apprend à faire   3. hésite à faire   4. évite de faire   5. est obligé(e) de faire   6. a de la peine à faire   7. sait très bien faire   8. refuse de faire

E. Vous connaissez...? Pour chacune des phrases, faites trois phrases en employant **se souvenir de, devenir** et **venir**. Suivez le modèle.

MODÈLE: Vous connaissez Jean? (architecte)
           Oui, je me souviens de Jean.
           Il est devenu architecte.
           Il viendra nous rendre visite?

1. Vous connaissez Yvonne Boucher et sa sœur? (médecin)
2. Tu connais mon frère? (professeur)
3. Elle connaît Robert? (ingénieur)
4. Ils connaissent Annie ? (secrétaire)
5. Vous connaissez ma tante? (dentiste)
6. Tu connais Philippe? (pharmacien)

STRUCTURE 3: *Le passé récent:* venir de + *infinitif*

Mes parents **viennent de rentrer**.
Je **viens de parler** à Chantal.
Elles **venaient d'arriver** quand on a commencé à leur poser des questions.

My parents *have just come home*.
I *just talked to* Chantal.
They *had just arrived* when people began asking them questions.

You have already learned that **aller** followed by an infinitive is used to express the immediate future—something that is going to happen within a very short period of time: **Je vais y aller tout de suite**. In a similar fashion, **venir** followed by **de** and an infinitive is used to express the recent past—something that has just happened a short time ago. In both cases (**aller** + infinitive and **venir de** + infinitive), even though the action takes place in the future or the past, it is seen as being closely connected to the present. As a result, the verb (**aller** or **venir**) is conjugated in the present tense.

> Il est maintenant 8h du matin. Je me suis réveillée à 7h55—c'est-à-dire, il y a cinq minutes. **Je viens de me réveiller**.

The expression **venir de** has an additional use: to express the recent "past of a past"—i.e., both actions take place in the past. **Venir de** is used to show that one action *had just* finished when the second began. In this case, **venir** is conjugated in the imperfect tense and is usually accompanied by a second clause in the passé composé.

> Nous sommes arrivés à 9h. Les Miaux sont partis à 9h10—c'est-à-dire, dix minutes après notre arrivée. **Nous venions d'arriver quand les Miaux sont partis**.

Although the verb **venir** (*to come*) can be conjugated in all the tenses you have learned, the expression **venir de** is used *only* in the present and the imperfect tenses.

Application

F. Remplacez les mots en italique et faites tous les changements nécessaires.

1. *Elle* vient de poser sa candidature. (je / il / vous / elles / tu / nous)
2. *Il* venait de sortir quand on a téléphoné. (nous / elle / tu / je / ils / vous)
3. *Nous* venons de parler à Michel. (je / elle / ils / tu / nous)
4. Je venais de rentrer quand le téléphone a sonné. (nous / elle / vous / tu / ils)
5. *Ils* viennent d'ouvrir un compte. (je / nous / elle / vous / tu / ils)

G. Répondez en employant les éléments entre parenthèses avec **venir de**.

MODÈLE: Qu'est-ce que tu viens de faire? (nettoyer la maison)
> *Je viens de nettoyer la maison.*

1. Qu'est-ce qu'elle vient de faire? (étudier)
2. Qu'est-ce que vous venez de faire? (jouer aux cartes)
3. Qu'est-ce qu'elles viennent de faire? (parler au téléphone)
4. Qu'est-ce que tu viens de faire? (ouvrir un compte)
5. Qu'est-ce qu'ils viennent de faire? (écrire une lettre)
6. Qu'est-ce que vous venez de faire? (endosser un chèque)
7. Qu'est-ce que tu viens de faire? (acheter des timbres)
8. Qu'est-ce qu'elle vient de faire? (envoyer un colis)

H. Répondez en employant les éléments entre parenthèses avec **venir de** à l'imparfait.

MODÈLE: Qu'est-ce qu'il faisait quand il a commencé à pleuvoir? (sortir)
    Il venait de sortir quand il a commencé à pleuvoir.

1. Qu'est-ce qu'elle faisait quand le courrier est arrivé? (rentrer)
2. Qu'est-ce que vous faisiez quand Jeanne a téléphoné? (arriver)
3. Qu'est-ce que tu faisais quand tes amis sont arrivés? (manger)
4. Qu'est-ce qu'ils faisaient quand le chèque est arrivé? (ouvrir un compte)
5. Qu'est-ce qu'on faisait quand Carlyle a téléphoné? (terminer le travail)
6. Qu'est-ce que tu faisais quand il a commencé à pleuvoir? (laver la voiture)
7. Qu'est-ce que nous faisions quand maman a téléphoné? (se coucher)
8. Qu'est-ce qu'elle faisait quand on a sonné? (commencer son projet)

I. Utilisez l'expression **venir de** pour exprimer les relations temporelles indiquées.

MODÈLE: Il est 7h. Je me suis levé à 6h45.
    Je viens de me lever.

1. Il est maintenant 17h30. La banque a fermé à 17h.
2. Il est maintenant 9h. Je me suis levé à 8h55.
3. Il est maintenant midi. Il a commencé à pleuvoir il y a dix minutes.
4. Il est maintenant 10h du soir. Ils sont partis à 9h45.
5. Il est maintenant 11h du soir. Je me suis lavé la tête à 10h30.
6. René s'est couché à 10h30. Marcelline a téléphoné à 10h40.
7. Le train pour Marseille est parti à 23h05. Nous sommes arrivés à la gare de Lyon à 23h10.
8. Claire a terminé ses études en juin. On lui a offert un poste au début de juillet.
9. Je me suis levée à 6h. Le taxi est arrivé à 6h10.
10. Nous sommes arrivés à Dakar le 9 mai. Le 10 nous avons reçu le télégramme.

J. Donnez l'équivalent français.

1. I've just finished my homework.
2. I've just gotten dressed.
3. She's just opened a bank account.
4. They had just left the house when you called.
5. I had just gotten home when it began to snow.

STRUCTURE 4: *Les verbes irréguliers conjugués comme* ouvrir

J'ouvre un compte en banque.	*I'm opening* a bank account.
Elle nous **a offert** un cadeau.	*She gave us a present.*
Tu as découvert la vérité?	*Did you find out (discover) the truth?*
Nous ouvrirons une boutique.	*We're going to open a boutique.*

A group of irregular verbs are all conjugated like **ouvrir** (*to open*). The verb **ouvrir** is conjugated as follows:

ouvrir	
j'**ouvre**	nous **ouvrons**
tu **ouvres**	vous **ouvrez**
il/elle/on **ouvre**	ils/elles **ouvrent**
Past participle: **ouvert** (avoir)	Imperfect stem: **ouvr-**
Subjunctive stem: **ouvr-**	Future stem: **ouvrir-**

The verbs conjugated exactly like **ouvrir** are:

couvrir	to cover
découvrir	to discover
offrir	to give, to offer
souffrir (de)	to suffer, to be sick with (a cold, etc.)

Application

K. Répondez en employant les éléments entre parenthèses.

MODÈLE: Qu'est-ce que vous avez offert à votre mère pour son anniversaire? (fleurs)
Je lui ai offert des fleurs.

1. Qu'est-ce que tu offriras à ton père? (calculatrice)
2. Qui a ouvert la porte? (Jeanne)
3. Est-ce qu'ils souffrent d'un rhume? (oui)

4. Qu'est-ce qu'on peut offrir à un enfant à Noël? (sac à dos)
5. Pourquoi as-tu ouvert la fenêtre? (il fait trop chaud)
6. Qui a découvert l'Amérique? (Christophe Colomb)
7. Quand ouvrez-vous vos cadeaux? (le matin)
8. A-t-elle couvert les enfants? (oui)

Mise au point (Petite révision de l'étape)

L. Échange. Répondez avec **venir de** et remplacez le nom en italique par un pronom.

MODÈLE: A-t-il rencontré *Marie?*   *Oui, il vient de la rencontrer.*

1. As-tu ouvert un *compte?*
2. Ont-ils endossé *le chèque?*
3. As-tu acheté *des chèques de voyage?*
4. A-t-elle retiré *de l'argent?*

5. Est-il allé *à la banque?*
6. As-tu changé *de l'argent?*
7. As-tu obtenu *de la monnaie?*
8. Ont-ils signé *les chèques?*
9. Est-elle passée *à la caisse?*

M. Exercice écrit. Faites des phrases avec les éléments donnés. Ensuite, remplacez les noms par des pronoms.

MODÈLE: elle / ouvrir / fenêtres / (passé composé)
      Elle a ouvert les fenêtres. Elle les a ouvertes.

1. nous / couvrir / enfant / (futur)
2. ils / découvrir / vérité / (passé composé)
3. tu / souffrir / rhume / ? / (présent)
4. je / ne...pas / ouvrir / livres / (futur)
5. vous / lui / offrir / cadeaux / ? / (passé composé)
6. il faut / tu / ouvrir / colis / (subjonctif)
7. je / espérer (présent) / tu / me / offrir / vin / (futur)
8. nous / découvrir / son secret / (passé composé)

Troisième Étape

POINT DE DÉPART: Questions d'argent

Deux amis se rencontrent dans la rue. Leur conversation? L'argent, bien sûr, parce que Michel est toujours fauché. Tous ses amis savent qu'il est incapable de **faire des économies** et qu'il a tendance à **gaspiller** son argent. C'est donc avec appréhension que Janine le voit venir **vers** elle.

to save money / to waste
toward

JANINE: Tiens, salut, Michel. Tu as l'air triste, toi. J'espère que tu ne me demanderas pas d'argent. Je n'en ai plus, moi.

MICHEL: Oh non. Je n'ai pas besoin d'argent. Si je suis triste c'est parce que je viens d'apprendre que ma grand-mère est malade.

	JANINE: Rien de grave, j'espère. Où habite-t-elle?
	MICHEL: À Avignon.
	JANINE: Tu vas lui rendre visite?
short of money	MICHEL: Tu penses! C'est très cher et je suis **à court d'argent** pour le moment.
to borrow	JANINE: Ah, je comprends. Tu veux **emprunter** de l'argent pour le voyage, si je ne me trompe pas!
checked my financial situation	MICHEL: Non, pas du tout! Mais j'**ai fait mes comptes** et il ne me reste plus rien ce mois.
savings account	JANINE: Et ton **compte d'épargne?**
emptied / spend	MICHEL: **Vidé** depuis longtemps! Et pourtant je **dépense** très peu.
to cry	JANINE: Écoute, tu me fais **pleurer**. Je sais que tu jettes ton argent par la
will lend	fenêtre, mais je te **prêterai** assez pour ton voyage à Avignon.
	MICHEL: Avignon? Qu'est-ce qu'il y a à Avignon?
	JANINE: Mais ta grand-mère malade!
I had already forgotten	MICHEL: Ah oui, **j'avais déjà oublié!**

A vous! (Exercices de vocabulaire)

A. Donnez les mots qui correspondent aux définitions suivantes.

1. N'avoir plus d'argent
2. Le contraire de gaspiller
3. Ne pas avoir assez d'argent
4. Donner de l'argent à quelqu'un
5. Accepter de l'argent de quelqu'un
6. Un compte où on garde son argent à long terme
7. Analyser l'état de ses finances
8. Payer de l'argent pour quelque chose

B. Choisissez les phrases qui conviennent à votre situation personnelle et justifiez vos choix.

MODÈLE: J'ai besoin d'argent.

J'ai besoin d'argent. Il y a un concert la semaine prochaine, les billets coûtent vingt dollars et je voudrais y amener mon ami(e).

1. Je suis fauché(e).
2. Je suis à court d'argent.
3. Je voudrais emprunter de l'argent.
4. Je n'ai pas besoin d'argent.
5. Il faut que je dépense de l'argent.
6. Il faut que je fasse des économies.
7. J'ai tendance à gaspiller mon argent.
8. Je suis radin.

Reprise (Deuxième Étape)

C. Expliquez aux autres dans votre groupe ce que vous venez de faire juste avant votre classe de français. Les autres membres du groupe vous poseront des questions sur ce que vous venez de faire.

MODÈLE: —*Je viens de déjeuner.*
—*Tu as bien mangé? Qu'est-ce que tu as mangé? Avec qui as-tu mangé?*

D. Répondez selon le modèle:

MODÈLE: *Je souffre d'un rhume. Et vous?*
Nous souffrons d'un rhume aussi.

1. J'ai ouvert les fenêtres. Et elles?
2. Nous couvrirons de grandes distances. Et lui?
3. Elle découvrira le vérité. Et eux?
4. Ils lui offraient toujours un cadeau. Et vous?
5. Nous ouvrirons une boulangerie. Et elle?
6. Il est indispensable que vous ouvriez le colis. Et toi?

STRUCTURE 5: *Les adverbes*

Nous sommes **déjà** allés au cinéma.	We *already* went to the movies.
Généralement, je sors le soir.	*Generally* I go out at night.
Il m'a regardé **froidement**.	He looked at me *coldly*.

As its name suggests, an adverb usually modifies a verb, although it may occasionally be used to modify an adjective or another adverb. You have already learned many adverbs: **souvent, toujours, ne...jamais, ne...plus, beaucoup de,** etc. French adverbs are invariable: they do not change form.

La formation des adverbes

1. Regular adverbs are formed by adding the suffix **-ment** to the feminine form of the adjective. The French suffix -**ment** often corresponds to the English suffix -*ly*.

général	→	générale	→	**généralement**	(*generally*)
franc	→	franche	→	**franchement**	(*frankly*)
premier	→	première	→	**premièrement**	(*first*)
actif	→	active	→	**activement**	(*actively*)
heureux	→	heureuse	→	**heureusement**	(*fortunately*)
naturel	→	naturelle	→	**naturellement**	(*naturally*)

2. When a masculine adjective ends in a vowel, the suffix **-ment** is added to the masculine form.

facile	→	**facilement**
absolu	→	**absolument**
spontané	→	**spontanément**
vrai	→	**vraiment**
décidé	→	**décidément**

3. When an adjective ends in **-ant**, the adverbial ending is **-amment**; when it ends in **-ent**, the ending is **-emment**.

méchant	→	**méchamment**	évident	→	**évidemment**
indépendant	→	**indépendamment**	prudent	→	**prudemment**
puissant	→	**puissamment**	décent	→	**décemment**

4. Some adverbs do not fit the patterns just described. They stand by themselves and must be learned one at a time. The most noteworthy of these are:

bon	→	**bien**	lent	→	**lentement**
mauvais	→	**mal**	dur	→	**dur**
petit	→	**peu**	confus	→	**confusément**
bref	→	**brièvement**	précis	→	**précisément**
cher	→	**cher**	rapide	→	**vite (rapidement)**
gentil	→	**gentiment**			

La place des adverbes

The position of adverbs in a sentence varies greatly. However, some general principles will help you to determine adverb placement.

1. With simple tenses, the adverb follows the verb it modifies:

   Le matin, je prends **généralement** une tasse de café.
   Nous buvons **trop** de vin.
   Elle n'ira **plus** au Portugal.

2. In compound tenses or the combination *conjugated verb + infinitive*, the adverb usually precedes the past participle or the infinitive:

   Ils ont **beaucoup** fait pour nous aider.
   Elle n'est **pas encore** arrivée.
   Tu vas **trop** manger.

3. Long adverbs ending in **-ment** generally follow both simple and compound tenses.

   Nous l'avons fait **prudemment**.   Ils nous ont regardés **confusément**.

4. Adverbs of time, such as **hier, demain, aujourd'hui**, etc., generally follow a simple tense, or they may be placed at the beginning or end of a sentence.

   Hier, je suis resté à la maison.   Elle ira au théâtre **demain** soir.

Application

E. Donnez l'adverbe qui correspond à chacun des adjectifs.

MODÈLE: difficile   *difficilement*

dernier / vrai / franc / rapide / heureux / général / décidé / lent / bref / méchant / premier / mauvais / évident / fréquent / bon / actif / facile / gentil / naturel / petit

F. Refaites les phrases en ajoutant l'adverbe entre parenthèses.

MODÈLE: Je vais au cinéma le samedi. (généralement)
Je vais généralement au cinéma le samedi.

1. Elle n'est pas malade. (nécessairement)
2. Nous travaillons toute l'année. (dur)
3. Ils ne sont pas sûrs. (absolument)
4. Je suis fatigué. (vraiment)
5. Ont-elles fait des progrès? (beaucoup de)
6. Revenez-vous ici? (souvent)
7. Nous mangeons dans la cuisine. (généralement)
8. Le français s'apprend. (facilement)
9. Il donne la même réponse. (constamment)
10. Je participe au club. (activement)

STRUCTURE 6: *L'ordre des pronoms d'objets directs et indirects*

As-tu donné **les chèques à Marc?**   **Les lui** as-tu donnés?
Elle **m'**a prêté **de l'argent.**   Elle **m'en** a prêté.
Ne donnez pas **la clé à Philippe.**   Ne **la lui** donnez pas.

In all sentences except affirmative commands, the order of two object pronouns is as follows: **me, te, nous, vous** before **le, la, les** before **lui, leur** before **y** and **en**. A sentence does not normally contain more than two object pronouns. Consult the chart below to determine pronoun order.

subject + (ne) +	me te se nous vous	le la les	lui leur	y	en	+ verb + (pas)

The pronouns that appear within one of the two pairs of braces tend to be found together most often—i.e., **me la, la leur, nous les.** The pronouns **y** and **en** always follow the other pronouns.

Donne **la calculatrice à Janine!**   Donne-**la-lui!**

In affirmative commands, pronoun order is as follows: direct object, indirect object, **y, en.** The chart below illustrates this word order.

verb +	le la les	lui leur moi (m') nous	y	en

Application

G. Répondez affirmativement et ensuite négativement en remplaçant le mot en italique par un pronom. Attention à l'ordre des pronoms.

MODÈLE: On leur donne **l'argent**?
Oui, on le leur donne.   Non, on ne le leur donne pas.

1. On lui montre *la photo*?
2. On leur a envoyé *la lettre*?
3. On nous a apporté *le courrier*?
4. On va te donner *le reçu*?
5. On va t'amener *au concert*?
6. On va t'acheter *des vêtements*?
7. On lui a acheté *les livres*?
8. On lui a écrit *des lettres*?
9. On les a vus *chez les Martin*?
10. On t'a expliqué *la leçon*?

H. Réagissez d'abord affirmativement et ensuite négativement. Employez l'impératif du verbe entre parenthèses.

MODÈLE: Tu veux voir la lettre? (montrer)
Oui, montre-la-moi! Non, ne me la montre pas!

1. Tu veux voir ces photos? (passer)
2. J'ai une question pour le professeur. (poser)
3. Nous avons des cadeaux pour vos parents. (envoyer)
4. Mon petit frère voudrait des pains au chocolat. (acheter)
5. Nous laissons les colis sur la table? (mettre)

Mise au point (Petite révision de l'étape)

I. Échange. Posez les questions à un(e) autre étudiant(e), qui va y répondre.

1. Es-tu fauché(e)? Pourquoi, pourquoi pas?
2. Fais-tu des économies? Pour quelle raison?
3. As-tu tendance à gaspiller ton argent? Comment?
4. Dépenses-tu beaucoup d'argent? Pourquoi, pourquoi pas?
5. Es-tu généralement à court d'argent? Pourquoi, pourquoi pas?
6. Fais-tu tes comptes régulièrement?
7. Fais-tu un budget tous les mois?
8. As-tu un compte d'épargne? Dans quelle banque?
9. As-tu jamais prêté de l'argent à quelqu'un? Pour quelle raison?
10. As-tu jamais emprunté de l'argent à quelqu'un? À qui, et pourquoi?

J. Exercice écrit. Voici une petite histoire. Refaites-la en ajoutant le plus d'adverbes possibles. Consultez les listes des adverbes que vous avez appris et laissez jouer votre imagination.

Claude est fauché. Il habite à Montréal et il aime voyager. Il comptait aller à Paris à Noël, mais il n'a pas de temps et il n'a pas d'argent. Il travaille et son patron veut qu'il reste à Montréal pendant les vacances. Il verra Anne-Marie à Pâques. Il lui a envoyé une lettre pour lui expliquer son dilemme. Comment est-ce qu'il va passer les vacances? Il pourra aller chez ses parents, mais il préfère rester chez lui. Il regardera la télévision, il se reposera, il invitera des amis. Il achètera une bonne bouteille de Cognac, du Brie, des maquereaux au vin blanc, et il s'amusera dans la tranquillité de son appartement.

Quatrième Étape

LECTURE: L'Argent ne fait pas le bonheur!

Read the following passage once without consulting the definitions at the end. Try to retain the key facts that characterize the situation of each group of people presented.

« L'argent ne fait pas le bonheur»[1] nous dit un vieux proverbe. Voyons si ce dicton[2] peut toujours nous servir à une époque où[3] l'inflation et le chômage[4] semblent nous engloutir.[5] Jugez vous-même si l'argent est forcément contraire au bonheur.

Tous les soirs, après un bon dîner, ils se détendent[6] devant la télé, jouent aux cartes ou se promènent en famille. Monsieur et Madame Roublon travaillent dur. Lui, il est fonctionnaire[7] aux P.T.T., Mme Roublon, elle, est institutrice[8] à l'école primaire. Ils ont trois enfants. Les Roublon ont un petit pavillon[9] dans la banlieue parisienne, une 2CV,[10] une télévision en couleur et...pas mal de dettes. La vie devient de plus en plus chère et même deux salaires ne semblent plus suffisants pour maintenir le style de vie auquel[11] se sont habitués les Roublon. Des soucis financiers commencent à troubler l'harmonie du foyer.[12]

Monsieur et Madame Duval habitent le centre de Marseille. Madame Duval travaille dans un magasin, et son mari est en chômage depuis trois mois. Même avec l'assistance de la Sécurité sociale, les Duval ont des difficultés à joindre les deux bouts.[13] Nourriture, vêtements, tout est si cher! Pas question de voiture ni de télévision, et la nouvelle bicyclette pour le petit André restera au magasin. On rêve[14] au bien-être d'autrefois et on a très peu de raison pour être optimiste devant l'avenir.

Jacqueline Dassier attend sa leçon de danse avec impatience. Elle adore la danse et ce soir elle ira au ballet avec ses copains.[15] Les billets étaient un cadeau de son père. Jacqueline habite un petit appartement très chic et elle y invite souvent ses amis. Le week-end ils vont à la plage dans la Peugeot que le père de Jacqueline lui a offerte pour son vingtième anniversaire. Elle fait des études et parfois elle songe à[16] trouver un travail. Son père lui a déjà promis une place dans son entreprise et, si rien d'autre ne se présente, elle ne sera pas trop malheureuse de continuer la tradition familiale. Mais pour le moment, rien ne presse...[17]

---

1. happiness 2. saying 3. when 4. unemployment 5. engulf 6. relax 7. civil servant 8. elementary school teacher 9. house in housing development 10. small Citroën 11. to which 12. home 13. to make ends meet 14. dream 15. friend, pal 16. thinks about 17. there is no hurry

Compréhension

A. Choose the statements that most accurately describe each family. Then find the sentences in the text that confirm your choices.

Les Roublon
1. They live in relative ease.
2. They have no money problems.
3. They spend their evenings relaxing together.
4. Mme Roublon is a teacher.
5. M. Roublon is an executive.
6. They don't have any debts.
7. They have a house, a car, and a color TV.
8. Two salaries are now barely enough to maintain their life-style.

Les Duval
9. They live in Marseille and M. Duval is unemployed.
10. They can barely make ends meet.
11. They're getting help from Social Security.
12. Their son André has a new bicycle.
13. Things used to be better in the past, and the future looks gloomy.

Jacqueline Dassier
14. She is very well off.
15. She sometimes thinks about getting a job, but she's in no particular hurry.
16. She gets all her money from her mother.
17. She may eventually work in her father's company.
18. She still lives at home with her parents.
19. She has her own car.

B. Avantages et inconvénients. Voici une série d'idées. Pour chaque idée, décidez si c'est un avantage ou un inconvénient. Ensuite, décidez pour vous-même si l'argent peut contribuer au bonheur:

1. être en bonne santé
2. avoir une maison et une voiture
3. avoir une famille
4. être au chômage
5. travailler dur
6. avoir un bon salaire
7. aller au théâtre et au cinéma le plus possible
8. être optimiste devant l'avenir
9. pouvoir voyager le plus possible
10. manger des repas somptueux tous les jours
11. faire des études
12. avoir quelques dettes
13. travailler dans une grande entreprise
14. dépendre de l'argent
15. rêver souvent au passé

Reprise (Troisième Étape)

C. Trouvez le contraire de chacun des adverbes et ensuite faites-en une phrase.

MODÈLE: rarement ≠ *fréquemment*   *Je le vois fréquemment.*

1. souvent
2. dernièrement
3. malheureusement
4. difficilement
5. méchamment
6. mal
7. rapidement
8. faiblement

D. Transformez la phrase en mettant l'adverbe à la place convenable.

MODÈLE: Elle aime danser. (beaucoup)   *Elle aime beaucoup danser.*

1. Il m'a regardé. (méchamment)
2. Je lui ai parlé. (déjà)
3. Nous participons à la politique. (généralement)
4. Elle a répondu. (bien)
5. Ils ne sont pas pauvres. (vraiment)
6. Vous travaillez. (dur)
7. Nous avons compris le problème. (mal)
8. J'ai pris la décision. (vite)
9. Je sors le week-end. (souvent)
10. Elles ne veulent pas y aller. (demain)

Point d'arrivée
(Activités orales ou écrites)

E. Au bureau de change. You have 375 dollars that you want to change into French francs. Go to the bank, explain to the employee what you want, ask what the rate of exchange is, present him or her with your identification, and finally take your receipt and go to the cashier's window. Give your receipt to the cashier, and once he or she has counted out the francs for you, ask for change for the 500-franc bill.

F. Ouvrons un compte. You have just found a job in Paris and go to the bank to open a checking account. Create the dialogue you have with the bank employee. Be sure to get information about your checks, direct deposits, and bank statements.

G. Au secours! (*Help!*) You're broke, so you call a friend to ask him or her to lend you some money. At first your friend refuses. Persuade him or her that this is a real emergency and that you will pay back the money very soon.

H. Mon budget. Establish your typical monthly budget. Decide how much money you will need for the following items: clothes, food, rent, school expenses (books, etc.), leisure-time activities, and the like. When you have set up your budget, figure out whether your monthly allowance is in line with your projected expenses. If you're spending more than you have, decide which items have to be eliminated.

I. Quelle chance! You have just won a million dollars. Explain to the other students in your group what you will do with it.

J. Une photo. Study the photograph on page 393 and imagine what the customer is doing at the bank. With another student, create the dialogue between the customer and the bank employee.

Vocabulaire actif

NOMS

un billet
une boutique
un bureau de change
une caisse
un carnet de chèques
une carte de séjour
un chèque barré
un compte
un compte d'épargne
le cours
une pièce d'identité
une preuve d'emploi
un reçu
un relevé de compte
une société

VERBES

avoir de la peine (à)
compter
conseiller (de)
couvrir
découvrir
déposer
devenir
empêcher (de)
emprunter
endosser
faire des économies
faire ses comptes
garder
gaspiller
mériter (de)
obtenir
offrir
ouvrir
pleurer
prêter
retenir
retirer
revenir
se souvenir (de)
souffrir
tenir (à)
venir (de)
vider

ADJECTIFS

fauché(e)
méchant(e)
puissant(e)
radin (*invar.*)

ADVERBS

absolument
activement
brièvement
confusément
constamment
décemment
décidément
évidemment
facilement
franchement
fréquemment
généralement
gentiment
heureusement
indépendamment
lentement
méchamment
naturellement
précisément
premièrement
prudemment
puissamment
rapidement
spontanément
suffisamment
vite
vraiment

AUTRES EXPRESSIONS

à ce moment-là
à court d'argent
à venir
vers

CHAPITRE DIX-SEPT

Parlons de nos études!

Première Étape
Nos Cours

Deuxième Étape
Nos Universités

Troisième Étape
La Vie universitaire

Quatrième Étape
Lecture: Les Universités françaises et les universités américaines

Première Étape

POINT DE DÉPART: *Nos Cours*

Les Disciplines et les matières

Les Sciences humaines (f. pl.)

l'anthropologie *(f.)*
law   l'économie *(f.)*
l'histoire *(f.)*
la linguistique
accounting   la psychologie
management   la sociologie

Les Sciences naturelles

la biologie
la botanique
la géologie

drawing

Les Sciences exactes

la chimie
computer science   **l'informatique** *(f.)*
les mathématiques *(f. pl.)*
physics   **la physique**

Les Lettres (f. pl.)

les langues modernes *(f. pl.)*
la littérature
la philosophie

Les Études professionnelles (f. pl.)

la médecine
le droit
le journalisme
le commerce
  la comptabilité
  la gestion
  le marketing

Les Beaux-arts (m. pl.)

la peinture
la sculpture
le dessin
la musique
l'art dramatique *(m.)*

La Gymnastique (la gym)

Les études universitaires aux États-Unis

ÉTIENNE: Alors, vous êtes étudiantes, vous deux? Quelle est votre spécialisation?

BARBARA: Moi, je suis étudiante en lettres; j'étudie la philosophie et les langues modernes.

SUSAN: Et moi, je suis en sciences naturelles. J'espère faire ma médecine[1] l'année prochaine.

---

1. To indicate the area of your major, use the verb **faire** or the expressions **être en** _____ , **faire des études de** _____ .

schedule / loaded, heavy	ÉTIENNE:	Tu as un **emploi du temps** très **chargé**, non?
	SUSAN:	Ah, oui! J'ai cinq cours.
meet	ÉTIENNE:	Cinq cours! C'est beaucoup. Ils ne **se réunissent** pas tous les jours pourtant.
	SUSAN:	Mais non. Le lundi, le mercredi et le vendredi j'ai trois heures de cours le matin et deux heures de **travaux pratiques** l'après-midi. Le mardi et
lab		le jeudi je n'ai que deux heures de cours.
	BARBARA:	Moi, j'ai moins d'heures de cours. J'ai un cours d'espagnol, deux cours de philosophie et un cours de littérature française. Mais il y a beaucoup de devoirs et d'examens.
fail	ÉTIENNE:	Est-ce qu'il y a beaucoup de gens qui **ratent** leurs examens?
	BARBARA:	Non, pas beaucoup. Il n'est pas difficile de réussir aux cours,[2] mais il
grades		faut travailler pour avoir de bonnes **notes**.

À vous! *(Exercices de vocabulaire)*

A. Il est étudiant? En quoi? D'après les cours qu'a chacun des étudiants, indiquez sa discipline.

MODÈLE: Mathieu / sociologie, science économique, psychologie
Mathieu? Il est en sciences humaines.

1. Jeannette / biologie, chimie, mathématiques
2. Hervé / histoire, allemand, littérature anglaise
3. Mireille / sculpture, peinture, dessin
4. Jean-Jacques / anatomie, physiologie, psychologie
5. Hélène / anthropologie, science politique, science économique

---

2. **Réussir à** is the equivalent of *to pass;* **passer (un examen)** is the equivalent of *to take (an exam).*

B. Qu'est-ce que vous étudiez? Répondez selon votre cas personnel.

1. Vous êtes étudiant(e)? En quoi?
2. Combien de cours avez-vous ce semestre (trimestre)?
3. Votre emploi du temps est-il très chargé?
4. À quelle heure avez-vous votre cours de français?
5. Combien de fois est-ce que votre cours de français se réunit par semaine?
6. Quels jours avez-vous votre cours de français?
7. Avez-vous des travaux pratiques pour le cours de français? Combien d'heures par semaine?
8. Quels autres cours suivez-vous?
9. Est-ce que vous avez réussi à votre dernier examen de français ou est-ce que vous l'avez raté?
10. Est-ce que vous avez eu une bonne note?

STRUCTURE 1: *Les pronoms interrogatifs (personnes)*

Qui est là?	*Who* is there?
Qui cherchez-vous?	*Whom* are you looking for?
Qui est-ce qu'elle attend?	*Whom* is she waiting for?
À qui parlais-tu?	*To whom* were you speaking?
Avec qui est-ce qu'ils sont partis?	*With whom* did they leave?

To ask a question to which the answer identifies a person, French uses the interrogative pronoun **qui**. This pronoun may be used in several grammatical positions:

Qui a téléphoné?[3] *(subject)*
Qui ont-elles vu? *(object)*
De qui avez-vous peur? *(object of preposition)*

With a preposition, French word order resembles formal English word order.

De qui avez-vous peur?	*Of whom* are you afraid? (formal)
	Who are you afraid *of*? (informal)

When a question includes a subject and a verb, you can add **est-ce que** to **qui**. This structure allows you to keep the subject-verb order of a declarative sentence.

Qui ont-elles vu? *(inversion)*	**À qui** parlais-tu? *(inversion)*
Qui est-ce qu'elles ont vu?	**À qui est-ce que** tu parlais?

---

3. Note that when **qui** is in the subject position, the verb is always conjugated in the third person singular.

Interrogative pronouns (people)	
Subject	**qui** + verb
Object	**qui** + verb + pronoun subject (*inversion*) **qui** + noun subject + verb + pronoun (*inversion*) **qui est-ce que** + subject + verb
Object of preposition	preposition + **qui** + verb + subject (inversion) preposition + **qui** + noun subject + verb + pronoun (inversion) preposition + **qui est-ce que** + subject + verb

Application

C. Utilisez les mots suggérés pour compléter la question.

MODÈLE: Vous attendez quelqu'un? (qui)   *Qui attendez-vous?*

1. Votre collègue attend quelqu'un? (qui est-ce que)
2. Quelqu'un veut ouvrir un compte en banque? (qui)
3. Vous avez prêté de l'argent à quelqu'un? (à qui)
4. La banque a prêté de l'argent à quelqu'un? (à qui est-ce que)
5. Quelqu'un a gagné le match de tennis? (qui)
6. Georges va amener quelqu'un au théâtre? (qui est-ce que)
7. On a refusé une carte de crédit à quelqu'un? (à qui)
8. Les Huet ont mangé de la bouillabaisse chez quelqu'un? (chez qui est-ce que)
9. Tu as vu quelqu'un au bal? (qui)
10. Quelqu'un nous attend? (qui)

D. Utilisez les mots donnés pour poser une question qui fait continuer la conversation. Employez la forme convenable de **qui.**

MODÈLE: Ah, bon. La porte de la salle de bains est fermée à clé. (être dans la salle de bains)
Qui est dans la salle de bains?

1. Ah, votre camarade n'est pas là. (elle / sortir avec)
2. Oui, c'est ici le Foyer International. (vous / chercher)
3. Oui, c'est ici le Foyer International. (vous / vouloir parler à)
4. On n'a pas endossé ce chèque. (écrire ce chèque)
5. Vous allez passer un mois dans le Midi? (vous / habiter chez)
6. Nous sommes fauchés, nous n'avons pas d'argent! (nous / pouvoir emprunter de l'argent à)
7. Elles sont allées au concert? (elles / entendre chanter)
8. Comment! Vous avez acheté une nouvelle auto? (prêter l'argent)
9. Comment! Marcelle nous invite à son mariage? (elle / se marier avec)
10. Pourquoi ne sont-ils pas déjà partis? (ils / attendre)

STRUCTURE 2: *Les pronoms interrogatifs (choses)*

Qu'est-ce qui se passe?	*What's happening?*
Que cherchez-vous?	*What are you looking for?*
Qu'est-ce que le patron a dit?	*What did the boss say?*
De quoi ont-ils besoin?	*What do they need?*
À quoi est-ce qu'elle pensait?	*What was she thinking about?*

When asking a question to which the answer identifies a thing, three possible interrogative pronouns may be used: **qu'est-ce qui, que,** and **quoi.** The choice of pronoun depends on its grammatical function in the question.

If the question is about the *subject* of the sentence (that is, if there is a verb without a subject), use **qu'est-ce qui.**

Qu'est-ce qui se passe?	*What's going on?*
Qu'est-ce qui fait ce bruit?	*What is making that noise?*

If the question is about the *direct object* of the sentence (that is, if there is a subject and a verb), use **que.**

Que voulez-vous?	*What do you want?*
Que dit-elle?	*What is she saying?*

If the question is about the *object of a preposition* (that is, if there is a subject and a verb that requires a preposition), use **quoi.** As with questions about persons, the preposition comes at the beginning of the question.

De quoi parles-tu?	*What are you talking about?*
À quoi pense-t-il?	*What is he thinking about?*

In questions formed with **que** and **quoi, est-ce que** is often used instead of inversion.

Que voulez-vous? *(inversion)*	**De quoi** parles-tu? *(inversion)*
Qu'est-ce que vous voulez?	**De quoi est-ce que** tu parles?

When the subject is a noun, there are three possible ways to ask a question. **Est-ce que** is used when the subject consists of several words. But when both the verb and the subject are short, you can invert them without using a pronoun. The regular form of inversion (noun subject + verb + pronoun) is used primarily in formal written French.

Qu'est-ce que le président de l'université a annoncé?	*What did the president of the university announce?*
Que veut ta sœur?	*What does your sister want?*
Que le jeune poète voulait-il exprimer?	*What was the young poet trying to express?*

Interrogative pronouns (things)		
Subject	**qu'est-ce qui** + verb	
Object	**que** + verb + subject *(inversion)* **que** + noun subject + verb + pronoun *(inversion)* **qu'est-ce que** + subject + verb	
Object of preposition	preposition + **quoi** + verb + subject *(inversion)* preposition + **quoi** + noun subject + verb + pronoun *(inversion)* preposition + **quoi est-ce que** + subject + verb	

Application

E. Remplacez les mots en italique.

1. Qu'est-ce qui *se passe?* (est sur la table / ne va pas / vous intéresse / fait ce bruit)
2. Qu'est-ce que *vous voulez?* (vous cherchez / elle attend / ils aiment faire / tu as perdu)
3. À quoi *pensez-vous?* (de... avez-vous besoin / avec... écrivez-vous / à... vous intéressez-vous / de... vous occupez-vous)

F. Utilisez les mots suggérés pour compléter la question.

MODÈLE: Vous désirez quelque chose? (qu'est-ce que)
  Qu'est-ce que vous désirez?

1. Vous voulez quelque chose? (que)
2. Quelque chose ne va pas? (qu'est-ce qui)
3. Jean-Pierre vous a prêté quelque chose? (qu'est-ce que)
4. Vous avez besoin de quelque chose? (de quoi)
5. Vous avez peur de quelque chose? (de quoi est-ce que)
6. Vous avez trouvé quelque chose? (qu'est-ce que)
7. La caissière pense à quelque chose? (à quoi est-ce que)
8. Quelque chose sonne? (qu'est-ce qui)
9. Il faut signer quelque chose? (qu'est-ce que)
10. Elle a laissé la lettre sous quelque chose? (sous quoi)

G. Utilisez les mots donnés pour poser une question qui fait continuer la conversation.

MODÈLE: Vous avez soif? (vous / désirez boire)
  Qu'est-ce que vous désirez boire?

1. Ah, vous espérez aller à Strasbourg? (vous / faire)
2. Pardon, Madame. Je voudrais faire un coup de téléphone. (on / avoir besoin de / pour téléphoner)

3. Tiens, il y a beaucoup de gens dans la rue. (se passer)
4. Je m'excuse, Madame. Je n'ai pas bien entendu. (vous / dire)
5. Cette étudiante-là ne fait pas attention. (elle / penser à)
6. Tu vas au grand magasin cet après-midi? (tu / acheter)
7. Tu as l'air préoccupé. (inquiéter)
8. Votre tante vous a donné un cadeau? (elle / donner)
9. Oh, vous avez dîné sur la côte? (vous / manger)
10. Michelle n'aime pas les langues, elle n'aime pas les sciences, elle n'aime pas les beaux-arts. (elle / s'intéresser à)

STRUCTURE 3: *Le verbe irrégulier* suivre

Je suis trois cours ce semestre.	*I have (am taking)* three courses this semester.
Elle n'a pas suivi les conseils de ses parents.	*She didn't follow* her parents' advice.
Nous vous **suivrons.**	We *will follow* you.

suivre	
je **suis**	nous **suivons**
tu **suis**	vous **suivez**
il/elle/on **suit**	ils/elles **suivent**
Past participle: **suivi (avoir)**	
Subjunctive stem: **suiv-**	
Imperfect stem: **suiv-**	
Future stem: **suivr-**	

The most common English equivalent of **suivre** is *to follow.* The verb has different meanings in the following expressions: **suivre un cours** *(to take a course),* **suivre un conseil** *(to take advice),* **suivre un régime** *(to be on a diet).*

Application

H. Remplacez les mots en italique et faites les changements nécessaires.

1. *Je* suis cinq cours. (elle / vous / nous / tu / ils)
2. L'année dernière *elle* a suivi un régime. (nous / tu / elles / je / il / vous)
3. Est-ce qu'*il* suivra les conseils du professeur? (vous / ils / tu / elle / nous / je)

I. Répondez aux questions selon les renseignements donnés.

MICHELLE WILSON

L'année dernière	Cette année	L'année prochaine
mathématiques	biologie	peinture
chimie	français	philosophie
psychologie	science politique	français
littérature américaine	psychologie	
	histoire	

1. Combien de cours Michelle a-t-elle suivis l'année dernière?
2. A-t-elle suivi un cours de français?
3. Suit-elle un cours de français cette année?
4. Est-ce qu'elle en suivra un l'année prochaine?
5. Combien de cours suit-elle cette année?
6. Elle va suivre quatre cours l'année prochaine, n'est-ce pas?
7. Et vous, combien de cours suivez-vous cette année?
8. Vous suivez un cours de français, et quels autres cours?
9. Quels cours avez-vous suivis l'année dernière?
10. Quels cours avez-vous l'intention de suivre l'année prochaine?

Mise au point (Petite révision de l'étape)

J. Échange. Faites des conversations en employant les éléments entre parenthèses.

MODÈLE: —Je vais aller à la bibliothèque ce soir. (qu'est-ce que / étudier)
　　　　　—*Qu'est-ce que tu vas étudier?*
　　　　　—*Je vais étudier mon français.*

1. J'ai décidé de suivre le cours de Mme Loiseau. (qui / recommander)
2. Je n'aime pas les lettres, je n'aime pas les sciences naturelles, je n'aime pas les beaux arts. (à quoi / s'intéresser)
3. L'année prochaine je voudrais recommencer mes études. (qu'est-ce que / étudier)
4. J'ai raté mon examen de physique et je suis allé(e) voir le prof. (qu'est-ce qui / se passer)
5. Hier soir je me suis bien amusé(e). (avec qui / sortir)
6. Je suis un régime. (qu'est-ce que / ne pas pouvoir manger)
7. Je vais discuter la question avec des amis. (à qui / parler)
8. Je vais aller à la boulangerie. (de quoi / avoir besoin)

K. Exercice écrit. Utilisez les expressions données pour écrire des questions.

1. combien de / suivre
2. qu'est-ce que / faire
3. à qui / envoyer
4. qui est-ce que / voir
5. de quoi / avoir peur
6. de qui / suivre les conseils

Deuxième Étape

POINT DE DÉPART: Nos Universités

Reminder: Un collège is a
secondary school, not a
college.

among

Étienne est bien surpris d'apprendre qu'il y a des différences importantes
parmi les universités américaines. Barbara et Susan lui font une comparaison
des écoles où elles font leurs études.

Barbara

Susan

state	Moi, je suis étudiante à une université **d'état.**	Et moi, je fais mes études dans une petite université privée.
the majority of	Mon université est située au centre d'une grande ville. Beaucoup d'étudiants habitent en ville—chez eux ou dans des appartements.	Mon université se trouve dans un petit village à 200 kilomètres d'une grande ville. **La plupart des** étudiants habitent sur le campus dans des résidences universitaires.
school, college (division of university)	Mon université comprend la **Faculté** des Sciences et des Lettres, la Faculté de Médecine, la Faculté de Droit et l'École des Études Commerciales. On peut préparer un **diplôme** « undergraduate» ou un diplôme avancé (la **maîtrise** ou le doctorat).	À mon université il n'y a que la Faculté des Sciences et des Lettres. Tous les étudiants préparent le même diplôme.
diploma master's degree		
lecture attend cut (a class)	Nos classes sont très grandes. D'habitude le professeur fait une **conférence,** ensuite nous nous divisons en petits groupes pour discuter avec ses assistants. Il y a un grand nombre d'étudiants qui **sèchent** leurs cours.	Nos classes sont généralement petites. Nous avons l'occasion de poser des questions aux professeurs. La plupart des étudiants **assistent aux** cours.
opening of school year take exams	Notre année scolaire est divisée en trimestres. Nous rentrons vers la fin de septembre. Nous passons des examens à la fin de chaque trimestre et l'année se termine en juin.	Notre année est divisée en semestres. La **rentrée** des classes est au début de septembre. Nous **passons des examens** en décembre et en mai.

À vous! (Exercices de vocabulaire)

A. Mon université. Complétez les phrases en choisissant la réponse qui convient à votre situation personnelle:

1. Je fais mes études à _____ .
2. C'est une _____ université _____ .
3. Elle est située _____ .
4. La plupart des étudiants habitent _____ .
5. L'université comprend _____ Faculté(s): _____ .
6. Moi, je prépare un diplôme en _____ .
7. Un jour je voudrais préparer _____ en _____ . (*Ou:* Je n'ai pas l'intention de préparer...)
8. En général, les classes sont _____ .
9. L'année scolaire est divisée en _____ .
10. La rentrée des classes est _____ .
11. Nous passons des examens _____ .
12. L'année se termine _____ .

Reprise (Première Étape)

B. Posez des questions en utilisant les éléments donnés. La lettre entre parenthèses vous indique si la réponse va être une personne (P) ou une chose (CH).

MODÈLES: elle / attendre (P)
Qui attend-elle? ou: Qui est-ce qu'elle attend?

vous / chercher (CH)
Que cherchez-vous? ou: Qu'est-ce que vous cherchez?

Présent (*items 1-6*):
1. elle / avoir besoin de (CH)
2. ils / avoir peur de (P)
3. tu / penser à (P)
4. tu / faire (CH)
5. Jeannette / s'intéresser à (CH)
6. Stéphane et Éric / admirer (P)

Passé composé (*items 7-12*):
7. vous / trouver (CH)
8. ? / téléphoner (P)

9. ils / téléphoner à (P)
10. elle / recevoir (CH)
11. le directeur / punir (P)
12. Jean / payer avec (CH)

Imparfait (*items 13-16*):
13. tu / parler à (P)
14. elles / faire (CH)
15. vous / attendre (P)
16. ? / être sur la chaise (CH)

C. Renseignez-vous. Utilisez le verbe entre parenthèses pour poser une question qui suit logiquement.

MODÈLE: Ah, tu es allé(e) au grand magasin récemment. (acheter)
Qu'est-ce que tu as acheté?

1. Tu es souvent au téléphone. (parler à)
2. Ah, mon ami(e) va te demander de sortir. (lui répondre)

3. Tu n'écoutes pas mes questions. (penser à)
4. Tu vas organiser une surprise-partie? (inviter)
5. Tu as dîné dans un restaurant algérien? (manger)
6. Tu reçois beaucoup de lettres. (t'écrire)
7. Tu n'as pas beaucoup d'argent. (pouvoir emprunter à)
8. Tu n'as pas beaucoup de devoirs ce soir. (faire)
9. Le professeur nous regarde. (se passer)

STRUCTURE 4: *Les expressions interrogatives* quel *et* lequel

Quelle heure est-il?	*What* time is it?
Quel temps fait-il?	*What* is the weather?
Quelle est la date aujourd'hui?	*What* is today's date?

You have already learned the interrogative adjective **quel (quelle, quels, quelles)** in several fixed expressions. Although its English equivalent is *what,* **quel** differs in function from other French expressions meaning *what* **(qu'est-ce qui, que, qu'est-ce que, quoi).**

Quel, although most often used with things, can also refer to people. The adjective **quel** must agree with the noun it modifies and usually occurs in the following positions:

Immediately before a noun:

Quelle église?	*What* church?
Quel livre cherches-tu?	*What* book are you looking for?
Quels sports Étienne pratique-t-il?	*What* sports does Étienne participate in?
Quelles femmes est-ce qu'il a invitées?	*What* women did he invite?

Separated from the noun by the verb **être**:

Quelle est votre adresse?	*What* is your address?
Quels sont les journaux publiés à Paris?	*What* newspapers are published in Paris?

The interrogative expression **lequel (laquelle, lesquels, lesquelles)** is the pronoun form of **quel.** Its English equivalents are *which one* or *which ones.* The pronoun **lequel** agrees with the noun it replaces and is usually used in the following situations:[4]

---

4. If the verb after **lequel** requires a preposition, the preposition precedes **lequel: Voici des stylos. Avec lequel veux-tu écrire?**

   In the case of the prepositions **à** and **de,** the expected contractions take place: à + lequel = **auquel;** à + lesquels = **auxquels;** à + lesquelles = **auxquelles;** à + laquelle: *no*

1. When a noun has been mentioned and you do not wish to repeat it:

Tu veux un de ces livres? **Lequel?**

You want one of these books? *Which one?*

Regardez bien ces femmes. **Lesquelles** est-ce que vous connaissez?

Look carefully at these women. *Which ones* do you know?

2. When a noun is separated from the interrogative word by the preposition **de**:

Laquelle de ces femmes n'est pas mariée?

Which one of these women is not married?

Lesquels de tes amis les Charles ont-ils invités?

Which of your friends did the Charleses invite?

Application

D. Utilisez la forme convenable de **quel** et de **lequel**.

MODÈLE: Regardez le château. *Quel château? Lequel?*

1. Donnez-moi la serviette.
2. Signez les chèques.
3. Ouvrez les fenêtres.
4. Regardez la maison.
5. Donnez-moi les cachets.
6. Prenez le train.
7. Mettez les chaussures.
8. Écrivez aux professeurs.

E. Posez des questions à un(e) autre étudiant(e) pour trouver les renseignements suivants.

MODÈLES: son nom   *Quel est ton nom?*

l'exercice qu'il faut faire   *Quel exercice faut-il faire?*

1. l'heure
2. le temps qu'il fait
3. son adresse
4. les cours qu'il (elle) suit
5. les régions de la France qu'il (elle) voudrait visiter
6. la saison qu'il (elle) préfère
7. la date
8. son numéro de téléphone
9. les devoirs pour demain
10. l'heure où finit la classe

STRUCTURE 5: *Le comparatif*

In English, comparisons are made either by using a comparison word (*more, less, as*) or by adding a suffix (*-er*). In French, you must use a comparison word.

Comparison of adjectives and adverbs

Elle est **plus grande que** son frère.	She is *taller than* her brother.
Il est **aussi sérieux que** sa sœur.	He is *as serious as* his sister.
Elles travaillent **moins rapidement que** leurs amies.	They work *less rapidly than* their friends.

The expressions **plus** *(more)*, **aussi** *(as)*, and **moins** *(less)* are used to compare adjectives and adverbs. They are followed by **que** *(as)*.

Comparison of nouns

Nous avons **plus d**'argent **que** Paul.	We have *more* money *than* Paul.
J'ai **autant d**'énergie **que** lui.	I have *as much* energy *as* he (does).
Elle a **moins de** tact **que** moi.	She has *less* tact *than* I (do).

The expressions **plus de** *(more)*, **autant de** *(as much, as many)*, and **moins de** *(less)*, also followed by **que**, are used to compare nouns. After all of these expressions, when a personal pronoun is used, a **pronom accentué (moi, toi, lui, elle, nous, vous, eux, elles)** is required.

Irregular comparative forms

Mes notes sont **meilleures que** les notes de mon frère.	My grades are *better than* my brother's.
Elle parle **mieux que** nous.	She speaks *better than* we (do).

The adjective **bon** and the adverb **bien** have irregular comparative forms to indicate superiority: **bon(ne)(s)** → **meilleur(e)(s), bien** → **mieux.** The English equivalent of both **meilleur** and **mieux** is *better.* Consequently, you must be careful to distinguish between the adjective (**bon, meilleur**), which modifies a noun and therefore agrees with it in gender and number, and the adverb (**bien, mieux**), which modifies a verb and is invariable.

The comparative forms of **bon** and **bien** to indicate equality or inferiority are regular:

Ce livre-ci est **aussi bon que** ce livre-là.	This book is *as good as* that one.
Elle chante **moins bien que** sa sœur.	She doesn't sing *as well as* her sister (does).

Application

F. Répondez aux questions selon les modèles en distinguant entre **bon** et **bien**, **meilleur** et **mieux**.

MODÈLE: Quelle sorte d'étudiant est Georges? Comparez-le à Claire.
Georges est un bon étudiant. C'est un meilleur étudiant que Claire.

Comment Gérard joue-t-il? Comparez-le à Philippe.
Gérard joue bien. Il joue mieux que Philippe.

1. Quelle sorte d'étudiante est Valérie? Comparez-la à Denis.
2. Comment Annick chante-t-elle? Comparez-la à Marielle.
3. Comment Vincent parle-t-il? Comparez-le à Jean-Yves.
4. Quelle sorte d'assistante est Chantal? Comparez-la à Luce.
5. Quelle sorte de professeur est Antoine? Comparez-le à Robert.
6. Comment marche la Renault 5? Comparez-la à la Peugeot.

G. Les étudiants du lycée Voltaire. Faites les comparaisons indiquées en utilisant les expressions données.

Nom de l'étudiant	Examen de classement[4]	Heures de préparation	Note en maths	Note en littérature
Sylvie	1ère	20	14/20	16/20
Louis	5^{e}	15	16/20	10/20
Yves	19^{e}	30	12/20	12/20
Simone	35^{e}	15	8/20	11/20
Gilbert	60^{e}	10	8/20	6/20

MODÈLE: (intelligent) Yves et Simone
Yves est plus intelligent que Simone.

1. (intelligent) Sylvie et Yves / Louis et Simone / Gilbert et Louis
2. (travailler sérieusement) Yves et Gilbert / Simone et Louis / Louis et Sylvie
3. (faire des devoirs) Yves et Simone / Louis et Simone / Gilbert et Sylvie
4. (être bon en mathématiques ou en littérature) Louis / Gilbert / Simone
5. (faire bien en mathématiques ou en littérature) Sylvie / Yves / Gilbert

---

4. **Un examen de classement** is a placement exam. On course exams and papers in France, grades are usually based on a maximum of 20, with 10 being the passing score.

H. Les ouvriers de l'atelier Michelin. Faites les comparaisons indiquées en utilisant les expressions données.

Nom de l'ouvrier	Âge	Minutes pour faire le travail	Qualité du travail	Salaire (par mois)
Jean-Loup	22	15 min.	excellent	8.000F
Mireille	21	18 min.	bien	7.500F
Albert	40	18 min.	bien	8.500F
Thierry	55	20 min.	assez bien	8.000F
Jacqueline	18	25 min.	assez bien	6.500F

MODÈLE: (être âgé) Jacqueline et Albert
Jacqueline est moins âgée qu'Albert.

1. (être âgé) Jean-Loup et Mireille / Albert et Thierry / Mireille et Jacques
2. (travailler rapidement) Jean-Loup et Thierry / Jacqueline et Thierry / Mireille et Albert
3. (le travail / être bon) Jean-Loup et Albert / Thierry et Mireille / Albert et Jacqueline
4. (travailler bien) Mireille et Albert / Thierry et Jean-Loup / Mireille et Thierry
5. (gagner de l'argent) Albert et Jacqueline / Thierry et Jean-Loup / Mireille et Thierry

Mise au point (Petite révision de l'étape)

I. Échange. Demandez à un(e) autre étudiant(e):

1. son nom
2. son âge
3. le cours qu'il (elle) préfère
4. la date aujourd'hui
5. lequel des exercices (I ou J) est plus difficile
6. s'il (si elle) est plus sportif(ve) que ses ami(e)s
7. s'il (si elle) a plus de devoirs que ses ami(e)s
8. s'il (si elle) est un(e) meilleur(e) étudiant(e) que ses ami(e)s
9. s'il (si elle) lit plus rapidement que ses ami(e)s
10. s'il (si elle) comprend mieux le français que ses ami(e)s

J. Exercice écrit. Utilisez les expressions pour faire des comparaisons selon l'indication—supériorité (+), infériorité (−), égalité (=).

1. Francine / Hervé / âgé (+)
2. les Français / les Allemands / intelligent (=)
3. Henriette / Sylvie / sérieux (−)
4. les omelettes / les sandwichs / bon (+)
5. Henri / Louis / travailler rapidement (−)
6. Jean-Pierre / Gilbert / écouter bien (+)

Troisième Étape

POINT DE DÉPART: La Vie universitaire

Si les universités américaines sont bien différentes les unes des autres, la vie des étudiants américains est variée aussi. Barbara et Susan expliquent à Étienne certaines de ces différences.

Barbara

Moi, je suis « senior»—c'est-à-dire, étudiante de quatrième année. J'habite dans un appartement avec une amie. Je la connais depuis trois ans et **nous nous entendons** bien.

Nous pouvons préparer nos repas chez nous, mais nous sommes si occupées qu'il est souvent plus facile de manger à l'université ou dans un restaurant « fast food».

Moi, je suis très active. Je suis **rédactrice** de la **revue** littéraire publiée par les étudiants, je suis membre du **cercle** français, je suis déléguée au sénat universitaire.

Le week-end j'aime me reposer. J'ai beaucoup de devoirs et je passe beaucoup de temps chez nous. D'habitude, mon **petit ami** vient et nous regardons la télévision ou nous discutons de la politique.

Susan

Moi, je suis « freshman»—c'est ma première année à l'université. J'ai une chambre dans une résidence universitaire. J'ai deux camarades de chambre. Je ne les connaissais pas avant le début de l'année. Nous nous disputons de temps en temps.

Nous prenons presque tous nos repas dans la cafétéria de la résidence. Le prix des repas est compris dans les **frais de logement**.

Moi, je suis très sportive. Je fais partie des équipes de tennis et de volley et je participe à des compétitions contre d'autres universités.

Le week-end je n'aime pas rester dans ma chambre. Je sors avec mes amis. Nous allons au cinéma ou nous allons dans un bar près du campus où on peut danser.

Marginal glosses: we get along / room expenses / editor / magazine / club / boyfriend

À vous! (Exercices de vocabulaire)

A. Susan et Barbara. Complétez les phrases en mettant les noms *Susan* et *Barbara* à la place convenable. Consultez aussi le *Point de départ* à la page 429.

1. _____ est plus âgée que _____ .
2. _____ a plus de camarades de chambre que _____ .
3. _____ n'aime pas très bien ses camarades de chambre.
4. _____ prend quelques repas au snack-bar de l'université.
5. _____ a payé tous ses repas à l'avance.
6. _____ aime l'activité physique; _____ préfère l'activité intellectuelle.
7. _____ a un petit ami.
8. _____ est plus sportive que _____ .

B. Ma vie d'étudiant(e). Complétez les phrases en choisissant la réponse qui convient à votre situation personnelle.

1. Moi, je suis étudiant(e) de _____ année.
2. Moi, j'habite _____ .
3. J'ai _____ camarade(s) de chambre.
4. Je le (la) (les) connais depuis _____ .
5. D'habitude je prends mes repas _____ .
6. Je participe à beaucoup (très peu) d'activités: _____ .
7. Le week-end j'aime _____ .
8. D'habitude je sors avec _____ .
9. Nous _____ .

Reprise (Deuxième Étape)

C. Posez des questions à un(e) autre étudiant(e) pour découvrir les renseigne-ments à propos d'Hélène. L'étudiant(e) vous répondra d'après les dessins. Ensuite il (elle) vous posera des questions à propos de Marc.

NATALE, HELEN   25 (MÉDECINE)   JOHNSON, MARK   19 (LETTRES)

anatomie	littérature anglaise
biochimie	espagnol
psychologie	histoire contemporaine
physiologie	science politique

1. son nom de famille
2. son âge
3. dans quelle sorte d'université elle (il) fait ses études
4. si l'université est située dans une grande ville
5. en quel mois l'année scolaire commence
6. en quel mois l'année scolaire se termine
7. si elle (s'il) est étudiant(e) en médecine
8. les cours qu'elle (il) suit

D. Faites une comparaison entre vous et votre frère (votre sœur, votre camarade de chambre) en utilisant les expressions suivantes.

1. être âgé(e)
2. être intelligent(e)
3. avoir des ami(e)s
4. avoir du temps libre
5. travailler sérieusement
6. jouer bien au tennis
7. chanter bien
8. être optimiste
9. être un(e) bon(ne) étudiant(e)
10. être ambitieux(euse)
11. dépenser de l'argent
12. se réveiller difficilement

STRUCTURE 6: *Le superlatif*

Thérèse est **l'étudiante la plus avancée de** la classe.	Thérèse is *the most advanced student in* the class.
Quels sont **les meilleurs restaurants de** la ville?	What are *the best restaurants in* town?
Jacques travaille **le plus sérieusement de** tous les ouvriers de l'atelier.	Jacques works *the most seriously of* all the workers in the shop.
Elle a **le plus de** temps libre de tous ses amis.	She has *the most* free time of all her friends.
C'est Mathilde qui chante **le mieux**.	Mathilda is the one who sings *the best*.

In French, the superlative forms are the same as the comparative forms of superiority and inferiority (**plus, moins, meilleur, mieux**) with the addition of the definite article (**le, la les**). In the case of adjectives, the article agrees with the noun qualified (**le plus, la plus, les moins, les meilleures**). Adverbs have only one superlative form (**le plus, le moins, le mieux**). Noun superlative forms function as expressions of quantity (**le plus de, le moins de**). The French equivalent of *in* or *of* after a superlative is **de.**

If an adjective follows the noun it qualifies, its superlative form repeats the definite article.

> **la** maison **la** plus solide
> **le** livre **le** plus ennuyeux
> **les** étudiants **les** moins travailleurs

If an adjective precedes the noun, only one definite article is required.

> **la** plus jolie maison
> **le** plus gros livre
> **les** moins bons étudiants

Application

E. Remplacez les mots en italique et faites les changements nécessaires.

1. *Georges* est l'étudiant le plus indépendant de la classe. (Suzanne / Alain et Robert / Martine et Christiane)
2. Hervé est l'étudiant le *plus optimiste* de la classe. (plus sportif / moins sérieux / plus jeune / meilleur / moins honnête)
3. Voilà la *plus belle* maison de la ville. (plus jolie / plus grande / plus chère / moins intéressante / plus petite)
4. Nathalie *parle le plus rapidement* de tous les étudiants. (étudie le plus sérieusement / chante le mieux / lit le plus attentivement / joue le plus activement)

F. Les étudiants du lycée Voltaire. En utilisant les expressions données, faites les comparaisons indiquées. Utilisez le tableau à la page 434.

MODÈLE: Sylvie (intelligent)
Sylvie est l'étudiante la plus intelligente de la classe.

1. Gilbert (intelligent)
2. Yves (étudier sérieusement)
3. Gilbert (étudier sérieusement)
4. Louis (un bon étudiant en mathématiques)
5. Sylvie (un bon étudiant en littérature)

G. Les ouvriers de l'atelier Michelin. En utilisant les expressions données, faites les comparaisons indiquées. Utilisez le tableau à la page 435.

MODÈLE: Thierry (âgé)   *Thierry est l'ouvrier le plus âgé de l'atelier.*

1. Jacqueline (âgé)   2. Jacqueline (jeune)   3. Jean-Loup (travailler rapidement)   4. Jacqueline (travailler rapidement)   5. le travail de Jean-Loup (bon)   6. Albert (gagner de l'argent)   7. Jacqueline (gagner de l'argent)

STRUCTURE 7: *Les expressions* penser à *et* penser de

Je **pense à** mon examen.	I'm *thinking about* my exam.
Qu'est-ce que tu **as pensé du** film?	What *did* you *think of* the film?

The expressions **penser à** and **penser de** both mean *to think about* or *to think of*. **Penser à** refers to what is on a person's mind, the subject of one's thoughts. Since the object of one's thoughts can be either a person or a thing, the usual question forms are:

À qui pensez-vous?	Whom are you thinking about?
À quoi pensez-vous?	What are you thinking about?

Penser de refers to an opinion and is normally used only in question form:

Qu'est-ce que vous pensez de...?	What do you think of (about)...?

The usual answer uses **penser que** or another verb:

—**Que penses-tu de ce livre?**	—**Je pense qu'il n'est pas très intéressant.**
	—**Je le trouve assez ennuyeux.**

When substituting a pronoun for the noun that follows **penser à** or **penser de**, use a disjunctive pronoun (**moi, toi, lui, elle, nous, vous, eux, elles**) for a person and **y** (**penser à**) or **en** (**penser de**) for a thing.

—Penses-tu **à ton frère**? —Oui, je pense **à lui.**
—Je connais **les Godbout.** —Que pensez-vous **d'eux**?
—Penses-tu **à ton examen**? —Non, je n'**y** pense pas.
—J'ai vu **le film**. —Qu'est-ce que vous **en** pensez?

Application

H. Posez des questions en suivant les modèles. Ensuite répondez aux questions.

MODÈLE: la crise d'énergie
  —*Est-ce que vous pensez souvent à la crise d'énergie?*
  —*Oui, j'y pense souvent.* ou: —*Non, je n'y pense pas.*

1. le danger d'une guerre nucléaire 2. vos parents 3. la politique 4. votre premier(ère) ami(e) 5. le passé

MODÈLE: le film *E.T.*
  —*Qu'est-ce que vous avez pensé de "E.T."?*
  —*Je l'ai aimé.* ou: —*Je ne l'ai pas aimé.* ou: —*Je l'ai trouvé ennuyeux (intéressant).*

6. le film _____ 7. le livre _____ 8. le professeur de français (*verbe au présent*) 9. cette université (*verbe au présent*) 10. le président des États-Unis (*verbe au présent*)

Mise au point (Petite révision de l'étape)

I. Échange. Posez les questions à un(e) autre étudiant(e), qui va vous répondre.

1. Es-tu content(e) à l'université?
2. Est-ce que tu habites seul(e)?
3. Où est-ce que tu prends tes repas?
4. Comment est-ce que tu passes le week-end?
5. Quel est ton cours le plus difficile? le moins difficile?
6. Quel est ton meilleur professeur? le professeur le plus sévère?
7. À quoi penses-tu avant de t'endormir?
8. Que penses-tu de notre livre de français?

J. Exercice écrit. Utilisez les expressions données pour faire des comparaisons selon l'indication—supériorité (+) ou infériorité (−).

1. Pierre / l'étudiant / la classe / sérieux (+)
2. Paris / la ville / le pays / important (+)
3. Thérèse / l'étudiante / la classe / bon (+)
4. les cours de mathématiques / les cours / l'université / aimé (−)
5. la Faculté de Droit / le bâtiment / l'université / grand (−)
6. Andrée / la classe / chanter bien (+)

Quatrième Étape

LECTURE: Les Universités françaises et les universités américaines

When reading, it is important to remember that meaning is usually communicated not by single words but by groups of words. If you can recognize a few words and then use the context as a guide, it is often possible to figure out the meaning of an entire group even if each word taken in isolation doesn't make sense. After reading the following passage (looking at the definitions at the end, if necessary), do Exercise A, which deals with the meaning of word groups. Then reread the passage before doing the second comprehension exercise.

Isabelle Jorge

Isabelle Jorge fait des études d'anglais à l'université de Nancy. Après avoir passé[1] une année aux États-Unis, elle a comparé ainsi l'université en France et l'université aux États-Unis.

Pour entrer à l'université en France, il faut avoir le baccalauréat : c'est un examen qui met fin à la dernière année au lycée, la classe de terminale. Après treize années d'enseignement[2] primaire et secondaire, les étudiants entrent en général dans l'enseignement supérieur à l'âge de dix-huit ans.

La porte d'entrée est ouverte à tous ceux[3] qui ont obtenu « le bac » : il vous sera donc plus facile de commencer vos études en France qu'aux États-Unis. Mais attention, c'est à la fin de la première année que les examens éliminent les étudiants « amateurs » ; environ 60 pour cent des étudiants échouent et recommencent leur première année. La même chose se produit à la fin de la deuxième année et de la troisième. Mais si vous avez réussi vos deux premières années en trois ans maximum, vous pourrez ensuite prendre tout votre temps. Il y a des jeunes Français qui se plaisent assez sur les bancs[4] de l'université pour y rester dix années, mais oui !

Il faut dire que les cours sont gratuits,[5] ce qui[6] permet à un maximum d'étudiants de s'inscrire.[7] Il suffit ensuite d'acheter livres, papier et crayons ! Toutes les universités françaises sont publiques et financées par le gouvernement. Par conséquent, les étudiants français n'ont pas les mêmes besoins d'argent que les étudiants amércains. Il me semble que la plupart des étudiants américains sont studieux et motivés. Peut-être qu'ils « en veulent pour leur argent ».

Les étudiants américains aiment beaucoup le sport, mais en France on néglige souvent l'exercice physique. Par contre, on admire les qualités intellectuelles, et au pays de Descartes[8] les « gros cerveaux »[9] sont rois ! Les étudiants français s'intéressent beaucoup à la politique. En effet, la politique, c'est tellement passionnant qu'on oublie quelquefois ses études. Les syndicats[10] des étudiants organisent parfois[11] des grèves ![12] Pourtant, les étudiants assidus[13] obtiennent leurs diplômes : le DEUG (Diplôme d'études universitaires générales) après deux années, la licence la troisième année, la maîtrise la quatrième année, le DEA (Diplôme d'études approfondies[14]) ou le DESS (Diplôme d'études supérieures spécialisées) la cinquième année, puis le doctorat.

Les relations entre étudiants et professeurs sont beaucoup plus formelles et distantes que chez l'Oncle Sam, par respect de la sacro-sainte[15] hiérarchie ! Pas de familiarités, je vous prie !

---

1. after having spent   2. education   3. all those   4. benches (seats in lecture hall)   5. free
6. which   7. to enroll   8. French mathematician and philosopher (1595-1650)   9. "brains"
10. labor unions   11. sometimes   12. strikes   13. conscientious   14. in depth   15. doubly sacred, inviolable

Compréhension

A. Les groupes de mots. Based on the meanings of individual words and the general context, give the English equivalent of each expression in boldface type.

1. Le baccalauréat: c'est un examen qui **met fin à** la dernière année au lycée. (*la fin = the end*)
2. **La même chose se produit** à la fin de la deuxième année. (**produire** = *to produce*)
3. Il y a de jeunes Français qui **se plaisent assez** sur les bancs de l'université pour y rester dix années. (**plaire à** = *to please*)
4. Les étudiants américains, qui « **en veulent pour leur argent**».
5. Au pays de Descartes, **les** « **gros cerveaux» sont rois!**
6. **Pas de familiarités**, je vous prie!

B. Ici, aux États-Unis... Indiquez si les phrases sont vraies ou fausses. Trouvez dans le texte des exemples pour justifier votre réponse.

1. En général, les étudiants américains sont plus âgés que les étudiants français.
2. Il est plus difficile de commencer vos études aux États-Unis qu'en France.
3. La première année d'études est plus difficile aux États-Unis qu'en France.
4. Les études coûtent plus cher aux États-Unis qu'en France.
5. Les étudiants américains sont plus sportifs que les étudiants français.
6. Les étudiants américains sont plus intellectuels que les étudiants français.
7. La maîtrise française correspond au Master's Degree américain.
8. Les étudiants américains connaissent mieux leurs professeurs que les étudiants français.

Reprise (Troisième Étape)

C. Chaque élève se distingue d'une façon ou d'une autre. Utilisez les expressions données pour expliquer en quoi chaque élève se distingue des autres.

	Âge	Taille	Frères	Sœurs	Note en espagnol	Chanter
André:	15 ans	1m65	2	1	12/20	excellent
Béatrice:	14 ans	1m45	3	0	12/20	assez bien
Charles:	16 ans	1m50	2	2	16/20	bien
Éric:	16 ans	1m75	4	4	10/20	bien
Gilberte:	16 ans	1m50	1	1	9/20	assez bien
Hélène:	15 ans	1m40	3	3	15/20	bien
Jacqueline:	15 ans	1m50	2	4	13/20	mal
Robert:	17 ans	1m60	2	2	8/20	bien

MODÈLE: Béatrice (jeune)
           Béatrice est la plus jeune élève de la classe.

1. Béatrice (âgé)
2. Robert (âgé)
3. Éric (grand)
4. Hélène (petit)
5. Gilberte (avoir des frères)
6. Jacqueline (avoir des sœurs)
7. Éric (avoir des frères et des sœurs)
8. Charles (un bon élève en espagnol)
9. Jacqueline (chanter bien)
10. André (chanter bien)

D. Continuez la conversation en posant une question qui utilise **penser à** ou **penser de.**

MODÈLES: —François a l'air distrait. —C'est vrai...
            —*C'est vrai. À quoi pense-t-il?*

            —J'ai un cours d'informatique. —Ah, oui?...
            —*Ah, oui? Qu'est-ce que tu en penses?*

1. —Michel ne pense plus à moi. —Ah, non?...
2. —Béatrice a fait la connaissance du nouveau professeur d'informatique. —Ah, oui?...
3. —Nous venons de voir la Renault. —Ah, bon...
4. —J'ai beaucoup de difficulté à faire attention en classe. —Ah, oui?...
5. —Cela m'énerve vraiment quand je pense aux prix. —Alors, pourquoi...

Point d'arrivée
(Activités orales et écrites)

E. Mon université. You have been asked to make a short presentation about your university to a French-speaking audience. Prepare the description you would like to give of your school and of university life.

F. L'université en France. Prepare a series of questions you would like to ask a student from France about French universities and university life.

G. Quand nous étions à l'université... Your parents, your professors, and other people older than you often have memories of university life that are quite different from your experience. Imagine a conversation in which people are talking about differences and similarities between today's universities and the universities of twenty or thirty years ago.

H. Visitons le campus! Using the picture on page 419 as a point of departure, imagine the conversation between the American and French students as they take a tour of *your* campus.

NOMS

l'anthropologie (*f.*)
l'art dramatique (*m.*)
un atelier
les beaux-arts (*m. pl.*)
la biologie
un cercle
la chimie
la comptabilité
une conférence
un conseil
un cours
un(e) délégué(e)
le dessin
un diplôme
le droit
l'économie (*f.*)
un emploi du temps
un état
les études
  professionnelles (*f. pl.*)
un examen de
  classement
une faculté
les frais de logement (*m. pl.*)
la gestion
l'histoire (*f.*)
l'informatique (*f.*)
le journalisme
les langues modernes (*f. pl.*)

les lettres (*f. pl.*)
la linguistique
la littérature
le logement
les mathématiques (*f. pl.*)
une matière
une maîtrise
le marketing
la médecine
un mètre
la musique
une note
un ouvrier, une ouvrière
la peinture
un petit ami, une petite
  amie
la philosophie
la physique
le programme

la psychologie
le rédacteur, la
  rédactrice
un régime
la rentrée (*f.*) des classes
une résidence
  universitaire
une revue
un salaire
les sciences humaines (*f. pl.*)
les sciences naturelles (*f. pl.*)
les sciences physiques
  (*f. pl.*)
la science politique
la sociologie
la sculpture
une spécialisation
les travaux pratiques (*m. pl.*)

VERBES

assister à
s'entendre (avec)
passer (un examen)
penser à
penser de
rater
se réunir
réussir à
sécher
suivre

ADJECTIFS

occupé(e)
privé(e)
scolaire
universitaire

AUTRES EXPRESSIONS

lequel (laquelle, lesquels,
  lesquelles)
parmi
la plupart de
que
quel (quelle, quels,
  quelles)
qu'est-ce que
qu'est-ce qui
qui
quoi

CHAPITRE DIX-HUIT

Cherchons du travail!

Première Étape
Les Petites Annonces

Deuxième Étape
Une Lettre de candidature

Troisième Étape
Une Interview

Quatrième Étape
Lecture: La Nationalisation des entreprises

Première Étape

POINT DE DÉPART: Les Petites Annonces

classified ads / after having read

employment opportunities / business world

depressing / job

education

in the meantime / salary

uncertainty

personnel

talented

are in the process of

speaking about that

buying / marketing research

rather / sales / advertisment

after all / products

needs

Christine et Éric consultent les **petites annonces**. Après avoir lu les **offres d'emploi,** ils discutent leurs possibilités dans le **monde des affaires.**

CHRISTINE: C'est **déprimant!** Je cherche un **poste** depuis deux mois et je n'ai toujours rien.

ÉRIC: Ne te laisse pas décourager. Tu as une bonne **formation.** Quelqu'un reconnaîtra tes talents.

CHRISTINE: Oui, mais **entre-temps** je n'ai pas de **salaire** et je n'ai pas d'interviews. Avec l'**incertitude** économique et les nationalisations,[1] la direction des entreprises hésite à augmenter ses **effectifs.**

ÉRIC: T'as[2] raison, mais n'oublie pas que nous sommes particulièrement **doués,** toi et moi!

CHRISTINE: Tu parles! Il y a des milliers de candidats comme nous qui **sont** en ce moment-même **en train de** consulter les petites annonces.

ÉRIC: **À propos,** qu'est-ce que tu cherches comme travail?

CHRISTINE: Je veux travailler en **achats,** plus précisément dans l'**étude des marchés.** De préférence dans une firme multinationale. Et toi?

ÉRIC: Pour moi c'est **plutôt** les **ventes.** Le côté **publicité** m'a toujours fasciné. **Après tout,** c'est la publicité qui vend les **produits.**

CHRISTINE: Oui, mais tu dépendras de moi pour savoir quelle est ta clientèle la plus favorable. Dans l'étude des marchés je vais identifier les **besoins** du consommateur.

ÉRIC: C'est vrai. Qui sait, peut-être travaillerons-nous ensemble un jour!

À vous! (Exercices de vocabulaire)

A. Les petites annonces. Consultez les offres d'emploi à la page 449 pour faire les exercices suivants.

1. **France Quick, s.a.** Vous êtes le directeur du personnel et vous expliquez à un(e) candidat(e) quelles seront ses responsabilités dans votre firme. Employez la forme **vous** dans toutes vos phrases.

MODÈLE: *Vous serez responsable de la publicité.*

---

1. For a discussion of nationalizations of business in France, see *Quatrième Étape.*
2. **T'as** is the familiar form of **tu as.**

une **filiale** subsidiary; **la publicité** advertising, advertisement; **le suivi** maintenance, maintaining; **la mise en œuvre** execution; **le terrain** field; **acquis(e)** acquired; **le déplacement** travel; **prévoir** to expect

C.A. (chiffre d'affaires) sales figures; **à l'étranger** abroad; **la connaissance** knowledge; **gérer** to manage; **le niveau** level; **disponible** available; **à tout moment** at any time

diffuser to distribute; **le périphérique** accessories; **l'équipe** (f.) team; **souhaiter** to wish to, to want to; **disposer** to have; **appuyé(e)** supported; **à pourvoir** available

l'ordinateur personnel (*m.*) home computer; **le revendeur** intermediary, salesperson; **accroître** to increase; **l'efficacité** (*f.*) efficiency

2. **France Quick, s.a.** Refaites le deuxième paragraphe de l'annonce en ajoutant **il faut que** + subjonctif et d'autres structures pareilles pour décrire les qualifications nécessaires à ce poste.

MODÈLE: *Il faut que la personne soit diplômée.*

3. **Jeans C17.** Jouez le rôle de **nous** et de **vous** avec un(e) autre étudiant(e). Notez que le **vous** devient **je** dans cet exercice. Ajoutez d'autres renseignements à l'annonce si vous voulez.

MODÈLES: NOUS: *Nous sommes une grande firme française.*
JE: *J'ai trente-deux ans.*

4. **ABDick.** Trouvez les mots dans l'annonce qui complètent les phrases suivantes.

   a. ABDick cherche un inspecteur des _____ .
   b. ABDick est une _____ de General Electric.
   c. ABDick _____ une ligne de produits offset-copieur-périphérique.
   d. ABDick cherche à consolider son _____ équipe de commerciaux.
   e. ABDick cherche des hommes de _____ qui sont _____ .
   f. Il faut qu'ils disposent d'une bonne _____ générale et qu'ils aient un tempérament _____ .
   g. Trois choses que ABDick offre à ses employés sont _____ , _____ , _____ .
   h. ABDick a des postes dans les villes suivantes: _____ , _____ , _____ .

5. **Apple computer.** Selon l'annonce, quelles sont les qualifications nécessaires pour travailler pour cette firme?

B. Créons un dialogue. Complétez le dialogue suivant avec des mots logiques que vous trouvez soit dans les petites annonces à la page 449, soit dans le dialogue entre Christine et Éric.

—Je cherche un _____ comme _____ .
—Est-ce que tu as jamais travaillé dans _____ ?
—Oui, pendant trois ans j'étais _____ .
—Est-ce que tu as déjà envoyé ton _____ à quelqu'un?
—Oui, et j'ai une _____ demain à 13 heures.
—Quelles _____ sont nécessaires pour ce poste?
—Il faut parler couramment _____ et surtout il est indispensable de _____ .

NOTE CULTURELLE	In France, job announcements can be found in the classified sections of newspapers and magazines such as *L'Express* and *Le Point*. These two magazines correspond to *Time* and *Newsweek*. The high-circulation newspapers include *Le Monde*, *Le Figaro* and, for less serious reading, *France-Soir*. The latest financial and business news is presented in the business paper *Les Échos* and the magazine *L'Expansion*.

STRUCTURE 1: *Les prépositions* après *et* avant de

Après l'interview, elle a eu le poste.	*After the interview*, she got the job.
Après avoir posé sa candidature, il a attendu une réponse.	*After having applied*, he waited for an answer.
Après avoir été licenciées, elles ont quitté la ville.	*After having been fired*, they left the city.
Après s'être disputés, ils ne se sont plus revus.	*After having argued*, they didn't see each other any more.

In the first example, the preposition **après** is used with a noun, which can be introduced by an article (definite or indefinite) or a demonstrative (**ce**) or possessive adjective. **Après** can also be followed by a disjunctive pronoun (**moi**, etc.).

If **après** is followed by a verb, the past infinitive must be used. The past infinitive is formed with the infinitive of the helping verb (**avoir** or **être**) plus the past participle of the main verb. Remember that the subject of the **après** + past infinitive construction is also the subject of the second verb in the sentence. To determine the agreement of a past participle used with **être**, look at the gender and number of the subject of the second verb.

Avant la réunion, il faut analyser les statistiques.	*Before the meeting*, we have to analyze the statistics.
Je vais te téléphoner **avant mon départ**.	I'll call you *before I leave*.
Avant de vous engager, nous avons besoin de votre c.v.	*Before hiring you*, we need your curriculum vitae (résumé).

The preposition **avant** may be followed by a noun or a verb. If a noun accompanies it, that noun is most frequently introduced by a definite or indefinite article or a possessive or demonstrative adjective.

As a verbal construction, **avant** must be followed by **de** plus an infinitive. Note that the infinitive may be preceded by a direct or indirect object pronoun if needed:

Avant d'engager **Anne**, nous lui avons parlé.	Avant de l'engager, nous avons parlé à Anne.

Application

C. Remplacez les mots en italique et faites tous les changements nécessaires.

1. Avant de *se coucher*, elle a fait ses devoirs. (partir / lui téléphoner / sortir / aller au cinéma / se reposer)
2. Après avoir *mis la table*, ils ont fait la cuisine. (fait les courses / décidé le menu / allés au marché / rentrés du travail)

3. Avant mon *départ* je vais lui parler. (examen / voyage / rendez-vous / interview / réunion / conférence)
4. Avant le *déjeuner*, il faut leur apporter les rapports. (dîner / interview / réunion / cours / petit déjeuner / examen)

D. Pour chaque paire de dessins, composez 3 ou 4 phrases en employant les structures **après** + nom, **après** + verbe, **avant** + nom, **avant de** +verbe. Changez de sujet dans chaque phrase.

MODÈLE:

Après avoir acheté une voiture, j'ai fait un voyage en Espagne.
Avant de faire un voyage en Espagne, j'ai acheté une voiture.
Avant le voyage, j'ai acheté une voiture.

1.

2.

3.

4.

5.

E. **Sondage.** Posez une des paires de questions à dix de vos camarades. Marquez les réponses sur une feuille de papier et quand vous avez terminé le sondage, partagez les résultats avec la classe entière.

1. Qu'est-ce que tu comptes faire après avoir terminé tes études? Qu'est-ce que tu comptes faire avant de commencer un travail?
2. Qu'est-ce que tu fais normalement avant un examen? Qu'est-ce que tu fais après un examen?
3. Qu'est-ce que tu fais avant de quitter la maison le matin? Qu'est-ce que tu fais après être rentré(e) le soir?
4. Qu'est-ce que tu fais normalement avant de te coucher? Qu'est-ce que tu fais après t'être levé(e)?

STRUCTURE 2: *Le verb irrégulier* lire

Qu'est-ce que **vous lisez?**	What *are you reading?*
Lis ce roman!	*Read* this novel!
A-t-elle déjà **lu** ce rapport?	*Did she* already *read* this report?
Ils ne le **liront** pas.	*They're* not *going* to read it.
Je lisais toujours le journal.	*I* always *used to read* the paper.
Il faut **qu'il lise** mon poème.	*He has to read* my poem.

The verb **lire** is irregular and means *to read* (**relire** = *reread*). Note in particular the predominance of the **s** sound throughout most of the tenses.

lire	
je **lis**	nous **lisons**
tu **lis**	vous **lisez**
il/elle/on **lit**	ils/elles **lisent**
Past participle: **lu** (avoir)	Imperfect stem: **lis-**
Subjunctive stem: **lis-**	Future stem: **lir-**

Keep in mind the following uses of the verb **lire:**

lire un livre (un article, etc.) **sur...**	*to read* a book (an article, etc.) *about...*
lire l'article **à** la page 14...	*to read* the article *on* page 14...

Application

F. Remplacez le sujet en italique et faites tous les changements nécessaires.

1. *Je* lis le journal tous les jours. (elle / tu / ils / vous / nous / je)
2. *Nous* avons lu la lettre de Monique. (je / elles / il / vous / on / ils / nous)

3. *Elle* ne lira jamais tous ces livres. (nous / tu / il / vous / ils / elle)
4. Qu'est-ce que *vous* lisiez? (il / nous / elles / tu / vous)
5. Je veux que *tu* relises cet examen. (vous / elle / ils / tu)

G. Discutez vos lectures en suivant le modèle.

MODÈLE: roman russe / Tolstoï / Dostoïevski
—*Qu'es-ce que tu fais?*
—*Je lis un roman russe.*
—*Est-ce que tu as lu Tolstoï?*
—*Oui, j'ai lu un de ses livres l'année dernière.*
—*Ah, il faut que tu lises Dostoïevski aussi.*

1. roman français / Balzac / Zola
2. roman existentialiste / Camus / Sartre
3. poème / Prévert / Baudelaire
4. journal / *Le Figaro* / *Le Monde*
5. roman policier / Christie / Simenon
6. pièce / Shakespeare / Molière

Mise au point (Petite révision de l'étape)

H. **Échange.** Employez les éléments donnés pour poser des questions d'information à un(e) autre étudiant(e), qui va vous répondre.

MODÈLE: faire / après / classe
—*Qu'est-ce que tu vas faire après la classe?*
—*Je vais aller à la bibliothèque.*

1. faire / avant / rentrer
2. prendre / après / salade
3. boire / avant / partir
4. faire / avant / départ
5. lire / avant / classe
6. faire / après / terminer tes études
7. acheter / après / déposer le chèque
8. préparer / après / aller au marché

I. **Exercice écrit.** Composez des phrases avec les éléments donnés.

1. **après** + verbe   2. **avant** + verbe   3. **après** + nom   4. **avant** + nom
5. lire un livre sur   6. relire

Deuxième Étape

POINT DE DÉPART: *Une Lettre de candidature*

Eric Ferrier	Alias
5, boulevard Haussman	16, rue de la Vouillé
75009 Paris	75015 Paris

Paris, le 23 novembre

Madame,

published / to apply for presently

J'ai lu votre annonce **parue** dans <u>L'Express</u> du 20 novembre et je me permets de **solliciter** le poste d'inspecteur des ventes **actuellement** vacant dans votre filiale ABDick de Paris.

single / ready to move fluently / university degree management / accounting asked for (necessary)

Je suis âgé de 28 ans, **célibataire**, et **prêt à me déplacer**. Je parle **couramment** l'anglais et l'allemand. Après l'obtention de ma **licence**, j'ai passé une année aux U.S.A à Pennsylvania State University où j'ai suivi des cours de **gestion**, de **comptabilité**, et de marketing. Avec mon diplôme de marketing, je crois avoir toutes les qualifications **souhaitées**.

job / notice job-offer letter

Je peux quitter **l'emploi** que j'occupe actuellement après un mois de **préavis** et pourrais donc être à votre disposition un mois après réception de votre **lettre d'engagement**. Si je désire quitter ma situation présente, c'est que je n'aurai aucune occasion de travailler à l'étranger. Je suis attiré par ABDick parce que cette firme offre plusieurs occasions de voyages.

enclosed / completed information about me whose

Vous trouverez **ci-joint** un curriculum vitae mentionnant les études **effectuées** et les postes occupés. Je vous serais obligé de vous adresser pour tous **renseignements à mon sujet** aux trois personnes **dont** j'ai donné les adresses dans mon curriculum vitae.

accept

Dans l'espoir que ma candidature soit susceptible de retenir votre attention, je vous prie d'**agréer**, Madame la Directrice, l'expression de mes sentiments distingués.

Eric Ferrier

Eric Ferrier

enclosures

P.J. 1 curriculum vitae

À vous! (Exercices de vocabulaire)

A. Find the French equivalents of the following formulas used in job application letters.

1. Dear Madam
2. I am applying for the job
3. I am 28 years old
4. I believe I have all the necessary qualifications
5. Enclosed you will find
6. with a month's notice
7. Sincerely yours
8. Enclosures

B. Écrivons une lettre. Écrivez une lettre de candidature en employant comme modèle la lettre d'Éric. Choisissez un poste offert dans les petites annonces de la **Première Étape.**

Reprise (Première Étape)

C. Choisissez une des offres d'emploi à la page 449 et expliquez à vos camarades pourquoi vous vous intéressez à ce poste.

D. Composez des phrases avec les éléments donnés.

1. avant / écrire la lettre / consulter / petites annonces
2. après / envoyer / lettre de demande / attendre / réponse
3. après / études / solliciter / poste / IBM
4. avant / lire / livre / parler / professeur
5. après / rentrer / regarder / télévision

STRUCTURE 3: *Le présent du conditionnel*

1. **J'aimerais** vous présenter à mon amie Michèle.

   I would like to introduce you to my friend Michèle.

   Nous voudrions des croissants et deux cafés au lait.

   We would like croissants and two coffees with milk.

2. **Elle serait** parfaite pour ce poste.

   She would be perfect for this job.

3. J'ai dit que **j'irais** avec toi.

   I said *I would go* with you.

In French, the present conditional is a simple tense—i.e., it is not accompanied by a helping verb. Usually the conditional is translated as *would + verb* in English. It is used: (1) in formulas of politeness, particularly with such verbs as **vouloir, pouvoir, savoir,** and **aimer;** (2) in hypothetical statements referring to something that is conjecture and has not yet been proven; (3) with another clause, usually in the past tense, so that the conditional becomes the future of the past.

The present conditional is formed by combining the future stem with the imperfect endings **-ais, -ais, -ait, -ions, -iez, -aient:**

parler	*finir*	*répondre*	*aller*
je parler**ais**	je finir**ais**	je répond**rais**	j'**irais**
tu parler**ais**	tu finir**ais**	tu répond**rais**	tu ir**ais**
il/elle/on parler**ait**	il/elle/on finir**ait**	il/elle/on répond**rait**	il/elle/on ir**ait**
nous parler**ions**	nous finir**ions**	nous répond**rions**	nous ir**ions**
vous parler**iez**	vous finir**iez**	vous répond**riez**	vous ir**iez**
ils/elles parler**aient**	ils/elles finir**aient**	ils/elles répond**raient**	ils/elles ir**aient**

Application

E. Remplacez les mots en italique et faites tous les changements nécessaires.

1. Pourriez-*vous* m'aider? (tu / elle / vous / ils)
2. *Elle* voudrait une interview pour 13 heures. (je / nous / ils / elle)
3. *Je* lui parlerais, mais *je* ne peux pas. (elle / nous / ils / on / je)
4. *Tu* n'aimerais pas ce poste. (je / nous / vous / elle / ils / tu)

F. Soyez plus polis! Donnez la forme plus polie des phrases suivantes en employant le conditionnel.

MODÈLE: Je veux lui parler. *Je voudrais lui parler.*

1. Je veux parler à Monsieur Imbert.
2. Pouvez-vous m'indiquer son adresse?
3. Sais-tu où il est allé?
4. Nous voulons ouvrir un compte en banque.
5. Je suis contente de vous accompagner.
6. Peux-tu me changer un billet de 500F?
7. Elle veut une interview avec Madame Gibert.
8. Nous voulons des biftecks et des frites.

G. Offrons des conseils. Donnez des conseils aux personnes qui ont les problèmes suivants. Employez les éléments entre parenthèses.

MODÈLE: Nous sommes toujours fatigués. (se coucher plus tôt)
À votre place, je me coucherais plus tôt.

1. Depuis quelques semaines je grossis énormément. (manger moins)
2. Ils n'aiment pas leur travail. (changer de poste)
3. Je n'ai jamais assez d'argent. (dépenser moins)
4. Elle ne sait pas parler français. (apprendre le français)
5. J'ai une grippe depuis trois jours. (aller chez le médecin)
6. Nous avons besoin d'un poste. (écrire une lettre de candidature)
7. J'ai mal à la tête. (prendre des cachets d'aspirine)
8. Il a des difficultés avec son cours de chimie. (aller voir le professeur)
9. Nous ne savons pas qui inviter. (inviter des amis)
10. Il a besoin d'argent. (vendre la voiture)

Mise au point (Petite révision de l'étape)

H. Échange. Posez les questions à un(e) autre étudiant(e), qui va vous répondre. Employez le conditionnel dans vos questions.
Demandez-lui s'il (si elle):

1. veut aller au cinéma ce soir.
2. aime voir les films français.
3. peut vous aider avec vos devoirs.
4. veut vous retrouver à la bibliothèque.
5. aime retrouver vos amis.
6. peut vous prêter cinq dollars.
7. sait vous expliquer le conditionnel.
8. veut parler français après la classe.

I. Exercice écrit. Complétez les phrases avec la forme conditionnelle des verbes entre parenthèses.

1. Je _____ (vouloir) parler à ta mère.
2. Nous _____ (être) contents de vous recevoir.
3. Elles _____ (préférer) vous écrire.
4. À ma place, est-ce que tu _____ (faire) des études de droit?
5. _____-vous (savoir) son numéro de téléphone?
6. Est-ce qu'elles _____ (s'occuper) des enfants?
7. Est-ce que vous _____ (pouvoir) m'apporter les livres?
8. J' _____ (acheter) une maison près de tes parents.

Troisième Étape

POINT DE DÉPART: *Une Interview*

company, business
did his best
lasted
excerpts

Éric vient d'avoir une interview avec Mme Sarcelles, directrice de la **société** Alias. Il a **fait de son mieux** pour impressionner Mme Sarcelles et il espère évidemment avoir une réponse favorable en ce qui concerne le poste. L'interview **a duré** une heure et Éric se rappelle les **extraits** qui lui semblaient les plus intéressants.

specify, state precisely /
the reason why

MME SARCELLES: Pourriez-vous **préciser** les **raisons pour lesquelles** vous vous intéressez à ce poste d'inspecteur des ventes?

everything that / concerns
billing
concentrated on

ÉRIC: Eh bien, Madame, j'ai plusieurs raisons. D'abord, **tout ce qui touche** à la vente de produits m'intéresse, de la publicité à la **facturation** à la promotion. Ainsi, dans mes études, **je me suis concentré** en particulier sur le marketing, les conditions de vente, la psychologie et les besoins du consommateur.

MME SARCELLES: Oui, je vois que vous avez fait des études aux États-Unis et en Allemagne.

to perfect
convinced / foreign sales

ÉRIC: C'est là que j'ai pu **perfectionner** mon anglais et mon allemand. Je suis **persuad**é que les **ventes extérieures** sont essentielles pour réussir aujourd'hui.

at first glance	MME SARCELLES: Vous avez trouvé de grandes différences entre la France et les États-Unis?
relaxed / in spite of	ÉRIC: Oui et non. **À première vue**, les Américains semblent plus **décontractés**, moins formels, que les Européens; mais **malgré** les apparences, ils ont le même **sens** de la hiérarchie que nous. Cette combinaison **prête des fois à confusion** si on ne **s'y connaît** pas.
sense	
leads to confusion / sometimes	
know about, be aware of	
	MME SARCELLES: Je vois ce que vous voulez dire. Est-ce que vous vous sentez vraiment prêt à accepter les responsabilités de ce poste?
completely, absolutely	ÉRIC: Oui, **tout à fait.** Je sais que j'ai encore beaucoup à apprendre, mais mes voyages, mes études, les connaissances que j'ai faites, tout m'a préparé à m'établir dans une situation de responsabilité.
	MME SARCELLES: Si vous aviez à refaire votre vie, qu'est-ce que vous feriez différemment?
	ÉRIC: Je crois que j'irais au Japon pour faire mes études, et j'apprendrais certainement le japonais.
to realize, to reach	MME SARCELLES: Qui sait? Si on vous engage, vous aurez peut-être l'occasion de **réaliser** ce but. Il y a beaucoup de possibilités d'**avancement** dans notre firme et nous avons des représentants au Japan. Nous demandons de nos **cadres** de l'imagination, de l'enthousiasme et une bonne **dose** d'ambition.
promotion	
professionals	
dosage	

À vous! (Exercices de vocabulaire)

A. Vous êtes Éric. En vous basant sur les renseignements donnés dans l'interview, répondez comme Éric. Est-ce que vous vous intéressez ou ne vous intéressez pas aux sujets suivants?

MODÈLE: les finances   *Je ne m'intéresse pas aux finances.*

1. les ventes extérieures   2. les achats   3. les langues étrangères   4. le monde des affaires   5. la comptabilité   6. le marketing   7. l'informatique 8. la publicité   9. l'étude des marchés   10. la facturation   11. la promotion des produits   12. les ventes   13. la gestion   14. les besoins du consommateur

B. L'expérience d' Éric. Enumérez les expériences d'Éric en employant les éléments donnés.

MODÈLE: le marketing
         Dans ses études, Eric s'est concentré sur le marketing.

1. les conditions de vente   2. les États-Unis   3. l'allemand   4. voyages 5. faire des connaissances   6. la psychologie du consommateur 7. l'anglais

C. Une interview. Interviewez un(e) candidat(e) pour un poste dans votre firme. En employant les éléments donnés, posez des questions à un(e) autre étudiant(e), qui va y répondre. Vous pouvez poser plusieurs questions sur un seul sujet.

MODÈLES: études
    —*Où avez-vous fait vos études?*
    —*J'ai fait mes études au Japon.*

1. études 2. matières les plus importantes à l'université 3. langues étrangères 4. voyages 5. intérêts 6. le monde des affaires 7. les ordinateurs 8. la gestion 9. expérience de travail 10. qualifications particulières

Reprise (Deuxième Étape)

D. Les actualités. Vous faites un reportage à la télévision. Mettez les phrases au conditionnel.

MODÈLE: L'accusé est de nationalité belge.
        L'accusé serait de nationalité belge.

1. Il a une femme en France.
2. Il est expert en informatique.
3. Ses enfants habitent aux États-Unis.
4. Ses associés sont connus par la police française.
5. Il parle couramment trois langues.
6. Il vend des diamants.
7. Il porte une barbe et des moustaches.
8. Il est grand et blond.

STRUCTURE 4: *L'imparfait et le conditionnel dans les phrases avec* si

Si elle était riche, **elle irait** en Europe.	*If she were* rich, *she would go* to Europe.
Il viendrait nous voir **s'il avait** le temps.	He *would come* to see us *if* he *had* the time.

In a sentence that contains the conjunction **si** *(if)*, the imperfect and conditional tenses are used to state a hypothesis. This means that the events stated in the message did not actually occur, but *were they to occur*, this is what *would* take place. The imperfect is always used in the clause containing **si**, and the conditional is always used in the result clause. The **si** clause may either precede or follow the result clause.

Application

E. Remplacez le mot en italique par les éléments donnés et faites tous les changements nécessaires.

1. Si *tu* venais avec moi, j'irais en Europe. (ils / elle / vous / il / tu)
2. S'il faisait beau, *nous* sortirions. (je / vous / on / ils / tu / nous)
3. Si *j*'avais un poste, j'habiterais un appartement. (elle / nous / ils / on / tu / vous / je)
4. *Ils* auraient de meilleures notes s'*ils* étudiaient. (je / nous / tu / elle / vous / ils)

F. Qu'est-ce que vous feriez si...? Répondez aux questions en employant l'imparfait et le conditionnel.

1. Si vous pouviez changer votre vie, qu'est-ce que vous feriez différemment?
2. Qu'est-ce que vous feriez si vous étiez riche?
3. Où iriez-vous si vous pouviez aller n'importe où?
4. Si vous étiez obligé(e) de choisir une profession maintenant, quelle profession choisiriez-vous?
5. Quelles seraient vos priorités budgétaires si vous étiez président(e) de l'université?
6. Qu'est-ce que vous feriez si vous aviez le pouvoir de changer le monde?
7. Si vous ne pouviez manger qu'une seule chose à partir de maintenant, qu'est-ce que vous mangeriez?
8. Si vous étiez professeur, quelle matière enseigneriez-vous et pourquoi?

STRUCTURE 5: L'expression tout

Il me téléphone **tout** le temps.	He calls me *all* the time.
Nous mangeons **toute** la journée.	We eat *all (the whole)* day.
Tous les étudiants sont là.	*All* the students are here.
Toutes les femmes sont libérées.	*All* women are liberated.
Ils sont **tous (toutes)** là.	*All of them* are here.

The expression **tout** can function as an indefinite adjective meaning *all, each, every, the entire, the whole, all of them*. As an adjective, **tout** agrees in gender and number with the noun or pronoun it modifies.

Tout est prêt.	*Everything* is ready.
Elle sait **tout**.	She knows *everything*.
Nous avons **tout** acheté.	We bought *everything*.

Tout can also function as an indefinite pronoun meaning *everything*, both as the subject of a verb or the object of a verb. As an indefinite pronoun, **tout** is invariable—i.e., it is always used in the masculine singular form. Note that in a compound tense such as the **passé composé**, the pronoun **tout** is usually placed before the past participle.

Elle porte **tout ce qui** est à la mode.	She wears *everything that* is in fashion.
Tout ce qui est important c'est ton bien-être.	*All that* is important is your well-being.
Il croit **tout ce que** Paul dit.	He believes *everything (that)* Paul says.
Tout ce que je cherche c'est la paix.	*All that* I'm looking for is peace.

Tout ce qui is equivalent to *all that* or *everything that*. It is always the subject of the verb, whether it occurs at the beginning or in the middle of a sentence. **Tout ce que** (*all that, everything that*) is the object of the verb and may also be placed either at the beginning or in the middle of a sentence. Note that because **tout ce que** acts as an object, the verb must be accompanied by a subject (noun or pronoun).

Idiomatic expressions using **tout**:

tout de même	all the same
tout le monde	everyone
tout à fait	completely, absolutely
tout à l'heure	in a while, a while ago
tout de suite	right away, immediately
tout à coup	suddenly
une fois pour toutes	once and for all
tous ensemble	all together
pas du tout	not at all
tous (toutes) les deux	both

Application

G. Ajoutez la forme convenable de l'adjectif **tout** (**toute, tous, toutes**) aux phrases suivantes.

MODÈLE: Mes amis cherchent un emploi.
Tous mes amis cherchent un emploi.

1. J'ai donné une promotion aux cadres.
2. La famille aura une réunion demain.
3. Le monde n'est pas prêt pour ces changements.
4. Nous avons regardé les petites annonces.
5. Ils ont augmenté les salaires.
6. Pourquoi as-tu refusé les offres d'emploi?
7. Elles ont lu les articles.
8. Mes sœurs s'intéressent à l'étude des marchés.
9. Si j'avais l'argent, j'engagerais ces personnes.

H. Employez le pronom **tout** à la place des éléments en italique et faites tous les changements nécessaires:

MODÈLE: Elle parle de *beaucoup de choses.*   *Elle parle de tout.*

1. *Toutes les choses* l'intéressent.
2. Ils savent *beaucoup de choses.*
3. Nous pensons aux *préparatifs.*
4. J'ai vendu *mes livres.*
5. As-tu fini *tes devoirs?*
6. Elles ont bu *le vin et la bière.*
7. Est-ce que vous comprenez *les explications?*
8. Nous n'achèterons pas *de vêtements.*

I. Employez **tout ce qui** et **tout ce que** selon le modèle.

MODÈLES: vous dites / faux   *Tout ce que vous dites est faux.*
l'intéresse / l'argent   *Tout ce qui l'intéresse est l'argent.*

1. tu fais / important
2. m'intéresse / trop dangereux
3. touche aux affaires / intéressant
4. elle porte / trop grand
5. vous demandez / raisonnable
6. est français / bien fait

J. Ajoutez une expression idiomatique avec **tout** aux phrases suivantes. Attention à la logique.

1. Nous te retrouverons.
2. Vous ne sortirez pas ce soir!
3. Jean et Lucie sont allés à la bibliothèque.
4. Elle a raison.
5. Nous allons au cinéma ce soir.
6. Il a commencé à pleuvoir.
7. Je n'ai pas faim.

Mise au point (Petite révision de l'étape)

K. Échange. Utilisez les éléments donnés pour poser des questions à un(e) autre étudiant(e), qui va vous répondre. Employez des phrases avec **si** et l'imparfait et le présent du conditionnel.

1. être riche / voyages
2. être malade / médecin
3. avoir un rhume / pharmacien
4. faire beau / plage
5. être riche / heureux
6. avoir du temps libre / sortir plus souvent
7. avoir soif / vin
8. être comptable / argent

L. Exercice écrit. Composez des phrases avec **si** + imparfait + conditionnel avec les éléments donnés. Changez le sujet dans chaque phrase.

1. avoir faim / pain et pâté
2. aller Versailles / train
3. travailler pour IBM / l'informatique
4. sortir / s'occuper des enfants
5. faire du sport / tennis
6. aller en France / Paris

M. Traduisez les phrases.

1. Suddenly, everything was quiet.
2. I'll see you in a little while.
3. I'm not at all sure.
4. Everyone wants to make a lot of money.
5. Once and for all, we can't offer you this job.
6. They both wrote a letter of application.

N. La réponse de Madame la Directrice. Composez une lettre de réponse à Éric Ferrier en employant les élément donnés.

MODÈLE: lire / lettre / intérêt
            J'ai lu votre lettre avec intérêt.

1. avoir le plaisir / offrir / inspecteur des ventes
2. pour débuter / gagner / 2.500F / mois
3. travailler / filiale / Paris
4. dans deux ans / se déplacer / New York
5. responsable / personnel des ventes
6. représenter / ABDick / réunions internationales
7. commencer / un mois
8. je vous prie / agréer / sentiments respectueux

Quatrième Étape

LECTURE: *La Nationalisation des entreprises*

As you read the following passage, isolate the words that, in your opinion, are directly associated with the idea of nationalisation.

Depuis l'élection de François Mitterrand à la présidence de la République française en 1981, la nationalisation des entreprises est le débat qui passionne[1] et divise la population française. D'une part,[2] il y a la gauche[3] qui soutient[4] le président socialiste dans ses efforts de soumettre[5] un grand nombre d'entreprises au contrôle de l'état;[6] d'autre part,[7] il y a la droite[8] qui l'accuse de centraliser l'économie française au point que[9] le secteur privé[10] disparaîtra[11] presque tout à fait.

Que veut dire[12] le mot *nationalisation* et quels sont les arguments[13] principaux présentés des deux côtés? La nationalisation, c'est le transfert à la collectivité, à l'état, de certains moyens[14] de production pour mieux servir l'intérêt public et pour assurer la liberté de l'état. Ainsi, la France a nationalisé une partie importante des fabrications d'armement[15] en 1936, la Banque de France entre 1936 et 1945, les chemins de fer[16] en 1937, les houillères[17] entre

1944 et 1947, les principales banques de dépôt[18] en 1945, les usines[19] Renault en 1945, les grandes compagnies d'assurances[20] en 1946 et la production du gaz et de l'électricité en 1946. On remarque tout de suite que ces nationalisations portent sur[21] les aspects les plus importants de l'économie, c'est-à-dire les transports, l'imprimerie[22] et la distribution de l'argent, les armes, l'énergie.

Actuellement,[23] le président est responsable de l'augmentation du nombre des entreprises nationalisées. Ses arguments se basent à la fois[24] sur le passé et sur des croyances[25] idéologiques. Il cite[26] les résultats économiques positifs des entreprises nationalisées depuis les années trente. Il ajoute que la crise économique des dernières années est due[27] surtout à la liberté donnée aux entreprises privées. Du point de vue idéologique, il maintient que le secteur privé a tendance à exploiter les travailleurs qui restent sans défense devant les géants de l'industrie.

Et les critiques, que disent-ils? D'abord, ils se sentent menacés[28] par la centralisation du pouvoir économique et craignent[29] la disparition des libertés individuelles. En plus, ils projettent un avenir où l'économie française se trouvera entièrement entre les mains de l'état et où les gaspillages[30] se développeront dans une bureaucratie trop lourde.[31]

Malgré ces critiques, la nationalisation des entreprises est un fait accompli[32] dans l'économie française. François Mitterrand cherche ainsi à remédier aux maux[33] économiques de son pays. L'avenir seul jugera de la justesse[34] de ses décisions.

---

1. excites   2. on the one hand   3. political left   4. supports   5. to submit   6. state (government)   7. on the other hand   8. political right   9. to the point where   10. private sector   11. will disappear   12. does mean   13. argument, reasoning   14. means   15. arms, weapons   16. railraod   17. coal mines   18. deposit banks   19. factories   20. insurance companies   21. affect, concern   22. printing   23. presently   24. both, at the same time   25. belief   26. cites   27. due to   28. threatened   29. fear   30. wasting, waste   31. heavy   32. established fact   33. ills   34. accuracy

Compréhension

A. List ten key words or phrases that you consider to be essential to a discussion of nationalisation of businesses. Then explain your choices.

B. Pour ou contre? Decide which arguments are for and which are against nationalization.

1. Les entreprises publiques protègent les travailleurs.
2. Les entreprises privées ne sont pas responsables de la crise économique.
3. La centralisation du pouvoir est mauvaise.
4. La collectivité a plus de pouvoir que l'individu.
5. Il faut servir l'intérêt public.
6. On risque la création d'une bureaucratie trop lourde.
7. Une bureaucratie trop lourde mène au gaspillage.
8. Les libertés individuelles vont disparaître.

Reprise (Troisième Étape)

C. Employez les éléments entre parenthèses pour créer des phrases logiques avec **si**. Suivez le modèle.

MODÈLE: Monique n'arrive pas à l'heure. (se dépêcher)
Si elle se dépêchait, elle arriverait à l'heure.

1. Marc n'est pas content. (réussir à l'examen)
2. Nous avons peur. (aimer les chiens)
3. Il ne savent pas où sont les enfants. (s'occuper de)
4. Tu as un rhume. (mettre un manteau)
5. Je grossis. (ne pas manger trop)
6. Elles sont en retard. (faire attention)
7. Il n'a pas d'argent. (dépenser moins)
8. Nous sommes fatigués. (se coucher plus tôt)

D. Ajoutez une forme de **tout** (adjectif, pronom, expression idiomatique) logiquement à chacune des phrases. Pour certaines phrases il y a plusieurs possibilités.

1. Il n'est pas content des résultats du sondage.
2. Les cadres ont beaucoup d'ambition.
3. Les étudiants arriveront en classe.
4. Elle comprend.
5. Nous admirons les gens qui ont du courage.
6. Ils ont fait des études de comptabilité.
7. La publicité pour ce produit est efficace.
8. Janine et Henri vont terminer leurs études l'année prochaine.

Point d'arrivée
(Activités orales et écrites)

E. Cherchons un poste. In this two-day project, you will consult the classified ads for job announcements, write an application letter, and undergo an interview with a prospective employer.

1. Look at the job ads on page 449. Discuss the various possibilities with your classmates and choose a job for which you will apply.
2. For homework, write a letter of application for the job you have chosen. Follow the model letter in the **Deuxième Étape.**
3. Show your letter to a classmate, who will interview you for the job and decide if you will be hired.

F. Une interview. In this skit, you are one of several applicants for the same job.

The employer first interviews one candidate at a time. All candidates explain why they're best for the job, and the employer must decide which one to hire.

G. Des conseils. Another student in the class explains that he or she has one of the following problems. You give advice by telling what you *would* do if you *were* in his or her place.

1. I can't find a job.
2. I'm bored. Every day I do the same things. My life isn't interesting.
3. I can't decide on what profession to choose. I like management but I prefer French.
4. I'm always tired, but when I go to bed I can't fall asleep.

H. Une photo. Study the picture below and invent a past and a present for the businesspeople depicted in it. Where and what did they study? How old were they when they found their present jobs? Where do they work? How do they spend their days? Do they have a family? Etc.

Vocabulaire actif

NOMS

les achats (*m. pl.*)
un article
l'avancement (m.)
un besoin
un cadre
la comptabilité
le départ
une dose
les effectifs (*m. pl.*)
un emploi
l'étude (*f.*) des marchés
un extrait
la facturation
une filiale
la formation
la gestion
une incertitude
une lettre de candidature
une lettre d'engagement
le monde des affaires
une offre d'emploi
les petites annonces *(f. pl.)*
un poste
un préavis
un produit
la publicité
une réunion
un salaire
le sens
une société
les ventes (*f. pl.*)
les ventes extérieures (*f. pl.*)

ADJECTIFS

célibataire
décontracté(e)
déprimant(e)
doué(e)
effectué(e)
paru(e)
persuadé(e)
prêt(e) (à)
souhaité(e)

VERBES

agréer
se concentrer sur
s'y connaître
se déplacer
durer
engager
être en train de
faire de son mieux
licencier
lire
perfectionner
poser sa candidature
préciser
prêter à confusion
réaliser
solliciter
toucher (à)

AUTRES EXPRESSIONS

actuellement
à première vue
après tout
à propos
ci-joint
couramment
des fois
entretemps
malgré
mentionnant
pas du tout
plutôt
P.J. (pièces jointes)
la raison pour laquelle
tous ensemble
tous (toutes) les deux
tout à coup
tout à fait
tout à l'heure
tout de même
tout de suite
tout le monde
une fois pour toutes

Visitons
le Monde
Francophone

Marché en plein air en Haïti.
Qu'est-ce qu'on vend dans ce marché?

Des pêcheurs de la Guadeloupe. Où se trouve la Guadeloupe et qu'est-ce qui se passe dans cette photo?

Abidjan. Capitale de la Côte-d'Ivoire. Quelles sont les differences entre cette scène et la scène du marché à la page suivante?

Festival au Sénégal. Quelle sorte de musique est-ce que ces gens écoutent?

Marché en plein air à Abidjan. Comparez avec le marché en Haiti. Qu'est-ce qu'on vend ici?

Québec. La ville de Québec est la capitale de la province du même nom. Quelles sont les influences sur la culture des gens qui habitent au Québec?

La Suisse. *(à gauche)* Maison typique de la Suisse. Décrivez la maison.

Bruxelles. *(à droite)* Capitale de la Belgique. Un marché aux fleurs sur la Grand'Place. Comparez cette place à une grande place aux États-Unis.

CHAPITRE DIX-NEUF

Visitons le monde francophone!

Première Étape
Lecture: *Aperçu du monde francophone*

Deuxième Étape
Lecture: *Québec—La Belle Province*

Troisième Étape
Lecture: *Le Sénégal*

Quatrième Étape
Lecture: *La Suisse en toute sa diversité*

Lecture: Aperçu du monde francophone

LA LANGUE FRANÇAISE

French-speaking /
  everywhere
native

given
surprising

count

En 1980, il y avait 90 millions de *francophones* dispersés *partout* dans le monde. Tous ces gens ont donc le français comme langue *maternelle*. Soixante millions de ces francophones habitent en Europe, 12 millions sont en Amérique et 18 millions en Afrique et dans d'autres régions. *Étant donné* cette grande population de langue française, il est peu *étonnant* que le français continue à intéresser beaucoup d'étudiants. En fait, sans compter les autres régions, l'Amérique du Nord seule *compte* actuellement 2.500.000 jeunes qui étudient le français.

RÉGIONS FRANCOPHONES

French-speaking world

La *Francophonie* est composée de régions où le français est la langue de l'enseignement, de l'administration ou de la culture. Les régions où le français est une des langues officielles sont aussi designées comme francophones.

AFRIQUE. Vingt-six régions de l'Afrique sont francophones: Algérie, Bénin, Burundi, Cameroun, République Centrafricaine, Congo, Côte d'Ivoire, Djibouti, Gabon, Guinée, Haute-Volta, Madagascar, Mali, Maroc, Mauritanie, Niger, Réunion, Rwanda, Sénégal, Tchad, Togo, Tunisie, Zaïre, Îles Maurice, Rodrigues et Seychelles.

AMÉRIQUE. Les régions francophones principales se trouvent aux Antilles, aux États-Unis et au Canada. D'abord, il y a les départements français *d'outre-mer*: Guadeloupe, Guyane, Martinique. Le français se parle également en Haïti, quoique la majorité des Haïtiens parlent plutôt le *créole*. Au Canada, 81 pour cent de la population de la province de Québec est francophone et dans les autres provinces il y a *environ* 1.000.000 de Canadiens qui sont de langue française. Aux États-Unis, c'est surtout en Louisiane et en Nouvelle-Angleterre que se fait sentir l'héritage français. Dans les années passées un grand nombre de Canadiens émigrés sont descendus aux États-Unis pour s'y établir. On n'a qu'à consulter une carte du pays pour *s'apercevoir* que le français a laissé des traces: par exemple, il y a un grand nombre de villes qui ont des noms français.

overseas

Creole; mixture of French, African, and Amerindian languages
approximately

to notice

ASIE. Le français se parle au Cambodge, au Viêt-nam, au Laos et au Liban. Soixante pour cent des Libanais parlent français. Autrefois, les familles de la noblesse et de la haute bourgeoisie envoyaient leurs enfants en France pour leurs études.

besides

EUROPE. À part la France, les pays suivants sont francophones: Monaco, le Luxembourg, Andorre, la Belgique, la Suisse. Ce groupe important de pays explique pourquoi le français continue à jouer un rôle essentiel dans la politique européenne et internationale. Par exemple, c'est à Genève que siègent la *Croix-Rouge, l'Organisation des Nations Unies* et *l'Organisation mondiale de la santé.* Bruxelles est le siège de *l'O.T.A.N.* et du Parlement Européen du *Marché Commun.*

are located / Red Cross / United Nations
World Health Organization / seat
Organisation du Traité de l'Atlantique nord (NATO) / Common Market

OCÉANIE. Qui n'a jamais rêvé de visiter des endroits exotiques tels que la Polynésie française, la Nouvelle-Calédonie et les Nouvelles-Hébrides? Le peintre Gauguin a trouvé à Tahiti son inspiration et, après lui, des milliers de touristes ont passé leurs vacances sur les plages des îles de l'Océanie.

APERÇU GÉNÉRAL. La diversité de la Francophonie ne cesse d'étonner l'étudiant de la langue française. Dans un monde où les *rapprochements* culturels deviennent de plus en plus importants, le français est une des langues qui permet aux gens de diverses cultures de se parler et de se comprendre. De Montréal à Dakar, de la Nouvelle Orléans à Brazzaville, le français *rend* plus facile la communication et ouvre la porte à l'amitié.

reconciliation

makes

Exercices de familiarisation

A. Consultons la carte du monde. Regardez la carte du monde francophone aux pages 478–479 et indiquez dans quelle région se trouve chacun des endroits suivants.

MODÈLE: le Cameroun *Le Cameroun se trouve en Afrique.*

1. le Laos
2. le Sénégal
3. la Belgique
4. le Zaïre
5. Haïti
6. la Nouvelle-Calédonie
7. le Luxembourg
8. la Corse
9. la Réunion
10. la Louisiane
11. le Maroc
12. la Suisse
13. le Congo
14. la Guyane française
15. le Monaco

B. Consultons la carte des États-Unis. Regardez une carte des États-Unis et trouvez les villes suivantes qui portent des noms français.

1. Baton Rouge   2. Terre Haute   3. Montpelier   4. Des Moines
5. Louisville   6. Fond du Lac   7. St. Louis   8. Alliance   9. Belleville
10. Des Plaines   11. La Porte   12. Napoleon   13. Versailles

STRUCTURE 1: *Les pronoms relatifs* qui *et* que

The relative pronoun qui

J'ai parlé à quelqu'un **qui** est qualifié pour ce poste.	I spoke to someone *who* is qualified for this job.
Le pays **qui** m'intéresse est le Zaïre.	The country *that* interests me is Zaïre.
C'est son père **qui** lui a téléponé.	It's his father *who* called him.

The function of a relative pronoun is to connect two clauses into a single sentence. The relative pronoun introduces the second clause while referring to a word in the main clause. This word is called an *antecedent.* **Qui** (*who, that, which*) has persons or things as its antecedents and functions as the *subject* of the subordinate clause. **Qui** is always followed by a verb.

Les amis **chez qui** j'ai dîné sont sénégalais.	The friends *at whose house* I ate dinner are from Sénégal.
L'avocat **à qui** elle a parlé est mon frère.	The lawyer *to whom* she spoke is my brother.
Les étudiants **avec qui** ils sont sortis sont canadiens.	The students *with whom* they went out are Canadians.

The relative pronoun **qui** can also be the object of a preposition when the antecedent is a person. The most common prepositions used with **qui** are **à, chez, avec, pour.**

The relative pronoun que

Le médecin **que** je consulterai est très célèbre.	The doctor *whom* I'm going to consult is very famous.
Le train **que** nous prendrons part à 20h.	The train *that* we'll take leaves at 8:00 P.M.
La chemise **qu'**il a achetée n'est pas très chère.	The shirt (*that*) he bought isn't very expensive.

The relative pronoun **que** (*whom, which, that*) functions as a *direct object* and stands for persons or things. It is always followed by a subject and a verb. **Que** becomes **qu'** when it is followed by a vowel or silent *h.* Note that if the subordinate clause contains a compound tense such as the **passé composé,** the past participle agrees in gender and number with the antecedent of **que**, which is the preceding direct object.

Application

C. Composez une seule phrase des deux phrases données en utilisant les pronoms relatifs **qui** ou **que**.

MODÈLES: Le Sénégal est un pays. J'ai visité ce pays.
Le Sénégal est un pays que j'ai visité.

Elle m'a prêté un livre. Il est très intéressant.
Elle m'a prêté un livre qui est très intéressant.

1. La Belgique est un pays francophone. Je connais bien ce pays.
2. Voilà un étudiant. Il a fait beaucoup de progrès.
3. C'est sa cousine. Elle nous a rendu visite.
4. Ils ont aimé le dîner. Nous avons préparé le dîner.
5. C'était Janine. Elle m'a téléphoné.
6. J'ai reçu un télégramme. Il vient du Congo.
7. Voici les disques. Ils ont acheté ces disques.
8. Cet ordinateur est très efficace. Vous l'avez acheté.

D. Utilisez les pronoms relatifs **qui** ou **que** pour demander qu'on vous montre l'objet en italique.

MODÈLES: J'ai acheté une *auto.*
Montrez-moi l'auto que vous avez achetée.

Ce cadeau est pour votre *mère.*
Montrez-moi le cadeau qui est pour votre mère.

1. J'ai acheté un **vélo.**
2. Cette **maison** a plus de cent ans.
3. Alfred a trouvé un **portefeuille.**
4. Nous allons prendre l'**autobus.**
5. Cet **hôtel** accepte des cartes de crédit.
6. Je préfère ces **pâtisseries**-là.
7. Ces **chaussures** coûtent 500F.

E. Répondez en utilisant l'expression **je ne sais pas le(s) nom(s) de,** le nom entre parenthèses et le pronom relatif **qui**:

MODÈLE: À qui parle-t-elle? (monsieur)
Je ne sais pas le nom du monsieur à qui elle parle.

1. À qui parle-t-il? (femme)
2. Chez qui habite-t-elle? (famille)
3. Pour qui travaillent-ils? (homme)
4. Avec qui sont-elles allées au cinéma? (étudiantes)
5. Chez qui allez-vous dîner? (messieurs)
6. À qui a-t-elle prêté de l'argent? (femmes)
7. Avec qui vont-ils sortir? (femmes)
8. Pour qui a-t-on préparé ce dossier? (directeur)

F. Utilisez les pronoms relatifs **qui** ou **que** et les mots entre parenthèses pour donner des précisions.

MODÈLE: Quelle auto faut-il acheter? (ton père / recommander)
L'auto que ton père a recommandée.

1. Quel train faut-il prendre? (partir de Lyon à 17h)
2. Quelle tarte va-t-on servir? (Mme Lemaître / apporter)
3. Quelles oranges faut-il acheter? (venir d'Espagne)
4. À quelle station faut-il descendre? (être juste après Concorde)
5. Quelle jupe vas-tu acheter? (je / voir hier)
6. Quelles places peut-on prendre? (être marquées « non-réservées»)
7. À quelle lettre faut-il répondre d'abord? (vos parents / envoyer)
8. Quels pays vont-elles visiter? (nous / recommander)

Mise au point (Petite révision de l'étape)

G. Quand j'étais petit(e)... Comparez vos souvenirs d'enfance avec les souvenirs d'enfance d'un(e) camarade en suivant le modèle.

MODÈLE: J'avais un frère (une sœur, un ami) qui...
—J'avais un frère qui n'aimait pas aller à l'école.
—Moi, j'avais une sœur qui refusait de manger des légumes.

1. J'avais un frère (une sœur, un ami) qui...
2. Nous habitions dans une maison (un appartement) qui...
3. J'aimais jouer avec... que...
4. Je me souviens bien de... chez qui...
5. Un jour j'ai perdu... que...
6. J'avais un(e) petit(e) ami(e) qui...

H. Exercice écrit. Faites une seule phrase avec chaque paire de phrases en employant **qui** ou **que**.

MODÈLE: Je connais un homme. Cet homme est ingénieur.
Je connais un homme qui est ingénieur.

1. Voilà le livre. J'ai lu ce livre.
2. J'ai rencontré ma cousine. Elle vient de France.
3. Nous avons vu le film. Il est en version originale.
4. Voici les photos. Je les ai prises l'année dernière.
5. Voilà l'avocat. Elle a travaillé pour lui pendant sept ans.
6. Donne-lui les disques. Il m'a prêté ces disques.
7. Nous avons suivi des cours. Ils étaient très intéressants.
8. Voilà la femme. Ils ont parlé à cette femme.

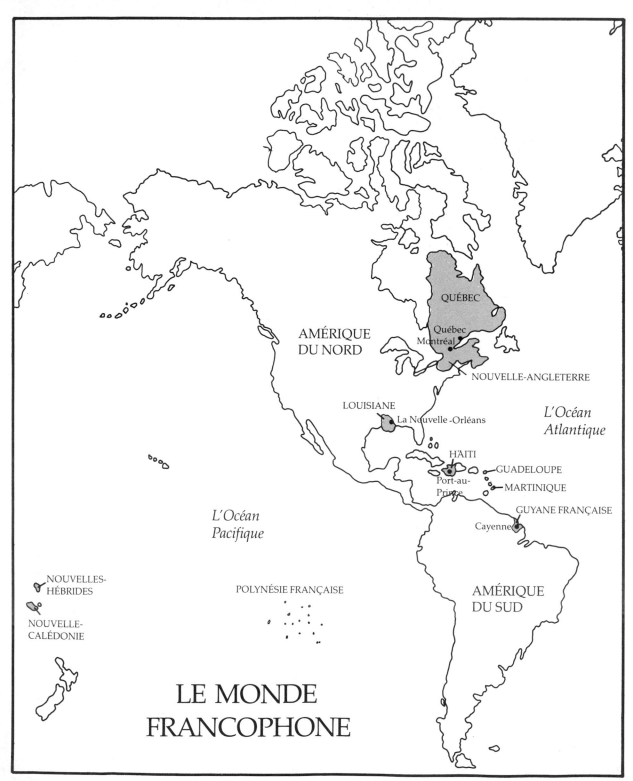

AMÉRIQUE
DU NORD

QUÉBEC

Québec
Montréal

NOUVELLE-ANGLETERRE

LOUISIANE

La Nouvelle-Orléans

L'Océan
Atlantique

HAÏTI

GUADELOUPE

Port-au-
Prince

MARTINIQUE

L'Océan
Pacifique

GUYANE FRANÇAISE

Cayenne

NOUVELLES-
HÉBRIDES

POLYNÉSIE FRANÇAISE

AMÉRIQUE
DU SUD

NOUVELLE-
CALÉDONIE

LE MONDE
FRANCOPHONE

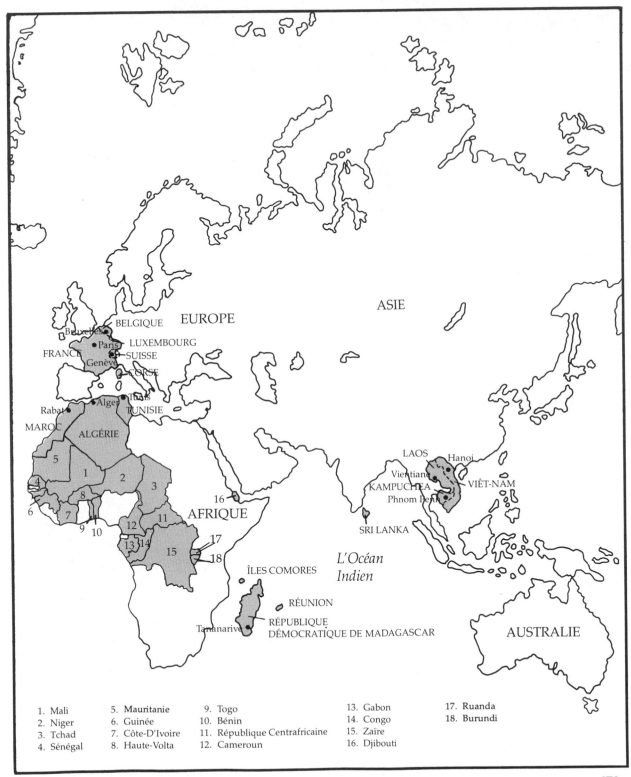

EUROPE

ASIE

BELGIQUE
Bruxelles
Paris LUXEMBOURG
FRANCE SUISSE
Genève CORSE

Alger Tunis
Rabat TUNISIE
MAROC
ALGÉRIE

5
1 2
4 3
8
6 AFRIQUE
7 11
9 10 12
13 14 15
17
18
ÎLES COMORES

LAOS Hanoi
Vientiane
KAMPUCHEA VIÊT-NAM
Phnom Penh

SRI LANKA

L'Océan
Indien

RÉUNION
Tananarive RÉPUBLIQUE
DÉMOCRATIQUE DE MADAGASCAR

AUSTRALIE

1. Mali
2. Niger
3. Tchad
4. Sénégal

5. Mauritanie
6. Guinée
7. Côte-D'Ivoire
8. Haute-Volta

9. Togo
10. Bénin
11. République Centrafricaine
12. Cameroun

13. Gabon
14. Congo
15. Zaïre
16. Djibouti

17. Ruanda
18. Burundi

Deuxième Étape

LECTURE: Québec—La Belle Province

Montréal

singers
entertainment
fishing
proud / protecting

Le Québec est une vaste province du Canada qui compte 4.759.360 habitants de langue française. La capitale de la province est la ville de Québec. D'autres villes importantes sont Montréal, site des jeux Olympiques de 1976, Laval, Sherbrooke, Verdun et Trois Rivières. Cette province, vantée par les *chansonniers* et les poètes, offre aux touristes une grande variété de *distractions*: sports d'hiver, alpinisme, *pêche*, festivals d'art, promenades historiques. Les Québécois sont très *fiers* de leur province et ils tiennent à tout prix *à sauvegarder* leur langue et leurs traditions.

QUÉBEC—LA CAPITALE

culture shock / when
buildings

Le *dépaysement* est presque total *lorsqu'*on va à Québec. Malgré la construction d'autoroutes, de *bâtiments* résidentiels, commerciaux et administratifs, les monuments et la vieille ville ont gardé le charme qui fait penser aux plus vieilles villes d'Europe. Mais c'est la langue française qui donne aux Québécois leur identité et leur cohésion vis-à-vis de leurs voisins anglophones. Ils résistent à tout effort d'assimilation à la culture majoritaire canadienne. Ce n'est pas chose facile, et les Québécois ont une longue histoire difficile où, pendant des *siècles*, ils ont fait de leur mieux pour donner à leur langue le statut officiel au Québec. En 1974 leur *but* a été réalisé lorsque l'Assemblée nationale a voté la *loi* qui a fait du français la langue officielle de l'administration et de l'enseignement au Québec.

centuries

goal / law

LA PLACE D'ARMES. La place d'Armes est le centre même de la vieille ville. Avec sa fontaine et le monument de la Foi, c'est un endroit cher aux promeneurs.

built

HÔTEL CHÂTEAU-FRONTENAC. Ce grand hôtel, *construit* en 1892, domine la place d'Armes et peut servir comme point de départ pour ceux qui veulent explorer la vieille ville par les rues Saint-Louis et Sainte-Anne.

to unfold, to develop

LE MUSÉE DU FORT. Dans cette petite forteresse on peut voir *se dérouler* en miniature les grandes étapes de l'histoire militaire québécoise accompagnées d'un impressionnant spectacle son et lumière.

Québec

LA TERRASSE DUFFERIN. Du haut de cette belle promenade, le visiteur a une vue spectaculaire du fleuve Saint-Laurent. C'est là où l'on trouve le monument de Samuel de Champlain, fondateur de Québec. *Grâce à* Champlain, la colonie française du Québec a prospérée.

thanks to

LA CITADELLE. C'est le fort le plus ancien de Québec qui *remonte* à 1693. La *relève* de garde se fait tous les jours à dix heures du matin, et après ce spectacle, un guide dirige la promenade à travers la citadelle avec ses gros murs, les canons et les bastions.

goes back
changing

LE MONASTÈRE DES URSULINES. Fondé par Marie de l'Incarnation et construit en 1641, ce monastère était la première école pour filles en Amérique. Par sa dévotion et son travail, Marie a réussi à introduire le catholicisme au Québec où elle est encore aujourd'hui reconnue comme mère de l'Église canadienne.

QUÉBEC—VILLE DES ARTS

crafts

L'architecture, les musées consacrés à *l'artisanat* québécois comme le Musée du Québec, les théâtres, les festivals, la musique, tout fait de la ville de Québec un endroit qui *attire* non seulement les artistes québécois, mais des artistes du monde entier. En été, ils se réunissent dans la rue du Trésor où ils montrent aux *passants* leurs collections de peintures.

attracts

passersby

Exercices de familiarisation

A. Quel endroit visiter? Un(e) de vos ami(e)s fait des projets pour passer ses vacances à Québec. Donnez-lui des conseils.

MODÈLE: Je veux voir le fleuve Saint-Laurent.
Alors il faut que tu fasses une promenade sur la terrasse Dufferin.

1. Je voudrais voir le monument de Samuel de Champlain.
2. J'ai envie de prendre une chambre dans un hôtel très célèbre.
3. Je voudrais voir des œuvres d'art authentiquement québécois.
4. J'adore l'histoire militaire.
5. J'aime me promener dans les rues de la ville.
6. Ma tante est catholique. Je voudrais lui apporter un souvenir.
7. Je voudrais voir une place centrale.
8. J'adore les bâtiments très anciens.

B. Mon itinéraire. Vous venez de passer un mois dans la ville de Québec et vous racontez votre séjour à vos amis. Pour chacun des endroits visités, donnez une phrase d'explication de ce que vous avez vu.

1. la place d'Armes   2. l'hôtel Château-Frontenac   3. le musée du Fort
4. la terrasse Dufferin   5. la Citadelle   6. le monastère des Ursulines   7. la rue du Trèsor

Reprise (Première Étape)

C. Répondez en utilisant le pronom relatif **qui** ou **que**.

MODÈLE: Mme du Four a deux robes de soirée. L'une lui a coûté 700F; elle a
acheté l'autre en solde. Laquelle de ses robes aimez-vous mieux?
La robe qui lui a coûté 700F.
ou: *La robe qu'elle a acheté en solde.*

1. Les Aubusson ont acheté deux tableaux. Ils ont mis un tableau dans leur
chambre; l'autre est dans la salle à manger. Lequel préférez-vous?
2. Monique a deux amies. L'une est étudiante en Californie; Monique
travaille avec l'autre. Laquelle Monique voit-elle le plus souvent?
3. Robert a trois frères. Robert dîne souvent chez le premier; il joue au rugby
avec le deuxième; il voit rarement l'autre. Lequel de ses frères habite à
Lyon? à Marseille? à Paris?

4. Il y a deux trains pour Genève. Marie-Claude va prendre le train de 9h;
Louis va prendre le train de 11h. Quel train prendriez-vous?
5. Il y a trois étudiants au café. L'un lit un roman; le garçon sert un demi au
deuxième; une étudiante appelle le troisième. Lequel de ces étudiants
s'appelle Yves? François? Jean?

STRUCTURE 2: *Le pronom relatif* dont

Le pays **dont** tu parles n'est pas un pays francophone.	The country *of which* you're speaking is not a French-speaking country.
Les gens **dont** il a peur sont très puissants.	The people *of whom* he's afraid are very powerful.
Paul, **dont** les parents sont en Algérie, restera avec nous.	Paul, *whose* parents are in Algeria, will stay with us.

The relative pronoun **dont** (*whose, of whom, of which*) has persons or things as its antecedent. When a relative clause indicates possession, **dont** is the appropriate relative pronoun to use. Thus, **Paul, dont les parents sont en Algérie** can be transformed into a possessive sentence using **de: Les parents de Paul sont en Algérie**. In this case, the equivalent of **dont** in English is always *whose*.

Dont is always used as a relative pronoun with verbs that take the preposition **de**. Here is a list of verbs you have already learned that are introduced by **dont** in a relative clause.

avoir besoin de	La voiture **dont j'ai besoin**...
avoir envie de	Les vêtements **dont ii a envie**...
avoir horreur de	La situation **dont elles ont horreur**...
avoir peur de	Les choses **dont elle a peur**...
entendre parler de	Les villes **dont j'ai entendu parler**...
faire la connaissance de	L'homme **dont j'ai fait la connaissance**...
il est question de	L'article **dont il est question**...
il s'agit de	Le poème **dont il s'agit**...
parler de	Les enfants **dont vous avez parlé**...
s'inquiéter de	La chose **dont je m'inquiète**...
s'occuper de	Les animaux **dont ils s'occupent**...
se servir de	Le stylo **dont je me suis servi**...
se souvenir de	La seule personne **dont je me souviens**...

Application

D. Substituez les expressions données et faites les changements nécessaires.

1. Voici l'auto dont *j'ai besoin*. (elle a envie / nous parlions / il s'agit / je me souviens)
2. Nous avons vu la femme dont *le mari est président de la banque*. (le père travaille au musée / le fils va devenir avocat / la fille est médecin / la sœur habite au Maroc)
3. Voilà le jeune homme dont *nous* connaissons le père. (tu / je / Paul / vous)

E. Reposez la question en utilisant le pronom relatif **dont**.

MODÈLE: Comment s'appelle cette femme? Son fils habite au Sénégal.
Comment s'appelle la femme dont le fils habite au Sénégal?

1. Comment s'appelle ce monsieur? Sa fille est actrice.
2. Comment s'appelle cette femme? Son mari est brésilien.
3. Comment s'appelle cet homme? Sa femme travaille pour une société multinationale.
4. Comment s'appellent ces trains? Leur nom commence par la lettre r.
5. Comment s'appellent ces gens? Nous connaissons leurs parents.
6. Comment s'appelle cette étudiante? Nous avons vu son oncle en ville.
7. Comment s'appelle cet enfant? Son anniversaire est le l^{er} janvier.
8. Comment s'appellent ces restaurants? Votre père en parle très souvent.

F. Cherchez des précisions en posant une question et en utilisant **dont**.

MODÈLE: J'ai besoin d'un médicament. (quel est le nom)
Quel est le nom du médicament dont vous avez besoin?

1. J'ai peur du chien. (où)
2. Elle se souvient bien de cette vieille dame. (quel âge)
3. Nous avons horreur de ces animaux. (à qui sont)
4. Ils parlaient d'une grande maison. (où)
5. Tu as fait la connaissance de cette femme hier. (comment s'appelle)
6. J'ai beaucoup entendu parler de ce film. (à quelle heure commence)
7. Dans ce livre il s'agit d'un événement tragique. (quand a eu lieu)

Mise au point (Petite révision de l'étape)

G. Répondez aux questions. Ensuite comparez vos réponses aux réponses d'un(e) autre étudiant(e).

Nommez:
1. Un acteur dont le prénom commence par **G**
2. Une actrice dont le nom de famille commence par **D**
3. Un président des États-Unis dont le nom de famille a moins de six lettres
4. Un pays dont les habitants parlent deux langues
5. Deux pays dont le drapeau a les couleurs bleu, blanc et rouge
6. Une femme dont on entend beaucoup parler
7. Un(e) autre étudiant(e) dont vous aimez la personnalité

H. Exercice écrit. Composez des phrases avec les éléments donnés. Employez **dont** dans chacune de vos phrases.

MODÈLE: enfants / s'occuper de
Les enfants dont il s'est occupé sont les enfants de sa sœur.

1. voiture / se servir de
2. argent / avoir besoin de
3. animaux / avoir peur de
4. cadeau / avoir envie de
5. garçon / faire la connaissance de
6. pays francophones / entendre parler de
7. poème / il est question de
8. journal / il s'agit de
9. femme / parler de
10. événement / se souvenir de

Troisième Étape

LECTURE: Le Sénégal

Léopold Sédar Senghor

former / *Third World*
developing / *mixture*
it's worth

Ancienne colonie francaise, le Sénégal est un des pays du *Tiers Monde en voie de développement*. Avec son *mélange* de cultures africaine et européenne, ses plages, ses marchés en plein air, le Sénégal est un pays dont *il vaut la peine* de faire la connaissance.

western

coast
those

stay
dry

SITUATION GÉOGRAPHIQUE. Le Sénégal est un pays francophone de l'Afrique *occidentale*, situé au sud de la Mauritanie et dont les autres voisins sont le Mali à l'est et la Guinée au sud. Avec sa *côte* de 700 km. et ses plages, le Sénégal est idéal pour *ceux* qui cherchent le soleil et le calme. Il faut pourtant bien choisir la saison pour sa visite car entre les mois de juin et d'octobre c'est la saison de la pluie, la saison du climat typiquement tropical. Pour un *séjour* agréable, il vaut donc mieux y aller pendant la saison *sèche* et fraîche entre novembre et mai.

HISTOIRE.

En 1638, les Français ont commencé leur colonisation du Sénégal avec la fondation de la ville St-Louis. *À partir du* 19e siècle, la France a rendu de plus en plus solide son monopole commercial et politique dans la région. Ce n'est qu'en 1958 que le Sénégal a retrouvé sa *pleine* indépendance et c'est son président Léopold Senghor qui a eu la *tâche* de développer son pays et de faciliter la transition entre colonie et pays.

LÉOPOLD SÉDAR SENGHOR.

Entre 1960 et 1980, Senghor a représenté le Sénégal non seulement *en tant qu'*homme d'état mais en tant que poète national. Sa politique avait comme but d'établir l'indépendance économique du Sénégal; sa *poésie célèbre la négritude*, son héritage, les symboles qui sont à la base même de sa culture. *Grâce à* lui, des milliers de gens dans le monde entier ont commencé à apprécier la richesse d'une culture trop souvent négligée.

Masques! O Masques!
Masque noir masque rouge, vous masques blanc-et-noir
Masques aux quatre points d'où *souffle l'Esprit*
Je vous salue dans le silence!

« Prière aux masques»
CHANTS D'OMBRE
© Editions du Seuil

LANGUES.

La langue officielle du Sénégal est le français. Mais en fait, c'est un pays bilingue car 80 pour cent de ses habitants parlent ouolof, langue africaine très sonore. Les jeunes Sénégalais qui veulent faire des études supérieures sont obligés de savoir le français et ils se dirigent encore souvent *vers* la France pour y compléter leur formation.

DAKAR—LA CAPITALE

Dakar est une ville de 798.792 habitants où se juxtaposent l'ancien et le moderne, où les *commerçants* européens *débarquent* pour conclure leur marché avec les négociants africains. Dakar se trouve dans une situation géographique privilégiée et la ville est ainsi devenue un des plus grands ports africains sur l'Atlantique. En tant que *carrefour*, Dakar attire des gens d'affaires et des touristes qui *font escale* au Sénégal avant de se diriger ailleurs.

Ceux qui s'arrêtent plus longtemps à Dakar, trouveront *de quoi* satisfaire leur curiosité et leurs intérêts. Le vieux quartier présente le mode de vie traditionnel avec les marchands qui vendent des *épices*, des fleurs, de la *bijouterie* au marché Kermel et au marché Sandaga. Le costume traditionnel africain caractérise ce quartier qui donne aux touristes une bonne idée de ce que c'est que la vie traditionnelle au Sénégal. Mais à côté de ce coin encore bien protégé, ils trouveront les voitures européennes stationnées dans les rues étroites, les belles villas de la bourgeoisie, les boutiques modernes très chic. Loin d'être primitif, Dakar est donc une ville qui *tient compte du* progrès mais qui comprend l'importance du passé et de son héritage.

starting in

full
task

poetry / celebrates
characteristics, life-style of
  Black Africans
thanks to

breathes / Spirit

toward

tradespeople / come into
  port

crossroads
stop at
everything

spices / jewelry

takes into consideration

Exercices de familiarisation

A. Un(e) de vos ami(e)s pense visiter certains pays de l'Afrique. Vous allez le (la) convaincre d'aller au Sénégal en lui parlant des choses suivantes.

MODÈLE: en voie de développement
          Le Sénégal est un pays en voie de développement.

1. saison sèche 2. plages 3. ancienne colonie française 4. Léopold Senghor 5. traditions 6. moderne 7. Dakar 8. français et ouolof
9. port important 10. le vieux quartier 11. le marché Kermel
12. importance de l'héritage 13. richesse de la culture

B. Où va-t-on si...? Expliquez où on va en Afrique pour trouver les choses suivantes.

MODÈLE: un pays francophone de l'Afrique
          le Sénégal, le Mali, le Congo, etc.

1. la première ville fondée par les Français au Sénégal
2. le soleil et le calme
3. la capitale du Sénégal
4. les épices et la bijouterie
5. les bateaux
6. le traditionnel
7. une ancienne colonie française

Reprise (Deuxième Étape)

C. Posez une question pour trouver le renseignement que vous avez oublié. Utilisez un pronom relatif (**qui, que, dont**) dans votre question.

MODÈLE: Janine parlait d'un hôtel à Lausanne, mais je ne peux pas me
rappeler son nom.
Comment s'appelle l'hôtel dont parlait Janine?

1. Il y a un joli petit hôtel dans l'île Saint-Louis, mais j'ai oublié l'adresse.
2. Il y a un joli pull au rayon des vêtements pour dames, mais je ne sais pas combien il coûte.
3. Georgette lit un très bon roman, mais j'ai oublié son titre.
4. Les Mercier parlaient d'un pianiste brésilien, mais je ne peux pas me rappeler son nom.
5. Didier est sorti avec une jeune femme très sympathique, mais je ne sais pas son nom.
6. On vient d'engager une femme comme chef de bureau, mais je ne sais pas si je la connais.
7. Nous avons parlé à des gens très intéressants hier soir, mais je ne sais pas où ils habitent.
8. Il y a un train qui arrive à Cassis à 12h30, mais je ne sais pas à quelle heure il part de Marseille.
9. Nous avons envoyé une lettre à Jean-Pierre, mais je ne sais pas s'il l'a reçue.

STRUCTURE 3: *La voix passive*

Mon père **construit** la maison.	My father *is building* the house.
La maison **est construite par** mon père.	The house *is being built by* my father.
Ma sœur **a réparé** mon vélo.	My sister *repaired* my bike.
Mon vélo **a été réparé par** ma sœur.	My bike *was repaired by* my sister.
Les touristes **achetaient** des épices.	The tourists *were buying* spices.
Les épices **étaient achetées par** les touristes.	The spices *were bought by* the tourists.
Paul **lavera** l'auto.	Paul *will wash* the car.
L'auto **sera lavée par** Paul.	The car *will be washed by* Paul.
Le professeur **corrigerait** les essais.	The professeur *would correct* the essays.
Les essais **seraient corrigés par** le professeur.	The essays *would be corrected by* the professor.

In both French and English, a sentence may be in either the active or the passive voice. In the active voice, the subject of the verb acts upon the object, as illustrated in the first sentence of each of the paired examples. In the passive voice, the object is acted upon by the subject. Only transitive verbs—verbs that take a direct object—can be put into the passive voice.

The passive voice is always formed with the auxiliary verb **être** plus the past participle of the main verb. **Être** can be put into any tense. The past participle always agrees in gender and number with the new subject, and the agent is usually introduced by the preposition **par** (*by*). Note that the subject and object of an active sentence exchange places in a passive construction and that the tense of **être** corresponds to the tense of the main verb in the active voice.

La France a colonisé **le Sénégal.**

Le Sénégal a été colonisé par **la France.**

Nous parlons français.	*We speak* French.
Le français **se parle** ici.	French *is spoken* here.
On parle français ici.	French *is spoken* here.

In everyday conversation, the French prefer to use the active rather than the passive voice. In fact, French makes much less frequent use of the passive voice than does English. One explanation for this difference is that French has several active constructions from which to choose, including the reflexive and the pronoun **on**. Both of these constructions are preferred when no specified agent needs to be stated and when the message conveyed is in the present.

Application

D. Mettez les phrases à la voix passive.

MODÈLE: M. Raffel ouvrira le magasin.
Le magasin sera ouvert par M. Raffel.

1. Les Durant ont loué la maison.
2. Marie-Claire apportera les disques.
3. Senghor a développé l'économie.
4. Les lois protègent les habitants.
5. Simone a ouvert le compte en banque.
6. Le patron a signé le contrat.
7. Les étudiants feront les préparatifs.

E. Mettez les phrases à la voix active.

MODÈLE: La lettre a été relue par le professeur.
Le professeur a relu la lettre.

1. Le roman a été écrit par Zola.
2. Le film sera vu par des milliers de personnes.
3. Les repas étaient préparés par ma cousine.
4. La voiture a été abandonnée par le criminel.
5. Le bâtiment sera démoli par ma compagnie.
6. Ma composition a été corrigée par le professeur.
7. Les joueurs de football ont été recrutés par l'université.
8. La note est payée par mes parents.

F. Répondez aux questions en utilisant les éléments entre parenthèses et (1) la voix active, (2) la voix passive.

MODÈLE: Qui paiera le café? (Marie)
Marie paiera le café. Le café sera payé par Marie.

1. Qui apportera la bière? (Georges et Jeannette)
2. Qui a servi le caviar? (le garçon)
3. Qui a ouvert la porte? (l'enfant)
4. Qui enverra le télégramme? (mes parents)
5. Qui écrit l'article? (les journalistes)
6. Qui annoncera le concert? (les jeunes)
7. Qui a accepté ce projet? (tout le monde)
8. Qui a décrit la crise? (l'inspecteur)

G. Traduisez les phrases à la voix active. Employez d'abord un verbe pronominal et ensuite un verbe avec **on**.

MODÈLE: Spanish is spoken here.
L'espagnol se parle ici. On parle espagnol ici.

1. The door opened slowly.
2. Strawberries are eaten without sugar.
3. Bread is not cut this way (**ainsi**).
4. Greek is spoken here.
5. Shoes are sold here.
6. Friends are not made easily.

Mise au point (Petite révision de l'étape)

H. Échange. Posez des questions en utilisant les éléments donnés. Un(e) autre étudiant(e) va vous répondre en utilisant la voix passive.

MODÈLE: faire / robe
—*Qui a fait ta robe?* —*Ma robe a été faite par Dior.*

1. payer / addition
2. chanter / chanson
3. acheter / vin
4. faire / café
5. écrire / lettre
6. envoyer / cadeau
7. choisir / vêtements
8. vendre / vélo
9. acheter / livres
10. oublier / portefeuille

I. Exercice écrit. Mettez les phrases à la voix passive.

1. Un photographe a pris ces photos.
2. Mon mécanicien réparera la voiture.
3. Les jeunes transformeront le monde.
4. Son médecin a prescrit un très fort médicament.
5. La postière a fait le numéro.
6. Monique surprendra ses parents.

Quatrième Étape

LECTURE: La Suisse en toute sa diversité

Read the following passage, paying particular attention to its many cognates.

Qu'est-ce qui vient tout de suite à l'esprit[1] lorsqu'on mentionne la Suisse? Heidi, les banques, le chocolat, les montres, le fromage, les enfants aux joues[2] roses qui apprennent à jodler et à faire du ski. Ce stéréotype simpliste ne tient pas compte[3] de la complexité de la culture suisse ni de sa diversité. Bien sûr, les industries des montres, du chocolat et du fromage sont importantes à l'économie suisse. Il est vrai que les banques y abondent et que les étrangers les utilisent pour déposer leur argent pas toujours acquis[4] d'une façon légitime. Il est vrai qu'Heidi est entrée dans le folklore et que jodler fait partie d'une longue tradition musicale. Et enfin, oui, en Suisse la saison de l'hiver est souvent longue et dure[5], et le ski est un sport très populaire parmi des gens qui, après tout, vivent dans un pays de montagnes.

Pourtant, pour bien connaître les Suisses, il faut dépasser[6] les stéréotypes. La Suisse est un très petit pays, avec une superficie qui correspond à peu près à celle de l'état de Massachusetts. Si le pays semble plus vaste au visiteur, c'est que les montagnes présentent des obstacles qu'il faut franchir[7] et qui rendent donc les voyages à la fois[8] plus longs et plus spectaculaires. C'est justement ce paysage[9] montagneux qui attire les touristes peu habitués au gigantisme des montagnes. La Suisse c'est le pays des promenades, des marches à pied,[10] par des sentiers[11] pas toujours faciles. Pour celui qui est courageux, sa nature présente une sorte de défi[12] qui se renouvelle avec chaque visite. Le spectacle des lacs, des glaciers,[13] des montagnes, voilà ce que voient et apprécient les touristes.

Du point de vue administratif, la Suisse est divisée en vingt-six cantons[14] avec la ville de Berne comme capitale. Du point de vue linguistique, elle comprend quatre zones, française, allemande, italienne et une petite région où se parle le romanche.[15] La Suisse romande (ou francophone) comprend six cantons: le Jura, Genève, le Vaud, le Valais, Fribourg et Neuchâtel. La majorité des autres cantons sont de langue allemande, exceptions faite du[16] Tessin, où on parle italien, et des Grisons, où le romanche est encore parlé par une petite minorité de la population. Étant donné[17] cette diversité linguistique et culturelle, on peut se demander comment les Suisses arrivent à habiter ensemble en paix. Ce n'est pas toujours facile, mais ils ont appris à respecter le droit des cantons de se gérer[18] eux-mêmes avec un minimum d'interférence du gouvernement central. Pour le citoyen[19] moyen[20] le canton et la commune sont beaucoup plus importants pour son identité que le fait d'être suisse. Bien sûr, on est suisse, mais d'abord on est vaudois, bernois, zurichois. Ainsi chaque canton ou région arrive à maintenir ses traditions et son individualité.

La Suisse romande se trouve à l'ouest et au sud-ouest du pays. Sa ville la plus importante dans la politique internationale est Genève, où on entend parler toutes les langues du monde. Il y a même ceux[21] qui disent qu'il est difficile d'y trouver de « vrais» Suisses! Peut-être bien, mais ses habitants diraient le contraire. Ils ont la même fierté que leurs compatriotes et leur fidélité à la Confédération Helvétique[22] n'est jamais remise en question.

La frontière entre la France et la Suisse romande se fait au milieu du lac Léman. Le voyageur qui suit le lac du côté suisse passera par Lausanne, ville qui attire des milliers de touristes et d'étudiants chaque année. Il faut surtout y visiter la cathédrale Notre-Dame, perchée tout en haut d'une colline,[23] qui est un très bel exemple du style gothique. Suivez le même chemin et vous arriverez à Montreux, site du festival d'été de jazz et du château de Chillon, rendu célèbre par Byron. Tous les villages situés sur les collines le long du lac ont leur charme particulier à offrir au visiteur. C'est une région vinicole:[24] c'est là qu'il faut goûter les bons vins blancs avec la fondue, servis dans les auberges et les restaurants.

Promenades en bateau sur le lac, promenades dans les forêts et le long des rivières, fêtes des vignerons,[25] célébration du premier août (fête nationale suisse), ambiance calme et paisible,[26] tout contribue à faire de la Suisse un endroit qu'il vaut la peine d'explorer et de connaître.

---

1. to come to mind   2. cheek   3. to take into account   4. acquired   5. hard   6. to go beyond   7. to overcome   8. both   9. countryside   10. hikes   11. pathways   12. challenge 13. glaciers   14. administrative division, similar to a U.S. state   15. language containing many elements of Latin   16. with the exception of   17. given   18. to manage   19. citizen 20. average   21. those   22. official name of Switzerland (CH)   23. hill   24. wine-growing 25. festival of the grapegrowers (October)   26. peaceful

Compréhension

A. Find a cognate in the text that belongs to the same word family as each of the following words.

MODÈLE: l'administration   *administratif*

1. la mention   2. simple   3. complexe   4. culturel   5. divers
6. industriel   7. économique   8. abondant   9. la musique   10. les montagnes   11. visiter   12. le spectacle   13. le courage   14. le respect
15. gouvernemental   16. traditionnel   17. voyager   18. la situation
19. charmant   20. célébrer   21. la nation   22. l'exploration

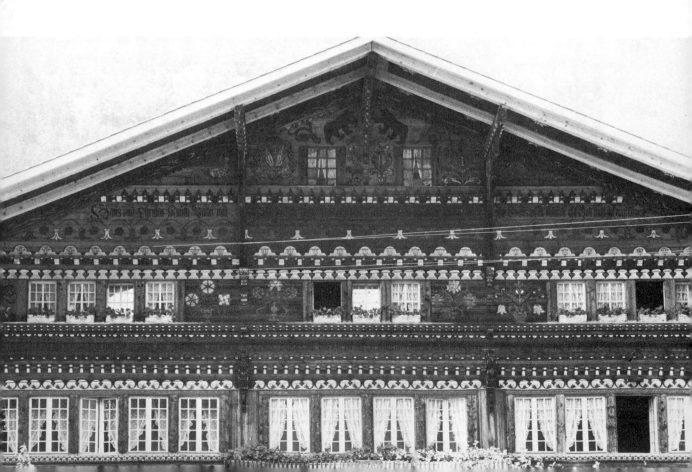

B. Au choix. Choose the word in parentheses that best completes each statement.

1. La Suisse est un pays _____ . (vaste / gigantesque / petit)
2. La Suisse est divisée en _____ . (états / cantons / communautés)
3. Les quatre langues nationales de la Suisse sont l'allemand, le français, le romanche et _____ . (le bernois / l'italien / l'anglais)
4. Dans le canton de Vaud on parle _____ . (français / italien / allemand)
5. La capitale de la Suisse est _____ . (Zurich / Genève / Berne)
6. Le château de Chillon se trouve près de _____ . (Lausanne / Montreux / Genève)
7. Avec la fondue, il faut boire du vin _____ . (blanc / rosé / rouge)
8. Le Vaud est une région _____ . (vinicole / industrielle / gothique)

Reprise (Troisième Étape)

C. Donnez la forme active des phrases suivantes. Employez d'abord la forme pronominale et ensuite une phrase avec **on**.

MODÈLE: La maison sera vendue sans difficulté.
             La maison se vendra sans difficulté.
             On vendra la maison sans difficulté.

1. La porte a été ouverte lentement.
2. Les épices sont vendues ici.
3. Les desserts sont facilement mangés.
4. Le français est parlé ici.
5. Les langues sont facilement apprises.
6. La soirée sera organisée.

Point d'arrivée
(Activités orales et écrites)

D. Les pays francophones. You're a tourist agent who is planning a trip through the French-speaking countries of the world for a group of tourists. Your classmates will tell you what they'd like to see, and you will choose which country is most likely to fulfill their wishes. Consult the map on pages 478–479 to make your decisions.

MODÈLE: Je voudrais voir de hautes montagnes.   *Allez en Suisse.*

E. Le tour du monde. Look at the map on pages 478–479 and explain to your classmates which Francophone countries you'd visit if you had the money. Give at least one reason for each of your choices.

MODÈLE: *J'irais à la Martinique parce que j'adore les plages et le soleil et parce que je voudrais manger beaucoup de poisson.*

F. Des stéréotypes. Take a survey of your classmates to find out what stereotypes they think of for the following countries. Get at least one statement about each country from five different students. Then report your findings to the rest of the class.

1. la France   2. la Suisse   3. les États-Unis   4. l'Angleterre   5. l'Italie

G. Des photos. Present one of the color photos before page 471 to the class. Explain what country or city is represented and give as much detail about it as possible.

Vocabulaire actif

ADJECTIFS	VERBES	AUTRES EXPRESSIONS
célèbre	coloniser	il est question de
francophone	construire	il s'agit de
puissant(e)	corriger	
qualifié(e)	réparer	
sénégalais(e)		

CHAPITRE VINGT

Dînons!

Troisième Étape
On nous a invités!

Quatrième Étape
Lecture: Les Délices de la table

POINT DE DÉPART: Allons au restaurant!

post
dishes

En France, tous les restaurants **affichent** leur menu à l'extérieur. Comme cela, les clients peuvent voir les **plats** et les prix avant de décider où ils vont dîner.

D'habitude, on peut choisir entre un ou deux menus[1] à prix fixe (les choix sont limités, mais il y a un prix pour le repas entier) et des repas à la carte (les choix sont plus nombreux, mais on paie chaque plat qu'on commande).

---

1. **Un menu** lists a fixed combination of dishes. **Une carte** is a general listing of all dishes prepared at the restaurant—*i.e.,* what in English is the *menu*.

Un dîner au restaurant comprend normalement un hors-d'œuvre ou une soupe, une entrée garnie (c'est-à-dire servie avec des pommes de terre ou avec un légume), une salade, un fromage ou un dessert. Les boissons (vin, eau minérale, café) ne sont généralement pas comprises.

thick soup	*LES HORS-D'ŒUVRE (m. invar.)*	*LA SOUPE (le **potage**)*
raw vegetables	les **crudités** *(f. pl.)*	le consommé
cream soup	les hors-d'œuvre variés	le **velouté**
kind of pâté	la **terrine** (le pâté)	
	les fruits de mer *(m. pl.)*	*LES POISSONS*
mussels	**moules,** *(f. pl.)*	le sole
shrimp	**crevettes,** *(f. pl.)*	le turbot
crayfish / pike	**langoustines,** *(f. pl.)*	le **brochet**
scallops / trout	**coquilles St-Jacques,** *(f. pl.)*	la **truite**
oysters	**huîtres** *(f. pl.)*	
	LA VIANDE	*LES DESSERTS* (m. pl.)
	le bœuf	les fruits *(m. pl.)*
lamb	l'**agneau** *(m.)*	le soufflé
	le porc	la mousse
ice cream	le poulet	la **glace**
duck / duckling	le **canard** (le **caneton**)	la pâtisserie
rabbit / hare	le **lapin** (le **lièvre**)	

NOTE CULTURELLE

At first glance, a French menu may seem to be a complex and mysterious collection of strange-looking names. But if you wish to do more than merely "point and hope," you can learn fairly quickly to read a menu and get what you want to eat.

The names of most restaurant dishes have two parts: a general indication of the kind of food and a more specific indication of the major ingredient or the manner of preparation. For example:

tarte aux fraises: pie (made with) strawberries
canard à l'orange: duck (cooked in) orange (sauce)
œufs mayonnaise: (hard-boiled) eggs (served with) mayonnaise

In the above examples, you can readily figure out the relationship between the two parts of the name. In other cases, however, the second part involves a name which is not immediately meaningful. For example:

champignons à la grecque: mushrooms (prepared in the) Greek style (cooked in broth of vegetables and herbs)
entrecôte béarnaise: steak (with) Béarnaise (sauce) (served with a sauce made of butter, eggs, vinegar, and herbs)

A few other common terms you may wish to learn are:

gratiné(e): sprinkled with bread crumbs or cheese and browned—

soupe à l'oignon gratinée

fumé(e): smoked—**saumon fumé**

sauté(e): fried—**bifteck sauté au beurre**

flambé(e): flamed—**bananes flambées**

maison: prepared in the restaurant's special manner—**tarte maison**

meunière: dipped in flour and cooked in butter—**sole meunière**

bordelais(e), bourguignon(ne): cooked in red wine—**bœuf à la bourguignonne**

beurre blanc: cooked in a sauce of butter, onions, and white wine—**truite au beurre blanc**

provençal(e): cooked with tomatoes, onions, garlic, and olive oil—**sauté de bœuf à la provençale**

normand(e): cooked with heavy cream and often apples—**Poulet rôti à la normande**

parisien(ne): cooked in a sauce of flour, butter, and egg yolks—**coquilles St-Jacques à la parisienne**

À vous! (Exercices de vocabulaire)

A. Qu'est-ce qu'on peut manger? Examinez la carte du restaurant La Bonne Bouche et répondez aux questions.

1. J'aime les légumes. Qu'est-ce que je peux manger comme hors-d'œuvre?
2. J'aime la viande. Qu'est-ce que je peux manger comme hors-d'œuvre?
3. J'adore les fruits de mer. Qu'est-ce que je peux choisir pour commencer le repas? Et comme entrée?
4. Je n'aime pas le poisson. Quelles entrées est-ce que je n'aimerais pas?
5. Quelles sortes de viande est-ce qu'on sert?
6. Quel fruit est en saison? Comment le sait-on?

B. Prix fixe ou à la carte? Répondez d'après les suggestions données sur la carte du restaurant La Bonne Bouche.

1. Vous n'avez pas beaucoup d'argent. Vous choisissez donc le menu à 50F. Qu'est-ce que vous allez manger comme hors-d'œuvre? comme entrée? Préférez-vous un fromage ou un dessert? Précisez. Qu'est-ce que vous allez boire? Combien va coûter votre repas?
2. Vous avez très faim. Vous décidez de choisir le menu à 80F. Que prenez-vous comme hors-d'œuvre? comme entrée? Préférez-vous une salade ou un fromage? Pourquoi? Qu'est-ce que vous allez commander comme dessert? Qu'est-ce que vous allez boire? Combien est-ce que vous allez payer votre dîner?
3. Vos parents vous ont invité(e) à dîner. Vous allez donc dîner à la carte. Par quoi est-ce que vous allez commencer? Qu'est-ce que vous allez commander ensuite? Et après cela? Comment allez-vous terminer le repas? Qu'est-ce que vous allez boire? Combien est-ce qu'ils vont payer?

La Bonne Bouche

Menu à 50F
Salade de tomates
ou
Consommé ou vermicelle
....
Steak pommes frites
ou
Poulet rôti haricots verts
Fromage ou Crème caramel ou
Fruit de saison

(Service et boisson non-compris)

Menu à 80F
Terrine du chef
ou
Melon au porto
....
Coq au vin
ou
Entrecôte sauce béarnaise
ou
Filet de sole beurre blanc
Salade verte ou fromage
Tarte maison ou parfait café

(service et boisson non-compris)

52, rue Balzac   Tél. 645 . 82 . 79

Les Hors-d'œuvre	Les Potages
Assiette de crudités 15F	Bisque de homard 15F
Œufs mayonnaise 8F	Soupe à l'oignon gratinée 15F
Pâté de campagne 10F	
Champignons à la grecque 15F	

Les Poissons	Les Viandes
Daurade provençale 38F	Fricassée de canard 36F
Filet de sole meunière 42F	Saucisse au choux 25F
Langoustines mayonnaise 35F	Entrecôte grillée 28F
	Côte de veau 32F

Les Fromages

Camembert 6F50	Roquefort 8F

Les Desserts

Glace à la vanille 9F	Sorbet 12F
Tartelette aux fraises 16F	Fraises au sucre 16F

Les Boissons

Vin en carafes	Bières
¼ ½	Colmar 6F30
Rouge 4F 7F80	Dortmund 7F50
Blanc 4F 7F80	Café express 6F
Eaux minérales	Thé 6F30
Perrier 5F50	

STRUCTURE 1: *Le plus-que-parfait*

Elle n'a pas trouvé le transistor que **sa sœur** lui **avait demandé** d'acheter.

She didn't find the transistor that her sister *had asked* her to buy.

Je ne savais pas que **vous étiez allés** à Paris.

I didn't know you *had gone* to Paris.

Elles s'étaient déjà **couchées** quand nous sommes rentrés.

They *had* already *gone to bed* when we came home.

The past perfect, or pluperfect, tense (**le plus-que-parfait**) is formed with the imperfect of **avoir** or **être** and the past participle. Rules for past-participle agreement are the same as for the passé composé. As in English, the plus-que-parfait is used to indicate that one past action completely preceded a second past action.

trouver	se coucher	aller
j'avais trouvé	je m'étais couché(e)	j'étais allé(e)
tu avais trouvé	tu t'étais couché(e)	tu étais allé(e)
il/elle/on avait trouvé	il/elle/on s'était couché(e)	il/elle/on était allé(e)
nous avions trouvé	nous nous étions couché(e)s	nous étions allé(e)s
vous aviez trouvé	vous vous étiez couché(e)(s)	vous étiez allé(e)(s)
ils/elles avaient trouvé	ils/elles s'étaient couché(e)s	ils/elles étaient allé(e)s

Application

C. Remplacez les mots en italique et faites les changements nécessaires.

1. *Gérard* avait déjà lu le livre. (Isabelle / nous / tu / mes parents / je / vous)
2. *Jacqueline* n'était pas encore rentrée. (Alain / vous / je / nous / mes parents / tu)
3. *Mes parents* s'étaient levés avant six heures. (Jacqueline / tu / vous / les autres / je / nous)

D. Répondez en utilisant le mot **déjà** et le verbe entre parenthèses.

MODÈLE: Pourquoi ne sont-ils pas allés au Louvre? (visiter)
Parce qu'ils avaient déjà visité le Louvre.

1. Pourquoi Robert Prado n'a-t-il pas participé à l'interview? (démissionner)
2. Pourquoi Suzanne n'a-t-elle pas parlé aux Lantier quand ils sont arrivés? (quitter la maison)
3. Pourquoi Marceline n'a-t-elle pas répondu au téléphone? (sortir)
4. Pourquoi vos camarades de chambre n'ont-ils pas voulu aller chercher une pizza? (se coucher)
5. Pourquoi est-ce que vous et vos amis étiez prêts quand les autres sont arrivés? (s'habiller)
6. Pourquoi est-ce que tu n'as pas voulu manger ce bonbon? (se brosser les dents)

E. Répondez en utilisant l'expression **ne...pas encore** et le verbe entre parenthèses.

MODÈLE: Pourquoi ne sont-ils pas allés au lac? (déjeuner)
Parce qu'ils n'avaient pas encore déjeuné.

1. Pourquoi Marcelle n'a-t-elle pas pu nous accompagner? (finir son travail)
2. Pourquoi les directeurs ont-ils refusé de partir? (démissionner)
3. Pourquoi vous et vos amis avez-vous choisi le Sénégal? (aller en Afrique)
4. Pourquoi vous et vos amis vouliez-vous aller au cinéma? (voir le film)
5. Pourquoi Thérèse a-t-elle refusé de nous voir? (se lever)

6. Pourquoi est-ce que tu étais embarrassée de voir le président à la porte? (s'habiller)
7. Pourquoi le père de Danielle était-il en colère? (rentrer)
8. Pourquoi ne savais-tu pas le temps qu'il faisait? (sortir)

STRUCTURE 2: *Le passé du conditionnel*

À votre place **j'aurais fait** la même chose.	In your place *I would have done the same thing.*
Nous serions restés, mais nous n'avions pas de voiture.	*We would have stayed,* but we didn't have a car.

The conditional perfect tense (**le passé du conditionnel**) is formed with the conditional of **avoir** or **être** and the past participle. Rules for past-participle agreement are the same as for the passé composé.

choisir	*se lever*	*venir*
j'aurais choisi	je **me serais levé(e)**	je **serais venu(e)**
tu **aurais choisi**	tu **te serais levé(e)**	tu **serais venu(e)**
il/elle/on **aurait choisi**	il/elle/on **se serait levé(e)**	il/elle/on **serait venu(e)**
nous **aurions choisi**	nous **nous serions levé(e)s**	nous **serions venu(e)s**
vous **auriez choisi**	vous **vous seriez levé(e)(s)**	vous **seriez venu(e)(s)**
ils/elles **auraient choisi**	ils/elles **se seraient levé(e)s**	ils/elles **seraient venu(e)s**

As in English, the conditional perfect is used to indicate what one would have done if certain conditions had existed. It implies, however, that these conditions were not in effect and thus the action did not actually take place.

À votre place, **j'aurais fait** la même chose. *Had I been in your place, I would have done the same thing. (However, I was not in your place, and therefore I did not do it.)*

The **passé du conditionnel** in French is also used to indicate a hypothetical action or situation. It is therefore similar to the **conditionnel** (p. 456). However, the **passé du conditionnel** shows that the action or situation existed entirely in the past.

L'accusé **aurait tué** plus de vingt personnes. (The accused allegedly killed more than twenty people. This statement is reported as second-hand knowledge.)

Application

F. Remplacez les mots en italique et faites les changements nécessaires.

1. *Jean-Paul* aurait acheté une Renault. (nous / Cécile / tu / vous / les Tollier / je)
2. *Dominique* ne serait pas allée en Angleterre. (je / mes amis / vous / Hervé / tu / nous)
3. *Les autres* se seraient bien amusés. (vous / nous / Antoine / je / mes parents / tu)

G. Faites des phrases selon le modèle.

MODÈLE: nous / faire une promenade hier / il pleuvait
Nous aurions fait une promenade hier, mais il pleuvait.

1. nous / acheter une nouvelle voiture / elle coûtait trop
2. je / finir mes devoirs / un ami a téléphoné
3. vous / gagner la course / vous êtes tombé
4. elle / aller au cinéma / elle avait trop de travail
5. ils / rester en ville / ils n'avaient pas assez d'argent
6. je / se lever à 6h / j'étais trop fatiguée
7. nous / se / laver la tête / nous n'avons pas eu le temps
8. il / s'abonner à la revue / elle était trop chère
9. je / rentrer plus tôt / j'ai rencontré des amis
10. elles / déménager / elles n'ont pas pu trouver d'appartement

Mise au point (Petite révision de l'étape)

H. Échange. Indiquez à votre camarade ce que vous auriez fait dans les situations suivantes.

MODÈLE: Je me suis réveillé dix minutes avant le commencement de ma classe de français. J'ai décidé de me rendormir.
À ta place je me serais dépêchée pour aller en classe.

1. J'ai raté l'examen parce que j'avais perdu mon livre. Je n'ai rien dit au professeur.
2. Il a fallu que j'aille à Los Angeles de New York. J'ai pris l'autobus.
3. J'ai étudié ma chimie jusqu'à 3h du matin. Ensuite je me suis couché.
4. J'ai une grippe. Je voulais rester au lit, mais j'ai décidé d'aller en classe.
5. Mon frère a eu un accident avec ma voiture. Il avait peur que je me mette en colère, mais je n'ai rien dit.
6. Mon père m'a conseillé de faire des économies. Je ne l'ai pas écouté.

I. Exercice écrit. Écrivez trois phrases en utilisant **déjà** et le plus-que-parfait, et ensuite trois phrases au passé du conditionnel.

1. je / se déshabiller / déjà
2. elle / lui téléphoner / déjà
3. tu / partir / déjà
4. ils / finir leur travail
5. nous / rentrer
6. tu / partir

Deuxième Étape

POINT DE DÉPART: *Allons au restaurant! (suite)*

Pour demander une table:

table settings

    Une table pour _____ personnes, s'il vous plaît.
    Un (deux, etc.) **couvert(s),** s'il vous plaît.

Pour demander la carte:

    La carte, s'il vous plaît.
    Est-ce que nous pourrions voir la carte, s'il vous plaît?

Pour demander ce qu'on veut manger:

Qu'est-ce que vous
{ voulez
  prenez
  désirez }
comme
{ hors-d'œuvre?
  entrée?
  dessert?
  boisson? }

Pour commander:

> Je voudrais...
> Je vais prendre...
> Apportez-moi... (Apportez-nous...)

Pour indiquer qu'on a envie de manger:

as hungry as a wolf

> J'ai grand-faim.
> J'ai très faim.
> J'ai **une faim de loup.** *(familier)*

Pour demander l'addition:

> L'addition, s'il vous plaît.
> Est-ce que vous pourriez nous donner l'addition, s'il vous plaît?

Un dîner au restaurant

greets

Gilbert entre dans le restaurant La Grande Marmite. C'est la patronne qui l'**accueille.**

LA PATRONNE:	Bonjour, Monsieur. Un couvert? Si vous voulez bien me suivre par ici? Voilà. Vous désirez un apéritif?
GILBERT:	Merci, non. Est-ce que je pourrais voir la carte tout de suite?
LA PATRONNE:	Certainement, Monsieur. Aujourd'hui nous avons des escargots. Ils sont délicieux!
GILBERT:	Je voudrais le menu à 43 francs.
LA PATRONNE:	Très bien. Qu'est-ce que vous prenez pour commencer?
GILBERT:	La soupe de poissons.
LA PATRONNE:	Et ensuite?
GILBERT:	Je vais prendre le brochet.
LA PATRONNE:	Est-ce que vous désirez une boisson?

a 1/4 litre carafe

GILBERT:	Oui, apportez-moi **un quart** de blanc, s'il vous plaît.

Quelques moments après, elle apporte la soupe.

LA PATRONNE:	Bon appétit, Monsieur.

Elle sert ensuite l'entrée. Un peu plus tard, elle revient voir si Gilbert veut autre chose.

LA PATRONNE:	Un dessert, Monsieur? Un fromage? Un fruit?
GILBERT:	Oui, je voudrais bien du camembert.
LA PATRONNE:	Et un petit café?
GILBERT:	Oui, c'est très bien.

Le dessert et le café terminés, Gilbert décide de partir.

GILBERT: S'il vous plaît, Madame. L'addition... Est-ce que le service est compris?

LA PATRONNE: Oui, Monsieur. Quinze pour cent.

À vous! (Exercices de vocabulaire)

A. S'il vous plaît, Monsieur (Madame). Posez une question ou faites une déclaration qui convient à chaque situation.

1. Vous dînez avec votre meilleur(e) ami(e). Vous entrez dans le restaurant et vous demandez une table.
2. Vous voulez voir la carte.
3. Vous voulez le menu à _____ francs. Vous voulez savoir si le prix du repas comprend une boisson.
4. Vous voulez savoir ce que votre ami(e) veut manger.
5. Vous commandez un pâté maison et un bifteck frites.
6. Vous dites que vous avez grande envie de manger.
7. Vous voulez savoir ce que votre ami(e) veut boire.
8. Vous avez terminé l'entrée. Vous voulez savoir si votre ami(e) veut autre chose.
9. Vous demandez l'addition.
10. Vous voulez savoir s'il faut donner un pourboire au garçon.

B. Commandons. Choisissez dans la carte du restaurant La Bonne Bouche (page 501) le repas que vous voulez manger. Le professeur ou un(e) autre étudiant(e) jouera le rôle du garçon.

Reprise (Première Étape)

C. En regardant la carte à la page 501, commandez un repas pour chacune des personnes suivantes.

1. Une personne qui aime beaucoup les poissons et les fruits de mer.
2. Une personne qui ne mange que les légumes et les fruits.
3. Un gourmand (une personne qui mange beaucoup).
4. Un gourmet (une personne qui mange bien).
5. Un membre de votre famille.
6. Vous-même.

D. Dans chaque cas, choisissez l'expression qui correspond à ce que vous avez fait hier, puis expliquez votre choix.

MODÈLE: se lever tout de suite ou rester au lit / se coucher de bonne heure ou très tard
Hier matin je me suis levé(e) tout de suite parce que je m'étais couché(e) de bonne heure. ou: *Hier matin je suis resté(e) au lit parce que je m'étais couché(e) très tard.*

1. se lever de bonne heure ou tard / se réveiller à _____ heures
2. prendre le petit déjeuner (oui ou non) / se lever de bonne heure ou tard
3. arriver à ma première classe en avance ou à l'heure ou en retard / quitter la maison (la chambre) à _____ heures
4. répondre aux questions du professeur (oui ou non) / préparer la leçon (oui ou non)
5. avoir faim à midi (oui ou non) / prendre le petit déjeuner (oui ou non)
6. regarder un film à la télévision (oui ou non) / voir le film (oui ou non)
7. finir mes devoirs à _____ heures / regarder la télévision (oui ou non)
8. se coucher de bonne heure ou tard / finir mes devoirs (oui ou non)

E. Indiquez ce que vous auriez fait dans les situations suivantes.

1. Chantal est allée au café avec des amis. Elle a commandé un sandwich au jambon, mais le garçon lui a apporté une omelette au jambon. Qu'est-ce que vous auriez fait à sa place?

   a. manger l'omelette
   b. donner l'omelette à un ami
   c. demander au garçon d'apporter un sandwich
   d. jeter l'omelette au visage du garçon
   e. **?**

2. Jean-Pierre a invité Sylviane à aller au cinéma. Quand ils y sont arrivés, Jean-Pierre a découvert qu'il n'avait pas assez d'argent pour deux entrées. Qu'est-ce que vous auriez fait à sa place?

   a. acheter un billet pour Sylviane
   b. demander à Sylviane d'acheter son billet
   c. demander à Sylviane d'acheter deux billets
   d. proposer à Sylviane de faire une promenade pendant que vous alliez au cinéma
   e. **?**

3. Françoise allait avoir une interview pour son premier travail à 2h. Pendant le déjeuner, très nerveuse, elle a renversé une tasse de café et sa robe avait de grosses taches. Qu'est-ce que vous auriez fait à sa place?

   a. téléphoner pour changer le jour de l'interview
   b. refuser d'enlever votre manteau
   c. expliquer la situation au directeur du personnel
   d. acheter une nouvelle robe
   e. **?**

4. Éric était tout seul dans la maison de campagne de ses parents. La maison se trouvait dans un bois isolé à 15 kilomètres du village le plus proche. Il ètait 11h du soir. Tout d'un coup il a entendu un bruit à l'extérieur. Qu'est-ce que vous auriez fait à sa place?

   a. aller voir ce que c'était
   b. téléphoner à la police

    c. vous coucher tout de suite
    d. écouter de la musique rock
    e. **?**

5. Un couple de jeunes mariés faisait un voyage en Europe. Quand ils sont arrivés à Paris, ils ont découvert que la chambre d'hôtel coûtait plus qu'ils n'avaient prévu. S'ils payaient la chambre, ils n'auraient pas assez d'argent pour dîner, pour aller au théâtre, etc. Qu'est-ce que vous auriez fait à leur place?

    a. changer d'hôtel
    b. rester dans la chambre pendant toute la journée
    c. téléphoner à vos parents pour demander de l'argent
    d. dîner, aller au théâtre, passer la nuit à vous promener dans les rues de Paris
    e. **?**

STRUCTURE 3: *Le plus-que-parfait et le passé du conditionnel dans les phrases avec* si

Si **elle était allée** en Bretagne, **je** lui **aurais rendu** visite.	If *she had gone* to Brittany, *I would have visited* her.
Si **vous n'aviez pas trouvé** vos clés, **nous n'aurions pas pu** sortir.	If *you had not found* your keys, *we wouldn't have been able* to go out.

When a subordinate clause begins with **si** and the pluperfect, the main clause takes the past conditional. This sequence corresponds to the sequence of tenses in English. In both languages, it indicates what would have happened in a situation that never materialized. **Si elle était allée en Bretagne, je lui aurais rendu visite** implies that she did not go to Brittany; however, if she had, I would have visited her there.

Application

F. Remplacez les mots en italique et faites les changements nécessaires.

1. Si *tu* avais commandé à la carte, *tu* aurais mieux mangé. (nous / elles / je / vous / il)
2. Si *elle* était rentrée avec les autres, *elle* ne se serait pas perdue. (vous / ils / tu / nous)
3. Si *nous* nous étions couchés plus tôt, *nous* aurions mieux dormi. (tu / elle / je / ils / vous)

G. **Qu'est-ce qu'on aurait fait si...?** Employez les éléments donnés entre parenthèses pour indiquer ce qu'auraient fait les personnes suivantes sous les conditions proposées.

MODÈLE: Qu'est-ce qu'il aurait fait si elle n'était pas venue? (aller la chercher)
Il serait allé la chercher.

1. Qu'est-ce qu'il aurait fait si je lui avais donné l'argent? (acheter un vélomoteur)
2. Qu'est-ce qu'ils auraient fait s'ils avaient été en ville? (voir le défilé)
3. Qu'est-ce que nous aurions fait si Suzanne avait été en retard? (l'attendre)
4. Qu'est-ce que vous auriez fait si vous aviez gagné de l'argent? (le mettre à la banque)
5. Qu'est-ce qu'elle aurait fait si elle n'était pas allée à la surprise-partie? (rester à la maison)
6. Qu'est-ce que tu aurais fait si tu avais perdu ton portefeuille? (se débrouiller)
7. Qu'est-ce que vous auriez fait si vous aviez été fatigués? (se coucher)

H. Complétez les phrases.

1. Si je m'étais couché(e) de bonne heure (plus tard) hier soir, je...
2. Si j'étais né(e) en France, je...
3. Si je n'avais pas fait mes devoirs, je...
4. Si le professeur m'avait posé la deuxième question, je...
5. Si nous n'avions pas eu de cours aujourd'hui, je...
6. S'il avait fait plus chaud (froid) hier, je...

Mise au point (Petite révision de l'étape)

I. Échange. Posez les questions à un(e) autre étudiant(e), qui va vous répondre.

1. Qu'est-ce que tu aurais fait si le professeur n'était pas venu en classe aujourd'hui?
2. À quelle heure est-ce que tu te serais levé(e) si tu n'avais pas eu de cours aujourd'hui?
3. À quelle autre université aurais-tu fait tes études si tu avais eu la possibilité?
4. Où est-ce que tu serais allé(e) l'été dernier si tu avais eu le temps et l'argent?
5. Quel autre cours aurais-tu suivi ce semestre si tu avais pu en choisir un?
6. Quel personnage historique aurais-tu voulu être si tu étais né(e) à une autre époque?

J. Exercice écrit. Composez des phrases en utilisant les verbes et les sujets donnés. Dans chaque phrase il faut employer la conjonction **si,** le plus-que-parfait et le passé du conditionnel.

1. nous / avoir le temps / aller
2. je / choisir / manger mieux
3. elle / se lever / ne pas être en retard
4. ils / accompagner / s'amuser
5. nous / écouter / prendre
6. tu / rester / voir

Troisième Étape

POINT DE DÉPART: *On nous a invités!*

Chère Mademoiselle,
À l'occasion du 21 anniversaire de notre fils Jean-Jacques, ma famille organise un dîner chez nous,
12 quai d'Anjou
le samedi 17 juillet à 21h.
Nous serions tous très heureux si vous et votre frère Michel pourriez être des nôtres.
Auriez-vous la gentillesse de donner réponse aussitôt que possible.
Veuillez agréer, chère Mademoiselle, l'assurance de ma plus haute considération.   Simone Joyal

Michel parle avec sa sœur Françoise.

to be with us (one of us)

MICHEL: Il y a du courrier?

FRANÇOISE: Oui, Madame Joyal, la mère de Jean-Jacques, nous invite à dîner chez elle samedi prochain.

great

MICHEL: **Chouette!** On dit que les Joyal ont un très joli appartement dans l'île Saint-Louis.

FRANÇOISE: J'accepte?

MICHEL: Mais oui. Téléphone-lui tout de suite.

FRANÇOISE: Tu es fou, Michel! On ne téléphone pas. Il faut écrire à Mme Joyal... **Ne t'en fais pas.** Je m'en occuperai.

don't worry about it

Le lendemain du dîner...

to thank

MICHEL: Quel repas délicieux! Il faut **remercier** Mme Joyal. Je vais lui écrire... Bon, qu'est-ce que je mets? « Ma chère Madame Joyal... Merci pour le dîner superbe. Françoise et moi, on s'est bien amusés chez vous... »

proper / let me do it

FRANÇOISE: Mais non! Mme Joyal est une femme très **comme il faut. Laisse-moi faire.**

to express / pleasure

memory

renew

Chère Madame,

Je tiens à vous exprimer° le plaisir° que nous avons eu, mon père et moi, à être des vôtres à l'occasion de l'anniversaire de Jean-Jacques. Nous garderons de cette soirée un excellent souvenir°.

Je renouvelle° nos compliments pour ce dîner exceptionnel et vous prie de croire, chère Madame, à nos sentiments dévoués.

Françoise Leclerc

À vous! (Exercices de vocabulaire)

A. Les formules de politesse. Relevez dans les lettres de Mme Joyal et de Françoise Leclerc l'équivalent français des expressions suivantes.

1. Dear Miss Leclerc
2. for Jean-Jacques' birthday
3. to join us
4. RSVP
5. Very truly yours
6. Dear Mrs. Joyal
7. I wanted to tell you
8. We want you to know
9. Yours truly

B. Une lettre de remerciements. Composez une lettre remerciant les parents d'un(e) ami(e) français(e) avec qui vous avez passé le week-end à leur maison de campagne.

Reprise (Deuxième Étape)

C. Expliquez les actions ou les situations en employant les éléments donnés entre parenthèses.

MODÈLE: Jean-Pierre n'est pas venu. (avoir le temps / être obligé d'aller en ville)
   Jean-Pierre serait venu s'il avait eu le temps, mais il a été obligé d'aller en ville.

1. Jean-François n'est pas allé au Sénégal. (avoir le temps / être obligé de rentrer en France)
2. Anne-Marie n'est pas venue. (savoir l'adresse / perdre son carnet)
3. Nous ne sommes pas allés à la plage. (faire beau / pleuvoir)
4. Je n'ai pas vu les Jeanson. (être chez eux / sortir)

5. Je ne me suis pas levé(e) ce matin. (se coucher avant minuit / rentrer à 3h du matin)
6. Tu n'as pas réussi à l'examen. (étudier / sortir avec des amis)
7. Je n'ai pas fini le roman. (pleuvoir hier / faire très beau)
8. Ils ne se sont pas amusés. (aller à la soirée / rester à la maison)

STRUCTURE 4: *Les phrases avec si (résumé)*

S'**il fait** beau[3], **nous irons** à la plage.	If the weather *is* nice, *we will go* to the beach.
S'**il faisait** beau, **nous irions** à la plage.	If *the weather were* nice, *we would go* to the beach.
S'**il avait fait** beau, **nous serions allés** à la plage.	If *the weather had been* nice, *we would have gone* to the beach.

The tenses used after **si** vary to indicate when an action will be, may be, is, or was (not) possible. The sequence of tenses is fixed according to the patterns you have already learned.

	Si-clause[3]	Main clause
present/future[4] (possible)	Si **j'ai** le temps,...	**je ferai** une promenade.
imperfect/conditional (possible, but improbable)	Si **j'avais** le temps,...	**je ferais** une promenade.
pluperfect/past conditional (was not possible)	Si **j'avais eu** le temps,...	**j'aurais fait** une promenade.

Application

D. Répondez en employant les éléments donnés entre parenthèses.

MODÈLE: Est-ce que tu dîneras en ville ce soir? (*possible*—avoir la voiture)
Si j'ai la voiture, je dînerai en ville.

Est-ce que tu dîneras en ville ce soir? (*improbable*—avoir la voiture)
Si j'avais la voiture, je dînerais en ville.

Est-ce que tu as dîné en ville hier soir? (*impossible*—avoir la voiture)
Si j'avais eu la voiture, j'aurais dîné en ville.

1. Est-ce que tu commandes du homard? (*improbable*—avoir plus d'argent)
2. Est-ce que Marcelle est venue aussi? (*impossible*—être libre)

---

3. The order of clauses in the sentence can be reversed: **Nous irons à la plage s'il fait beau.**
4. The present tense is also used in the **si**-clause when the main verb is in the present (**S'il fait beau, je fais une promenade**) or the imperative (**S'il fait beau, faisons une promenade**).

3. Est-ce que les autres iront en ville? (*possible*—avoir le temps)
4. Est-ce que vous prenez le TGV? (*improbable*—pouvoir réserver une place au dernier moment)
5. Est-ce que vous avez touché votre chèque? (*impossible*—avoir une pièce d'identité)
6. Est-ce que tu vas acheter des timbres? (*possible*—aller au bureau de poste ou au bureau de tabac)
7. Est-ce que Maurice s'est levé de bonne heure? (*impossible*—dormir bien)
8. Est-ce que vous mangez un dessert? (*improbable*—avoir toujours faim)
9. Est-ce qu'elles vont sortir demain soir? (*possible*—s'amuser ce soir)

E. Complétez les phrases selon vos idées personnelles.

1. S'il pleut demain,...
2. Si j'ai le temps,...
3. Si j'avais sept ans,...
4. Si j'étais riche,...
5. Si je n'habitais pas aux États-Unis,...
6. Si j'étais président(e),...
7. S'il avait neigé hier,...
8. Si j'avais su que..., je...

STRUCTURE 5: *Le verbe irrégulier* devoir

Tu me **dois** vingt francs.	*You owe* me twenty francs.
Nous devons attendre ici.	*We must* wait here.
Elle devra lui écrire.	*She will have to* write him.
Ils devaient arriver avant 7h.	*They were to* arrive before seven.
Il a dû avoir un accident.	*He must have* had an accident.
Vous devriez aller chez Jean.	*You should* go to John's.
J'aurais dû téléphoner plus tôt.	*I should have* called earlier.

The verb **devoir** is irregular in all tenses except the imperfect.

devoir	
je **dois**	nous **devons**
tu **dois**	vous **devez**
il/elle/on **doit**	ils/elles **doivent**
past participle: **dû**[5] (**avoir**)	
subjunctive stems: **doiv-, dev-**	
imperfect stem: **dev-**	
future and conditional stem: **devr-**	

---

5. The masculine plural and the feminine singular and plural forms do not have a circumflex accent: **dus, due, dues.**

Elle lui **devait** beaucoup d'argent.	*She owed* him lots of money.
Je vous **dois** ma vie.	*I owe* you my life.

Devoir has a variety of meanings, depending on its context and its tense. When **devoir** is used with a direct object, it means to *owe*.

When **devoir** is followed by an infinitive, its principle meanings are:

1. Obligation, necessity:

Je dois rentrer avant 6 h.	*I have to* go home before six.
Nous avons dû aller en ville.	*We had to* go into town.
Vous devrez payer.	*You will have to* pay.

2. Eventuality:

Je dois les retrouver au café.	*I am supposed to* meet them at the café.
Elle devait me téléphoner.	*She was (supposed) to* call me.

3. Probability or speculation:

Il a l'air pâle; **il doit** être malade.	He looks pale; *he must* be sick.
Elle n'est pas encore arrivée; **elle a dû** se perdre en route.	She hasn't arrived yet; *she must have* got lost.

4. Advice (**un conseil**) or criticism (**un reproche**):

Tu devrais étudier ce soir.	*You should (ought to)* study tonight.
Ils auraient dû attendre.	*They should (ought to) have* waited.

Application

F. Remplacez les mots en italique et faites les changements nécessaires.

1. *Elle* doit être malade. (tu / les autres / Jacques / je / nous / vous)
2. *Il* a dû aller en ville. (Marcelle / tu / ils / vous / je / nous)
3. *Ils* devaient attendre. (je / vous / les autres / Anne / tu / nous)
4. *Il* devrait téléphoner à ses parents. (tu / nous / Isabelle / mes / amis / je / vous)
5. *Elle* aurait dû se coucher. (nous / les autres / je / vous / Paul / tu)

G. Répondez en utilisant les mots entre parenthèses.

1. Qu'est-ce que Paul doit faire ce soir? (rester à la maison)
2. Michelle n'est pas chez elle; elle doit être chez ses parents, non? (au musée)
3. Hervé n'est pas venu hier soir; il a dû oublier, non? (être occupé)
4. Qu'est-ce que je dois acheter? (des haricots verts et du fromage)
5. À quelle heure doivent-ils arriver? (à 11h)

6. Où est-ce que nous devions les retrouver? (au restaurant)
7. Qu'est-ce que je devrais faire? (aller au théâtre)
8. Qu'est-ce que nous aurions dû faire? (attendre)
9. Qu'est-ce que le professeur devrait faire? (préparer des examens moins longs)
10. Qu'est-ce que Lucien aurait dû faire? (choisir un autre cours)

H. Donnez l'équivalent français.

1. She has to go home. She is supposed to go home.
2. They have to go to the library. They are probably going to the library.
3. He had to go home. He must have gone home.
4. We have to wait here. We were supposed to wait here.
5. You will have to study. You ought to study.
6. She must have gone for a walk. She should have gone for a walk.

Mise au point (Petite révision de l'étape)

I. Échange. Posez les questions à un(e) autre étudiant(e), qui va vous répondre.

1. Qui te doit de l'argent? Est-ce que tu dois de l'argent à quelqu'un?
2. À quelle heure est-ce que tu dois te lever pour aller à ta première classe?
3. Qu'est-ce que tu devrais faire ce soir? Qu'est-ce que tu vas faire ce soir?
4. Qu'est-ce que tu as fait hier soir? Est-ce que tu aurais dû faire autre chose?
5. Comment est-ce que tu devais aider tes parents quand tu étais petit(e)? Est-ce que tu le faisais toujours?
6. Pourquoi _____ n'est-il (elle) pas en classe aujourd'hui?
7. Qu'est-ce que tu devras faire le week-end prochain?

J. Exercice écrit. Utilisez les éléments donnés pour écrire des phrases qui expriment la condition indiquée.

1. Georges / devoir / se coucher très tard / hier soir *(probabilité)*
2. vous / devoir / écrire à vos grands-parents *(conseil)*
3. les étudiants / devoir / poser des questions en classe *(obligation)*
4. nous / devoir / téléphoner avant 6h / mais / nous / oublier *(éventualité)*
5. je / ne pas devoir / acheter cette voiture / *(reproche)*
6. Monique / devoir / avoir seize ans maintenant *(probabilité)*

Quatrième Étape

LECTURE: *Les Délices de la table*

Read the passage once, picking out the major ideas without looking at the definitions at the end. Then proceed to Exercise A.

Allez dans n'importe quelle[1] ville américaine et vous trouverez un restaurant français qui se vante[2] de vous servir les plats les plus merveilleux de la cuisine française: soupe à l'oignon, escargots, cuisses de grenouille,[3] coq au vin,[4] coquilles St-Jacques, gigot, crêpes, pâté, quiche lorraine, bouillabaisse[5] et, bien sûr, une variété de fromages servis avec du pain bien croustillant. Tout cela accompagné de vins de la plus haute qualité.

Étant donné[6] la réputation de la cuisine française dans le monde entier,[7] on s'imagine trop souvent que les Français mangent ainsi tous les jours, que les femmes passent encore une bonne partie de la journée aux préparatifs compliqués du repas, qu'elles passent des heures à établir[8] les menus et à faire les courses. Est-ce pourtant toujours vrai ou est-ce que les Français, eux aussi, commencent peu à peu à changer le rythme de leur vie et à trouver des raccourcis[9] dans la préparation de l'alimentation?[10]

Il est certain que depuis quelques années les habitudes et les attitudes des Français se modifient en ce qui concerne la nourriture. Si on mangeait beaucoup de pain autrefois, on en diminue la consommation aujourd'hui parce que le pain fait grossir et d'ailleurs il se conserve très mal. On trouve moins de boulangers en France et chez les jeunes les biscottes[11] remplacent souvent la baguette. Et le vin? Là aussi les jeunes sont très différents de leurs parents car ils boivent de préférence de l'eau minérale ou des jus de fruits avec leurs repas. La publicité décourage la consommation du vin à ceux qui conduisent une voiture, mais en même temps les alcools forts comme le whisky se boivent de plus en plus comme apéritif.

Des soucis[12] de santé contribuent à ces changements profonds dans la culture française. On se préoccupe de vitamines, on essaie de supprimer[13] la graisse,[14] le sucre, le sel, on cherche des plats avec moins de calories. Des centaines de livres se publient chaque année qui ont pour but[15] une cuisine plus saine.[16] Le plus célèbre est celui de Michel Guérard intitulé *La Cuisine minceur.*[17] Les plats de Guérard comprennent[18] beaucoup de légumes, de poisson, d'œufs, de fruits, et ce grand chef tente de donner aux Français une nourriture succulente aussi bien que saine.

Et les femmes, passent-elles toujours des journées entières dans la cuisine? En fait, cela se produit de moins en moins, surtout depuis que beaucoup de femmes ont un travail en dehors[19] de la maison. Les congélateurs,[20] les boîtes de conserves, les plats cuisinés,[21] le riz précuit,[22] les pâtes à cuisson rapide[23] font rage aujourd'hui car on n'a plus le temps de cuisiner comme autrefois.

N'en déduisons pas pourtant que les Français ont cessé d'apprécier la bonne cuisine. Loin de là.[24] Les dimanches, les jours de fête sont toujours une occasion pour revenir aux habitudes traditionnelles, aux repas à plats multiples qui commencent par un hors-d'œuvre et se terminent par le fromage, le dessert et un bon digestif.[25] Car si les Français se plient[26] aux exigences de la vie moderne, ils n'ont pourtant pas oublié les plaisirs qu'offre une table bien servie.

---

1. any 2. boasts 3. frog's legs 4. chicken cooked in red wine 5. Provençal fish soup or chowder 6. given 7. entire 8. establishing 9. shortcuts 10. food 11. zwieback wafers 12. worries 13. to eliminate 14. fat 15. goal 16. healthy 17. slim cuisine 18. include 19. outside of 20. freezers 21. precooked meals 22. precooked rice 23. fast-cooking 24. far from it 25. after-dinner drink 26. bend

Compréhension

A. Complete the sentences to summarize the major ideas presented in the reading passage.

1. Every major American city has a...
2. A good French meal is always accompanied by...
3. We tend to imagine that the French...
4. We tend to imagine that French women...
5. Over the last few years, French attitudes toward food...
6. In the past, the French ate a great deal of bread. Today...
7. Young people in France drink less...
8. The French are becoming more preoccupied with...
9. The book by Michel Guérard presents many recipes for...
10. Some of the shortcuts the French now take in food preparation are...
11. On Sundays and holidays, the French still...

B. Read the text again, consulting the definitions if you are unsure about the meaning of a word or expression. Then decide which statements are true.

1. Most French women spend hours in the kitchen every day.
2. The French usually eat cheese at the end of a meal.
3. Most French meals include several courses.
4. The French are becoming more conscious of the health hazards presented by sugar and salt.
5. French advertisements warn against drinking and driving.
6. Hard liquor has not gained popularity in France.
7. Since French women have entered the workforce, they depend increasingly on precooked food.
8. The French are no longer preparing elaborate meals on special occasions.

Reprise (Troisième Étape)

C. Utilisez le verbe **devoir** et les éléments donnés entre parenthèses pour réagir aux situations suivantes.

MODÈLE: Votre ami reçoit une lettre disant que sa mère est très malade.
Qu'est-ce que vous lui dites de faire? (obligation: rentrer tout de suite)
Tu dois rentrer tout de suite.

1. Votre ami cherche du travail. Il lit dans le journal qu'une société multinationale cherche des employés qui parlent français et anglais. Qu'est-ce que vous lui dites de faire? (obligation: faire une demande d'emploi)
2. Le président Nixon n'a pas dit toute la vérité à la commission Watergate. Les représentants du gouvernement américain ont menacé de le faire remplacer. Qu'est-ce qui s'est passé? (obligation: démissionner)

3. Vous avez des amis à New York. Vous serez à New York dimanche prochain, mais vous n'aurez pas le temps de quitter l'aéroport. Qu'est-ce que vous ferez? (obligation: téléphoner à mes amis)

4. Vous êtes à la gare de Lyon. Un petit garçon qui a l'air perdu s'approche de vous et dit: « Je cherche mon père. Est-ce que le train est arrivé de Marseille?» Vous consultez l'horaire, qui indique un train qui arrive à 19h30. Il est maintenant 19h. Qu'est-ce que vous dites au garçon? (éventualité: arriver dans une demi-heure)

5. Hier soir vous avez rencontré votre ami et vous êtes allés prendre un verre au café du quartier. Votre ami avait promis à sa femme de rentrer à 6h du soir. A 7h il a regardé sa montre. Qu'est-ce qu'il a dit? (éventualité: être à la maison il y a une heure)

6. Vous voulez parler à une amie. Il est 3h de l'après-midi et vous ne savez pas si elle est au bureau ou à la maison. Vous téléphonez à la maison, mais personne ne répond. Qu'est-ce que vous vous dites? (probabilité: être au bureau)

7. Vous avez rendez-vous avec des amis au café à 6h. Vous arrivez à l'heure et vous attendez jusqu'à 7h, mais ils ne viennent pas. Qu'est-ce que vous vous dites? (probabilité: oublier)

8. Votre amie n'aime pas son travail. Le salaire n'est pas très élevé, et son patron est sexiste. Elle a un diplôme universitaire, mais elle fait un travail de secrétaire. Quel conseil est-ce que vous lui donnez? (conseil: chercher un autre travail)

9. Votre ami a une décision difficile à prendre. Il n'a pas pu dormir hier soir. Vous auriez été heureux (euse) de discuter la question avec lui. Qu'est-ce que vous lui dites? (reproche: me téléphoner)

Point d'arrivée
(Activités orales et écrites)

D. Au restaurant. You and your friends go to dinner at a restaurant chosen by your instructor. Ask for a table, discuss what you are going to eat, order dinner, and argue about paying (or not paying) the check.

E. Un repas de rêve. Prepare the menu for an ideal meal you would like to eat and/or prepare. Compare your menu with those of your classmates.

F. Une invitation à dîner. Some French friends of your parents have invited you to have dinner at their house while you are in France. Write the following letters:

1. A letter accepting their invitation   2. A thank-you note   3. A letter refusing their invitation because you are leaving France before the day of the dinner.

G. Rêves et regrets. Make two lists:

1. what you would like to do if it were possible
2. what you wish you had done in the past, had it been possible.

H. Les restaurants. Describe the kind of meal you could get in the restaurant La Grande Marmite, pictured on page 498.

Vocabulaire actif

NOMS

l'agneau *(m.)*
le brochet
le canard
le caneton
une carte
un champignon
les coquilles St-Jacques
   (f. pl.)
un couvert
les crevettes *(f. pl.)*
les crudités *(f. pl.)*
une entrée
les fruits de mer *(m. pl.)*
la glace
un hors-d'œuvre *(invar.)*
les huîtres *(m. pl.)*

les langoustines *(f. pl.)*
le lapin
le lièvre
un menu
les moules *(f. pl.)*
le plaisir
un plat
le poisson
le potage
un souvenir
une terrine
la truite
le velouté

VERBS

accueillir
afficher
devoir
exprimer
laisser faire
prier
remercier
renouveler

ADJECTIFS

aimable
chouette *(fam.)*
dévoué(e)
flambé(e)
fumé(e)
garni(e)
gratiné(e)
sauté(e)

AUTRES EXPRESSIONS

à la carte
à prix fixe
avoir une faim de loup
comme il faut
être des nôtres (vôtres)

Dernière Étape
Débrouillons-nous!

Now that you have finished your introduction to the French language, you are ready to test your skills in a variety of situations. As you work your way through the following activities, you will realize more fully how much progress you have made during the past year and how well you are able to cope with various situations in a French-speaking country. The activities cover a wide range of contexts and bring together structures and vocabulary that are now very familiar to you. You will role-play them either with one of your classmates, in a group with other students, or with your instructor.

The most important task you are asked to accomplish is to communicate messages as accurately as possible. If you don't remember a specific word or structure, don't worry about it, but rather concentrate on making yourself understood without that word or structure. Use whatever strategies you have learned to attain this objective.

With these principles in mind, **débrouillons-nous!**

Student-student activities

A. Find another student in the class and get the following information from him/her. When you and your partner have exchanged this information, go to a second pair of students, make introductions, and tell the others what you have found out.

1. his/her age
2. his/her major in school
3. his/her professional goals
4. where he/she is from
5. how many siblings he/she has
6. his/her leisure activities

B. You're having a party, and you call up a friend to invite him/her.

1. Explain that the party is Saturday night and that it will start at 8:00.
2. Explain that the party is informal.
3. Explain that you will have beer, wine, soft drinks, and food at the party.
4. Tell your friend that he/she may bring a guest.
5. Say who else is going to be there.
6. Ask the friend to bring some records.

C. You would like a friend to go to the movies with you.

1. Find out when he/she is free.
2. Invite him/her to go to a movie.
3. Discuss the kind of movie you would like to see.
4. Arrange a time and meeting place.
5. Decide whether you will do anything else together that evening.

D. You have got a very good job, and you and your friends go out to dinner to celebrate.

1. Call the restaurant to make reservations.
2. When you get to the restaurant, discuss the menu choices and prices.
3. Ask what the soup of the day is.
4. Make your choices.
5. Order wine to go with the meal.

E. Your Belgian relatives (aunt, uncle, two cousins) have just arrived in the United States and are going to spend one week with you. You want to show and tell them as much as possible about your life in the U. S. Explain that you will use your car to give them a guided tour of your city. Say what some of your plans are, where you will go, and whom you will visit. Ask them what they are particularly interested in doing.

F. A friend of yours has just returned from a year in France. Find out the following information about his/her stay.

1. where he/she studied in France
2. where the university and the city are located
3. what courses he/she took and whether they were given in French
4. where he/she traveled during Christmas vacation
5. where he/she went on weekend excursions
6. whether he/she got to travel on the T.G.V.

G. A foreign student, who speaks French better than he/she speaks English, arrives on your campus. You are asked to serve as his/her guide.

1. Explain where the library and the bookstore are and how to get there.
2. Explain that every weekend there are movies, plays, and concerts on campus.
3. Ask if he/she is interested in sports. Explain that the university has a swimming pool.
4. Tell him/her what day classes begin.
5. Explain where the foreign student office is.
6. Answer his/her questions about living accomodations, meals, courses, and professors.

Student-instructor activities

H. Call your French instructor to invite him/her to a dinner party.

1. Explain that the party will be Wednesday night and will begin at 6:30.
2. Tell him/her to bring a friend.
3. Explain that you're making a French dinner and that you've invited several friends.
4. When your instructor asks if he/she can bring anything, say that it is not necessary. When he/she insists, explain that the main course will be a chicken dish and that he/she may bring some white wine.

I. It's your mother's birthday, and you want to send her something special from Paris. You go to a Dior boutique and look at gloves, silk scarves and blouses.

1. Explain to the salesperson that you're buying a present for your mother.
2. Tell him/her that you can only spend 500 francs.
3. Choose the present after discussing color, size, anything else you consider appropriate.
4. Ask the price and pay.
5. Now go to the post office and explain that you want to send a package to the United States.
6. Ask what is the fastest way to send it.
7. Ask how much it will cost to mail it that way compared to other ways.
8. Ask whether you have to fill in a customs label and what other forms are required.
9. Pay for the mailing.

J. You bought a pair of shoes which you decide to return to the store. Explain the following to the salesperson.

1. you want to return the shoes.
2. They are too small (you wear size _____) and the wrong color.
3. You want a different style of shoe.
4. You would like to try on several different pairs.
5. You have made a choice and would like to pay.

K. You and a friend are staying in a small hotel in Paris. Around midnight your friend complains of being sick (cramps, chills, fever). You go to the desk in the lobby and ask for help.

1. Explain the problem to the desk clerk.
2. Ask if there is a drugstore in the neighborhood that stays open late at night.
3. Ask for directions on how to get there; repeat the directions to verify that you have heard them correctly.
4. Go to the drugstore and explain your friend's problem to the druggist.
5. Ask for some medicine.
6. Find out if there are special instructions as to how the medicine should be taken.

L. While you are studying in France, you talk to one of your professors about your career plans.

1. Explain what your field of study is and why you chose it.
2. Explain why you decided to learn French and that you hope to use the language in your future job.
3. Describe your work experiences and other qualifications.
4. Describe your most important qualities.
5. Ask about the possibilities of working in France or a French-speaking country.
6. Ask if he/she would give you a recommendation.

M. You and your parents are living in Bordeaux. It's your parents' wedding anniversary, and you want to surprise them by buying them tickets to go to Paris for a week. Go to a travel agency and make the arrangements.

1. You want round-trip tickets, first-class, non-smoking on a direct train.
2. You want to make hotel reservations.
3. You want to arrange a special dinner in a expensive restaurant. The dinner must include a bottle of champagne.
4. You want the week's stay to include one sightseeing trip around the city and one excursion to Versailles.
5. Ask how much the vacation package will cost and whether you can pay by credit card.

N. You are at a party. A French person asks you the following questions about life in the United States. How do you respond?

1. Is it true that most Americans are rich?
2. What do Americans think about their current president?
3. Why do American schools spend so much time on sports, dances, and social activities?

Appendices

Appendix A: literary tenses

There are four literary verb tenses in French. Their use is usually limited to a written context; they are almost never heard in conversation.

It is unlikely that you will be called upon to produce these tenses, but you should be able to recognize them. They appear in classical and much of the contemporary literature that you will read, especially in the **je** and **il** forms. Passive recognition of these tenses is not difficult since the verb endings are usually easy to identify.

The **passé simple** and the **passé antérieur** belong to the indicative mood; the two other tenses are the imperfect subjunctive and the pluperfect subjunctive.

The Passé Simple

As its name indicates, this is a simple past tense, involving no auxiliary verb. It will be easiest for you to recognize it if you become familiar with the endings of the three regular conjugations and certain irregular forms.

A. Regular Forms. To form the **passé simple** of regular -er verbs, take the stem of the infinitive and add the appropriate endings: **-ai, -as, -a, -âmes, -âtes, -èrent.**

parler	
je parlai	nous parlâmes
tu parlas	vous parlâtes
il/elle/on parla	ils/elles parlèrent

To form the **passé simple** of regular -ir and -re verbs, take the stem of the infinitive and add the appropriate endings: **-is, -is, -it, -îmes, -îtes, -irent.**

réfléchir		rendre	
je réfléchis	nous réfléchîmes	je rendis	nous rendîmes
tu réfléchis	vous réfléchîtes	tu rendis	vous rendîtes
il/elle/on réfléchit	ils/elles réfléchirent	il/elle/on rendit	ils/elles rendirent

B. Irregular Forms. Most verbs that have an irregularly formed **passé simple** have an irregular stem to which you add one of the following groups of endings.

-is	-irent	-us	-ûmes
-is	-îtes	-us	-ûtes
-it	-irent	-ut	-urent

Below is a partial list of the most common verbs in each category.

-is		-us	
faire	**je fis**	boire*	**je bus**
mettre*	**je mis**	croire*	**je crus**
prendre*	**je pris**	devoir	**je dus**
rire*	**je ris**	plaire*	**il plut**
voir	**je vis**	pleuvoir*	**il plut**
écrire	**j'écrivis**	pouvoir*	**je pus**
conduire	**je conduisis**	savoir*	**je sus**
craindre	**je craignis**	falloir*	**il fallut**
peindre	**je peignis**	valoir	**je valus**
vaincre	**je vainquis**	vouloir*	**je voulus**
		vivre*	**je vécus**
		connaître*	**je connus**
		mourir	**il mourut**

Avoir and **être,** which are frequently seen in the **passé simple,** have completely irregular forms.

avoir		*être*	
j'**eus**	nous **eûmes**	je **fus**	nous **fûmes**
tu **eus**	vous **eûtes**	tu **fus**	vous **fûtes**
il/elle/on **eut**	ils/elles **eurent**	il/elle/on **fut**	ils/elles **furent**

Two additional common verbs with irregular forms in the **passé simple** are **venir** and **tenir.**

venir		*tenir*	
je **vins**	nous **vînmes**	je **tins**	nous **tînmes**
tu **vins**	vous **vîntes**	tu **tins**	vous **tîntes**
il/elle/on **vint**	ils/elles **vinrent**	il/elle/on **tint**	ils/elles **tinrent**

C. Use of the *Passé Simple*. The **passé simple** is often thought of as the literary equivalent of the **passé composé**. To an extent this is true. Both tenses are used to refer to specific past actions that are limited in time.

---

* Note that the past participles of these verbs may be helpful in remembering the irregular **passé simple** stems.

Victor Hugo **est né** en 1802. **(passé composé)**
Victor Hugo **naquit** en 1802. **(passé simple)**

The fundamental difference between these two tenses is that the **passé simple** can never be used in referring to a time frame that has not yet come to an end. There is no such limitation placed on the **passé composé**.

Look at this sentence: **J'ai écrit deux lettres aujourd'hui.** This thought can only be expressed by the **passé composé,** since **aujourd'hui** is a time frame that is not yet terminated. **Robert Burns a écrit des lettres célèbres à sa femme** could also be expressed in the **passé simple: Robert Burns écrivit des lettres célèbres à sa femme.** The time frame has come to an end.

Descriptions in the past that are normally expressed by the imperfect indicative are still expressed in the imperfect, even in a literary context.

The Passé Antérieur

A. Formation The **passé antérieur** is a compound tense that is formed with the **passé simple** of the auxiliary verb **avoir** or **être** and a past participle.

parler	j'**eus parlé**, etc.
sortir	je **fus sorti(e)**, etc.
se lever	je me **fus levé(e)**, etc.

B. Use of the *Passé Antérieur* The **passé antérieur** is used to refer to a past action that occurred prior to another past action. It is most frequently found in a subordinate clause following a conjunction such as **quand, lorsque, après que, dès que, aussitôt que.** The conjunction indicates that the action in question immediately preceded another action in the past. The latter action will generally be expressed in the **passé simple** or the imperfect.

Hier soir, après qu'il **eut fini** de manger, il **sortit.**
Le soir, après qu'il **eut fini** de manger, il **sortait.**

The Imperfect Subjunctive

A. Formation The imperfect subjunctive is most often encountered in the third-person singular. The imperfect subjunctive is formed by taking the **tu** form of the **passé simple,** doubling its final consonant, and adding the endings of the present subjunctive. The third-person singular **(il elle / on)** does not follow the regular formation. To form it, drop the consonant, place a circumflex accent (^) over the final vowel, and add a *t*.

aller (tu allas → allass-)	
que j'all**asse**	que nous all**assions**
que tu all**asses**	que vous all**assiez**
qu'il / elle / on all**ât**	qu'ils / elles all**assent**

B. Use of the Imperfect Subjunctive Like the other tenses of the subjunctive, the imperfect subjunctive is most often found in a subordinate clause governed by a verb in the main clause that requires the use of the subjunctive. The verb of the main clause is either in a past tense or in the conditional. In order for the imperfect subjunctive to be used in the subordinate clause, the action expressed in this clause must occur at the same time as the action of the main verb or later on.

> Je **voulais** qu'elle me **répondît.**
> Elle **voudrait** qu'on l'**écoutât.**

The Pluperfect Subjunctive

A. Formation The pluperfect subjunctive is formed with the imperfect subjunctive of the auxiliary verb **avoir** or **être** and a past participle. Like the imperfect subjunctive, this tense is mostly used in the third-person singular.

> que j'eusse parlé, qu'il eût parlé, etc.
> que je fusse sorti(e), qu'il fût sorti, etc.
> que je me fusse lavé(e), qu'elle se fût lavée, etc.

B. Use of the Pluperfect Subjunctive The pluperfect subjunctive, like the imperfect subjunctive, is usually found in a subordinate clause. It is used when the main verb is either in a past tense or in the conditional and the action expressed in the subordinate clause has occurred prior to the action of the main clause.

> Il **déplora** qu'elle **fût** déjà **partie.**

In reading, you may occasionally encounter a verb form identical to the pluperfect subjunctive that does not follow the usage outlined above. In such cases, you will be dealing with an alternate literary form of the past conditional, and you should interpret it as such.

> J'**eusse** voulu qu'elle m'**accompagnât.**
> (J'aurais voulu qu'elle m'accompagne.)

In lighter prose and conversation, the imperfect subjunctive is replaced by the present subjunctive, and the pluperfect subjunctive is replaced by the past subjunctive.

Appendix B: verb charts

Regular Verbs: -er verbs -ir verbs -re verbs

Indicatif	donner	finir	attendre
présent	je donne	je finis	j'attends
	tu donnes	tu finis	tu attends
	il donne	il finit	il attend
	nous donnons	nous finissons	nous attendons
	vous donnez	vous finissez	vous attendez
	ils donnent	ils finissent	ils attendent
passé composé	j'ai donné	j'ai fini	j'ai attendu
imparfait	je donnais	je finissais	j'attendais
	tu donnais	tu finissais	tu attendais
	il donnait	il finissait	il attendait
	nous donnions	nous finissions	nous attendions
	vous donniez	vous finissiez	vous attendiez
	ils donnaient	ils finissaient	ils attendaient
plus-que-parfait	j'avais donné	j'avais fini	j'avais attendu
futur	je donnerai	je finirai	j'attendrai
	tu donneras	tu finiras	tu attendras
	il donnera	il finira	il attendra
	nous donnerons	nous finirons	nous attendrons
	vous donnerez	vous finirez	vous attendrez
	ils donneront	ils finiront	ils attendront
Conditionnel			
présent	je donnerais	je finirais	j'attendrais
	tu donnerais	tu finirais	tu attendrais
	il donnerait	il finirait	il attendrait
	nous donnerions	nous finirions	nous attendrions
	vous donneriez	vous finiriez	vous attendriez
	ils donneraient	ils finiraient	ils attendraient
passé	j'aurais donné	j'aurais fini	j'aurais attendu
Impératif	donne	finis	attends
	donnons	finissons	attendons
	donnez	finissez	attendez
Participe présent	donnant	finissant	attendant

Subjonctif présent	que je donne	que je finisse	que j'attende
	que tu donnes	que tu finisses	que tu attendes
	qu'il donne	qu'il finisse	qu'il attende
	que nous donnions	que nous finissions	que nous attendions
	que vous donniez	que vous finissiez	que vous attendiez
	qu'ils donnent	qu'ils finissent	qu'ils attendent
passé	que j'aie donné	que j'aie fini	que j'aie attendu

Irregular Verbs

Indicatif	avoir	être
présent	j'ai	je suis
	tu as	tu es
	il a	il est
	nous avons	nous sommes
	vous avez	vous êtes
	ils ont	ils sont
passé composé	j'ai eu	j'ai été
imparfait	j'avais	j'étais
	tu avais	tu étais
	il avait	il était
	nous avions	nous étions
	vous aviez	nous étiez
	ils avaient	ils étaient
plus-que-parfait	j'avais eu	j'avais été
futur	j'aurai	je serai
Conditionnel présent	j'aurais	je serais
	tu aurais	tu serais
	il aurait	il serait
	nous aurions	nous serions
	vous auriez	vous seriez
	ils auraient	ils seraient
passé	j'aurais eu	j'aurais été
Impératif	aie	sois
	ayons	soyons
	ayez	soyez
Participe présent	ayant	étant

Subjonctif	*que* j'aie	*que* je sois
	que tu aies	*que* tu sois
	*qu'*il ait	*qu'*il soit
	que nous ayons	*que* nous soyons
	que vous ayez	*que* vous soyez
	*qu'*ils aient	*qu'*ils soient

Irregular Verbs in -er

Indicatif	présent	passé composé	
aller	je vais	je suis allé(e)	
	tu vas	tu es allé(e)	
	il va	il est allé	
	nous allons	nous sommes allé(e)s	
	vous allez	vous êtes allé(e)(s)	
	ils vont	ils sont allés	
	imparfait	plus-que-parfait	futur
	j'allais	j'étais allé(e)	j'irai
Conditionnel	présent	passé	
	j'irais	je serais allé(e)	
Impératif	va		
	allons		
	allez		
Participe présent	allant		
Subjonctif	*que* j'aille		
	que tu ailles		
	*qu'*il aille		
	que nous allions		
	que vous alliez		
	*qu'*ils aillent		
	présent	passé composé	
Indicatif	j'envoie	j'ai envoyé	
envoyer	tu envoies		
	il envoie		
	nous envoyons		
	vous envoyez		
	ils envoient		
	imparfait	plus-que-parfait	futur
	j'envoyais	j'avais envoyé	j'enverrai

Conditionnel	présent	passé
	j'enverrais	j'aurais envoyé

Impératif	envoie
	envoyons
	envoyez

Participe présent	envoyant

Subjonctif	*que* j'envoie
	que tu envoies
	*qu'*il envoie
	que nous envoyions
	que vous envoyiez
	*qu'*ils envoient

Renvoyer is conjugated like **envoyer.**

Irregular Verbs in -ir

Indicatif	présent	passé composé	
dormir	je dors	j'ai dormi	
	tu dors		
	il dort		
	nous dormons		
	vous dormez		
	ils dorment		
	imparfait	plus-que-parfait	futur
	je dormais	j'avais dormi	je dormirai

Conditionnel	présent	passé
	je dormirais	j'aurais dormi

Impératif	dors
	dormons
	dormez

Participe présent	dormant

Subjonctif	présent

que je dorme
que tu dormes
*qu'*il dorme
que nous dormions
que vous dormiez
*qu'*ils dorment

Other verbs conjugated like **dormir** include: **endormir, s'endormir, partir, servir, sentir,** and **sortir.**

Indicatif	partir	servir	sentir
présent	je pars	je sers	je sens
	tu pars	tu sers	tu sens
	il part	il sert	il sent
	nous partons	nous servons	nous sentons
	vous partez	vous servez	vous sentez
	ils partent	ils servent	ils sentent
	sortir		
	je sors		
	tu sors		
	il sort		
	nous sortons		
	vous sortez		
	ils sortent		
passé composé	je suis parti(e)	j'ai servi	j'ai senti
	je suis sorti(e)		

Indicatif	présent	passé composé	
ouvrir	j'ouvre	j'ai ouvert	
	tu ouvres		
	il ouvre		
	nous ouvrons		
	vous ouvrez		
	ils ouvrent		
	imparfait	plus-que-parfait	futur
	j'ouvrais	j'avais ouvert	j'ouvrirai
Conditionnel	présent	passé	
	j'ouvrirais	j'aurais ouvert	
Impératif	ouvre		
	ouvrons		
	ouvrez		
Participe présent	ouvrant		

Subjonctif	présent		

que j'ouvre
que tu ouvres
qu'il ouvre
que nous ouvrions
que vous ouvriez
qu'ils ouvrent

Other verbs conjugated like **ouvrir** include: **couvrir, offrir,** and **souffrir**.

Indicatif	présent	passé composé	
venir	je viens	je suis venu(e)	
	tu viens		
	il vient		
	nous venons		
	vous venez		
	ils viennent		
	imparfait	plus-que-parfait	futur
	je venais	j'étais venu(e)	je viendrai
Conditionnel	présent	passé	
	je viendrais	je serais venu(e)	
Impératif	viens		
	venons		
	venez		
Participe présent	venant		
Subjonctif	présent		

que je vienne
que tu viennes
qu'il vienne
que nous venions
que vous veniez
qu'ils viennent

Other verbs conjugated like **venir** include: **devenir, revenir, tenir, obtenir,** and **retenir.**

Irregular Verbs in -re

Indicatif	présent	passé composé	
boire	je bois	j'ai bu	
	tu bois		
	il boit		
	nous buvons		
	vous buvez		
	ils boivent		

	imparfait	plus-que-parfait	futur
	je buvais	j'avais bu	je boirai

Conditionnel	présent	passé
	je boirais	j'aurais bu

Impératif	bois
	buvons
	buvez

Participe présent	buvant

Subjonctif	*que* je boive
	que tu boives
	*qu'*il boive
	que nous buvions
	que vous buviez
	*qu'*ils boivent

Indicatif	présent	passé composé	
connaître	je connais	j'ai connu	
	tu connais		
	il connaît		
	nous connaissons		
	vous connaissez		
	ils connaissent		

	imparfait	plus-que-parfait	futur
	je connaissais	j'avais connu	je connaîtrai

Conditionnel	présent	passé
	je connaîtrais	j'aurais connu

Impératif	connais
	connaissons
	connaissez

Participe présent	connaissant

Subjonctif	*que* je connaisse
	que tu connaisses
	*qu'*il connaisse
	que nous connaissions
	que vous connaissiez
	*qu'*ils connaissent

Reconnaître is conjugated like **connaître.**

Indicatif	présent	passé composé	
croire	je crois	j'ai cru	
	tu crois		
	il croit		
	nous croyons		
	vous croyez		
	ils croient		
	imparfait	plus-que-parfait	futur
	je croyais	j'avais cru	je croirai
Conditionnel	présent	passé	
	je croirais	j'aurais cru	
Impératif	crois		
	croyons		
	croyez		
Participe présent	croyant		
Subjonctif	*que* je croie		
	que tu croies		
	*qu'*il croie		
	que nous croyions		
	que vous croyiez		
	*qu'*ils croient		

Indicatif	présent	passé composé	
dire	je dis	j'ai dit	
	tu dis		
	il dit		
	nous disons		
	vous dites		
	ils disent		
	imparfait	plus-que-parfait	futur
	je disais	j'avais dit	je dirai

	Conditionnel	présent	passé	
		je dirais	j'aurais dit	

	Impératif	dis		
		disons		
		dites		

	Participe présent	disant		
	Subjonctif	*que* je dise		
		que tu dises		
		qu'il dise		
		que nous disions		
		que vous disiez		
		qu'ils disent		

	Indicatif	présent	passé composé	
	écrire	j'écris	j'ai écrit	
		tu écris		
		il écrit		
		nous écrivons		
		vous écrivez		
		ils écrivent		

		imparfait	plus-que-parfait	futur
		j'écrivais	j'avais écrit	j'écrirai

	Conditionnel	présent	passé	
		j'écrirais	j'aurais écrit	

	Impératif	écris		
		écrivons		
		écrivez		

	Participe présent	écrivant		
	Subjonctif	*que* j'écrive		
		que tu écrives		
		qu'il écrive		
		que nous écrivions		
		que vous écriviez		
		qu'ils écrivent		

Décrire is conjugated like **écrire.**

Indicatif	présent	passé composé	
faire	je fais	j'ai fait	
	tu fais		
	il fait		
	nous faisons		
	vous faites		
	ils font		

	imparfait	plus-que-parfait	futur
	je faisais	j'avais fait	je ferai

Conditionnel	présent	passé
	je ferais	j'aurais fait

Impératif	fais
	faisons
	faites

Participe présent	faisant

Subjonctif	présent
	que je fasse
	que tu fasses
	qu'il fasse
	que nous fassions
	que vous fassiez
	qu'ils fassent

Indicatif	présent	passé composé	
lire	je lis	j'ai lu	
	tu lis		
	il lit		
	nous lisons		
	vous lisez		
	ils lisent		

	imparfait	plus-que-parfait	futur
	je lisais	j'avais lu	je lirai

Conditionnel	présent	passé
	je lirais	j'aurais lu

Impératif	lis
	lisons
	lisez

Participe présent	lisant

Subjonctif		
	que je lise	
	que tu lises	
	qu'il lise	
	que nous lisions	
	que vous lisiez	
	qu'ils lisent	

	présent	passé composé	
Indicatif			
mettre	je mets	j'ai mis	
	tu mets		
	il met		
	nous mettons		
	vous mettez		
	ils mettent		

	imparfait	plus-que-parfait	futur
	je mettais	j'avais mis	je mettrai

	présent	passé
Conditionnel		
	je mettrais	j'aurais mis

Impératif	mets
	mettons
	mettez

Participe présent	mettant

Subjonctif	
	que je mette
	que tu mettes
	qu'il mette
	que nous mettions
	que vous mettiez
	qu'ils mettent

Permettre and **promettre** are conjugated like **mettre.**

	présent	passé composé	
Indicatif			
prendre	je prends	j'ai pris	
	tu prends		
	il prend		
	nous prenons		
	vous prenez		
	ils prennent		

	imparfait	plus-que-parfait	futur
	je prenais	j'avais pris	je prendrai

Conditionnel	présent	passé
	je prendrais	j'aurais pris
Impératif	prends	
	prenons	
	prenez	
Participe présent	prenant	
Subjonctif	*que* je prenne	
	que tu prennes	
	*qu'*il prenne	
	que nous prenions	
	que vous preniez	
	*qu'*ils prennent	

Other verbs conjugated like **prendre** include **apprendre** and **comprendre**.

Indicatif	présent	passé composé	
rire	je ris	j'ai ri	
	tu ris		
	il rit		
	nous rions		
	vous riez		
	ils rient		
	imparfait	plus-que-parfait	futur
	je riais	j'avais ri	je rirai
Conditionnel	présent	passé	
	je rirais	j'aurais ri	
Impératif	ris		
	rions		
	riez		
Participe présent	riant		
Subjonctif	*que* je rie		
	que tu ries		
	*qu'*il rie		
	que nous riions		
	que vous riiez		
	*qu'*ils rient		

Indicatif	présent	passé composé	
suivre	je suis	j'ai suivi	
	tu suis		
	il suit		
	nous suivons		
	vous suivez		
	ils suivent		

	imparfait	plus-que-parfait	futur
	je suivais	j'avais suivi	je suivrai

Conditionnel	présent	passé
	je suivrais	j'aurais suivi

Impératif	suis
	suivons
	suivez

Participe présent	suivant

Subjonctif	que je suive
	que tu suives
	qu'il suive
	que nous suivions
	que vous suiviez
	qu'ils suivent

Indicatif	présent	passé composé	
devoir	je dois	j'ai dû	
	tu dois		
	il doit		
	nous devons		
	vous devez		
	ils doivent		

	imparfait	plus-que-parfait	futur
	je devais	j'avais dû	je devrai

Conditionnel	présent	passé
	je devrais	j'aurais dû

Impératif	dois
	devons
	devez

Participe présent	devant

Subjonctif	*que* je doive
	que tu doives
	qu'il doive
	que nous devions
	que vous deviez
	qu'ils doivent

	Indicatif	présent	passé composé	
pleuvoir		il pleut	il a plu	
		imparfait	plus-que-parfait	futur
		il pleuvait	il avait plu	il pleuvra
Conditionnel		présent	passé	
		il pleuvrait	il aurait plu	
Participe présent		pleuvant		
Subjonctif		*qu*'il pleuve		

	Indicatif	présent	passé composé	
pouvoir		je peux	j'ai pu	
		tu peux		
		il peut		
		nous pouvons		
		vous pouvez		
		ils peuvent		
		imparfait	plus-que-parfait	futur
		je pouvais	j'avais pu	je pourrai
Conditionnel		présent	passé	
		je pourrais	j'aurais pu	
Participe présent		pouvant		
Subjonctif		*que* je puisse		
		que tu puisses		
		qu'il puisse		
		que nous puissions		
		que vous puissiez		
		qu'ils puissent		

Indicatif	présent	passé composé	
recevoir	je reçois tu reçois il reçoit nous recevons vous recevez ils reçoivent	j'ai reçu	

	imparfait	plus-que-parfait	futur
	je recevais	j'avais reçu	je recevrai

Conditionnel	présent	passé
	je recevrais	j'aurais reçu

Impératif reçois
recevons
recevez

Participe présent recevant

Subjonctif		
que je reçoive	que nous recevions	
que tu reçoives	que vous receviez	
qu'il reçoive	qu'ils reçoivent	

Indicatif	présent	passé composé	
savoir	je sais tu sais il sait nous savons vous savez ils savent	j'ai su	

	imparfait	plus-que-parfait	futur
	je savais	j'avais su	je saurai

Conditionnel	présent	passé
	je saurais	j'aurais su

Impératif sache
sachons
sachez

Participe présent sachant

Subjonctif		
que je sache	que nous sachions	
que tu saches	que vous sachiez	
qu'il sache	qu'ils sachent	

Indicatif	présent	passé composé	
voir	je vois	j'ai vu	
	tu vois		
	il voit		
	nous voyons		
	vous voyez		
	ils voient		
	imparfait	plus-que-parfait	futur
	je voyais	j'avais vu	je verrai
Conditionnel	présent	passé	
	je verrais	j'aurais vu	
Impératif	vois		
	voyons		
	voyez		
Participe présent	voyant		
Subjonctif	*que* je voie	*que* nous voyions	
	que tu voies	*que* vous voyiez	
	qu'il voie	*qu*'ils voient	

Indicatif	présent	passé composé	
vouloir	je veux	j'ai voulu	
	tu veux		
	il veut		
	nous voulons		
	vous voulez		
	ils veulent		
	imparfait	plus-que-parfait	futur
	je voulai	j'avais voulu	je voudrai
Conditionnel	présent	passé	
	je voudrais	j'aurais voulu	
Impératif	veuille		
	veuillons		
	veuillez		
Participe présent	voulant		
Subjonctif	*que* je veuille	*que* nous voulions	
	que tu veuilles	*que* vous vouliez	
	qu'il veuille	*qu*'ils veuillent	

Appendix C: stem-changing verbs

acheter	présent	subjonctif présent	futur
	j'achète	j'achète	j'achèterai
	tu achètes	tu achètes	tu achèteras
	il achète	il achète	il achètera
	nous achetons	nous achetions	nous achèterons
	vous achetez	vous achetiez	vous achèterez
	ils achètent	ils achètent	ils achèteront

s'appeler	présent	subjonctif présent	futur
	je m'appelle	je m'appelle	je m'appellerai
	tu t'appelles	tu t'appelles	tu t'appelleras
	il s'appelle	il s'appelle	il s'appellera
	nous nous appelons	nous nous appelions	nous nous appellerons
	vous vous appelez	vous vous appeliez	vous vous appellerez
	ils s'appellent	ils s'appellent	ils s'appelleront

commencer (verbs ending in -cer)	présent	imparfait
	je commence	je commençais
	tu commences	tu commençais
	il commence	il commençait
	nous commençons	nous commencions
	vous commencez	vous commenciez
	ils commencent	ils commençaient

espérer (préférer, protéger, etc.)	présent	subjonctif présent	futur
	j'espère	j'espère	je espérerai
	tu espères	tu espères	tu espéreras
	il espère	il espère	il espérera
	nous espérons	nous espérions	nous espérerons
	vous espérez	vous espériez	vous espérerez
	ils espèrent	ils espèrent	ils espéreront

essayer (verbs ending in -ayer, -oyer, -uyer)	présent	subjonctif présent	futur
	j'essaie	j'essaie	j'essaierai
	tu essaies	tu essaies	tu essaieras
	il essaie	il essaie	il essaiera
	nous essayons	nous essayions	nous essaierons
	vous essayez	vous essayiez	vous essaierez
	ils essaient	ils essaient	ils essaieront

jeter	présent	subjonctif présent	futur
	je jette	je jette	je jetterai
	tu jettes	tu jettes	tu jetteras
	il jette	il jette	il jettera
	nous jetons	nous jetions	nous jetterons
	vous jetez	vous jetiez	vous jetterez
	ils jettent	ils jettent	ils jetteront

se lever	présent	subjonctif présent	futur
	je lève	je lève	je lèverai
	tu lève	tu lèves	tu lèveras
	ils lève	il lève	il lèvera
	nous levons	nous levions	nous lèverons
	vous levez	vous leviez	vous lèverez
	ils lèvent	ils lèvent	ils lèveront

manger (verbs ending in -ger)	présent	subjonctif présent
	je mange	je mange
	tu manges	tu manges
	il mange	il mange
	nous mangeons	nous mangions
	vous mangez	vous mangiez
	ils mangent	ils mangent

	imparfait	passé simple
	je mangeais	je mangeai
	tu mangeais	tu mangeas
	il mangeait	il mangea
	nous mangions	nous mangeâmes
	vous mangiez	vous mangeâtes
	ils mangeaient	ils mangèrent

Appendix D: phonetic symbols

Vowels and Semi-vowels

/a/	la, avoir, femme
/e/	café, parlez, les
/ɛ/	belle, bière, français
/œ/	jeune, peur, sœur
/ø/	peu, cheveux
/ə/	je, te, Monsieur
/i/	vite, oui, y
/o/	rose, jaune, beau, hôtel
/ɔ/	comment, espagnol, pomme
/u/	vous, souvent, sous
/y/	tu, salut, eu
/ã/	en, dans, français
/ɛ̃/	bien, pain, vin, un
/ɔ̃/	mon, non, nombre
/j/	crayon, mieux, famille
/ɥ/	lui, suis, huit
/w/	oui, jouer, pourquoi

Consonants

/b/	bonjour, verbe
/d/	devant, prendre
/f/	francais, philosophie
/g/	grand, longue
/ʒ/	manger, janvier, âge
/k/	cassette, kir, chèque
/l/	les, appeler, mille
/m/	mètre, aimer, homme
/n/	nous, avenue, donne
/ɲ/	campagne, oignon
/p/	par, étape, appartement
/r/	rien, vendre, sœur
/s/	salle, ça, nation
/ʃ/	cher, acheter, tranche
/t/	thé, attendre, vite
/v/	venir, travailler, rive
/z/	Mademoiselle, chose, zéro

Lexiques

LEXIQUE: Français-anglais

A

à to, at, in, with
  à cause de*[1] because of
  à ce moment-là at that moment
  à côté de next to
  à court d'argent short on funds
  à dessin* patterned
  à deux pas* nearby
  à droite to (on) the right
  à gauche to (on) the left
  à l'heure on time
  à la carte from the general menu
  à la fois* at the same time
  à la mode in style
  à partir de* starting in
  à pied on foot
  à première vue at first sight
  à prix fixe at a fixed price
  à propos on the subject
  à rayures* striped
  à venir in the future
abriter* to house
absolument absolutely
accepter to accept
accompagner to accompany
accueillir to welcome
les achats m. purchases
s'acheter to buy for oneself
acheter to buy
l'acier m.* steel
acquérir* to acquire
actif(ve) active
activement actively
actuellement* presently, at the present time
adorer to adore

aérien(ne) air
un aérogramme air-mail letter
un aéroport airport
les affaires f.* business
affiché(e)* displayed, posted
afficher to post
l'agneau m. lamb
agréer to accept
agricole* agricultural
aimable nice
aimer to like, love
aimer mieux to prefer
l'alimentation f.* food
allemand(e) German
aller to go
  aller bien à to fit
s'en aller to go away
un aller simple one-way ticket
un aller-retour round-trip ticket
l'alpinisme m. mountain climbing
un(e) amant(e)* lover
ambiteux(se) ambitious
améliorer* to improve
amener (à) to take, lead
américain(e) American
un(e) ami(e) friend
les amoureux m.* lovers
s'amuser to have a good time
un an year
ancien(ne)* old; former
anglais(e) English
une année year
un anniversaire birthday
un annuaire telephone directory
un anorak ski jacket
l'anthropologie f. anthropology
les antiquités f.* antiques

un apéritif before dinner drink
un appareil phone receiver
un appareil-photo camera
un appartement apartment
s'appeler to be named, called
apporter to bring
apprendre to learn
approfondi(e)* in depth
approvisionner* to supply
l'appui m.* support
après after
après tout after all
un après-midi afternoon
un arbre tree
les arc-boutants m.* flying buttresses
l'argent m. money
un argument* reasoning
l'armement m.* arms, weapons
s'arrêter (de) to stop
arriver to arrive
un arrondissement* administrative division
arrosé(e)* irrigated
l'art dramatique m. theater
un ascenseur elevator
une asperge asparagus (stalk)
assez de enough
assidu(e) conscientious
assis(e)* seated, sitting down
un(e) assistant(e) teaching assistant
assister à to attend
les assurances f.* insurance
un atelier workshop
attendre to wait (for)
attirer* to attract
au bord de* at the edge of

---

1. *means the word is considered passive vocabulary. Passive words appear only in readings or reading chapters. Active words occur in *Points de départ* or *Structures* and are found in the list at the end of each chapter.

au bout de at the end of
au milieu de* in the middle of, in the center
au revoir good-bye
aujourd'hui today
aussi also
aussitôt que as soon as
autant de as many, as much
une auto car
l'automne m. autumn
autour de* around
autre other
autrefois formerly
l'avancement m. advancement
avant before
avec* with
l'avenir m. * future
une averse* downpour
un avion airplane
un avis de réception return receipt
un(e) avocat(e) lawyer
avoir to have
  avoir besoin de to need
  avoir chaud to be hot
  avoir confiance en to have confidence in
  avoir de la chance to be lucky
  avoir de la peine (à) to have trouble
  avoir envie de to feel like
  avoir faim to be hungry
  avoir froid to be cold
  avoir honte to be ashamed
  avoir horreur de to hate, to not be able to stand
  avoir l'air (de) to seem, look
  avoir l'habitude de to be in the habit of
  avoir l'intention de to intend to
  avoir la manie de* to be crazy about
  avoir lieu to take place
  avoir mal (à) to hurt, to have a pain (in)
  avoir mal aux cheveux to have a hangover
  avoir peur (de) to be afraid (of)
  avoir raison to be right

avoir rendez-vous (avec) to have a meeting with
avoir soif to be thirsty
avoir sommeil to be sleepy
avoir tort to be wrong
avoir une faim de loup to be hungry as a bear (wolf)

B

une baguette long, thin loaf of bread
se baigner to bathe; to go swimming
un bal dance
une banane banana
un banc* bench
la banlieue suburbs
une banque bank
la banque de dépôt* deposit bank
une barbe beard
bas(se)* low
un bassin* pool
une bataille* battle
un bâtiment* building
bavarder* to chat
beau (bel, belle) beautiful
beaucoup (de) a lot, a great deal, much, many
les beaux-arts m. fine arts
belge Belgian
un berceau* cradle
un besoin need
une bibliothèque library
un bidet sink for washing genitals
bien well
bien entendu* of course
bien sûr* of course
le bien-être* well-being
une bière beer
un bifteck steak
un billet ticket; bill (money)
la biologie biology
une biscotte* zweiback
blanc(he) white
le blé* wheat
se blesser to hurt oneself
bleu(e) blue

blond(e) blond
le bœuf beef
boire to drink
une boisson drink
une boîte can
une boîte aux lettres mailbox
bon marché* inexpensive
le bonheur happiness
bonjour hello
le bord* bank
les bottes f. boots
la bouche mouth
une bouche de métro subway entrance
une boucherie butcher shop
des boucles d'oreilles f. * earrings
la bouillabaisse* Provençal fish chowder
une boulangerie bakery (bread)
un bouquiniste* bookseller
une bouteille bottle
une boutique shop
une boutique d'alimentation* speciality food store
la boxe boxing
un bras arm
bref* in short
brésilien(ne) Brazilian
brièvement briefly
le brochet pike
se brosser to brush
un bruit* noise
brumeux(se)* misty
brun(e) brown
un bureau office; desk
un bureau de change money exchange office
un bureau de poste post office
un bureau de tabac tobacco shop
un but* goal
une butte* hill

C

ça va? How are you?
une cabine téléphonique telephone booth
un cabinet office (doctor, lawyer)

un cachet pill, lozenge
un cadeau gift
un cadran dial
un cadre executive
un café coffee; café
un café au lait coffee with warm milk
un café-crème coffee with cream
un cahier notebook, workbook
une caisse cashier's window
une calculatrice hand calculator
un calmant tranquillizer
canadien(ne) Canadian
le canard duck
le caneton duckling
car* for
un carnet book (of tickets)
un carnet de chèques checkbook
une carotte carrot
une carte menu
une carte de crédit credit card
une carte orange monthly subway pass
les cartes f.* playing cards
se casser to break
une cathédrale cathedral
cela* that
célèbre famous
célébrer to celebrate
célibataire unmarried
celui (celle/s ceux)* the one(s)
un centime 1/100 of a franc
cependant* nevertheless, however
un cercle circle; club
une cerise cherry
c'est dommage that's too bad
c'est-à-dire* that is to say
certainement certainly
un cerveau* brain
chacun à son goût* to each his own
chacun(e) each one
une chaîne stéréo stereo set
une chambre bedroom, room (for sleeping)
un champ* field
un champignon mushroom
un chandail sweater
changer to change

chanter to sing
un chapeau hat
une charcuterie pork butcher shop
un chariot* shopping cart
un chat cat
chaud(e) hot
chausser de to wear (on feet)
les chaussettes f. socks
les chaussures f. shoes
un chef-lieu* capital (county seat)
les chemins de fer m.* railroads
une chemise shirt
une chemise de nuit night shirt
un chemisier blouse
un chèque barré non-negotiable check
un chèque de voyage traveler's check
cher (chère) expensive
chercher to look for
les cheveux m. hair
chez at the house, home, place of
un chien dog
un chiffre* number
la chimie chemistry
chimique* chemical
un chocolat hot chocolate
choisir to choose
le chômage* unemployment
chômé(e) unemployed
chouette neat
ci-joint(e) enclosed
le ciel sky
un ciné-club film society
un(e) cinéaste* filmmaker
le cinéma movies
citer* to cite, quote
un citron pressé lemonade
clair light
une clé key
un clochard* tramp, bum
un Coca Coca Cola
le cœur heart
un coin corner
un colis package
les collants m. panty hose
un collier* necklace
coloniser to colonize
le coloris* shade

combien de how many, how much
commander to order
comme il faut proper
commencer to begin
commencer (à) to begin
comment how
  comment allez-vous? how are you?
le commissariat de police* police station
commode comfortable
un compartiment compartment
un comportement* behavior
se comprendre to understand each other, oneself
comprendre to understand; to include
compris(e) included
la comptablitié accounting
un compte account
un compte d'épargne savings account
compter to count
un comptoir* counter
se concentrer (sur) to concentrate (on)
une conférence lecture
la confiture jam
confortable comfortable
confusément confusedly
un congélateur* freezer
congelé(e)* frozen
connaître to know, be familiar with
s'y connaître to be knowledgeable
un conseil piece of advice
conseiller (de) to advise
les conserves f. preserves, canned goods
une consommation* drink
constamment constantly
construire to construct
contenir* to contain
content(e) happy
le contenu contents
continuer to continue
un copain, une copine* pal, friend

le coq au vin* chicken made in red wine

les coquilles Saint-Jacques scallops

le corps body

une correspondance connection (subway)

corriger to correct

un costume suit (men's)

la côte* coast

une côtelette cutlet

le coton cotton

le cou neck

se coucher to go to bed

une couchette sleeping berth

couler* to flow

un couloir hall, corridor

un coup de fil telephone call

se couper to cut oneself

couper* to cut

couramment fluently

une courbature* ache

le courrier mail

le cours exchange rate

un cours course (school)

une course automobile automobile race

une course* race

la couture: faire de... to sew

un(e) couturier(ère)* fashion designer

un couvert table setting

couvert(e) covered, cloudy, overcast

couvrir to cover

une cravate tie

un crayon pencil

les crevettes f. shrimp

une crise de foie liver trouble

du crochet crocheting

croire* to believe

un croque-monsieur open grilled ham and cheese sandwich

croustillant* crisp

la croyance* belief

les crudités f. raw vegetables

la cuisine: faire... to do the cooking

les cuisses de grenouille f.* frogs' legs

la cuisson* cooking

une cure therapeutic stay

le cyclisme bicycling

D

d'abord first of all

d'accord OK

les dames f. checkers

dans in

de of, from

  de moitié* by half

  de rien you're welcome

  de temps en temps from time to time

  de toute façon in any case

debout* standing

se débrouiller to manage, to find a solution

un début beginning

décemment decently

décidément decidedly

décontracté(e) relaxed

décrire to describe

décrocher to pick up the receiver

un défaut* flaw

un défilé parade

déjà already

le déjeuner lunch

déjeuner to have lunch

un(e) délégué(e) delegate

délicieux(se) delicious

demain tomorrow

un demi glass of draught beer

demi(e) half

une dent tooth

le départ departure

se dépêcher to hurry

dépenser to spend

se déplacer to move

déplorer to deplore

déposer to deposit

déprimant(e) depressing

depuis since

le dernier cri* latest fashion

dernier(ère) last

derrière behind

dès que as soon as

descendre to go down, get off

se déshabiller to get undressed

désirer to desire

désolé(e) very sad

désormais* from then on

le dessin drawing

un(e) destinataire person receiving a letter

se détendre* to relax

détester to hate

détruire* to destroy

une deux chevaux (2CV)* small Citroën (auto)

devant in front of

devenir to become

devoir to owe; to have to, must

les devoirs m. homework

dévoué(e) devoted

un dicton* saying

difficile difficult

un digestif* after-dinner drink

dignement worthily

dîner to eat dinner

un diplôme diploma

dire to say

discret(ète) discreet

discuté(e)* talked-about

disparaître* to disappear

se disputer (avec) to argue (with)

un disque record

d'occasion* used

un doigt finger

donner to give

dormir to sleep

le dos back

une dose dosage

la douane customs

une douche shower

doué(e) talented

douteux(se) doubtful

doux(ce)* mild, sweet

une douzaine dozen

un drapeau flag

droit(e) right

  la droite* political right

le droit law

  faire son droit to study law

le droit* right

dû, due à* due to

durer to last

E

une **écharpe** scarf
une **école** school
l'**économie** f. economics
écouter to listen to
écrire to write
un **écrivain*** writer
un **édifice*** building
l'**effectif** m. personnel
effectué(e) completed
s'effectuer* to come about
efficace* efficient
l'**efficacité** f.* efficiency
également* also
une **église** church
elle she, it
emballé(e)* wrapped
s'embrasser to kiss; to hug
une **émission** program (T.V., radio)
empêcher (de) to prevent
un **emploi** job
un **emploi du temps** schedule
employer to use
emprunter to borrow
en in, to, at, on
  en avance early
  en dehors de* outside of
  en effet as a matter of fact
  en espèces f. cash
  en face de across from
  en fin de compte* in the long run
  en P.C.V. (en paiement chez vous)* collect
  en première in first class
  en retard late
  en solde on sale
  en tant que* as
  en voie de développement* developing
enchanté(e) delighted
encore still
s'endormir to fall asleep
endosser to endorse
un **endroit*** place
l'**énervement** m. nervousness
s'énerver to get annoyed
engager to hire

engloutir* to swallow up
un **ennui** problem
ennuyeux(se) boring
s'enrouler* to wind around
l'**enseignement** m.* education
ensemble* together
ensuite next
entendre to hear
  s'entendre (avec) to get along (with)
  entendre dire to hear said
  entendre parler de to hear about
entendu understood
entendu: bien... of course
entier(ère)* whole
un **entr'acte** intermission
entre between
une **entrée** main dish; entrance
entrer to enter, go in
entretemps in the meantime
une **enveloppe** envelope
un **envoi** sending (mail)
envoyer to send
épatant(e) sensational
une **épicerie** grocery store
des **épinards** m. spinach
une **époque*** era
une **équipe** team
l'**équitation** f. horseback riding
les **escarpins** m. women's high-heeled shoes
les **espadrilles** f. canvas shoes
espagnol(e) Spanish
espérer to hope
essayer (de) to try (to)
établir* to establish
un **étage** floor
une **étagère*** display
étant donné* given
une **étape** stage, leg of a journey
un **état** state
l'**été** m. summer
s'étendre* to stretch out
une **étiquette** label
étonné(e) surprised
un **étranger*** foreigner
être to be
  être dans le vent* to be in style

  être des nôtres to join us
  être en train de to be in the process of
étroit(e) narrow
l'**étude des marchés** f. market study
les **études** f. studies
un(e) **étudiant(e)** student
étudier to study
un **événement** event
évidemment evidently
un **examen de classement** placement exam
exiger to require
expédier to send (a letter or package)
un **expéditeur** person sending a letter
un **express** espresso coffee
exprimer to express
l'**extérieur** m.* outside
un **extrait** extract

F

facile easy
facilement easily
la **facturation** billing
une **facture*** bill
une **faculté** school (part of university)
faire to do; to make
  faire attention (à) to pay attention (to)
  faire connaissance de* to get to know
  faire de la tension* to have high blood pressure
  faire de son mieux to do one's best
  faire des économies to save
  faire des sommes* to do addition
  faire du bien to do good
  faire du camping to go camping
  faire du français to study French
  faire du sport to participate in sports
  faire l'amour m. to make love

faire la connaissance de to meet, make the acquaintance of
faire la cuisine to do the cooking
faire la lessive to do the laundry
faire la queue* to stand in line
faire la vaisselle to do the dishes
faire les courses *f.* to go shopping; to do errands
faire le ménage to do the housework
se faire mal (à) to hurt oneself
faire recommander to register (a letter or package)
faire ses comptes *m.* to check one's financial situation
faire un voyage to take a trip
faire une promenade to take a walk
faire une valise to pack
une famille family
fauché(e) broke
faux(sse) false
une façon* way
une femme woman
une fenêtre* window
une fente slot
ferroviaire* rail
un feu d'artifice firework
se fiancer to get engaged
fier(ère)* proud
la fièvre fever
un filet shopping sack
une fille daughter
un film d'épouvante horror film
un film policier mystery, detective film
un fils son
fin(e) thin
finir to finish
flambé(e) flaming
une fleur* flower
fleuri(e)* in bloom
le fleuve* river
le flipper* pinball machine
une flûte flute
fluvial(e)* river
une fois once
des fois *f.* sometimes

une fois pour toutes once and for all
foncé(e)* dark (color)
un(e) fonctionnaire* civil servant
le football soccer
le footing jogging
la force* strength
la formation education
une formule formula
fou (folle)* crazy, mad, wild
un foulard scarf
fournir* to furnish
un foyer* home
frais (fraîche) fresh
les frais de logement *m.* board
franchement frankly
francophone French-speaking
français(e) French
fréquemment frequently
un frère brother
un frisson shiver
frivole frivolous
froid(e) cold
le fromage cheese
une frontière* border
les fruits de mer *m.* seafood
fumé(e) smoked
fumer to smoke
fumeur(se) smoky
furieux(se) furious

G

gagner to win; to earn
un gant glove
garder to keep
une gare railroad station
garni(e) served with potato or vegetable
un garçon boy; waiter
gaspiller to waste
gâté(e) spoiled
un gâteau cake
gauche left
 la gauche* political left
geler* to freeze
généralement generally
généreux(se) generous
un genou knee

un genre* kind
les gens *m.** people
gentiment nicely
la gestion management
un gilet vest
la glace ice cream
la gloire* glory
la gorge throat
un goût taste
goûter* to taste
grâce à* thanks to
la graisse* fat, grease
un gramme gram
un grand magasin department store
une grand-mère grandmother
un grand-père grandfather
gratiné(e) browned with bread crumbs or cheese
gratuit(e)* free
grave serious
une grève* strike (labor)
une grippe flu
gris(e) gray
grossir to put on weight
le gruyère Swiss cheese
un guichet ticket window

H

s'habiller to get dressed
habiter to live
d'habitude usually
les haricots verts *m.* green beans
haut(e) high
un haut-parleur* loudspeaker
la haute couture* high fashion
la hauteur* height
une heure hour
heureusement fortunately
hier yesterday
l'histoire *f.* history
l'hiver *m.* winter
honnête honest
un hôpital hospital
un horaire timetable
un hors-d'œuvre appetizer
une houillère* coal mine

huit jours a week
les huîtres *m.* oysters

I

ici here
idéaliste idealistic
une idée idea
il he, it
  il est question de it is a question
    of
  il faut it is necessary
  il ne faut pas* one must not
  il s'agit de it is a question of
  il se peut it is possible
  il vaut mieux it is better
une île* island
il y a there is, there are; ago
l'informatique *f.* computer
  science
une image* picture
imbattable unbeatable
un immeuble* apartment
  building
impair* odd
s'impatienter to get impatient
un imperméable raincoat
l'imprimerie *f.** printing
les imprimés *m.** printed matter
une incertitude uncertainty
inconséquent(e)* inconsistent
un inconvénient* drawback
incroyable unbelievable
indépendamment independently
indépendant(e)* independent
un indicatif area code
indiscret(ète) indiscreet
un ingénieur engineer
s'inquiéter (de) to worry (about)
s'inscrire* to register
inscrit(e)* written, inscribed
insister to insist
un instituteur, une institutrice*
  elementary school teacher
intellectuel(le) intellectual
intéressant(e) interesting
s'intéresser (à) to be interested in
l'intérieur *m.** inside
italien(ne) Italian

J

une jambe leg
le jambon ham
japonais(e) Japanese
un jardin garden
un jardin public* park
du jardinage gardening
un jardinier* gardener
jaune yellow
je I
  je vous en prie you're welcome
se jeter* to flow into
un jeton token
jeune young
joli(e) pretty, good-looking
jouer (à) to play (a game)
jouer (de) to play (a musical
  instrument)
jouir de* to enjoy
un jour day
un jour de fête*(holiday
le journal (*pl.:* journaux)
  newspaper
le journalisme journalism
une journée day
un jus de fruit fruit juice
juste just, right

K

un kilomètre (km)* kilometer
un kir white wine and fruit brandy

L

la the; her, it
là there
là-bas over there
laid(e) ugly
la laine wool
laisser faire to allow to do
un lait-fraise milk and strawberry
  syrup
un lampion lantern
les langoustines *f.* crayfish
une langue language
les langues modernes *f.* modern
  languages

le lapin rabbit
large* wide
un lavabo bathroom sink
se laver to wash oneself
le the; him, it
léger(ère) light
un légume vegetable
le lendemain the next day
lentement slowly
lequel (laquelle) which one(s)
les the; them
la lessive: faire... to do the
  laundry
une lettre d'engagement job offer
  letter
une lettre de candidature
  application letter
les lettres *f.* humanities
leur their
se lever to get up
se libérer* to free oneself
une librairie bookstore
licencier to fire (from job)
un lieu* place
le lièvre hare
la linguistique linguistics
lire to read
un lit bed
un litre liter
la littérature literature
un livre book
une livre pound
le logement lodging
loin de far from
le long de* along
long(ue) long
le luxe* luxury
un lycée secondary school

M

une machine à écrire typewriter
Madame (Mme) Mrs.
Mademoiselle (Mlle) Miss
un magasin* store
maigrir to lose weight
un maillot de bain bathing suit
un maillot de corps undershirt
une main hand

maintenant now
mais but
une maison house
une maîtrise master's degree
mal badly, poorly
malade sick
malgré in spite of
malgré* despite
malheureusement unfortunately
malhonnête dishonest
un manche sleeve
un mandat* money order
manger to eat
un manteau coat
un maquereau* mackerel
se maquiller to put on makeup
le marché market
un marché en plein air open-air
  market
un mari husband
se marier to get married
marqué(e) marked
une marque* make, brand
les mathématiques f.
  mathematics
une matière subject (school)
un matin morning
mauvais(e) bad
me me, to me
un(e) mécanicien(ne) mechanic
méchamment nastily
méchant(e) nasty
un médecin doctor
la médecine medicine (science)
un médicament medicine
un mélange* mixture
même same, even
un ménage* household
le ménage: faire... to do the
  housework
une menthe à l'eau mint-flavored
  water
mentionnant mentioning
le menton* chin
un menu fixed menu
merci thank you
une mère mother
méridional(e)* southern, from
  the Midi
mériter (de) to deserve

un mètre meter
le métro subway
mettre to put (on)
se mettre à to begin to
se mettre en colère to get angry
mexicain(e) Mexican
midi noon
un mille-feuille Napoleon
des milliers* thousands
mince thin
la minceur* slimness
minuit midnight
un miroir mirror
moi I, me
moins less
moins de less, fewer
moins encore* even less
un mois month
mon (ma, mes) my
un monde world
le monde des affaires business
  world
la monnaie change
Monsieur (M.) Mr.
monter (dans) to go up; get in (a
  vehicle)
une montre* watch
montrer to show
moqueur(se)* mocking
un morceau piece
les morts aux guerres m.* war
  dead
un mot* word
les moules m. mussels
le Moyen Âge* Middle Ages
moyen(ne)* average
un moyen* mode, manner
muni(e)* carrying
un musée museum
la musique music

N

nager to swim
naïf (naïve) naïve
la naissance* birth
la natation swimming
naturellement naturally
navré(e) very sad

ne not, no
  ne quittez pas don't hang up
  ne... guère* scarcely
  ne... jamais never
  ne... ni... ni neither . . . nor
  ne... pas encore not yet
  ne... personne nobody
  ne... plus no longer
  ne... rien nothing
néanmoins* nevertheless
neiger to snow
n'est-ce pas? isn't that so?
le nez nose
n'importe quel(le)(s) any
une noce* wedding
noir(e) black
un nom name
un nom de famille last name
non no
non plus neither
non-fumeur(se) nonsmoking
le nord* north
une note grade
la note bill
notre (nos) our
nous we, us, to us
nouveau (nouvel, nouvelle) new
un nuage cloud
une nuit night
se numériser* to become
  quantitative

O

obéir à to obey
obtenir to obtain
occidental(e)* Western
occupé(e) bust
s'occuper de to take care of
l'œil m., les yeux eye(s)
une œuvre* work
une offre d'emploi job offer
offrir to offer
un oignon onion
une omelette omelet
  une omelette aux fines herbes
    omelet with mixed herbs and
    spices
un omnibus local train

on people, one, you, we, they
un oncle uncle
un opératrice telephone operator
optimiste optimistic
un orage storm
un Orangina orange soda
un ordinateur computer
une ordonnance prescription
une oreille ear
ou or
où where
oublier to forget
l'ouest m.* west
oui yes
ouvert(e)* open
une ouvreuse usher
un(e) ouvrier(ère) worker
ouvrir to open

P

P.J. (Pièces Jointes)* enclosures
le pain bread
un pain au chocolat croissant with chocolate in middle
un pain de campagne round loaf of bread
pair* even
un palais* palace
un pamplemousse grapefruit
un panier* basket
un pantalon pants
Pâques Easter
par by
  par avion by airmail
  par nuit per night
  par rapport à* in relation to
  par voie de surface by surface mail
un parapluie umbrella
un parc park
parce que because
parcourir* to cover
un parent parent; relative
parfois* sometimes
parler to speak
parmi among

d'une part... d'autre part* on the one hand . . . on the other hand
partager* to share
un parterre* flowerbed
particulier(ère)* private
partir to leave; to go away
partout everywhere
paru(e) appeared
pas du tout not at all
passé(e) last
se passer to happen
passer par* to pass through
passer un examen to take a test
passionnant(e) exciting
passionner* to excite
une pastille lozenge
un pastis licorice-flavored alcoholic drink
le pâté ground meat and liver loaf
une pâtisserie pastry shop; pastry
un patron* proprietor
un pavillon* house in a development
payer to pay, to pay (for)
  payer les yeux de la tête to pay an arm and a leg
le paysage* countryside
une pêche peach
la pêche fishing
un peintre* painter
la peinture painting
pendant during, for
penser à to think about (have one's mind on)
penser de to think about (have an opinion about)
un pépin* problem, snag
perdre to lose
un père father
perfectionner to perfect
périssable perishable
permettre to allow
perdre to lose
un Perrier carbonated mineral water
persuadé(e) convinced
peser to weigh
un(e) petit(e) ami(e) boy (girl) friend

les petites annonces (f.) classified ads
les petits pois m. peas
pétrolier(ère)* dealing with oil
un peu a little (bit)
peu probable highly improbable
une pharmacie drugstore
la philosophie philosophy
la physique physics
une pièce room; play
une pièce d'indentité identification
une pièce de monnaie coin
la place square; plaza; space
la plage beach
une plainte* complaint
le plaisir pleasure
un plan map (of city)
une plaque d'immatriculation* license plate
un plat dish (of food)
un plat cuisiné* precooked meal
plein(e)* full
pleurer to cry
pleuvoir to rain
se plier* to bend
la pluie* rain
la plupart (de) the majority
plus more
  plus de more
  plus tard later
plusieurs several
plutôt rather
pluvieux(se)* rainy
la poésie* poetry
le point d'arrêt* stop (subway)
une pointure size (gloves, shoes)
une poire pear
le poisson fish
la politique politics
politique: faire de la... to be in politics
une pomme apple
une pomme de terre potato
un pont* bridge
le porc pork
la porte door
  la porte d'arrière back door (car)
  la porte d'avant* front door (car)
un portefeuille wallet

se porter to be (healthwise)
porter sur* to affect, concern
poser sa candidature to apply
un poste job
la poste restante* written word
poster to mail
un(e) postier(ère) postal employee
le potage soup
le poulet chicken
pour for; in order to
un pourboire tip
pourquoi why
pourtant* however
pouvoir to be able to
pratique practical
un préavis notice
précisément exactly
préciser to give details
précuit* precooked
préférer to prefer
premier(ère) first
premièrement first
prendre to take; to eat
un prénom first name
les préparatifs m. preparations
se préparer to get ready
près de near
prescrire* to prescribe
une présentation introduction (people)
presque* almost
pressé(e) in a hurry
prêt(e) (à) ready (to)
prêter to lend
prêter à confusion to lend (itself) to confusion
une preuve d'emploi proof of work
prier to request
le printemps spring
la prise capture
privé(e) private
le prix* price
prochain(e) next
un produit product
un professeur teacher
se promener to take a walk
promettre to promise
protéger* to protect

prudemment cautiously
la psychologie psychology
la publicité publicity, advertising
puissamment powerfully
puissant(e) powerful
un pull(over) sweater
punir to punish
un pyjama pajamas

Q

qu'est-ce que? what?
qu'est-ce qui? what?
un quai* river bank, streets along . . .
qualifié(e) qualified
quand when
le quart quarter
que what
que? what?
quel(le)(s)? which?
quelqu'un somebody
quelque chose something
quelquefois sometimes
quelques a few
qui who
qui? who?, whom?
quinze jours two weeks
quitter to leave
quoi? what?

R

un raccourci* shortcut
raccourcir to shorten
raccrocher to hang up
radin stingy
des raisins m. grapes
la raison pour laquelle reason why
un rapide fast train
rapidement quickly
se rappeler to remember
rarement rarely
se raser to shave
rater to fail
un rayon department (in store)
réaliser to bring to fruition
réaliste realistic

récemment recently
un récépissé receipt
la réception hotel desk
recevoir to receive
une rechute* collapse
reconnaître* to recognize
un reçu receipt
le rédacteur, la rédactrice editor
regarder to look at
se regarder to look at each other, oneself
un régime diet
régler to settle
regretter to regret
rejoindre les deux bouts* to make ends meet
un relevé de compte bank statement
relier* to link
une religieuse
remercier to thank
remplir to fill
se rencontrer to run into each other
rencontrer to meet, run into
rendre to return
rendre (+ adj.)* to make
rendre visite à to visit (a person)
se rendre* to go
renouveler to renew
se renseigner* to get information
la rentrée (des classes) start of school in Fall
rentrer to go home; to come home
réparer to repair
un repas meal
répondre (à) to answer
se reposer to rest
un réseau* network
réserver to reserve
une résidence universitaire dormitory
résister* to resist
rester to stay
retenir to retain
retirer to withdraw
retrouver* to meet
une réunion meeting
se réunir to meet together

réunir* to bring together
réussir (à) to succeed (in)
se réveiller to wake up
revenir to come back
rêver* to dream
la révision* review
une revue magazine
le rez-de-chaussée ground floor
rire* to laugh
une rivière f.* river (tributary)
le riz* rice
un roi* king
roman(e)* Romanesque
un rôti roast
roucouler* to coo
rouge red
rouler* to flow
roux (rousse) red-haired
une rue street
russe Russian

S

un sac pocketbook
un sac à dos backpack
sacrosaint(e)* doubly sacred,
    inviolable
sain(e)* healthy
une salade salad; lettuce
un salaire salary
une salleà manger dining room
une salle d'attente waiting room
une salle de bains bathroom
saluer* to greet
salut hi
une salutation* greeting
des sandales f. sandals
sans without
la santé health
satisfait(e) satisfied
une saucisse sausage
un saucisson salami
sauté(e) fried
savoir to know, know how to
une scène* stage
la science politique political
    science
les sciences humaines f. social
    sciences

les sciences naturelles f. natural
    sciences
les sciences physiques f.
    physical education
scolaire school
sec, sèche* dry
sécher une classe to cut a class
le secteur privé* private sector
un séjour* stay
une semaine week
sénégalais(e) Senegalese
le sens sense, meaning
se sentir to feel
sérieux(se) serious
serrer la main* to shake hands
la serveuse* waitress
servi(e) served
le service d'accueil welcome
    service
servir to serve
se servir de to use
si if
un siècle* century
un siège* seat
siéger* resides
la sieste nap, siesta
signer* to sign
s'il vous plaît please
un slip briefs
une société corporation
la sociologie sociology
une sœur sister
la soie silk
se soigner to take care of oneself
le soin care
un soir evening
un soldat* soldier
le soleil sun
solliciter to solicit
un son* sound
songer* to think (dream) about
sortir to leave, go out
un souci* worry
se soucier de* to worry about
souffler* to blow
souffrant(e)* ailing
souffrir to suffer
souhaité(e) desired
souhaiter to wish
soumettre* to submit

un sous-vêtement underwear
soutenir* to support
un soutien-gorge bra
un souvenir memory
se souvenir (de) to remember
souvent often
une spécialisation major
spontanément spontaneously
sportif(ve) involved in sports
une standardiste telephone
    operator
une station de métro subway
    station
une station thermale health spa
un stylo pen
suffire to be enough
suffisamment sufficiently
suisse Swiss
suivant(e)* following
suivre to follow
suivre un cours to take a course
un sujet* subject
un supplément additional
    payment
supprimer* to eliminate
sûr certain
sur on
sur mesure* (made) to order
surtout* especially
sympathique* nice
un symptôme symptom
un syndicat* trade union

T

un tableau* present
une tâche* task
un tailleur suit (women's)
un talon heel
tant mieux so much the better
une tante aunt
tantôt... tantôt* sometimes . . . at
    other times
le tarif postal postage
une tarte pie
tâter* to touch
te you, to you
téléphoner (à) to call
tellement so

le temps time; weather
le temps de parcours* travel time
tenir to hold
tenir à to be anxious to
des tennis m. sneakers
la tentation* temptation
un terrain* field
une terrine meatloaf
une tête head
un thé au citron tea with lemon
un thé au lait tea with milk
un thé-nature plain tea
le Tiers Monde* Third World
un tilleul* herbal tea
un timbre(-poste) stamp
timide shy, timid
une tisane herbal tea
le tissu* material (cloth)
un titre title
toi you (familiar)
toilette: faire sa... to wash up
une tomate tomato
un tombeau* tomb
ton (ta, tes) your (fam.)
la tonalité dial tone
toucher (à) to concern
toujours always
tourner to turn
tous (toutes) les deux both
tous ensemble all together
tous les deux* both
tousser to cough
le tout everything
tout (toute, tous) all, every
  tout à coup suddenly
  tout à fait quite
  tout à l'heure in a little while
  tout de même all the same
  tout de suite immediately
  tout droit straight ahead
  tout le monde everybody
  tout près very close, near
un trajet trip
une tranche slice
le travail work
travailler to work
les travaux pratiques m. lab work
traverser to cross
très peu very little

un tribunal (aux)* court
le tricot knitting
triste sad
se tromper (de) to make a mistake, to be wrong
trop too much, too many, too
trop de too much
un trottoir sidewalk
trouver to find
se trouver to be located
la truite trout
tu you

U

uni(e)* solid (color)
universitaire university
une usine* factory

V

les vacances f. vacation
la vaisselle dishes
la vaisselle: faire... to do the dishes
valoir la peine to be worthwhile
se vanter* to boast
le veau veal
un vélo bike
un vélomoteur motorbike
le velouté cream soup
un vendeur, une vendeuse salesperson
vendre to sell
venir to come
venir de to have just
le vent wind
les ventes f. sales
les ventes extérieures f. foreign sales
le ventre abdomen
un verre glass
un verre de blanc glass of white wine
un verre de rouge glass of red wine
vers toward, about

vert(e) green
une veste jacket
un vêtement article of clothing
la viande meat
vider to empty
la vie* life
un vieillard* old man
vieillir to get old
vieux (vieil, vieille) old
un vignoble* vineyard
une ville city
le vin wine
violet(te) purple
un violon violin
vite quickly
la vitesse* speed
les vitraux m.* stained glass windows
un Vittel noncarbonated mineral water
un vœu* wish
voici here is, here are
une voie* track; way
voilà there is, there are
voir to see
un(e) voisin(e) neighbor
voisin(e)* neighboring
la voiture* car
une voix* voice
le volant* steering wheel
votre(vos) your
vouloir to want
vouloir dire to mean
vous you, to you
un voyageur traveler
vrai(e) true
vraiment really

W

le W. C. water closet, toilet
un wagon-lit sleeping car
un wagon-restaurant dining car

Y

y there
les yeux m. eyes

LEXIQUE: Anglais-Français

A

a few quelques
a great deal beaucoup; beaucoup de
a little (bit) un peu
a lot beaucoup; beaucoup de
about vers
absolutely absolument
to accept accepter; agréer
to accompany accompagner
account un compte
accounting la comptablitié
across from en face de
active actif(ve)
actively activement
additional charge un supplément
to adore adorer
advancement l'avancement m.
to advise conseiller (de)
arm un bras
after après
after all après tout
afternoon l'après-midi
ago il y a
air aérien(ne)
airmail letter un aérogramme
airplane un avion
airport un aéroport
all tout (toute, tous)
all the same tout de même
all together tous ensemble
to allow permettre
to allow to do laisser faire
already déjà
also aussi
always toujours
ambitious ambitieux(se)
American américain(e)
among parmi
to answer répondre (à)
anthropology l'anthropologie f.
apartment un appartement

appeared paru(e)
appetizer un hors-d'œuvre
apple une pomme
application letter une lettre de demande
to apply poser sa candidature
area code un indicatif
to argue (with) se disputer (avec)
to arrive arriver
article of clothing un vêtement
as a matter of fact en effet
as many autant de
as much autant de
as soon as aussitôt que, dès que
asparagus (stalk) une asperge
at à
at a fixed price à prix fixe
at first sight à première vue
at that moment à ce moment-là
at the end of au bout de
at the house chez
at the present time actuellement
to attend assister à
aunt une tante
automobile race une course automobile
autumn l'automne

B

back le dos
backpack un sac à dos
bad mauvais(e)
badly mal
bakery (bread) une boulangerie
banana une banane
bank une banque
bank statement un relevé de compte
to bathe se baigner
bathing suit un maillot de bain
bathroom une salle de bains

bathroom sink un lavabo
to be être
to be (healthwise) se porter
to be able to pouvoir
to be afraid (of) avoir peur (de)
to be anxious to tenir à
to be ashamed avoir honte
to be cold avoir froid
to be enough suffire
to be familiar with connaître
to be hot avoir chaud
to be hungry avoir faim
to be hungry as a bear (wolf) avoir une faim de loup
to be in politics politique: faire de la...
to be in the habit of avoir l'habitude de
to be in the process of être en train de
to be interested in s'intéresser (à)
to be knowledgeable s'y connaître
to be located se trouver
to be lucky avoir de la chance
to be named s'appeler
to be right avoir raison
to be sleepy avoir sommeil
to be thirsty avoir soif
to be worthhwile valoir la peine
to be wrong avoir tort
beach la plage
beard une barbe
beautiful beau (bel, belle)
because parce que
to become devenir
bed un lit
bedroom une chambre
beef le bœuf
beer une bière
before avant
before dinner drink un apéritif

to begin (to) commencer (à); se
  mettre à
beginning un début
behind derrière
Belgian belge
between entre
bicycling le cyclisme
bike un vélo
bill la note
bill (money) un billet
billing la facturation
biology la biologie
birthday un anniversaire
black noir(e)
blond blond(e)
blouse un chemisier
blue bleu(e)
board les frais de logement m.
body le corps
book un livre
book (of tickets) un carnet
bookstore une librairie
boots les bottes f.
boring ennuyeux(se)
to borrow emprunter
both tous (toutes) les deux
bottle une bouteille
boxing la boxe
boy un garçon
boy (girl) friend un(e) petit(e)
  ami(e)
bra un soutien-gorge
Brazilian brésilien(ne)
bread le pain
to break se casser
briefly brièvement
briefs un slip
to bring apporter
to bring to fruition réaliser
broke fauché(e)
brother un frère
brown brun(e)
browned with bread crumbs or
  cheese gratiné(e)
to brush se brosser
business world le monde des
  affaires
but mais
butcher shop une boucherie
to buy acheter

to buy for oneself s'acheter
by airmail par avion
by surface mail par voie de
  surface

C

café un café
cake un gâteau
to call (on phone) téléphoner (à)
to be called, named s'appeler
camera un appareil-photo
can une boîte
Canadian canadien(ne)
canned goods les conserves f.
canvas shoes les espadrilles f.
capture la prise
car une auto
carbonated mineral water un
  Perrier
care le soin
carrot une carotte
cash en espèces f.
cashier's window une caisse
cat un chat
cathedral une cathédrale
cautiously prudemment
to celebrate célébrer
certain sûr
certainly certainement
change la monnaie
to change changer
to check one's financial situation
  faire ses comptes
checkbook un carnet de chèques
checkers les dames
cheese le fromage
chemistry la chimie
cherry une cerise
chicken le poulet
to choose choisir
church une église
circle un cercle
city une ville
classified ads les petites
  annonces f.
cloud un nuage
cloudy couvert(e)
club un cercle

coat un manteau
Coca Cola un coca
coffee un café
coffee with cream un café-crème
coffee with warm milk un café au
  lait
coin une pièce de monnaie
cold froid(e)
collect en P.C.V. (en paiement
  chez vous)
to colonize coloniser
to come venir
to come back revenir
to come home rentrer
comfortable confortable,
  commode
completed effectué(e)
computer un ordinateur
computer science l'informatique
  f.
to concentrate (on) se
  concentrer (sur)
to concern toucher (à)
confusedly confusément
connection une correspondance
constantly constamment
to construct construire
contents le contenu
to continue continuer
convinced persuadé(e)
corner un coin
corporation une société
to correct corriger
corridor un couloir
cotton le coton
to cough tousser
to count compter
course un cours
to cover couvrir
covered couvert(e)
crayfish les langoustines f.
cream soup le velouté
credit card une carte de crédit
crocheting du crochet
croissant with chocolate in
  middle un pain au chocolat
to cross traverser
to cry pleurer
customs la douane
to cut a class sécher une classe

to cut oneself se couper
cutlet une côtelette

D

dance un bal
daughter une fille
day un jour, une journée
decently décemment
decidedly décidément
delegate un(e) délégué(e)
delicious délicieux(se)
delighted enchanté(e)
department (in store) un rayon
department store un grand magasin
departure le départ
to deplore déplorer
to deposit déposer
depressing déprimant(e)
to describe décrire
to deserve mériter (de)
to desire désirer
desired souhaité(e)
detective film un film policier
devoted dévoué(e)
dial un cadran
dial tone la tonalité
diet un régime
difficult difficile
dining car un wagon-restaurant
dining room une salle à manger
diploma un diplôme
discreet discret(ète)
dish (of food) un plat
dishes la vaisselle
dishonest malhonnête
to do faire
to do errands faire les courses f.
to do good faire du bien
to do one's best faire de son mieux
to do the cooking la cuisine: faire...
to do the dishes la vaisselle: faire...
to do the housework le ménage: faire...
to do the laundry la lessive: faire...

to be wrong se tromper (de)
doctor un médecin
dog un chien
don't hang up ne quittez pas
door la porte
dormitory une résidence universitaire
dosage une dose
doubtful douteux(se)
dozen une douzaine
drawing le dessin
to drink boire
drink une boisson
drugstore une pharmacie
duck le canard
duckling le caneton
during pendant

E

each one chacun(e)
ear une oreille
early en avance
to earn gagner
easily facilement
Easter Pâques
easy facile
to eat manger, prendre
to eat dinner dîner
economics l'économie f.
editor le rédacteur, la rédactrice
education la formation
elevator un ascenseur
to empty vider
enclosed ci-joint(e)
enclosures P.J. (Pièces Jointes)
to endorse endosser
engineer un ingénieur
English anglais(e)
enough assez de
to enter entrer
entrance une entrée
envelope une enveloppe
espresso coffee un express
evening le soir
event un événement
everybody tout le monde
everything le tout
everywhere partout

evidently évidemment
exactly précisément
exchange rate le cours
exciting passionnant(e)
executive un cadre
expensive cher(ère)
to express exprimer
extract un extrait
eye l'œil m. (les yeux)

F

to fail rater
to fall asleep s'endormir
false faux (fausse)
family une famille
famous célèbre
far from loin de
fast train un rapide
father un père
to feel se sentir
to feel like avoir envie de
fever la fièvre
fewer moins de
to fill remplir
film society un ciné-club
finally enfin
to find trouver
to find a solution se débrouiller
fine arts les beaux-arts m.
finger un doigt
to finish finir
to fire licencier
firework un feu d'artifice
first premier(ère)
first name un prénom
fish le poisson
fishing la pêche
to fit aller bien à
fixed menu un menu
flag un drapeau
flaming flambé(e)
floor un étage
flu une grippe
fluently couramment
flute une flûte
to follow suivre
for pendant, pour

foreign sales les ventes extérieures *f.*
to forget oublier
form une formule
formerly autrefois
fortunately heureusement
frankly franchement
French français(e)
French-speaking francophone
frequently fréquemment
fresh frais (fraîche)
fried sauté(e)
friend un(e) ami(e)
frivolous frivole
from de
from the general menu à la carte
from time to time de temps en temps
fruit juice un jus de fruit
furious furieux(se)

G

garden un jardin
gardening du jardinage
generally généralement
generous généreux(se)
German allemand(e)
to get along (with) s'entendre (avec)
to get angry se mettre en colère
to get annoyed s'énerver
to get dressed s'habiller
to get engaged se fiancer
to get impatient s'impatienter
to get in (a vehicle) monter (dans)
to get married se marier
to get off descendre
to get old vieillir
to get ready se préparer
to get undressed se déshabiller
to get up se lever
gift un cadeau
to give donner
to give details préciser
glass un verre
glass of draught beer un demi

glass of red wine un verre de rouge
glass of white wine un verre de blanc
glove un gant
to go aller
to go away s'en aller, partir
to go camping faire du camping
to go down descendre
to go home rentrer
to go in entrer
to go out sortir
to go shopping faire les courses *f.*
to go swimming se baigner
to go to bed se coucher
to go up monter (dans)
good-bye au revoir
good-looking joli(e)
grade une note
gram une gramme
grandfather un grand-père
grandmother une grand-mère
grapefruit un pamplemousse
grapes des raisins *m.*
gray gris(e)
green vert(e)
green beans les haricots verts *m.*
grocery store une épicerie
ground floor le rez-de-chaussée
ground meat and liver loaf le pâté

H

hair les cheveux *m.*
half demi(e)
hall un couloir
ham le jambon
hand une main
hand calculator une calculatrice
to hang up raccrocher
to happen se passer
happy content(e)
hare le lièvre
hat un chapeau
to hate détester, avoir horreur de
to have avoir
to have a good time s'amuser

to have a hangover avoir mal aux cheveux
to have a meeting with avoir rendez-vous (avec)
to have a pain (in) avoir mal (à)
to have confidence in avoir confiance en
to have just venir de
to have lunch déjeuner
to have to devoir
to have trouble avoir de la peine (à)
head une tête
health la santé
health spa une station thermale
to hear entendre
to hear about entendre parler de
to hear said entendre dire
heart le cœur
heel un talon
hello bonjour
herbal tea une tisane
here ici
here is, here are voici
hi salut
high haut(e)
highly improbable peu probable
to hire engager
history l'histoire *f.*
to hold tenir
home chez
homework les devoirs *m.*
honest honnête
honeymoon un voyage de noces
to hope espérer
horror film un film d'épouvante
horesback riding l'équitation
hospital un hôpital
hot chaud(e)
hot chocolate un chocolat
hotel desk la réception
hour une heure
house une maison
how comment
How are you? Ça va?; Comment allez-vous?
how many, how much combien de
to hug s'embrasser
humanities les lettres *f.*

to hurry se dépêcher
to hurt avoir mal (à)
to hurt oneself se faire mal (à)
to hurt oneself se blesser
husband un mari

I

ice cream la glace
idea une idée
idealistic idéaliste
identification une pièce d'identité
if si
immediately tout de suite
in à, dans
in a hurry pressé(e)
in a little while tout à l'heure
in any case de toute façon
in first class en première
in front of devant
in order to pour
in spite of malgré
in style à la mode
in the future à venir
in the meanwhile entretemps
included compris(e)
independent indépendant(e)
independently indépendamment
indiscreet indiscret(ète)
to insist insister
intellectual intellectuel(le)
to intend to avoir l'intention de
interesting intéressant(e)
intermission un entr'acte
involved in sports sportif(ve)
isn't that so? n'est-ce pas?
it is a question of il s'agit de, il est
   question de
it is better il vaut mieux
it is necessary il faut
it is possible il se peut
Italian italien(ne)

J

jacket une veste
jam la confiture
Japanese japonais(e)
job un emploi, un poste

job offer une offre d'emploi
job offer letter une lettre
   d'engagement
jogging le footing
to join us être des nôtres
journalism le journalisme
just juste

K

to keep garder
key une clé
to kiss s'embrasser
knee un genou
knitting le tricot
to know connaître, savoir
to know how to savoir

L

lab work les travaux pratiques *m.*
label une étiquette
lamb l'agneau *m.*
language une langue
lantern un lampion
last dernier(ère), passé(e)
to last durer
last name un nom de famille
late en retard
later plus tard
law le droit
lawyer un(e) avocat(e)
lawyer un cabinet
to learn apprendre
to leave partir, sortir, quitter
lecture une conférence
left (à) gauche
leg une jambe
lemonade un citron pressé
to lend prêter
to lend itself to confusion prêter
   à confusion
less moins (de)
lettuce une salade
library une bibliothèque
licorice-flavored alcoholic drink
   un pastis
light léger(ère)
light (color) clair

to like aimer
linguistics la linguistique
to listen to écouter
liter un litre
literature la littérature
to live habiter
liver trouble une crise de foie
local train un omnibus
lodging le logement
long long(ue)
look avoir l'air (de)
to look at regarder
to look at each other se regarder
to look for chercher
to lose perdre
to lose weight maigrir
lozenge un cachet, une pastille
lunch le déjeuner

M

magazine une revue
to mail poster
mail le courrier
mail box une boîte aux lettres
main dish une entrée
major une spécialisation
majority la plupart (de)
to make faire
to make a mistake se tromper
   (de)
to make love faire l'amour
to make the acquaintance of
   faire la connaissance de
to manage se débrouiller
management la gestion
many beaucoup de
map (of city) un plan
marked marqué(e)
market le marché
market study l'étude des
   marchés *f.*
master's degree une maîtrise
mathematics les mathématiques
   f.
me moi
meal un repas
to mean vouloir dire
meaning le sens

meanwhile entretemps
meat la viande
meat loaf une terrine
mechanic un(e) mécanicien(ne)
medicine (science) la médecine
medicine un médicament
to meet (first time) faire la connaissance de
to meet rencontrer, retrouver
to meet together se réunir
meeting une réunion
memory un souvenir
mentioning mentionnant
menu une carte
meter un mètre
Mexican mexicain(e)
midnight minuit
milk and strawberry syrup un lait-fraise
mint-flavored water une menthe à l'eau
mirror un miroir
Miss Mademoiselle
modern languages les langues modernes f.
money l'argent m.
money exchange office un bureau de change
month un mois
monthly subway pass une carte orange
more plus(de)
morning le matin
mother une mère
motorbike un vélomoteur
mountain climbing l'alpinisme
mouth la bouche
to move se déplacer
movies le cinéma
Mr. Monsieur
Mrs. Madame
much beaucoup de
museum un musée
mushroom un champignon
music la musique
mussels les moules m.
must, to have to devoir
mystery movie un film policier

N

name un nom
nap la sieste
Napoleon pastry un mille-feuilles
narrow étroit(e)
nastily méchamment
nasty méchant(e)
natural sciences les sciences naturelles f.
naturally naturellement
naïve naïf (naïve)
near près de, tout près
neat chouette
neck le cou
need un besoin
to need avoir besoin de
neighbor un(e) voisin(e)
neither non plus
neither...nor ne...ni...ni
nervousness l'énervement
never ne...jamais
new nouveau (nouvel, nouvelle)
next prochain(e)
next ensuite
next to à côté de
nice aimable
nicely gentiment
night une nuit
night shirt une chemise de nuit
no non
no longer ne...plus
non smoking non-fumeur(se)
nobody ne...personne
non-carbonated mineral water un Vittel
non-negotiable check un chèque barré
noon midi
nose le nez
not at all pas du tout
to not be able to stand avoir horreur de; détester
not yet ne...pas encore
notebook un cahier
nothing ne...rien
notice un préavis
now maintenant

O

to obey obéir à
to obtain obtenir
of de
of course entendu: bien...
to offer offrir
office un bureau
office (doctor's) un cabinet
often souvent
OK d'accord
old vieux (vieil, vieille)
omelet une omelette
omelet with mixed herbs and spices une omelette aux fines herbes
on sur
on foot à pied
on sale en solde
on the subject à propos
on time à l'heure
once une fois
once and for all une fois pour toutes
one on
one-way ticket un aller simple
onion un oignon
to open ouvrir
open grilled ham and cheese sandwich un croque-monsieur
optimistic optimiste
or ou
orange soda un Orangina
to order commander
over there là-bas
overcast couvert(e)
to owe devoir
oysters les huîtres m.

P

to pack faire une valise
package un colis
painting la peinture
pajamas un pyjama
pants un pantalon
panty hose les collants m.
parent un parent
park un parc

to participate in sports faire du
sport
pastry une pâtisserie
pastry shop une pâtisserie
pastry with chocolate and pastry
cream une religieuse
to pay (for) payer
to pay an arm and a leg payer les
yeux de la téte
to pay attention (to) faire
attention (à)
peach une pêche
pear une poire
peas les petits pois m.
pen un stylo
pencil un crayon
people on
per night par nuit
to perfect perfectionner
perishable périssable
person receiving a letter un(e)
destinataire
person sending a letter un
expéditeur
personnel l'effectif m.
philosophy la philosophie
phone receiver un appareil
physical education les sciences
physiques f.
physics la physique
to pick up the receiver décrocher
pie une tarte
piece un morceau
piece of advice un conseil
pike le brochet
pill un cachet
place of chez
placement exam un examen de
classement
plain tea un thé-nature
play une pièce
to play (a game) jouer (à)
to play (a musical instrument)
jouer (de)
plaza une place
please s'il vous plaît
pleasure le plaisir
political science le science
politique
politics la politique

poorly mal
pork le porc
pork butcher shop une
charcuterie
to post afficher
post office un bureau de poste
postage le tarif postal
postal employee un(e)
postier(ère)
potato une pomme de terre
pound une livre
powerful puissant(e)
powerfully puissamment
practical pratique
to prefer préférer, aimer mieux
preparations les préparatifs m.
prescription une ordonnance
preserves les conserves f.
pretty joli(e)
to prevent empêcher (de)
private privé(e)
problem un ennui
product un produit
program une émission
to promise promettre
proof of work une preuve
d'emploi
proper comme il faut
psychology la psychologie
publicity la publicité
to punish punir
purchases les achats m.
purple violet(te)
purse un sac
to put (on) mettre
to put on makeup se maquiller
to put on weight grossir

Q

qualified qualifié(e)
quarter le quart
quickly rapidement, vite
quite tout à fait

R

rabbit le lapin
railroad station une gare

to rain pleuvoir
raincoat un imperméable
rarely rarement
rather plutôt
raw vegetables les crudités f.
to read lire
ready (to) prêt(e) (à)
realistic réaliste
really vraiment
reason why la raison pour
laquelle
receipt un reçu, un récipissé
to receive recevoir
recently récemment
record un disque
red rouge
red-haired roux (rousse)
to register (a letter or package)
faire recommander
to regret regretter
relative un parent
relaxed décontracté(e)
to remember se souvenir (de), se
rappeler
to renew renouveler
to repair réparer
to request prier
to require exiger
to reserve réserver
to rest se reposer
to retain retenir
to return rendre
return receipt un avis de
réception
right (à) droite
right juste
roast un rôti
room une pièce
room (for sleeping) une chambre
round loaf of bread un pain de
campagne
round-trip ticket un aller-retour
run into rencontrer
to run into each other se
rencontrer
Russian russe

S

sad triste
salad une salade
salami un saucisson
salary un salaire
sales les ventes *f.*
salesperson un vendeur, une vendeuse
same même
sandals des sandales *f.*
satisfied satisfait(e)
sausage une saucisse
to save faire des économies
savings account un compte d'épargne
to say dire
scallops les coquilles Saint-Jacques
scarf un foulard, une écharpe
schedule un emploi du temps
school scolaire
school (part of university) une faculté
school une école
seafood les fruits de mer *m.*
secondary school un lycée
to see voir
to seem avoir l'air (de)
to sell vendre
to send envoyer
to send (a letter or package) expédier
sending (mail) un envoi
Senegalese sénégalais(e)
sensational épatant(e)
sense le sens
serious grave
serious sérieux(se)
to serve servir
served servi(e)
served with potato or vegetable garni(e)
to settle régler
several plusieurs
to sew la couture: faire de ...
to shave se raser
shirt une chemise
shiver un frisson
shoes les chaussures *f.*

shop une boutique
shopping sack un filet
short on funds à court d'argent
to shorten raccourcir
to show montrer
shower une douche
shrimp les crevettes *f.*
shy timide
sick malade
sidewalk un trottoir
siesta la sieste
silk la soie
since depuis
to sing chanter
sink for washing genitals un bidet
sister une sœur
size (gloves, shoes, hats) une pointure
size (clothes) une taille
ski jacket un anorak
sky le ciel
to sleep dormir
sleeping berth une couchette
sleeping car un wagon-lit
sleeve un manche
slice une tranche
slit une fente
slowly lentement
to smoke fumer
smoked fumé(e)
smoking fumeur(se)
sneakers des tennis *m.*
to snow neiger
so tellement
so much the better tant mieux
soccer le football
social sciences les sciences humaines *f.*
sociology la sociologie
socks les chaussettes *f.*
to solicit solliciter
somebody quelqu'un
something quelque chose
sometimes quelquefois
son un fils
soup la potage
Spanish espagnol(e)
to speak parler

to spend dépenser
spinach des épinards *m.*
spoiled gâté(e)
spontaneously spontanément
spring le printemps
square une place
stage (time) une étape
stamp un timbre(-poste)
start of school in Fall la rentrée (des classes)
state un état
to stay rester
steak un bifteck
stereo set une chaîne stéréo
still encore
stingy radin
stomach le ventre
to stop s'arrêter (de)
storm un orage
straight ahead tout droit
street une rue
student un(e) étudiant(e)
studies les études *f.*
to study étudier
to study French faire du français
to study law faire son droit
subject (school) une matière
suburbs la banlieue
subway le métro
subway entrance une bouche de métro
subway station une station de métro
to succeed (in) réussir (à)
suddenly tout à coup
to suffer souffrir
sufficiently suffisamment
suit (men's) un costume
suit (women's) un tailleur
summer l'été *m.*
sun le soleil
suprised étonné(e)
sweater un pull(over); un chandail
to swim nager
swimming la natation
Swiss suisse
Swiss cheese le gruyère
symptom un symptôme

T

table setting un couvert
to take prendre
to take (a person) amener (à)
to take a course suivre un cours
to take a test passer un examen
to take a trip faire un voyage
to take a walk faire une
   promenade; se promener
to take care of s'occuper de
to take care of oneself se soigner
to take place avoir lieu
talented doué(e)
taste un goût
tea with lemon un thé au citron
tea with milk un thé au lait
teacher un professeur
teaching assistant un(e)
   assistant(e)
team une équipe
telephone booth une cabine
   téléphonique
telephone call un coup de fil
telephone directory un annuaire
telephone operator une
   standardiste, une opératrice
to thank remercier
thank you merci
that's too bad c'est dommage
the next day le lendemain
theater l'art dramatique m.
therapeutic stay une cure
there là
there is, are violà; il y a
they on
thin (person) mince
thin fin(e)
thin loaf of bread une baguette
to think about (have an opinion
   about) penser de
to think about (have one's mind
   on) penser à
throat la gorge
ticket un billet
ticket window un guichet
tie une cravate
time le temps
timetable un horaire
timid timide

tip un pourboire
title un titre
to à
tobacco shop un bureau de
   tabac
today aujourd'hui
toilet le W. C.
token un jeton
tomato une tomate
tomorrow demain
too, too much, too many trop
tooth une dent
toward vers
tranquillizer un calmant
traveler un voyageur
traveler's check un chèque de
   voyage
tree un arbre
trip un trajet
trout la truite
true vrai(e)
to try (on) essayer
to try (to) essayer (d)
to turn tourner
two weeks quinze jours
typewriter une machine à écrire

U

ugly laid(e)
umbrella un parapluie
unbeatable imbattable
unbelievable incroyable
uncertainty une incertitude
uncle un oncle
undershirt un maillot de corps
to understand comprendre
to understand each other se
   comprendre
understood entendu
underwear un sous-vêtement
unemployed chômé(e)
unfortunately malheureusement
university universitaire
unmarried célibataire
to use employer, se servir de
usher une ouvreuse
usually d'habitude

V

vacation les vacances f.
veal le veau
vegetable un légume
very close tout près
very little très peu
very sad navré(e), désolé(e)
vest un gilet
violin un violon
to visit (a person) rendre visite à

W

to wait (for) attendre
waiter un garçon
waiting room une salle d'attente
to wake up se réveiller
wallet un portefeuille
to want vouloir
to wash oneself se laver
to wash up toilette: faire sa...
to waste gaspiller
water closet le W. C.
we on
to wear (on feet) chausser de
weather le temps
week une semaine
to weigh peser
to welcome accueillir
welcome service le service
   d'accueil
well bien
what quel; qu'est-ce que? qu'est-
   ce qui? que? quoi?
when quand
where où
which? quel(le)s
which one? lequel(le)(s)?
white blanc(he)
white wine and fruit brandy un kir
who qui
whom qui
why pourquoi
to win gagner
wind le vent
wine le vin
winter l'hiver (m.)
to wish souhaiter
with à

to withdraw retirer
without sans
woman une femme
women's high-heeled shoes les escarpins *m.*
wool la laine
to work travailler
work le travail
workbook un cahier
worker un(e) ouvrier(ère)

workshop un atelier
world un monde
to worry (about) s'inquiéter (de)
worthily dignement
to write écrire

Y

year une année; un an

yellow jaune
yes oui
yesterday hier
you on; tu; vous; te; toi
you're welcome je vous en prie, de rien
young jeune

Index

INDEX